MAGICAE
DARKSIDE

Gustavus Hindman Miller
Com organização de Linda Shields & Lenore M. Skomal

12.000 DREAMS INTERPRETED
New material © 2011 by Sterling Publishing Co., Inc.
Publicado em acordo com Sterling Publishing Co., Inc.
e Ute Körner Literary Agent.
Todos os direitos reservados

Com colagens de Ben Giles e acervo
de imagens de © Shutterstock, © Alamy,
© Creative Commons e DarkSide Books.

Tradução para a língua portuguesa
© Fernanda Lizardo, 2022

Diretor Editorial
Christiano Menezes

Diretor Comercial
Chico de Assis

Gerente Comercial
Giselle Leitão

Gerente de MKT Digital
Mike Ribera

Gerentes Editoriais
Bruno Dorigatti
Marcia Heloisa

Editora
Raquel Moritz

Capa e Projeto Gráfico
Retina 78

Coord. de Arte
Arthur Moraes

Coord. de Diagramação
Sergio Chaves

Finalização
Sandro Tagliamento

Preparação
Isadora Torres

Revisão
Jessica Reinaldo
Rebecca Paola Gerndt
Retina Conteúdo

Impressão e Acabamento
Leograf

DADOS INTERNACIONAIS DE CATALOGAÇÃO NA PUBLICAÇÃO (CIP)
Jéssica de Oliveira Molinari - CRB-8/9852

Miller, Gustavus Hindman
   Dicionário dos sonhos / Gustavus Hindman Miller ; tradução de
Fernanda Lizardo ; organizado por Linda Shields, Lenore Skomal.
— Rio de Janeiro : DarkSide Books, 2022.
   480 p. : il.

   ISBN 978-65-5598-190-2
   Título original: 12000 Dreams Interpreted

   1. Sonhos – Significados – Dicionário I. Título II. Lizardo,
Fernanda III. Shields, Linda IV. Skomal, Lenore

22-2350   CDD 135.3

Índices para catálogo sistemático:
1. Sonhos - Significados

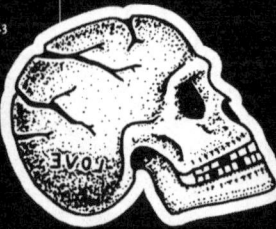

[2022]
Todos os direitos desta edição reservados à
DarkSide® *Entretenimento LTDA.*
Rua General Roca, 935/504 — Tijuca
20521-071 — Rio de Janeiro — RJ — Brasil
www.darksidebooks.com

Gustavus H. Miller

DICIONÁRIO dos SONHOS

Linda Shields e Lenore Skomal

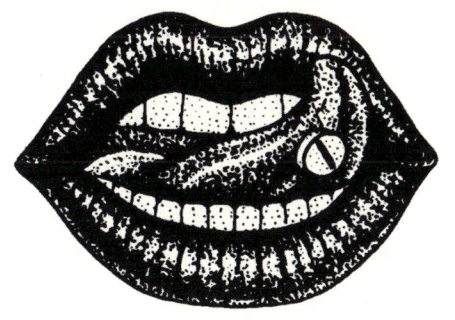

Tradução
Fernanda Lizardo

DARKSIDE

ABCD 24 56 80 130.
EFGHI 152 176 196 212 220
JKLM 234 242 246 264
NOPQ 290 300 310 346
RSTUV 352 370 386 406 412
WXYZ 426 430 434 438

Apresentação

O que é um sonho?

> "As pessoas pensam que sonhos não são reais apenas porque não são feitos de matéria, de partículas. Sonhos são reais, mas eles são feitos de pontos de vista, de imagens, de memórias e trocadilhos, e de esperanças perdidas."
>
> — *O Oceano no Fim do Caminho*, Neil Gaiman

O sonho é um lugar ao qual vamos para escapar dos altos e baixos da vida? É uma profecia do que nos aguarda? Ou talvez um recado do passado, de um ente querido há muito falecido, estendendo a mão das profundezas nebulosas do mundo espiritual? Seria o próprio mundo espiritual tentando nos dar um aviso ou nos conceder maior clareza a respeito de algum assunto? Poderia ser nosso subconsciente solucionando um problema ou nos oferecendo um vislumbre de acontecimentos vindouros? Ou é simplesmente culpa daqueles picles que comemos antes de dormir?

A resposta a todas as perguntas acima é "sim".

Em nossa vida desperta, nosso cérebro subconscientemente armazena informações, acontecimentos e sentimentos à medida que vamos seguindo pelos dias e anos. Ao mesmo tempo, temos um subconsciente espiritual que atua numa espécie de subsolo de nossa vida. E é em nossos sonhos que surge o poder combinado de todos esses níveis de consciência.

Os sonhos geralmente se materializam na forma de uma história. Vivenciamos essa história por completo, com todas as pessoas, lugares, sensações e cheiros que visitam nosso inconsciente, mas muitas vezes, ao acordar, nos recordamos apenas de fragmentos, de um único item ou sentimento transitório, e deixamos nossa vida desperta ser levemente assombrada pelas perambulações noturnas.

Embora possa parecer contraintuitivo, esses sonhos podem funcionar como uma espécie de curativo para manter nosso equilíbrio mental. Alguns de seus componentes são coisas que

gostaríamos de esquecer, mas que às vezes nos revelam lições e aprendizados que nos ajudam a prosseguir em nossa vida desperta.

E é aqui que este livro entra em ação. Este dicionário possui mais de doze mil definições que vão ajudar você a interpretar seus sonhos de maneira abrangente, para poder explorar os detalhes com o seu íntimo depois. Não se preocupe com os significados mais fatalistas, mas preste atenção nos simbolismos e alertas que ele oferece para o seu entorno.

Com um pouco de prática, interpretar um sonho fica fácil e divertido. Você pode inclusive criar o hábito de desenhar os fragmentos do seu sonho para poder destacar as partes que julga mais importantes. Com o tempo, você vai se descobrir capaz de interpretar seus sonhos de modo intuitivo, adotando este guia apenas como referência quando necessário.

COMO SONHAR

Todo mundo sonha. É uma coisa que todos os seres humanos têm em comum. A questão é que alguns de nós não conseguimos nos lembrar dos sonhos ao acordar, e por causa disso, nossa percepção acaba nos dizendo (equivocadamente) que não sonhamos nada. Uma vez que os sonhos não são meramente fantasias divertidas, e sim podem servir como ferramentas poderosas para ajudar na solução dos problemas da sua vida, sugerimos aprender a mergulhar em seus sonhos e se lembrar deles ao acordar.

Se você tiver algum problema, pensar nos aspectos dele um pouco antes de dormir pode ajudar. Quais são os princípios do problema e como você se sente a respeito dele? Quem está envolvido nele, e por quê? Encare tais perguntas de um ponto de vista objetivo, se distanciando do assunto, caso contrário pode acabar obcecado com o problema em vez de adormecer. Enxergue o problema como se estivesse de longe, com desapego; agora você é um mero observador. Não pense nele com muito afinco ou por muito tempo, e lembre-se de que seu objetivo é resolver esse problema durante o sono.

Enquanto organiza as peças mentalmente, repita para si: "terei clareza durante o sono". A seguir, permita-se adormecer. Pode ser que você precise fazer esse processo por diversas noites seguidas, mas em algum momento sua mente sonhadora vai apresentar uma solução para o que lhe aflige. Se você não tem um problema específico, mas vislumbra seu futuro mais distante, então pode fazer o mesmo exercício; antes de dormir, simplesmente concentre-se no que deseja saber. Seu subconsciente passa o tempo todo absorvendo e processando minúsculas partículas de informação sobre o mundo ao seu redor, sem que você sequer perceba isso, e por isso é capaz de captar as conexões ocultas e indicadores sutis que sua mente desperta não consegue detectar. Se você, calma e repetidamente, direcionar sua mente para tal propósito, seus sonhos vão revelar mais do que seus olhos podem ver.

TIPOS DE SONHOS

Os especialistas em interpretação dividem os sonhos nas seguintes categorias:

PESADELOS

A definição de pesadelo está na mente do sonhador. Se você acorda assustado, então é um pesadelo. Embora haja a crença de que o pesadelo é um reduto exclusivo de crianças bem novinhas, para muitas pessoas, os pesadelos são muito realistas — e um tanto assustadores. Mas a maioria de nós se concentra no sentimento de medo que fica de resquício em vez de se concentrar nos detalhes do sonho que o incitou. Compreender os componentes do pesadelo vai nos conceder informações valiosas sobre os temores subjacentes que dão origem a esses sonhos-monstro. De fato, muitas pessoas que sofrem de pesadelos crônicos são atormentadas por traumas muito genuínos de suas vidas despertas, sejam eles vigentes ou fruto da lembrança. Descobrir e resolver tais problemas e buscar ajuda profissional é a melhor forma de banir pesadelos, principalmente aqueles que acontecem com frequência.

SONHOS RECORRENTES

Muitos de nós já tivemos o mesmo sonho repetidamente. Um sonho pode visitá-lo todas as noites durante várias semanas, ou ressurgir vez ou outra ao longo de muitos anos. Podem ser sonhos relacionados a temores que você precisa resolver em sua vida desperta, e são dignos de nota e de observação. Eles podem deter um significado profundo e, se examinados com afinco, geralmente oferecem uma assistência muito necessária, juntamente a um pedaço da sua personalidade, que pode trazer benefícios se você lhe der a devida atenção; eles podem representar um temor que você dominou, ou um trauma que necessita de cura. Às vezes, sonhos recorrentes estarão presentes durante anos até que, finalmente, sua representação fique óbvia para você. Interpretar esses sonhos pode ajudar a solucionar o enigma que eles simbolizam; e aí eles vão parar de vir.

SONHOS DE CURA

Os sonhos de cura são, na verdade, sonhos mensageiros. Eles incluem recados cujo objetivo é motivar você a tomar alguma medida específica em relação à sua saúde ou a um possível problema médico. O corpo possui uma capacidade natural de nos revelar seus problemas. Sempre preste atenção aos avisos que os sonhos oferecem.

SONHOS PROFÉTICOS

Esses sonhos também são chamados sonhos precógnitos, pois geralmente prognosticam ou pressagiam algum aspecto do seu futuro. Algumas pessoas não acreditam em sonhos proféticos, por isso essa modalidade também é frequentemente intitulada sonhos mediúnicos. No entanto, aqueles que possuem esse tipo de sonho são inflexíveis ao afirmar que eles oferecem orientações precisas.

SONHOS ÉPICOS

Como o nome indica, os sonhos épicos são inesquecíveis para aqueles que os têm, não apenas em extensão, mas também em detalhes vívidos. Tais sonhos também são conhecidos como sonhos cósmicos, devido à simbologia e ao significado que contêm. Se interpretados com exatidão, os sonhos épicos têm o poder de mudar sua vida, principalmente porque costumam revelar uma profunda nitidez interior.

SONHOS LÚCIDOS

Um sonho lúcido ocorre quando você tem plena noção de que está sonhando. Embora permaneça no estado de sono, é capaz de dizer ativamente a si que tudo é apenas um sonho e permanece vaga ou completamente ciente de seu estado. Algumas pessoas desenvolvem a capacidade de assumir o controle de um sonho lúcido uma vez que reconhecem estar sonhando. Se você consegue fazer isso, então pode se tornar um participante ativo do seu sonho e assim controlar seu rumo e suas atitudes nele. Em determinado sentido, você se torna o roteirista do seu sonho.

DEVANEIOS

Os pesquisadores ainda estão tentando determinar onde os devaneios (o ato de "sonhar acordado") se encaixam no espectro dos sonhos, uma vez que eles ocorrem em algum ponto entre o estado de vigília e o sono profundo. Esses "meio sonhos" geralmente assumem o tom de fantasia ou experiência surreal. A pesquisa indica que a maioria de nós pode sonhar acordado por mais de uma hora por dia. Alguns sonhadores adotam os limites indistintos do sonho acordado para moldar suas visões e visualizar resultados positivos em suas vidas despertas.

COMO INTERPRETAR SEUS SONHOS

Sugerimos que você sempre mantenha uma caneta e um bloquinho de papel ao lado da cama para listar todos os elementos do seu sonho assim que acordar. Os sonhos costumam escapar rapidamente da memória, e cada elemento dele pode contribuir para sua interpretação bem-sucedida. Escreva o máximo que conseguir se lembrar. Nesse caso, quanto mais, melhor; nenhuma informação é demais.

No decorrer de uma noite de sono, temos vários sonhos, então, se por acaso você acordar no meio da madrugada, tente anotar rapidamente suas impressões. Uma vez que você passar do estado sonial para um estágio de sono mais profundo e menos ativo, não mais vai conseguir acessar as visões que teve enquanto sonhava. Além disso, quando dormimos profundamente, conseguimos nos lembrar apenas daqueles sonhos que vieram imediatamente antes de sermos acordados pelo despertador. Algumas pessoas de fato conseguem acordar para se lembrar com precisão dos sonhos ocorridos do meio do ciclo de sono, dos quais normalmente se esqueceriam caso dormissem direto até de manhã.

Depois de anotar tudo do qual você conseguir se lembrar, aí você descobrirá o verdadeiro significado das palavras ou elementos que surgiram no seu sonho. Comece com uma palavra de cada vez, sondando a memória em busca de quaisquer associações parciais ou elementos relacionados. Registre quaisquer aspectos extras que lhe ocorram; a seguir, procure neste dicionário de sonhos o significado de cada elemento anotado no bloquinho. Continue a fazer esse exercício até reunir informações a respeito de tudo o que você considera pertinente.

Agora vem a parte divertida. Conforme analisa as definições, você provavelmente vai flagrar um tema emergindo. Será que todos os significados apontam para uma resposta a um problema? Há um nascimento ou morte chegando na sua vida? Você precisa se reconectar com seus amigos ou reavaliar suas amizades? Existem referências a perdas ou ganhos financeiros? Se a maior parte do que você sonhou aponta para determinada direção, preste atenção e aborde tais questões em sua vida desperta.

Vários temas podem aparecer dentro de um sonho. Divida o sonho nas temáticas que você conseguir detectar. Os problemas geralmente têm muitas camadas, assim como os sonhos que os esclarecem. Pode ser que você descubra que o sonho está, na verdade, desenhando um mapa que vai desencadear na junção de vários aspectos da sua vida.

Ao juntar todos os símbolos e emoções de um sonho, você verá como eles se encaixam para fornecer a história dos seus sonhos. E através da história dos seus sonhos, você vai descobrir a história da sua vida.

Esperamos que este livro forneça a orientação necessária para enxergar seus sonhos com mais nitidez, auxiliando a desvendar seus significados ocultos e a compreender as verdadeiras mensagens de seu subconsciente. Pelo livro também espalhamos palavras, fragmentos e reflexões de muitos sonhadores que auxiliarão sua jornada onírica daqui para frente.

Ela acreditava em anjo e, porque acreditava, eles existiam.

Clarice Lispector

Sonhe um pouco antes de pensar.

Toni Morrison

"Amanhã vou sonhar para sempre."

ABACAXI Sonhar com abacaxis é um presságio muito feliz. Caso você esteja colhendo ou comendo abacaxis, o sucesso chegará muito em breve. Se você sonha que espeta os dedos ao descascar ou fatiar um abacaxi, é porque vai ter um aborrecimento considerável com questões que por fim vão trazer prazer e sucesso.

ÁBACO Sonhar com um ábaco significa que você está encarando sua vida de maneira muito obsoleta. Pode ser que você precise reexaminar suas abordagens e reavaliar as situações sob uma luz totalmente nova. Conecte-se com o que faz o seu coração bater mais forte.

ABADE Sonhar que você é um abade pressagia que há alguém traçando planos para sua queda. Sonhar com um abade em oração é um aviso sobre adulação e falsidade. Olhe ao redor com atenção. | *Ver também* Igreja, Padre.

ABADESSA Sonhar com uma abadessa sorridente e benigna indica que você estará rodeado de amigos sinceros e perspectivas agradáveis. Celebre esta graça.

ABADIA Sonhar com uma abadia em ruínas indica que suas esperanças e planos vão acabar mal. É melhor reavaliar suas estratégias para evitar infortúnios. Sonhar com uma abadia em bom estado, no entanto, é sinal de bênçãos. | *Ver também* Igreja, Padre.

ABAJUR Ver um abajur em sonho significa que em breve você vai necessitar de proteção. Renove suas energias e cuide do que é importante para você.

ABANDONO Lidar com um ou mais seres abandonados em seu sonho significa que você e vários colegas logo terão grandes ideias. Se você estiver sendo abandonado, é porque está sendo muito preguiçoso no trabalho e precisa assumir mais responsabilidades. Abandonar ou ir embora de qualquer coisa em um sonho (uma peça teatral, uma escola, um evento etc) significa que em breve você vai estar em posição de aprender algo novo. Sonhar que foi abandonado indica dificuldade para traçar seus planos relacionados ao sucesso futuro. Se foi você quem abandonou, então é sinal de que situações infelizes se acumulam ao seu redor e que você vai ficar desesperado para superá-las. Tire um tempo para avaliar suas ações e quais impactos elas vêm tendo em sua vida, sempre há tempo para ser justo consigo mesmo. Se sua casa ou empresa estiver sendo abandonada, você logo vai lamentar por estar correndo riscos excessivos. Se no sonho você abandona um amante, significa que vai receber uma herança considerável, inesperadamente. Se você estiver abandonando uma religião, é sinal de que seus ataques a pessoas importantes de sua vida estão causando muito sofrimento. Se você sonha que abandonou crianças, pode perder sua sorte devido à ausência de calma e capacidade de julgamento. Abandonar seu negócio ou trabalho em um sonho é um alerta sobre brigas ou desconfianças que estão por vir.

ABDÔMEN Ver seu abdômen em sonho indica que você nutre grandes expectativas, porém deve se conter em relação aos excessos e aumentar suas energias, pois o abuso dos prazeres pode ser prejudicial. Ver seu abdômen murcho significa que você será perseguido por falsos amigos. Já um abdômen inchado é um alerta sobre algum tipo de aflição — mas você vai superá-la e colher os frutos de seu esforço. Ver sangue escorrendo do abdômen indica um acidente ou tragédia em sua família. Dedique um tempo para conversar com as pessoas que você ama, cercar-se de carinho e harmonia o ajudará a atravessar quaisquer cenários. | *Ver também* Barriga.

ABDUÇÃO Ser abduzido ou sequestrado em sonho é um alerta de que você deve abandonar uma situação na sua vida que já não lhe serve mais, independentemente de seus desejos neste momento. Ser abduzido por um desconhecido significa que a situação atual terá um fim, não importa o que você faça. Você vai se afastar da situação, pessoa, acontecimento ou decisão que já não é mais de seu interesse. Ser abduzido por um conhecido significa que alguém que lhe é familiar será fundamental para ajudá-lo a sair da circunstância atual. Por outro lado, se você estiver raptando alguém que não conhece, é sinal de que a ajuda de que precisa poderá vir de qualquer pessoa. Raptar alguém que você conhece indica que o auxílio poderá ser obtido com a pessoa que apareceu em seu sonho.

ABELHAS As abelhas simbolizam momentos agradáveis e prósperos. Aqueles em posição de autoridade podem esperar funcionários obedientes e um ambiente saudável. Se você for picado por uma abelha em sonho, pode ser que sofra perdas ou se machuque.

ABETO Nos sonhos, essa conífera natalina simboliza boa saúde.

ABISMO Olhar para um abismo no sonho significa que você vai ser confrontado por ameaças de confisco de propriedade. Pode ser que você enfrente brigas e repreensões de natureza pessoal que vão torná-lo incapaz de lidar com os problemas da vida. | *Ver também* Poço, Precipício.

ABJEÇÃO Sonhar que você é abjeto pressagia o recebimento de más notícias. Pode ser que você falhe em suas tentativas de prosperidade. Sonhar que os outros são abjetos é sinal de brigas e negociações falsas entre seus amigos.

ABÓBADA Sonhar que está na cúpula de um edifício, vendo uma paisagem estranha, é sinal de mudança favorável em sua vida. Você vai ocupar lugares de honra entre desconhecidos. Ver uma cúpula à distância sinaliza que seus objetivos mais ambiciosos ainda estão longe de serem alcançados. Se você estiver apaixonado, deve ficar atento aos sinais que seu interesse amoroso dá, pois é possível que você não seja correspondido.

ABRIGO Sonhar que está construindo um abrigo significa que você vai conseguir escapar do alcance dos desafetos. Se você estiver procurando abrigo, preste atenção no seu entorno: alguém pode te acusar de trapaça.

ABRIL Sonhar com o mês de abril significa que você terá muito prazer e lucro à disposição. Se, no sonho, as condições climáticas estiverem ruins, é sinal de azar temporário. Não se desespere, bons tempos virão em seguida.

ABRIGO

ABORRECIMENTOS Esse tipo de sonho sugere que você tem desafetos que estão tentando lhe prejudicar. Aborrecimentos nos sonhos tendem a encontrar solução rápida nos incidentes banais do dia seguinte.

ABORTO Se você sonha com um aborto espontâneo, e estiver grávida na vida desperta, esse sonho não significa nada, não se preocupe. Sonhar com um aborto espontâneo anuncia uma gravidez ou parto de alguém próximo. Saber que alguém abortou em um sonho é um alerta sobre problemas em sua família. Sonhar que fez um aborto significa que você está visando um empreendimento que pode trazer infelicidade se for mesmo realizado. Reavalie com atenção e cuidado.

ABRAÇO Se você sonha que abraça alguém é porque vai se decepcionar no amor e no trabalho. Sonhar que abraça seu cônjuge de maneira triste ou indiferente é sinal de contendas e acusações na família. Abraçar parentes significa que eles podem estar enfermos ou infelizes. Para os amantes, sonhar com abraços prediz brigas e desentendimentos decorrentes da infidelidade. Se você abraçar um estranho, é sinal de que poderá ter um convidado indesejado.

ABSCESSO Sonhar com um abscesso que parece ter atingido um estágio grave pressagia que você vai ser dominado por um infortúnio. Também pode significar que toda a sua paciência e empatia serão necessárias para aplacar a aflição de alguém que lhe é querido.

ABSINTO Ficar sob a influência de absinto nos sonhos sugere que você provavelmente vai desperdiçar suas energias puramente em prazer.

ABSOLVIÇÃO Sonhar que foi absolvido de um crime indica que você está prestes a tomar posse de uma propriedade valiosa, mas há risco de haver um processo judicial antes da conquista. Ver outras pessoas sendo absolvidas é sinal de que seus amigos vão agregar prazer a suas ocupações.

ABUNDÂNCIA Sonhar com abundância é sinal de que você não vai poder reclamar de sua sorte.

ABUSO Sonhar que está abusando de uma pessoa indica que você vai ser desventurado nos negócios, perdendo um bom dinheiro por causa de arrogância. Sonhar que está sofrendo abuso sugere que você vai ser atrapalhado nas suas atividades diárias devido à má vontade alheia.

ABUTRE Sonhar com abutres significa que uma pessoa manipuladora está decidida a machucar você, e você vai se dar mal. Se o abutre estiver ferido ou morto, a pessoa que lhe deseja mal não conseguirá atingi-lo.

AÇAFRÃO Ver esse tempero em um sonho significa que você está alimentando falsas esperanças; rivais implacáveis estão interferindo secretamente em seus planos. Beber chá de açafrão pressagia brigas e alienação em sua família.

ACAMPAMENTO Se você sonha que acampa ao ar livre, espere uma mudança em seus assuntos pessoais. Prepare-se para fazer uma viagem longa e cansativa. Se você vir acampamentos, muitos de seus amigos podem se mudar para novos lugares, e suas próprias perspectivas vão parecer sombrias.

ACEITAÇÃO Se um empresário sonhar que uma proposta foi aceita, significa que ele vai ser bem-sucedido numa negociação que antes parecia fadada ao fracasso. Sonhar que você foi aceito por sua paquera indica que você vai ter um relacionamento feliz com o alvo de sua admiração.

ACELERAÇÃO Acelerar em um sonho significa que você vai entrar ou sair rapidamente de uma situação, e que esse movimento rápido será benéfico.

ACENO Acenar para alguém em um sonho remete a novos amigos e conhecidos no horizonte.

ACERVO Se você sonha que tem um acervo de objetos físicos, significa que na vida desperta tem opções limitadas para resolver um problema que tem lhe incomodado.

ACESSÓRIOS Sonhar com acessórios denota que você está insatisfeito com a maneira com que algum trabalho vem sendo feito. Talvez você precise se posicionar para que as coisas mudem. Se os acessórios se quebrarem no sonho, você vai se deparar com falência nos negócios ou uma possível doença grave em alguém próximo.

ACIDENTE Sonhar com um acidente é indício de que, por um curto período, viagens de qualquer natureza podem colocar sua vida em risco. Testemunhar ou passar por um acidente fatal em um sonho sugere que algo que você pensou ter sido um erro na verdade se mostrará benéfico.

ACIDEZ Sonhar que come algo ácido ou azedo sugere que você está olhando com muita frequência para coisas materiais para vislumbrar a felicidade. Você precisa se aproximar de seus valores.

ÁCIDO Sonhar que está tomando ácido com fins psicodélicos significa que logo você vai ter de prestar contas de um delito que pensava ter escondido. Sonhar que está bebendo ácidos corrosivos é sinal de que sua ansiedade está fora de controle — cuide do seu psicológico para ter mais qualidade de vida.

ACIMA Sonhar com qualquer coisa suspensa acima de você e prestes a cair implica perigo. Se cair em cima de você, é indicativo de possível ruína ou decepção repentina. Se cair perto de você mas errar, é sinal de que você vai escapar por um triz de perder seu dinheiro ou que vai evitar outros infortúnios. Se o objeto estiver fixado com segurança, de modo que não represente perigo, é porque sua situação vai melhorar depois de uma ameaça de perda.

ACLAMAÇÃO Sonhar que você está sendo homenageado ou elogiado por algo sugere que um acontecimento ou situação na sua vida vai trazer sorte e reconhecimento.

AÇO Sonhar com aço sugere amor e amizade duradouros. Sonhar que manuseia aço pressagia sucesso — a menos que o aço esteja em armas ou lâminas, o que indica um alerta contra o ciúme.

ACOLCHOAMENTO Sonhar com algo acolchoado significa que em breve você vai ter de lidar com um amigo desonesto. Reveja suas amizades.

ACOLHIMENTO Sonhar que recebe uma recepção calorosa na sociedade sugere que você vai ganhar distinção entre seus conhecidos e terá deferência demonstrada por desconhecidos. Sua prosperidade vai ficar bem perto de ser o que você esperava. Acolher outras pessoas revela que sua simpatia e natureza calorosa serão o seu passaporte para a felicidade.

ACORDEÃO Se você sonha que está ouvindo ou tocando a melodia de um acordeão, pode ficar na expectativa de se envolver em uma diversão que vai dar fim à tristeza e ao remorso. Deste modo, você vai ter o poder de aguentar seus fardos com mais alegria.

AÇOUGUEIRO Se você sonha com um açougueiro matando o gado e ficando ensopado de sangue, pode esperar uma doença prolongada e fatal em sua família. Ver um açougueiro cortando carne sugere que seu caráter será dissecado pelas pessoas ao seu redor. Cuidado ao redigir cartas ou documentos.

ACRÍLICO Sonhar que vai substituir o vidro por acrílico é um aviso de que as coisas no trabalho ou na vida pessoal podem não ser tão claras ou tranquilas quanto você imaginava inicialmente.

ACROBATA Sonhar que vê acrobatas sugere que você será impedido de dar forma a planos ousados por causa dos medos bobos de terceiros. Se você se vir como um acrobata, é sinal de que seus desafetos vão pegar muito no seu pé com zombarias sem sentido. Fortaleça seu humor e sua paciência.

AÇÚCAR Sonhar com açúcar denota que vai ser difícil agradar você na vida doméstica, e você vai ficar cultivando o ciúme enquanto não vê motivos para nada além de satisfação e alegria assegurada. Pode ser que haja preocupações em cena, e que você flagre sua energia e humor sobrecarregados depois desse sonho. Se você comer açúcar, terá problemas desagradáveis com os quais lidar durante algum tempo, mas vai tudo sair melhor do que o esperado.

AÇUDE Sonhar que vê água límpida jorrando sobre um açude pressagia empreendimentos agradáveis, podendo ser no campo empresarial ou social. Se a água estiver lamacenta ou impura, é porque haverá perdas e problemas onde se esperava prazer. Se o açude estiver seco, seus avanços na carreira ou negócios vão dar uma encolhida.

ACUSAÇÃO Sonhar que você acusa alguém de alguma maldade indica que você vai brigar com pessoas abaixo de você, e sua dignidade será comprometida. Sonhar que sofre alguma acusação significa que você pode estar fofocando de forma maliciosa ou dissimulada. Avalie seu entorno para criar ambientes mais saudáveis na sua vida.

ADÃO E EVA Sonhar com Adão e Eva é sinal de muitas bênçãos em seu caminho.

ADEGA Sonhar com uma adega sugere divertimentos ou prazeres de alto padrão e que serão desfrutados a seu bel-prazer. Ver uma adega cheia de vinhos significa lucro. Se você sonhar que está numa adega fria e úmida, é porque será oprimido por dúvidas. Você vai perder a confiança em todas as coisas e será tomado por pressentimentos ruins. Esse clima sombrio no sonho também indica perda de propriedades.

ADIAMENTO Sonhar com o adiamento de um compromisso social ou profissional pressagia uma discussão com alguém próximo. Se uma viagem for adiada no sonho, é porque as preocupações financeiras vão chegar. Cuide do seu dinheiro para evitar problemas.

ADIVINHAÇÃO Se você se flagrar tentando adivinhar alguma coisa em um sonho, significa que logo encontrará solução para uma situação preocupante. Se outra pessoa estiver tentando adivinhar qualquer coisa, cuidado com falsas amizades.

ADUBO

ADMIRAÇÃO Se você sonha que é objeto de admiração, vai preservar a estima de antigos colegas de trabalho, ainda que esteja numa posição acima deles.

ADOÇÃO Se você sonha que é adotado, aguarde o anúncio de nascimento ou gravidez que pareça um milagre. Sonhar com adoção, de modo geral, é sinal de que a vida lhe trará boas surpresas.

ADORAÇÃO Adorar alguém ou algo em um sonho significa que o alvo de seu enfoque tem um lugar especial na sua vida e vai lhe trazer muita felicidade.

ADUBO O adubo representa um presságio favorável. Depois desse sonho, seus planos seguirão com tranquilidade. Tudo o que você plantou de bom vai render muitos frutos.

ADULAÇÃO Sonhar que busca a adulação indica que você pode esperar pomposamente por uma homenagem que não merece. Se você estiver adulando alguém, significa que vai se separar deliberadamente de algum pertence estimado na esperança de crescer materialmente.

ADULTÉRIO Sonhar que comete adultério significa que você vai ser processado por alguma ação ilegal ou que vai sofrer um constrangimento social. Fortaleça seus terrenos.

ADVERSÁRIO Sonhar que você encontra ou se envolve com um adversário sugere uma defesa imediata de quaisquer ataques. Pode ser que depois desse sonho você também seja ameaçado por alguma doença. Se você vencer um adversário, é sinal de que vai escapar das consequências de alguma situação muito grave. | *Ver também* Inimigos.

ADVERSIDADE Sonhar que está nas garras de uma adversidade representa fracassos contínuos e perspectivas ruins. Ver os outros numa adversidade é sinal de tristeza. Pode ser que a doença de alguém incite temores intensos em você.

ADVERTÊNCIA Sonhar que adverte alguém ou um animal de estimação significa que seus princípios generosos vão deixar você em vantagem.

ADVOGADO Consultar um advogado indica que vão surgir disputas graves focadas em coisas materiais. Os desafetos vão oprimir você com falsas alegações. Se houver um advogado defendendo você, seus amigos vão ajudar, mas essa assistência lhe causará mais estresse do que os problemas que seus desafetos criaram. Sonhar que é advogado quando você não o é na vida desperta, significa que é hora de buscar o auxílio de outra pessoa para resolver um dilema atual. Se você sonha que vê um advogado, é porque vai se envolver em um escândalo.

ÆRONAVE Sonhar com aeronaves significa que você está tentando voar de um lugar a outro, seja espiritual ou literalmente. Também pode ser um sonho profético: pode ser que você faça uma viagem de avião no futuro. | *Ver também* Avião, Asa-delta, Helicóptero, Jato.

ÆROPORTO Sonhar que está em um aeroporto ecoa as idas e vindas de situações e acontecimentos na sua vida. Também pode ser um sonho de expectativa, se você estiver planejando viajar ou fazer um passeio.

ÁGUA-VIVA

AFEIÇÃO Sonhar que está depositando seu afeto em alguém é indício de que você precisa mostrar mais afeto em determinadas situações ou por alguém em sua vida. Por outro lado, ser alvo de afeto no sonho significa que você está carente de mais demonstrações de carinho na sua vida.

AFIRMAÇÃO Sonhar que está buscando afirmação para uma ideia significa que suas ideias terão de ser levadas a cabo por você na vida real. Se você sonha que está afirmando algo para outra pessoa, então é porque vai ter ajuda.

AFLIÇÃO Sonhar que a aflição toma conta de você ou de pessoas próximas, congelando sua energia, é um alerta de desastre iminente. Em breve você vai precisar encarar problemas graves.

AFOGAMENTO Sonhar com afogamento é sinal de perda de bens e vida; mas se você for salvo, vai ascender de sua posição atual para a riqueza e honra. Se vir outros se afogando e prestar socorro, você ajudará um amigo em posição de autoridade e vai alcançar sua tão merecida felicidade.

AFTA Sonhar que tem uma afta significa que talvez você precise revelar algo que gostaria de manter secreto.

AGARRAR Sonhar que agarra alguma coisa indica ganho financeiro. Sonhar com outra pessoa agarrando alguma coisa significa perda financeira.

ÁGATA Ver uma pedra de ágata em sonho significa um sutil avanço profissional.

AGÊNCIA BANCÁRIA Ver uma agência bancária vazia em sonho aponta perdas profissionais. Dar dinheiro denota descuido; recebê-lo, grande ganho e prosperidade.

AGENTE FUNERÁRIO Esse tipo de sonho anuncia notícias de um casamento ou nascimento.

AGOSTO Nos sonhos, o mês de agosto representa acordos infelizes e mal-entendido nos romances.

AGRESSÃO E ESPANCAMENTO Sonhar que está sendo agredido é um alerta para ficar atento. Sonhar que está agredindo alguém ou sendo acusado de agressão e espancamento é um sonho de força.

ÁGUA Sonhar com água límpida significa que você vai encontrar muita prosperidade e prazer. Se a água estiver lamacenta, sinal de perigo, e a escuridão vai tomar o lugar do prazer. Se você vir a água de uma enchente invadindo sua casa, é porque na vida desperta vai lutar para resistir ao mal; mas você só vai conseguir fugir das influências perigosas se no sonho a água baixar. Se você se flagrar tirando a água com um balde, mas estiver com os pés molhados, é porque problemas, doenças e infelicidade vão trazer tristeza, mas você vai conseguir prevenir o pior usando de cautela. A mesma interpretação vale para a água lamacenta subindo em embarcações. Cair na água suja é sinal de que você vai cometer muitos erros e que vai sofrer uma dor pungente por conta disso. Beber água suja pressagia doença, mas se a água estiver límpida e refrescante, aí indica a consumação favorável de boas esperanças. Brincar com água prevê um despertar repentino para o amor e a paixão. Jogar água na cabeça sugere que o seu despertar apaixonado para o amor será correspondido. | *Ver também* Inundação, Lagoa, Poça.

ÁGUA DE ESGOTO Sonhar com água de esgoto sugere muita sorte e prosperidade.

ÁGUA MINERAL Sonhar que bebe água mineral indica que a sorte vai favorecer seus esforços. Você vai saber aproveitar as oportunidades de satisfazer suas ânsias por determinados prazeres.

ÁGUA SANITÁRIA Sonhar com esse produto significa que sua credibilidade em breve será desafiada.

ÁGUA-VIVA Por mais transparente que pareçam, mentiras machucam muito. Sonhar com esse animal do filo dos cnidários é um alerta para não mentir para conseguir o que deseja.

AGUACEIRO Sonhar que está preso em um aguaceiro é presságio de grande prosperidade chegando.

AGUADEIRO Se você vir vendedores de água passando em seus sonhos, suas perspectivas em relação à prosperidade serão favoráveis, e o amor será atuante em sua busca pelo prazer. Se você sonha que é um aguadeiro, é porque vai subir de cargo.

AGUARRÁS Sonhar com aguarrás pressagia compromissos nada lucrativos e um tanto desanimadores em um futuro próximo.

ÁGUIA Ver uma águia pairando acima de você denota altas ambições, e você vai lutar ferozmente para realizá-las; e independentemente da luta, seu intento será atingido. Ver uma águia empoleirada em alturas distantes sugere a conquista de fama, riqueza e a posição social mais elevada possível em seu país. Águias jovens no ninho simbolizam a construção de relações com pessoas em posição de autoridade; você vai lucrar com os sábios conselhos delas. E com o tempo, vai construir um rico legado. Sonhar que está matando uma águia pressagia que nenhum obstáculo pode se colocar entre você e sua ambição, por mais alta que seja. Você vai derrotar seus desafetos e alcançar riquezas incalculáveis. Comer a carne de uma águia indica uma força de vontade imensa que não se desvia nem nas batalhas mais ambiciosas, mesmo pela morte. Você logo vai adquirir bens valiosos. Ver uma águia ser morta por alguém significa que você vai perder sua sorte e posição social implacavelmente. Voar nas costas de uma águia significa uma longa viagem por países quase inexplorados em busca de conhecimento e riqueza que por fim virão.

AGULHA Usar uma agulha em sonho é um aviso sobre problemas chegando. Sonhar que está passando a linha na agulha indica que você vai ser atingido pelo fardo de cuidar de pessoas de fora de seu círculo íntimo. Procurar uma agulha pressagia preocupações desnecessárias. Já encontrar uma agulha fala de amigos que gostam de você. Quebrar uma agulha significa solidão e pobreza.

AIPO Se você sonha que vê talos de aipo fresquinhos e crocantes, é porque será próspero e influente para além de suas maiores expectativas. Se estiverem podres, em breve vai haver uma morte em sua família. Se você sonha que come aipo, amor e afeição ilimitados o esperam.

AJOELHAR Sonhar que está ajoelhado indica que você pode estar cedendo ao controle das pessoas ao seu redor.

ALABASTRO Sonhar com o alabastro significa sucesso no casamento e em todos os assuntos relacionados.

ÁLAMO Sonhar com essa árvore é um bom presságio caso ela esteja brotando ou florescendo.

ALARME Ouvir o soar de um alarme durante o sono indica que você vai ter motivos para nutrir ansiedade.

ALAÚDE Sonhar que toca alaúde é presságio de boas notícias de amigos distantes. Atividades agradáveis também sucedem esse sonho.

ALAVANCA DE CÂMBIO Sonhar que dirige suavemente usando uma alavanca de câmbio sugere que a estrada adiante será tranquila e fácil de percorrer. Sonhar que está tendo dificuldade para dirigir usando a marcha é uma previsão de um dilema em sua vida profissional. Sonhar que você ou outra pessoa está trocando de marcha em um veículo prediz mudanças em sua vida amorosa, sejam elas boas ou ruins.

ALAVANCA DE LINHA FÉRREA Se você sonha com uma alavanca para o trem fazer a troca de trilhos, é porque uma viagem vai causar muitas perdas e transtornos.

ALBERGUE PARA INDIGENTES Ver nos sonhos um albergue para abrigar pessoas em situação de pobreza é um aviso sobre amigos infiéis que têm cuidado de você só para usar seu dinheiro e pertences.

ÁLBUM Sonhar com um álbum de fotos sugere que você vai ter sucesso e amigos verdadeiros. Grande momento para colecionar memórias com as pessoas que você ama.

ÁLBUM DE RECORTES Sonhar com um álbum de recortes sugere que em breve você vai se deparar com conhecidos desagradáveis.

ÁLBUM DE SUSPEITOS Sonhar que sua fotografia está no álbum de fotos de suspeitos da polícia prediz que você vai se relacionar com pessoas que não gostam de você tanto assim.

ALCACHOFRA Sonhar com esse vegetal é sinal de que você está chegando ao cerne de um problema e que pode esperar uma doce recompensa pelo seu esforço. Conforme você vai descascando as folhas duras externas (uma representação dos problemas), cada camada vai revelando uma solução.

ALCAÇUZ Sonhar com esse doce ou sabor é um alerta para possíveis lesões físicas.

ALÇAPÃO Sonhar com um alçapão pressagia uma revelação surpreendente que vai melhorar sua vida.

ALCATRÃO É um alerta para as armadilhas e planos de rivais traiçoeiros. Ter alcatrão nas mãos ou nas roupas denota doença e tristeza.

ALCE Sonhar com esse imenso mamífero pressagia uma mudança chegando — e vai ser benéfica para você. Já sonhar que atira em um alce implica em problemas familiares.

ALCOVA Quando você sonha que está numa alcova, ou rastejando para adentrar em uma, é sinal de que você está tentando se esconder. Reavalie uma situação para obter melhores resultados.

ALDEIA Sonhar que está numa aldeia indica saúde e conforto. Visitar o interior de uma casa de aldeia é presságio de surpresas agradáveis e notícias favoráveis de amigos distantes. Se a aldeia parece em ruínas, problemas e tristeza vão chegar em breve.

ALECRIM Nos sonhos, o alecrim é sinal de que a tristeza e a indiferença vão causar infelicidade em lares aparentemente prósperos.

ALEGRIA Se você sonha que está alegre e curtindo a alegria dos amigos, é porque vai sentir prazer com sua situação atual e vai ter resultados satisfatórios no campo profissional. Porém, se houver a menor rachadura nessa alegria onírica, é porque seu sucesso vai ser manchado pela preocupação.

ALFABETO Se você sonha que está escrevendo letras específicas do alfabeto ou o alfabeto inteiro, significa que está sendo diligente e meticuloso nos acontecimentos de sua vida.

ALFACE Ver a alface crescendo verde e saudável sugere que você vai desfrutar de uma benesse um tanto desejada após um constrangimento sem importância. Se você comer alface, a doença ou o ciúme mesquinho vai causar sua separação da pessoa amada ou dos amigos. Colher pés de alface fala de uma sensibilidade superabundante e é um lembrete de que seu temperamento ciumento vai causar angústia e mágoa. Comprar alface diz que você vai cortejar a própria ruína.

ALFAIATE Sonhar com um alfaiate pressagia preocupações por conta de uma viagem. Se você tiver um mal-entendido com um alfaiate, vai se decepcionar com o resultado de algum plano. Se no sonho um alfaiate tomar suas medidas, indica brigas e desentendimentos na vida desperta.

ALFÂNDEGA Sonhar que passa pela alfândega implica que vai haver rivalidades e competição no trabalho. Se você não conseguir passar, é porque não está sendo honesto consigo ou com os outros. Reavalie seu entorno.

ALFINETE Nos sonhos, os alfinetes representam diferenças pessoais e brigas familiares. Sonhar que engole um alfinete prediz que acidentes vão colocar você em risco. Perder um alfinete implica numa perda mesquinha ou num desacordo. Se você vir um alfinete torto ou enferrujado, pode deixar de ser uma pessoa querida devido ao seu jeito desleixado. Espetar a pele com um alfinete sugere que alguém vai irritar você.

ALGARISMO ROMANO Nos sonhos, os algarismos romanos representam ganho financeiro.

ALGAS MARINHAS Se você sonha com algas marinhas, é porque em breve será solicitado a fazer algo que vai contra seus princípios.

ÁLGEBRA Se você sonha que está tentando resolver um problema de álgebra e o domina sem dificuldade, significa que qualquer incômodo na vida real também será resolvido facilmente. No entanto, se o seu sonho envolve analisar diligentemente o problema antes de finalmente resolvê-lo, isso significa que a resposta levará tempo, mas que você vai se sair bem mesmo assim. Sonhar com um problema de álgebra insolúvel significa que você vai precisar de ajuda para resolver uma pendência na vida desperta ou que será melhor abandoná-la de vez.

ALGEMA Flagrar-se algemado em seus sonhos significa que você vai ficar incomodado e contrariado por causa de desafetos. Pode ser também que haja uma ameaça de doença e perigo. Ver outra pessoa algemada indica que você vai subjugar aqueles que o oprimem e que vai se ver acima de seus pares. Sonhar com algemas, de modo geral, sugere muitos desafetos ao redor, todos agindo sob circunstâncias questionáveis. Arrebentar as algemas é sinal de que você vai escapar das armadilhas planejadas por desafetos.

ALGODÃO (BOTÂNICA) Sonhar com campos de algodão brotando denota grandes negócios e um período próspero. Para os agricultores, ver o algodão pronto para a colheita sugere riqueza e abundância. Se empresários do ramo industrial sonham com algodão, é benéfico. Para os comerciantes, denota mudança para melhor nos negócios. Ver algodão em fardos é uma indicação de períodos mais prósperos.

ALGODÃO (TECIDO) Ver tecido de algodão sugere circunstâncias tranquilas. Nenhuma grande mudança sucede esse tipo de sonho.

ALHO Passar por um canteiro de alho denota ascensão, a saída da penúria e a conquista da elevação e da riqueza. Comer alho nos sonhos implica que você deve assumir uma visão sensata da vida e deixar seus ideais falarem por si.

ALIANÇA DE CASAMENTO Sonhar com uma aliança linda e reluzente sugere que você vai estar protegido contra as preocupações e a infidelidade. Se ela for perdida ou quebrada, sinal de que muita tristeza vai adentrar sua vida, provavelmente devido à morte. Ver uma aliança de casamento na mão de um amigo, ou de outra pessoa, denota lealdade entre amigos.

ALICATE Sonhar com essa ferramenta sugere que você vai achar um jeito de contornar um problema vigente.

ALIMENTAÇÃO Sonhar que alimenta a si ou a outra pessoa, ou mesmo animais, implica no recebimento de um convite inesperado para uma festa ou evento social.

ALISTAMENTO Alistar-se nas forças armadas em um sonho significa que você vai viajar para fora de seu país natal muito em breve.

ALÍVIO Sentir alívio em um sonho ou acordar sentindo-se aliviado após um sonho prenuncia ansiedades e preocupações chegando.

ALMA Sonhar que vê sua alma saindo de seu corpo significa que você está sob risco de se sacrificar por projetos inúteis, que irão diminuir seu senso de dever e causar dor.

Sonhar que está discutindo a imortalidade da alma sugere oportunidades de se obter o conhecimento desejado, e o prazer de uma conversa inspirada com intelectuais.

ALMANAQUE Sonhar com um almanaque é indício de sorte variável e prazeres esquivos. Estudar os símbolos de um almanaque indica que você vai ser perturbado por pequenas questões que vão ocupar seu tempo.

ALMÍSCAR Sonhar com almíscar prediz ocasiões alegres e inesperadas. Os amantes vão ficar bem e deixarão de ser infiéis.

ALMOFAÇA Sonhar com essa escova de limpar cavalos prediz que você deve suportar muito trabalho árduo para alcançar riqueza e conforto.

ALMOFADA Sonhar que se reclina em almofadas macias sugere que sua comodidade será às custas de outras pessoas; mas se você sonha que apenas vê almofadas, é porque vai prosperar no trabalho e no amor.

ALOJAMENTO MILITAR Sonhar com um quartel militar cheio de soldados significa que você vai ter muita camaradagem em sua vida e não faltarão amigos para apoiá-lo. Já sonhar com um quartel vazio indica que sua luta será travada solitariamente.

ALTAR Sonhar que vê um padre no altar denota brigas e insatisfações no trabalho e em casa. Ver um casamento no altar representa tristeza para os amigos, ou sucumbência à velhice. Testemunhar uma oferta de sacrifício em um altar é sinal de chegada de boa sorte.

ALTO-FALANTE Sonhar que ouve alguém em um alto-falante é um prenúncio de que em breve vão surgir problemas em seu caminho. Mas se o som que você está ouvindo não estiver desagradável nem muito alto, os problemas serão ínfimos.

ALTURA Sonhar que você está mais alto do que é na vida real indica que seus problemas não são tão ruins quanto parecem. Sonhar que você está menor pressagia um constrangimento social que vai dar a sensação de que você é pequenininho. Sonhar que está em uma altura assustadora acima do solo significa segurança em seus relacionamentos amorosos.

ALUCINAÇÃO Se o seu sonho envolver uma alucinação, um amigo vai pedir sua ajuda — no entanto, ele pode não estar sendo totalmente sincero sobre suas dificuldades. Tente não se envolver pessoalmente.

ALUGUEL Sonhar que aluga uma casa é sinal de que você vai celebrar novos contratos que vão se revelar lucrativos. Não conseguir alugar uma propriedade significa muita inatividade na carreira. Pagar o aluguel significa que suas finanças serão satisfatórias. Mas se você não conseguir honrá-lo, é sinal de azar; vai haver uma queda na carreira e os prazeres sociais serão de pouca ajuda para animar você.

ALUMÍNIO Sonhar com alumínio representa contentamento com a sorte, por menor que esta seja.

ALVO Sonhar com um alvo sugere que uma situação chata vai desviar sua atenção de outras mais agradáveis.

ALVORECER Assistir ao nascer do dia em um sonho é presságio de sucesso, a menos que a cena seja indistinta e incomum; nesse caso, pode implicar numa decepção quando o sucesso no trabalho ou no amor estiver parecendo garantido.

AMA DE LEITE Sonhar que você é uma ama de leite pressagia que você vai enviuvar ou que vai assumir os cuidados de idosos ou de crianças pequenas.

AMABILIDADE Sonhar com coisas amáveis e encantadoras favorece todos aqueles que se relacionam com você. Para os comprometidos, sonhar que o par é uma pessoa amável prediz um casamento harmonioso chegando em breve.

AMADO Sonhar que você é amado mostra que a pessoa ou pessoas nesse sonho têm você em alta consideração; você é de fato muito amado.

AMADOR Sonhar que vê uma pessoa amadora em algo é indicativo de que você verá suas esperanças agradavelmente satisfeitas. Se houver alguma indistinção ou distorção no sonho, é provável que você se depare com uma derrocada rápida e inegável em algum empreendimento para além de seu trabalho habitual.

AMAMENTAÇÃO Para uma mulher, sonhar que amamenta seu bebê significa um emprego satisfatório. Se ela for jovem, é porque você vai ocupar cargos de honra e confiança na vida desperta. Sonhar que vê sua esposa amamentando um filho é sinal de harmonia na carreira.

AMARELO Se essa cor for proeminente em seus sonhos, significa um recomeço, felicidade e confiança.

AMARGOR Sonhar que está sentindo um gosto amargo ou comer algo amargo significa que em breve você vai achar sua vida muito doce. Sonhar que você está sendo amargo para com alguém ou alguma coisa indica a descoberta de que seus medos, na verdade, são infundados.

porque vai ser obrigado a admitir que suas expectativas sobre a vida não se realizaram e que é impossível ter uma vida somente feita de prazeres e alegrias. É um sonho muito bom se você tiver a sorte de ver galhos de ameixeiras carregados de frutos; espere riquezas.

AMEIXA SECA Essa fruta seca sugere que em breve você vai se mudar de casa. Se a ameixa estiver cozida, é prenúncio de melhoria na saúde.

AMÊNDOAS As amêndoas são um bom presságio de que a riqueza está chegando. No entanto, a tristeza vai vir no encalço da bonança por um breve período.

AMIGO

AMARRAR Sonhar que você amarra qualquer uma das partes do corpo sugere a liberação de inibições e inseguranças. Amarrar outra pessoa, de qualquer forma que seja, indica a necessidade de se libertar de um relacionamento.

AMBIGUIDADE Ter dúvidas em seus sonhos significa que, em seu estado de vigília, você não acredita no que vê, ouve e sente. Conecte-se com os seus princípios para tomar decisões mais seguras.

AMEAÇA Qualquer forma de ameaça é um aviso para observar a propensão a jogos de azar ou riscos.

AMEIXA Nos sonhos, as ameixas verdes significam desconforto, a menos que sejam vistas nas árvores. Ameixas maduras falam de ocasiões alegres, mas que vão durar muito pouco. Comer ameixas denota que você vai se envolver em um flerte. Se você sonha que colhe ameixas, é porque vai realizar seus desejos, mas eles não serão tão satisfatórios quanto você imaginava. Se você colher as ameixas do chão e houver algumas frutas podres em meio às boas, é

AMENDOIM Nos sonhos, o amendoim, com casca ou sem, representa popularidade social.

AMETISTA A ametista representa contentamento profissional. Também pode ser um sonho de cura.

AMIGO Sonhar com amigos felizes e prósperos denota boas notícias deles. Talvez você encontre esses amigos ou alguns dos parentes deles muito em breve. Ver amigos incomodados e abatidos significa que eles vão ser acometidos por doença ou angústia. Se você sonha que está se afastando de algum amigo que o injustiçou, é porque vai ter diferenças com um amigo próximo; pode ser que a relação esfrie a seguir.

AMOLADOR DE FACAS Sonhar com um amolador de facas implica que as pessoas vão tomar liberdades injustificadas com seus bens.

AMÔNIA A amônia simboliza seu desprazer diante da conduta de um amigo. Brigas e o rompimento de amizades podem se seguir a esse sonho. Fique atento.

AMOR Sonhar que ama qualquer objeto é sinal de que está satisfeito com seu ambiente atual. Se você sonha que o amor pelos outros lhe preenche com uma sensação feliz, é porque na vida desperta o sucesso vai trazer contentamento e fazer de você alguém livre das preocupações cotidianas. Se você descobrir que seu amor minguou ou que não é correspondido, é porque vai se desanimar com alguma coisa. Sonhar com o amor dos pais fala de retidão de caráter e de progresso contínuo rumo à prosperidade. Durante um bom tempo, a prosperidade vai coroar você.

AMOR-PERFEITO Um sonho com essa flor prevê uma discussão ou mal-entendido com um amigo.

AMORA Sonhar com amoras denota muitos males. Juntar um monte de amoras é sinal de azar. Ver amoras em seu sonho sugere que uma doença vai impedir a realização de seus desejos; você será frequentemente chamado para aliviar o sofrimento de alguém. Comer amoras no seu sonho pode lhe trazer amargas decepções na vida desperta.

AMOROSIDADE Sonhar que está sendo amoroso é uma advertência contra desejos e prazeres pessoais que ameaçam envolvê-lo em um escândalo.

AMOSTRA Sonhar que recebe amostras de mercadorias significa melhoria nas questões profissionais.

AMPLIAÇÃO Flagrar-se ampliando algo em seu sonho, como uma imagem por exemplo, significa que em breve você vai expandir seu círculo de amigos.

AMPULHETA Sonhar com areia escorrendo por uma ampulheta diz que você está perdendo tempo atrás de um interesse amoroso ou de determinada carreira.

AMPUTAÇÃO A amputação parcial de membros denota perda em pequenos empreendimentos; a perda de pernas ou braços inteiros prenuncia uma depressão econômica fora do comum.

AMULETO Se o amuleto for brilhante e novo, significa que seu poder sobre uma situação ou pessoa é para o bem. Se estiver turvo e velho, esse poder está mal orientado.

ANÁGUA Sonhar que vê anáguas novas denota que seu orgulho pelo que tem vai fazer de você alvo de zombaria entre seus conhecidos. Se as anáguas estiverem sujas ou rasgadas, sua reputação pode estar sob grande risco.

ANALFABETISMO Sentir-se analfabeto ou encontrar pessoas analfabetas em um sonho implica em um aumento nas responsabilidades profissionais, mas com uma boa recompensa no final.

ANALGÉSICO Sonhar que toma analgésicos significa que você vai ter a notícia de que sua saúde está boa. Mas se você sonha que toma analgésicos só para ficar chapado, é porque em breve vai ter um problema de saúde.

ANÃO Esse é um sonho muito favorável. Sinal de saúde e boa forma.

ANCINHO Sonhar que usa um ancinho pressagia que o trabalho que você deixou para outros fazerem jamais será concluído, a menos que você supervisione as etapas. Um ancinho quebrado sugere que uma doença ou acidente vai estragar seus planos. Ver outros usando um ancinho prediz que você vai ficar feliz com a boa sorte alheia.

ÂNCORA Sonhar com uma âncora aponta viagem, mudança de casa ou boa sorte. É um presságio favorável se o mar estiver calmo.

ANDAIME Se você subir em um andaime, é porque vai ser mal compreendido e censurado por seus amigos por causa de uma coisa que você não cometeu. Se descer, sinal de que você vai ser culpado de transgressão e sofrerá as consequências. Se você cair de um andaime, vai ser surpreendido num momento em que vai estar enganando e magoando outras pessoas.

ANDAR NA PONTA DO PÉ Sonhar que está andando nas pontinhas dos pés sugere que conter a língua pode não ser aconselhável. Talvez você precise falar em uma situação especial.

ANDAR PRA LÁ E PRA CÁ Andar de um lado a outro em um sonho sugere que você anda se divertindo demais e exagerando nas coisas. Cuidado para não se extenuar.

ANDORINHA Sonhar com andorinhas é sinal de paz e harmonia doméstica. Ver uma andorinha ferida ou morta significa tristeza inevitável.

ANDROPAUSA Se um homem sonhar que está na andropausa, é um sinal de que os próximos problemas de saúde serão facilmente resolvidos.

ANEDOTA Sonhar que está contando uma anedota significa que você prefere uma companhia alegre ao esforço intelectual; seus assuntos particulares vão se revelar tão instáveis quanto você.

ANEL Sonhar que usa anéis significa novos empreendimentos bem-sucedidos. Para pessoas casadas, um anel quebrado anuncia brigas e infelicidade; para os namorados, separação. Ver outras pessoas usando anéis denota prosperidade crescente e muitos novos amigos.

ANFITRIÃO Sonhar que é o anfitrião de uma festa significa que sua vida está melhorando.

ANGÚSTIA Este não é um sonho tão bom quanto alguns gostariam que você achasse que é. Ele pressagia uma mistura de preocupação e prazer, mais da primeira do que do último. Ficar angustiado por causa de um ente querido ou de um acontecimento significa que você está se sentindo prejudicado em sua vida por estar ajudando alguém, ou por estar se mostrando proativo demais a respeito de uma situação. Pode ser que você precise buscar alternativas na hora de oferecer ajuda. Ficar angustiado devido a uma perda de dinheiro ou de uma propriedade indica que serão persistentes os medos perturbadores e imaginários sobre sua vida pessoal ou sobre a doença de um ente querido. | *Ver também* Choramingo.

ANIAGEM Sonhar com este tecido grosseiro é sinal de grande satisfação pelas coisas mais refinadas ao seu redor.

ANIMAIS Um sonho com um animal amigável e tranquilo é positivo. No entanto, sonhar com um animal do qual você tem medo, ou temer ser atacado por ele, é negativo.

ANISTIA Receber ou conceder anistia a outra pessoa é um sonho de perdão garantido.

ANIVERSÁRIO Para os jovens, sonhar com aniversário é sinal de pobreza e falsidade. Para os mais velhos, indica problemas e desolação que vão durar um bom tempo.

ANJO Sonhar com anjos é profético para bênçãos, boa sorte e bem-estar espiritual.

ANO-NOVO Sonhar com o Ano-novo representa prosperidade.

ANOITECER Sonhar com o anoitecer se fechando sobre você sugere esperanças frustradas; você pode se comprometer com empreendimentos infelizes. Ver estrelas brilhando fala claramente da angústia atual, mas acalme-se: existe uma sorte mais promissora por trás de seus problemas. Se o anoitecer estiver agradável, é sinal de boa saúde; um anoitecer tempestuoso anuncia um problema de saúde que precisa ser resolvido.

ANSEIO Sentir que anseia pela presença de alguém em um sonho diz que em breve você vai ter notícias reconfortantes de amigos distantes.

ANSIEDADE Um sonho desse tipo costuma ser um bom presságio, diz que circunstâncias favoráveis estão chegando.

ANTAGONISMO Antagonizar ou ser hostilizado em um sonho significa que você está sendo pressionado rumo a algo que não deseja ou não deve fazer.

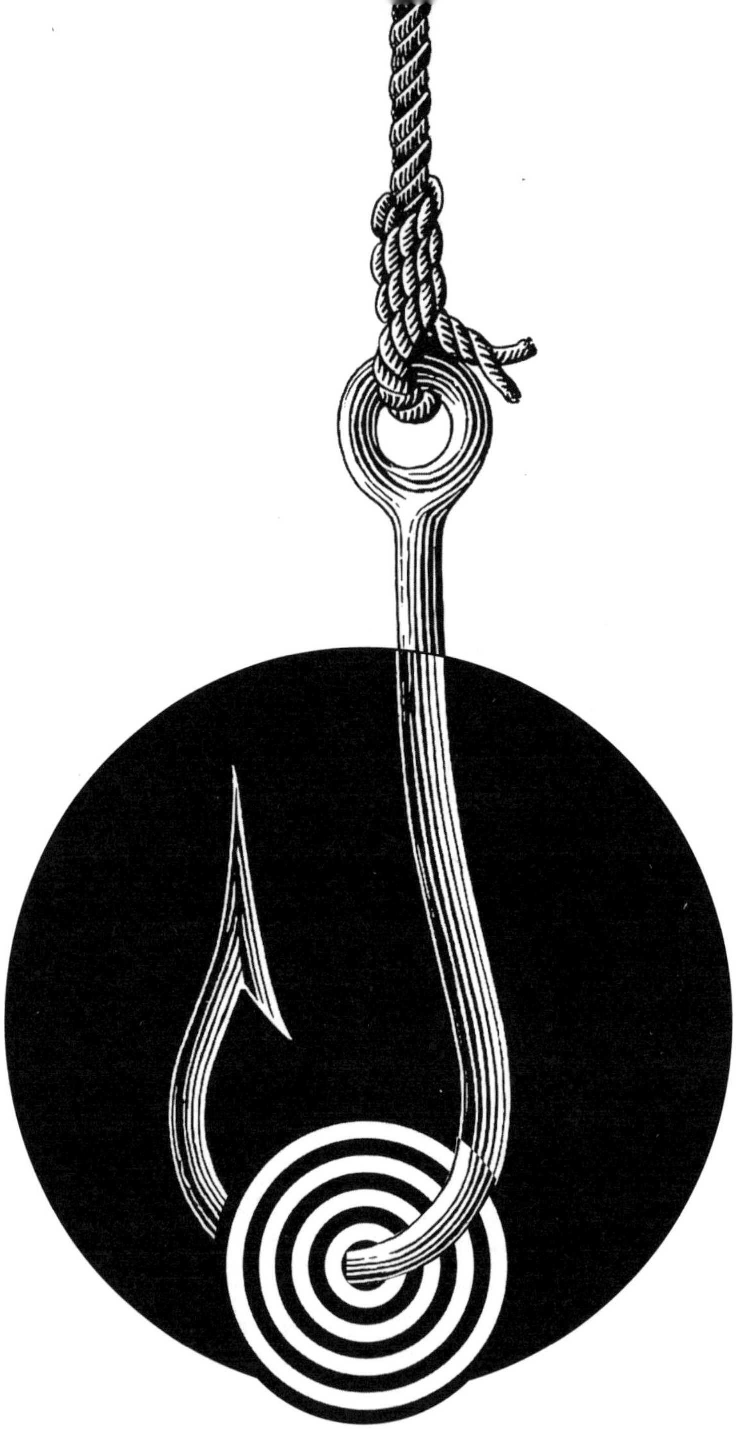

ANTÁRTICA Sonhar com a Antártica pode ter um significado positivo devido à pureza da neve e da vastidão da paisagem, uma mensagem de que as coisas estão revigorantes e limpas na sua vida. Alternativamente, poderia significar que sua vida é fria e estéril.

ANTENA PARABÓLICA Sonhar com uma antena parabólica significa que em breve você vai voltar a ter contato com um velho amigo de quem não tem notícias há um bom tempo.

ANTIBIÓTICOS Sonhar que está tomando antibióticos significa que você está curando uma doença ou uma sensação generalizada de mal-estar em sua vida.

ANTÍDOTO Sonhar que necessita de um antídoto para um veneno ou que está tomando um antídoto significa que algum problema será resolvido no último segundo.

ANTIGO TESTAMENTO Sonhar com o Antigo Testamento significa muitas bênçãos entrando em sua vida.

ANTIGUIDADE Sonhar com qualquer coisa antiquada indica que coisas novas e empolgantes estão surgindo em sua vida. Sonhar que está comprando ou vendendo antiguidades implica em lidar com lembranças. A compra de antiguidades denota a aquisição de coisas do passado que parecem confortáveis e seguras. Já a venda implica em se livrar de lembretes que não mais servem a um propósito.

ANTÍLOPE Ver um antílope em sonho prediz que suas ambições vão saltar alto, porém pode ser que exijam muita energia para serem realizadas.

ANUÁRIO Sonhar com um anuário pressagia uma mensagem inesperada de um amigo sumido há um bom tempo.

ÂNUS Sonhar com esse orifício indica que você precisa eliminar os lixos de sua vida.

ANVISA Sonhar que negocia com esse órgão governamental é um conselho para cuidar de sua saúde num futuro muito próximo.

ANZOL Anzóis falam da oportunidade de construir prosperidade e um nome honrado para si.

APAGAR Sonhar que apaga algo em um pedaço de papel ou quadro-negro sugere que os boatos vão lhe causar constrangimento social.

APARELHO ELETRÔNICO Sonhar que manipula ou fabrica algum tipo de aparelho eletrônico significa que você vai se deparar com uma decisão que envolve mudança de emprego.

APARIÇÃO (FANTASMA) Sonhar com a aparição de algum conhecido geralmente significa que essa pessoa está pensando em você com ternura na vida após a morte, ou que está lhe avisando sobre algo em um futuro próximo. Se você sonha com a aparição de um desconhecido, analise o restante do sonho para descobrir a mensagem que essa pessoa quer passar.

APATIA Sonhar que se está sendo apático em relação a determinada situação, pessoa ou acontecimento significa que você precisa tomar uma decisão importante em sua vida.

APAZIGUAMENTO Esforçar-se nos sonhos para apaziguar o sofrimento implica que você vai ser amado por sua postura gentil. Apaziguar a raiva alheia em sonho diz que você vai agir em prol do progresso alheio.

APELIDO Chamar alguém por um apelido ou ser chamado por um apelido no sonho é um alerta para você não arriscar em sua vida pessoal ou profissional neste momento.

APELO Sonhar que faz apelos em seu nome significa que a vida vai ser simples e que você vai ter muita paz de espírito. Se forem apelos em nome de outra pessoa, você vai ser convocado a intervir e ajudar alguém com um problema. Não hesite; sua presença pode significar a diferença no resultado.

APERTO DE MÃO Apertar a mão de alguém em sonho fala de amizade renovada ou de reconciliação, e também sugere um novo empreendimento no horizonte. Sonhar que oferece ou recebe um aperto de mão diz a você que existe lealdade e honra entre seus amigos.

APLAUSOS Ser aplaudido nos sonhos diz que você será homenageado por algo que fez, seja grandioso ou pequeno.

APOCALIPSE Sonhar que está ansioso pelo dia do Juízo Final é um alerta para dar muita atenção aos assuntos substanciais e materiais, ou você vai descobrir que os amigos ardilosos e dissimulados que você tem recebido vão tirar o que querem de você, que é a sua riqueza, e não o seu coração.

APODRECIMENTO Sonhar que vê ou cheira algo apodrecendo é sinal de problema. Pode ser que você também fique sabendo de uma morte.

APOSENTADORIA Se você sonha que está se aposentando, espere uma mudança de carreira. Sonhar que saca a aposentadoria prediz que você será auxiliado no trabalho por amigos. Não conseguir a aprovação da aposentadoria denota que você vai sofrer perdas num empreendimento e também vai perder amizades.

APOSTA A aposta em corridas é um alerta para ser cauteloso ao se envolver em novos empreendimentos. Os desafetos estão tentando desviar sua atenção de negócios legítimos. As apostas em mesas de jogo apontam que serão usadas táticas ilegais para arrancar dinheiro de você. Sonhar que faz uma aposta significa que você pode vir a recorrer a meios desonestos para fazer seus planos andarem. Mantenha-se firme em seus princípios. Se você perder uma aposta, é porque vai ser prejudicado por alguém que conhece. Já vencer uma aposta restabelece sua prosperidade. Se você não estiver conseguindo fazer uma aposta, é porque vai se sentir desanimado pelas adversidades.

APRENDIZ Sonhar que você trabalha como aprendiz indica sua luta para ganhar um lugar entre seus iguais. Confie no seu bom trabalho, mas não deixe de mostrar suas qualidades às pessoas ao seu redor.

APRENDIZAGEM Sonhar que está aprendendo alguma coisa sugere que você vai nutrir grande interesse pela aquisição de conhecimento e, se souber administrar seu tempo, vai avançar muito. Entrar em salões de palestras ou locais de aprendizagem prediz ascensão da obscuridade. Ver homens cultos indica que seus pares serão interessantes e proeminentes.

APRESENTAÇÃO Sonhar que está sendo apresentado a alguém significa que logo você vai questionar se algumas de suas amizades são mesmo leais e verdadeiras. Apresentar outras pessoas prevê novos amigos em sua vida.

APROPRIAÇÃO Apropriar-se de algo no sonho significa que você vai pegar para si algo que merece e sobre o qual tem direito.

APROVAÇÃO Buscar a aprovação de terceiros em um sonho mostra que você precisa buscar a autoaceitação, e não daqueles ao seu redor.

AQUECEDOR Sonhar com um aquecedor sugere ganho financeiro no horizonte. Sonhar com um aquecedor que resfriou sugere perda de uma amizade. Se você sonha com um aquecedor sibilante de tão quente, cuidado com um negócio duvidoso.

AQUISIÇÃO Sonhar com aquisições costuma ser presságio de lucro e progresso com deleite.

AR Sonhar com ar denota um estado de perda de vigor das coisas, não é um bom presságio para o sonhador. Sonhar que você sente o ar quente sugere que a opressão vai influenciar você a seguir o mau caminho. Já sentir o ar frio denota discrepâncias na sua vida profissional e incompatibilidade nas relações domésticas. Se você se sentir oprimido pelo ar úmido, algum tipo de maldição vai recair e nublar sua visão otimista do futuro. | *Ver também* Umidade.

ARAÇÃO Sonhar com terras sendo aradas significa sucesso incomum, e os negócios vão atingir um pico interessante. Ver pessoas arando terra denota atividade e avanço em conhecimento e prosperidade.

ARAME Se você vir uma cerca de arame nos sonhos, é porque pode ser enganado em alguma negociação comercial que tem em vista.

ARAME FARPADO Sonhar que está emaranhado em arame farpado significa que está sendo tão doloroso resolver uma situação em sua vida que você simplesmente acha mais fácil permanecer onde está.

ARANHA Sonhar com uma aranha sugere que você será cuidadoso e enérgico no trabalho, e vai acumular prosperidade. Ver uma aranha construindo sua teia indica que você vai ser feliz e se sentir seguro em seu lar. Matar aranha significa brigas. Se você for picado no sonho, é porque na vida real vai sofrer com desafetos na vida profissional. Se você sonha que vê muitas aranhas penduradas em teias ao redor, espere sorte, boa saúde e amigos. Sonhar que está sendo confrontado por uma aranha imensa significa que você vai prosperar rapidamente, a menos que haja contato perigoso com a aranha. Sonhar que está fugindo de uma aranha sugere perda da prosperidade. Se você matar a aranha, em algum momento vai chegar a uma boa posição.

ÁRBITRO Se você sonha que discorda de um árbitro, é um indicativo de que em breve pode ser necessário repensar os rumos de um projeto para conseguir concluí-lo.

ARBUSTO Sonhar com um arbusto significa que há uma mudança de situação no horizonte. Se você sonha que se esconde num arbusto, é porque não tem segredos. Sonhar que está cortando ou queimando um arbusto sugere que seus segredos serão expostos.

ARCEBISPO Sonhar que vê um arcebispo sugere que você vai ter muitos obstáculos a superar em sua tentativa de controlar sua vida ou ascender à honra pública. Ver um arcebispo usando as roupas do dia a dia é sinal de que você vai ganhar ajuda e incentivo daqueles que ocupam posições de destaque, e que também vai ter sucesso em seus empreendimentos.

ARCO (ARQUITETURA) Um arco significa ascensão à distinção e ao ganho de riquezas por meio do esforço persistente. Passar por baixo de um arco é indício de que muitos daqueles que antes o ignoravam vão passar a procurá-lo.

ARCO E FLECHA Sonhar com arco e flecha mostra que você pode obter grandes ganhos ante a incapacidade dos outros de completar suas tarefas. Atirar com arco e flecha mas errar o alvo, significa esperanças frustradas na vida profissional.

ARCO-ÍRIS Ver um arco-íris nos sonhos indica eventos incomuns. As questões profissionais vão assumir um aspecto mais promissor. Ver o arco-íris pairando baixo sobre árvores verdejantes significa sucesso incondicional em qualquer empreendimento. Arco-íris são bons presságios, aproveite essa energia.

AREIA A areia representa perdas. Se você se flagrar preso em areia movediça enquanto sonha, encontrará perdas e enganos. Se você não conseguir sair, vai se envolver em um infortúnio avassalador. Olhar a areia de longe indica que ainda há tempo para se safar de uma situação ruim. Observe o seu entorno, abrace sua intuição.

ARENQUE Ver um arenque oniricamente indica a necessidade de se apertar para escapar de dificuldades financeiras, mas você vai se dar bem depois.

ARGILA Sonhar com argila pressagia isolamento e possível inadimplência. Se você sonha que está cavando num banco de argila, é porque vai se submeter a exigências extraordinárias de seus desafetos.

ARLEQUIM Sonhar com um arlequim prenuncia problemas. Vestir-se como um arlequim sugere um erro impetuoso e ataques imprudentes.

ARMA Esse é um sonho de angústia. Ouvir o estampido de uma arma denota perda de emprego; aos proprietários de estabelecimentos, má gestão. Se você atirar em alguém, é porque vai cair em desonra. Se você levar um tiro, sinal de que vai ser perturbado por pessoas ruins e talvez sofra de uma doença aguda. Sonhar que usa uma arma contra outra pessoa significa que em breve você vai ter de tomar cuidado com seus amigos. Ver alguém usando uma arma contra você prediz uma nova amizade.

ARMA QUÍMICA Sonhar com gás venenoso pressagia um problema de saúde.

ARMAÇÃO DE ÓCULOS Sonhar com uma armação de óculos prediz que desconhecidos vão causar mudanças em sua vida. Sonhar que vê armações quebradas sugere desavença.

ARMADILHA Sonhar que prepara uma armadilha implica que você vai recorrer à intriga para realizar seus projetos. Se você cair em uma armadilha, é porque será enganado por seus desafetos. Se você capturar a caça em uma armadilha, é porque vai desabrochar em qualquer vocação que escolher. Se você vir uma armadilha vazia, espere infortúnio no futuro imediato. Uma armadilha velha ou quebrada denota fracasso profissional; pode haver doenças em sua família logo a seguir.

ARMADURA Nos sonhos, a armadura é a proteção contra calúnias e fofocas maldosas.

ARMÁRIO Se você sonha que está guardando itens em um armário, é porque logo vai estar organizando a bagunça de sua casa. Tirar itens de um armário é um conselho para descartar itens indesejados em sua vida.

ARMAZÉM Sonhar com um armazém repleto de mercadorias prenuncia prosperidade e avanço. Um armazém vazio denota fracasso e brigas. Se você estiver em uma loja de departamentos, vai ter muito prazer em várias fontes de lucro. Se você vende produtos em um armazém, seus avanços serão acelerados por sua energia e pelos esforços de amigos. | *Ver também* Loja.

ARMINHO Sonhar que usa essa pele exótica e cara implica em exaltação, caráter elevado e riqueza formando uma barreira contra a necessidade e a tristeza. Se você vir outras pessoas vestidas com essa pele, é porque vai se juntar a pessoas ricas e refinadas em literatura e arte.

ARO Se você sonha com um aro, é sinal de amizades influentes em vista. Muitos vão buscar seus conselhos. Pular ou ver outros saltando obstáculos feitos com aros sugere que você vai encarar perspectivas desanimadoras, mas vai superá-las positivamente.

AROMA Sonhar com aromas agradáveis indica que o sonhador ganhará algo prazeroso. Se for desagradável, é um aviso de que algo igualmente desagradável está por vir.

ARPÃO Sonhar que acerta um peixe grande ou uma baleia com arpão prevê um aumento na renda. Ser ferido por um arpão é um aviso para cuidar do seu crédito financeiro.

ARQUITETO Ver arquitetos desenhando projetos é presságio de mudança em seu trabalho, e que provavelmente vai resultar em prejuízo.

ARQUIVO Sonhar que vê uma pasta de arquivos significa que você vai fazer alguma transação que no fim se mostrará insatisfatória ao extremo. Ver a si mesmo arquivando contas e outros documentos importantes pressagia discussões acaloradas sobre assuntos relevantes, e que vão lhe causar muita inquietação e incômodo. Previsões desfavoráveis para o futuro também estão implícitas nesse sonho.

ARRANHÃO Arranhar os outros nos sonhos diz que você vai demonstrar um humor ruim e que vai botar defeitos em seus relacionamentos. Se você for arranhado, é porque na vida real vai ser ferido pela inimizade de alguém enganador. Sonhar que coça a cabeça sugere que estranhos vão incomodar com o excesso de adulação, que vai parecer puro interesse.

ARRASTAR OS PÉS Sonhar que você está arrastando os pés, ou que outra pessoa está, prediz possíveis crises em um caso amoroso ou no casamento.

ARREIO Se você sonha que tem um arreio novo e brilhante, então se prepare para uma viagem agradável.

ARREPENDIMENTO Sonhar com arrependimentos significa que em breve você vai se regozijar com algo maravilhoso.

ARREPIO Sentir arrepios em um sonho é um aviso para demonstrar gratidão para com seus amigos, antes que você os perca.

ARROGÂNCIA Se alguém em seu sonho estiver sendo arrogante, é porque na vida desperta você deve enfrentar uma característica sua ou de outra pessoa que tem sido deliberadamente ignorada, mas que se tornou problemática no relacionamento entre vocês.

ARROTO Se você arrota em um sonho, ou se outra pessoa o faz, é um aviso para ser mais observador em relação às situações e pessoas ao seu redor.

ARROZ É bom sonhar com arroz, pois pressagia sucesso e amizades calorosas. A prosperidade em todos os ramos é prometida, e os agricultores serão abençoados com uma colheita abundante. Comer arroz significa felicidade e conforto doméstico. Vê-lo misturado a sujeira ou outras impurezas é presságio de doença e separação de amigos.

ARSÊNICO Esse veneno representa a descoberta de uma pessoa dissimulada entre seus relacionamentos.

ARTEFATOS SEM FIO Sonhar com qualquer artefato que é operado sem fio significa que seus acordos profissionais serão tranquilos.

ARTÉRIAS Sonhar com um vaso sanguíneo saudável sugere que um problema de saúde que você está enfrentando ou que está prestes a enfrentar vai acabar bem. Se a artéria estiver com problemas ou não houver sangue circulando por ela, é provável que você enfrente um problema de saúde desafiador.

ARTICULAÇÃO Sonhar com dores nas articulações prevê aumento da riqueza material.

ARTIFICIALIDADE Quando você sonha com algo artificial, algo irreal ou que imita a coisa verdadeira, é porque substituiu algo que era real em sua vida por um item postiço.

ARTIMANHA Sonhar que você está sendo astuto diz que você está sendo desonesto na maneira como se apresenta aos amigos e às pessoas ao redor. Se você se junta a pessoas astutas no sonho, é porque está sendo enganado em troca do progresso de outras pessoas.

ARTISTA Sonhar que é um artista ou que está assistindo a um artista em ação pressagia a criação de algo agradável em sua vida.

ÁRVORE Sonhar com árvores com folhagem nova prediz uma feliz consumação de esperanças e desejos. Árvores mortas sinalizam tristeza e perda. Subir em uma árvore é sinal de rápido avanço e benesses. Cortar ou arrancar uma árvore pela raiz denota desperdício tolo de energia e de riquezas. Ver árvores verdes recém-derrubadas pressagia infelicidade chegando inesperadamente para estragar as cenas de alegria ou prosperidade. | *Ver também* Floresta.

ÁRVORE DE JOSUÉ Nos sonhos, essa árvore simboliza espiritualidade, pureza, sucesso natural, força e coragem.

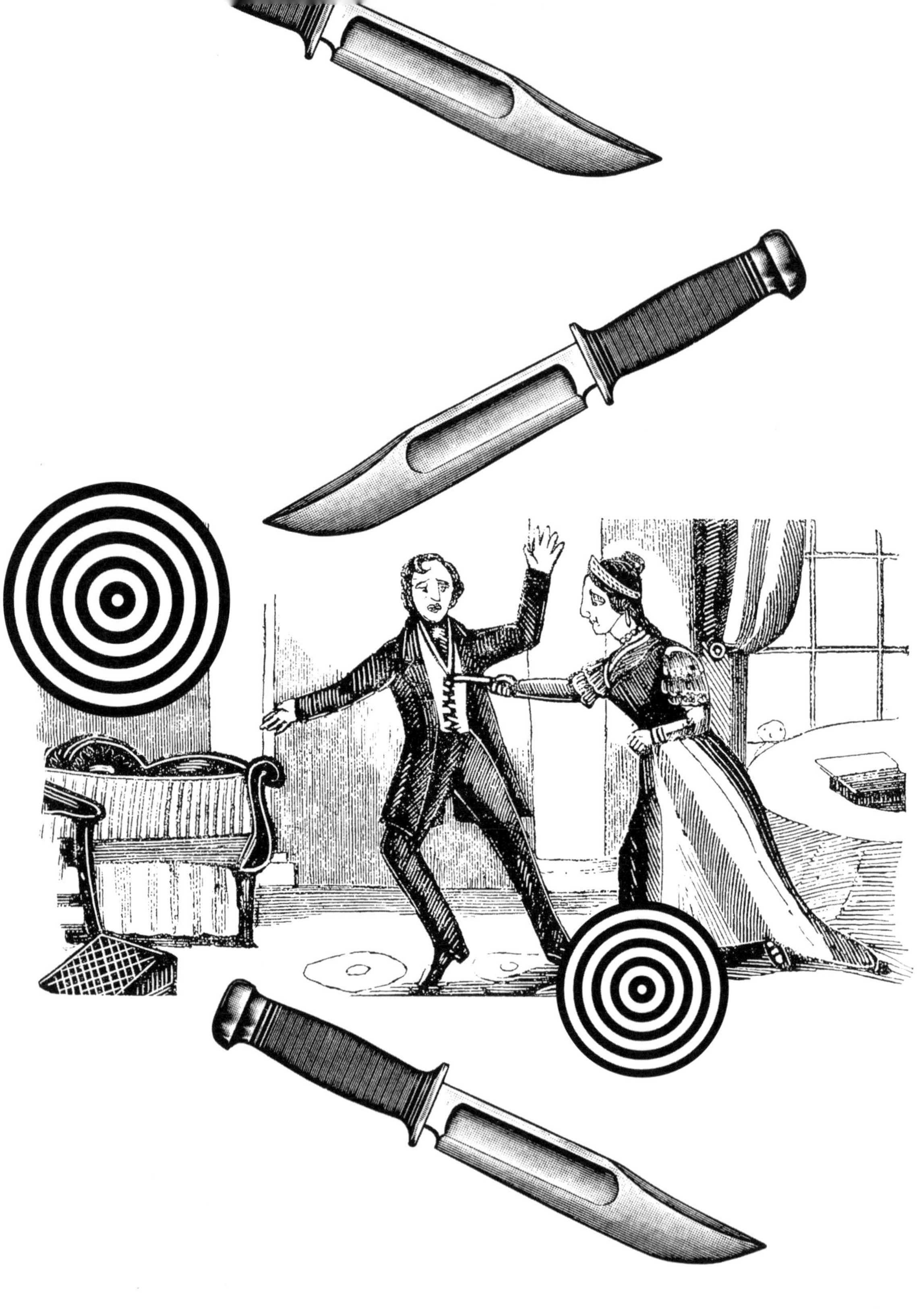

ÁRVORE DE NATAL A árvore natalina denota ocasiões alegres e uma sorte auspiciosa. Ver uma árvore sendo desmontada indica que um doloroso incidente se seguirá a uma ocasião festiva.

ASA Sonhar que você tem asas significa a vivência de medos intensos pela segurança de alguém que vai viajar para longe. Ver asas de pássaros em sonho denota que você finalmente vai superar a adversidade e alçará posições de riqueza e honra.

ASA-DELTA Sonhar que está em uma asa-delta sugere que você vai dar adeus às preocupações nos assuntos profissionais.

ASCENSÃO Sonhar que ascende a altos cargos ou status social indica que o estudo e o progresso trarão a riqueza desejada. Se sua ascensão nos sonhos for literalmente em pleno ar, é porque surgirão riquezas e prazeres inesperados; mas um alerta: tenha cuidado com seus compromissos ou você corre o risco de ganhar uma fama desagradável.

ASCETICISMO Sonhar com a doutrina dos ascetas significa que você vai cultivar princípios e pontos de vista estranhos, tornando-se fascinante para desconhecidos, porém desagradável para as pessoas que o conhecem bem.

ASFALTO Ficar no asfalto quente ou assistir à pavimentação acontecendo significa que um problema urgente em seu ambiente físico precisa ser resolvido.

ASFIXIA Sentir que está sendo sufocado ou asfixiado em sonho é sinal de que você precisa parar, respirar fundo e reavaliar agora ou muito em breve um acontecimento em sua vida.

ÁSIA Sonhar que faz uma visita à Ásia é indício de mudança. Boa sorte virá a seguir.

ASMA Sonhar que tem asma significa que você precisa limpar os poluentes de sua vida.

ASPARGOS Sonhar com aspargos é sinal de ambientes prósperos e sucesso.

ASPIRADOR DE PÓ Sonhar com esse eletrodoméstico é um presságio de sucesso em um caso amoroso. Mas se o aspirador quebrar, sinal de problemas.

ASPIRINA Sonhar que está tomando aspirina ou dando a outra pessoa é um aviso de que você precisa de ajuda para aliviar dores físicas ou emocionais.

ASSADO Ver ou comer um assado é presságio de infelicidade doméstica e de uma traição secreta.

ASSALTANTE Se você sonha que assaltantes estão revistando você, espere enfrentar inimigos perigosos na vida desperta. Eles serão capazes de acabar com você, a menos que você seja extremamente cuidadoso ao fazer acordos com desconhecidos. Se você sonha com sua casa ou local de trabalho sendo arrombados por assaltantes, sua boa posição no trabalho ou na sociedade será prejudicada, porém sua coragem será sua proteção. Ser um ladrão ou se deparar com um em um sonho significa que você vai se apaixonar por alguém que não merece seu carinho.

ASSALTO Sonhar que você perde seus objetos de valor em um assalto sugere um ganho inesperado. No entanto, se o bem perdido for dinheiro, é um alerta para ter cuidado ao lidar com suas finanças.

ASSASSINATO Ver um assassinato prediz muita tristeza decorrente dos malfeitos de outras pessoas. Se você cometer um assassinato, é porque na vida desperta vai se envolver em uma aventura desonrosa que deixará um estigma em seu nome. Sonhar que você foi assassinado sugere que os desafetos estão agindo secretamente para puxar seu tapete. | *Ver também* Matança.

ASSASSINO Ver um assassino é um aviso sobre perdas que podem ocorrer a você por meio de desafetos ocultos. Se for você quem estiver recebendo o golpe do assassino, é um alerta de que seus problemas não serão superados. Ver um assassino sujo de sangue e perto de outra pessoa significa que o infortúnio vai chegar até você.

ASSEIO Se você sonha que está extremamente limpo e acha isso incômodo, é sinal de que precisa organizar sua vida profissional antes que perca dinheiro.

ASSENTO Pensar, em um sonho, que alguém roubou seu assento implica que você vai ser incomodado por pessoas querendo ajuda. Sonhar que alguém está lhe oferecendo um lugar para sentar sugere que você precisa estar aberto para receber conselhos.

ASSIMETRIA Sonhar que tenta consertar algo assimétrico indica que você vai precisar ter paciência consigo mesmo para aprender algo novo. Os inícios não são perfeitos.

ASSINATURA Sonhar que põe sua assinatura em algo sugere um pequeno ganho financeiro. Sonhar que vê assinaturas de terceiros indica que seus amigos e sócios se mostrarão leais.

ASSISTÊNCIA Prestar assistência a qualquer pessoa em sonho é sinal de favorecimento em seus esforços para ascender a um cargo mais alto. Se alguém estiver lhe dando assistência, você vai ficar em posição privilegiada e amigos carinhosos se farão presentes. Observe as oportunidades que se formam na sua vida, é hora de agir.

ASSOBIO Ouvir um assobio em seu sonho prevê um choque com alguma notícia triste, que vai mudar seus planos para um prazer inocente. Sonhar que está assobiando prediz uma ocasião alegre na qual você espera atuar de forma proeminente. Sonhar com pessoas assoviando é sinal de que você vai se chatear com o tratamento descortês oferecido por indivíduos que acabou de conhecer. Se as pessoas do sonho estiverem assoviando para você, então você pode vir a perder um amigo.

ASSOMBRAÇÃO Ser assombrado por um espectro nos sonhos indica um presente inesperado. Flagrar-se em uma casa ou construção mal-assombrada sugere um lance inesperado.

ASTECAS Sonhar com os antigos astecas é um sonho espiritual. Significa que você está equilibrado e centrado em sua vida espiritual.

ÁSTER Essa flor em formato de estrela e de cores variadas anuncia um desejo que logo vai se tornar realidade.

ASTROLOGIA Praticar astrologia em sonho, ou estar junto a alguém que a pratica, sugere que a pesquisa e compreensão de seu mapa astral pode trazer respostas e direcionamento para sua vida.

ASTRONOMIA Sonhar que se estuda as estrelas é um recado para você ir além de suas limitações e aprender mais sobre si espiritualmente. Dedique um tempo para si.

ATAQUE Testemunhar um ataque ou ser atacado por um animal ou uma pessoa aponta que você vai precisar de muita força em uma situação vindoura. Atacar alguém ou algo em sonho é um alerta de que em sua vida desperta você pode estar prestes a magoar alguém.

ATAQUE CARDÍACO Sonhar que está enfartando significa felicidade em um futuro próximo. Se você vir outra pessoa tendo um ataque cardíaco, espere um caso amoroso cheio de obstáculos.

ATEÍSMO Sonhar que é ateu, caso você seja religioso em sua vida desperta, é um aviso para examinar sua crença em si mesmo. Se questione a respeito do que te move.

ATENÇÃO Sonhar que você não está recebendo nenhuma atenção significa o contrário: que na verdade você vai receber atenção, mas de um jeito que talvez seja indesejado. Sonhar está recebendo atenção excessiva significa que você não está prestando atenção suficiente em você mesmo e nem nas pessoas que mais se preocupam com você.

ATERRO Sonhar que dirige ao longo de um aterro sugere ameaças de problemas e infelicidade. Mas se você continuar a dirigir sem incidentes desagradáveis, é porque vai conseguir transformar esses presságios em algo benéfico, seja na sua situação social ou profissional. Andar a cavalo ao longo de um aterro significa superação destemida de todos os obstáculos em seu caminho rumo à riqueza e à felicidade. Se você estiver caminhando ao lado de um, é porque vai enfrentar uma luta extenuante para subir seu status, mas finalmente vai colher uma recompensa.

ATERRO SANITÁRIO Sonhar com um aterro de lixo fala de presentes surpresa ou ganho financeiro.

ATIÇADOR Sonhar que vê um atiçador em brasa, ou entrar numa briga usando um como arma, significa que você vai enfrentar os problemas com uma energia combativa.

ATIRADOR DE ELITE Sonhar que é um atirador de elite é um conselho para ser muito diligente em um projeto que está por vir, caso você espere ganhos financeiros. Sonhar que é alvejado por um atirador de elite significa evolução no status social.

ATLAS Sonhar que está olhando um atlas sugere que você deve estudar seus interesses cuidadosamente antes de realizar mudanças ou viagens.

ATLETISMO Sonhar que é um atleta ou que assiste a atletas sinaliza que você vai viver um período em sua vida em que você será fisicamente muito forte e ágil.

ATOLEIRO Sonhar que está em um atoleiro implica na incapacidade de cumprir obrigações. Ver os outros atolados indica que você vai sentir os fracassos deles. Sonhar que passa por um atoleiro indica que seus desejos e planos mais acalentados serão suspensos temporariamente devido a mudanças inesperadas em seu entorno.

ATOR Ver um ator nos sonhos indica que seu estado atual será de prazer e benesses ininterruptos. Se você for o ator, é porque vai ter de trabalhar para sobreviver, mas vai ser um trabalho agradável. Se você sonha que está nutrindo paixão por um ator, é sinal de que sua aptidão e talento estarão aliados ao prazer, e não ao trabalho árduo. Sonhar com um ator morto é presságio de que sua boa sorte vai ser arrasada pela tristeza. Sonhar com um ator desempregado indica que seus negócios vão passar da promessa ao fracasso.

ATOR SUBSTITUTO Sonhar que você é o ator substituto de outra pessoa implica em méritos e reconhecimento. Se você sonha que alguém é seu ator substituto, então é porque está sendo facilmente manipulado e precisa ter cuidado.

ATRASO Estar atrasado no sonho é um alerta para desafetos que estão tramando para impedir seu progresso na vida desperta. Qualquer sonho com você ou outra pessoa se atrasando é um aviso para evitar a irresponsabilidade financeira.

ATRAVESSAR A RUA Sonhar com pessoas atravessando a rua sem seguir as regras do tráfego prediz uma humilhação iminente. Ver a si mesmo fazendo isso é um alerta para dificuldades em uma questão jurídica.

ATROFIA Testemunhar o enfraquecimento de um membro indica que você deve prestar atenção especial a essa parte do corpo.

ATUAÇÃO Se você sonha que está atuando em uma peça ou filme, é porque logo vai se deparar com um problema de personalidade que esteve oculto, mas agora será trazido à tona.

AUDIBILIDADE Ser capaz de ouvir algo no sonho que você normalmente não ouviria é um aviso para você prestar atenção aos seus instintos.

AUDITORIA Sonhar que está conduzindo uma auditoria mostra que suas finanças estão em muito bom estado.

AUDITÓRIO Sonhar com um auditório cheio de gente implica em solidão pessoal. Um auditório vazio significa que sua vida será preenchida por muitos amigos e familiares.

AUMENTO Sonhar com um aumento da família pode denotar o fracasso em alguns de seus planos. Sonhar com o aumento nos negócios significa que você vai superar os problemas existentes. Sonhar que tem partes do corpo aumentadas indica que você vai expandir seu pensamento espiritualmente.

AURA Sonhar com auras denota a chegada de enriquecimento espiritual.

AURÉOLA Sonhar com outra pessoa usando uma auréola sinaliza uma notícia triste. Mas se você estiver usando, prediz bênçãos e viagens.

AUSÊNCIA Chorar pela ausência de alguém nos sonhos aponta que o arrependimento por alguma atitude precipitada vai ser o meio de restaurar suas amizades. Se você se alegrar com a ausência de amigos, significa que logo vai se livrar de um desafeto.

AUTENTICIDADE Sonhar que está buscando uma coisa autêntica avisa que algo que você acredita ser real e genuíno em sua vida pode, na verdade, não ser.

AUTOBIOGRAFIA Escrever uma autobiografia nos sonhos significa que um acontecimento deixará lembranças agradáveis.

AUTÓGRAFO Se você está dando autógrafos, um contrato vai exigir sua assinatura. Já receber um autógrafo ou assistir a alguém autografando algo significa que você vai necessitar da assinatura de terceiros para conseguir o que deseja.

AUTOMÓVEL Sonhar que anda de carro implica que você ficará inquieto mesmo em condições agradáveis e que vai fazer mudanças em sua vida pessoal. Se um carro quebrar, seu prazer não será tão grandioso quanto você espera. Flagrar-se fugindo de um carro que vem em sua direção aponta que você deve evitar um rival. Comprar ou vender um carro indica mudanças em suas finanças, as quais devem ser analisadas atentamente.

AUTÓPSIA Sonhar que realiza uma autópsia ou assistir a uma significa que você precisa examinar, dissecar e cortar as partes de sua vida que não lhe servem mais.

AUTOR Sonhar que vê um autor ou escritor debruçado sobre sua obra e examinando-a avidamente indica que você está preocupado com as palavras que vem utilizando. Examine suas falas para descobrir se você está manifestando o que realmente deseja.

AUTORIDADE Curvar-se à autoridade no sonho indica que você não está ouvindo aqueles ao seu redor que de fato são dotados de experiência para ajudar.

AVALANCHE Sonhar que assiste a uma avalanche pressagia muitas mudanças em sua vida. Ser pego em uma avalanche é um sonho profético de mudanças imprevistas e até mesmo indesejadas.

AVAREZA Sonhar com um avarento sugere que você vai batalhar muito para encontrar a verdadeira felicidade, e o obstáculo será seu próprio egoísmo; o amor vai se revelar uma decepção profunda. Sonhar que você é avarento sugere que as outras pessoas consideram você desagradável e presunçoso. Sonhar que algum de seus amigos é avarento significa que você pode ficar um tanto estressado com as exigências alheias.

AVE Sonhar que vê aves sugere preocupação ou doença temporária. | *Ver também* Frango.

AVE TEMPERADA Ver aves temperadas — daquelas congeladas de supermercado, que vêm prontas para cozimento — revela que hábitos extravagantes têm reduzido sua segurança financeira.

AVEIA Sonhar com aveia pressagia uma infinidade de coisas boas. Ver a aveia apodrecendo, no entanto, indica que a tristeza vai substituir a esperança.

AVELÃ Sonhar que vê avelãs é favorável, denotando uma vida doméstica pacífica e harmoniosa, além de empreendimentos lucrativos. Para os jovens, sonhar que come avelãs significa relações deliciosas e muitos amigos verdadeiros.

AVENTAL Sonhar com um avental representa segurança em seus empreendimentos pessoais e profissionais.

AVERSÃO

AVERSÃO Sonhar que você nutre aversão, que abomina uma pessoa, é sinal de que você vai sentir forte antipatia por alguém, e de que suas dúvidas sobre a integridade dessa pessoa vão se revelar corretas. Sonhar que você é odiado pelos outros significa que suas melhores intenções podem se transformar em egoísmo.

AVESTRUZ Sonhar com um avestruz sugere que você vai acumular riquezas. Se você capturar um avestruz, seus recursos vão permitir o desfrute de viagens e de um conhecimento amplo.

AVIÃO Nos sonhos, o avião simboliza voos a lugares mais grandiosos.

AVIÁRIO Sonhar com um aviário lotado de pássaros sugere que seus pensamentos e ideias precisam ser contidos. Se o aviário estiver vazio ou se você vir pássaros voando para fora dele, algo que você deseja será roubado.

AVÓS Se você sonha que encontra seus avós e conversa com eles, é porque vai se deparar com dificuldades difíceis de vencer. Seguir bons conselhos em sua vida desperta vai permitir a superação de muitos obstáculos.

AZALEIA Sonhar com uma flor ou arbusto de azaleias é sonhar com esperança.

AZEITE DOCE Nos sonhos, o azeite implica que alguém vai lhe negar um tratamento atencioso durante uma ocorrência infeliz.

AZEITONA A colheita de azeitonas nos sonhos aponta para resultados favoráveis nos negócios, além de surpresas agradáveis. Se estiver tirando azeitonas de vidros, é prenúncio de sociabilidade. Quebrar um vidro de azeitonas indica decepção às vésperas da diversão. Comê-las significa contentamento e amigos fiéis.

AZEVINHO Se o seu sonho inclui qualquer tipo de azevinho, é porque você vai ter sorte tanto com dinheiro quanto com amizades; a menos que as folhas lhe machuquem, neste caso é preciso ter cuidado com as fofocas.

AZIA Sonhar que tem azia prediz uma grande mágoa chegando.

AZUL Sonhar com qualquer tom de azul pode ser um alerta para um surto de depressão. Se você tem um empreendimento encaminhado, a cor azul significa que você pode ousar muito mais em suas ideias.

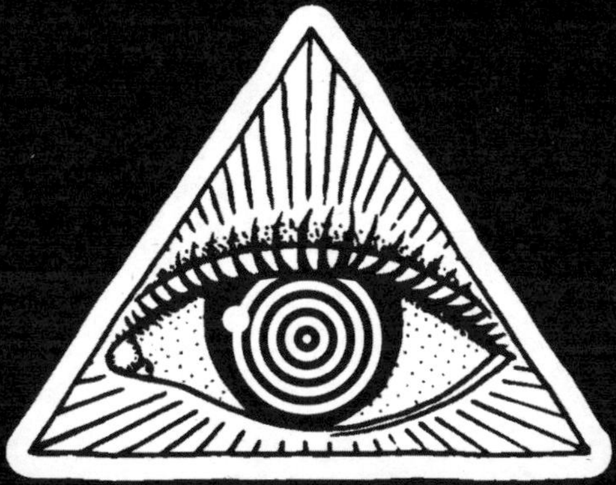

Sonhar é acordar-se para dentro.

Mario Quintana

B

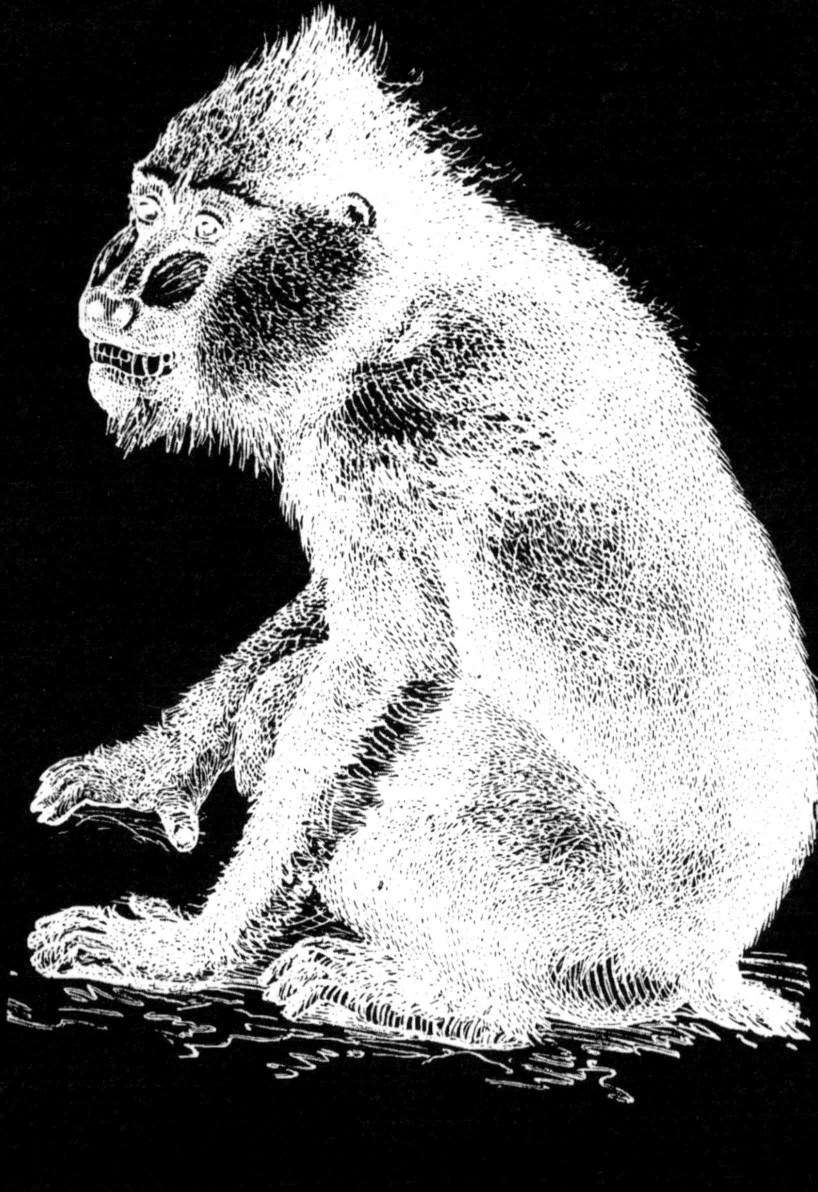

BAGAGEM

"Bons sonhos nascem em nós."

BABÁ Sonhar que atua como babá prediz a necessidade de ser alimentado emocionalmente em um futuro muito próximo. Sonhar que está recebendo os cuidados de uma babá significa que você vai cuidar de um amigo. Sonhar que está sendo babá de alguém indica que você precisa ser mais brincalhão na vida desperta.

BABUÍNO Se você sonha com um babuíno, é porque precisa passar mais tempo com sua família e amigos, ou que deve levar a vida mais a sério.

BACIA Sonhar que se toma banho em uma bacia pressagia ascensão no status social.

BAÇO Sonhar com um baço pressagia um mal-entendido com alguém que só vai trazer mágoas.

BACON É bom sonhar que está comendo bacon.

BACTÉRIA Sonhar com bactérias significa que sua saúde está em boa forma.

BAGAGEM Sonhar com bagagem sugere preocupações desagradáveis. Você vai se sobrecarregar por causa de pessoas inconvenientes. Se você estiver carregando uma bagagem que lhe pertence, então é sinal de que tem sido tão tomado pela própria angústia que está cego para as angústias alheias. Perder sua bagagem denota especulação infeliz ou desavença familiar. Para aqueles que ainda não se casaram, esse sonho prediz um noivado rompido. Carregar bagagem significa eliminar os problemas emocionais que o impedem de enxergar as coisas tal como realmente são.

BAGUNÇA

Arrumar as malas prediz uma viagem próxima. Desfazer as malas significa maior clareza em relação ao futuro e estabilidade.

BAGUNÇA Sonhar que vê uma bagunça significa que todos aqueles problemas que atualmente estão gerando confusão e angústia logo serão resolvidos.

"BAGAVADEGUITÁ" Sonhar com o "Bagavadeguitá", o mais célebre texto sobre autoconhecimento do hinduísmo, sugere uma temporada de reclusão e descanso para as faculdades exauridas. Seus amigos vão planejar uma viagem agradável para ajudar você nessa empreitada. Esse é um sonho de muitas bênçãos, embora poucos avanços financeiros sejam prometidos.

BAÍA Sonhar com embarcações à vela entrando ou saindo de uma enseada sugere ganho material por meio de novas relações no local de trabalho.

BAILE Sonhar com uma festa ou baile é um presságio muito satisfatório se houver pessoas bonitas e bem-vestidas dançando ao som de uma música extasiante. Se a festa o deixar triste e angustiado devido à desatenção das outras pessoas, espere notícias na família em breve. | *Ver também* Dança.

BAILE DE MÁSCARAS Nos sonhos, o baile de máscaras simboliza surpresas inesperadas.

BAILE ESTUDANTIL Sonhar com um baile na escola prenuncia um convite social inesperado e agradável.

BAINHA Sonhar que conserta a bainha de uma roupa significa que você vai ficar um tanto satisfeito com o resultado de um projeto profissional.

BAIONETA Sonhar com uma baioneta diz que os desafetos estão mantendo você sob o poder deles — a menos que no sonho você obtenha a posse da baioneta. Sonhar com uma baioneta sugere também, que um mal-entendido vai ser resolvido amigavelmente. Se você perdeu sua baioneta, é porque vai enfrentar dificuldades avassaladoras.

BAJULAÇÃO Sonhar que está bajulando alguém ou realizar um ato de lisonja é um indicativo para ser mais flexível em seu modo de pensar. Sonhar que uma pessoa o bajula é um alerta de que os desafetos estão à sua volta disfarçados de amigos interessados. É hora de permanecer firme em suas crenças.

BALA (MUNIÇÃO) Sonhar com uma bala significa que você está exposto a possíveis perigos ou fofocas cruéis. Sonhar que foi atingido por uma bala é um alerta para fazer um check-up médico imediatamente.

BALA DE CANHÃO Desafetos ocultos estão se unindo contra você.

BALADA Ouvir ou cantar uma balada significa que você também vai cantar com alegria no futuro.

BALANÇA Sonhar que pesa algo numa balança implica que o senso de justiça vai guiar sua conduta, e você vai ver sua prosperidade aumentar.

BALANÇO Sonhar com esse brinquedo ou que está se balançando sugere que sua paciência e perseverança vão valer a pena.

BALAUSTRADA Sonhar que vê uma balaustrada indica que tem alguém tentando obstruir seu caminho no amor ou no trabalho. Sonhar que se agarra a uma balaustrada indica que você vai ter uma chance irrecuperável de conseguir algo ao qual você dedicou seu coração. Pode ser no amor ou pode vir na forma de bem material.

BALBUCIAR Balbuciar em um sonho ou sentir que o que você está dizendo não faz sentido significa que você precisa repensar suas palavras antes de falar. Sonhar que balbucia em uma conversa sugere que a preocupação e a doença vão ameaçar seu prazer. Ouvir os outros balbuciando significa que pessoas hostis vão ter prazer em irritar você e em trazer preocupações desnecessárias.

BALDE DE METAL Sonhar com baldes de metal cheios é sinal de boas perspectivas e associações agradáveis. Um balde de metal vazio representa momentos difíceis.

BALÉ Um sonho com balé indica infidelidade conjugal; brigas e ciúmes entre namorados; também pode sugerir falhas na vida profissional.

BANANA Sonhar com bananas alerta para que você tome cuidado com contratempos e desonestidade no trabalho e na vida pessoal.

BANCO (ASSENTO) Desconfie de devedores e confidentes se você sonha que está se sentando em um banco. Se você vir outras pessoas fazendo isso, é indício de reencontros felizes entre amigos que foram separados por mal-entendidos.

BANANA

BALEIA Sonhar que vê uma baleia se aproximando de um navio indica que você vai se debater entre tarefas e que estará ameaçado de perda de bens. Se a baleia for morta, você decidirá alegremente entre o certo e o errado, e vai se deparar com sucessos agradáveis. Se você vir uma baleia virando um navio, é porque vai se flagrar em um redemoinho de desastres.

BALIDO Ouvir animais jovens balindo sugere que você vai ter novas responsabilidades, mas que não necessariamente serão agradáveis. Reveja suas prioridades, talvez seja hora de recusar algum pedido.

BALÕES Esperanças destruídas e adversidades vêm junto ao sonho com balões.

BALSA Se você sonha com uma balsa sobre águas velozes e lamacentas, seus desejos mais acalentados serão gorados por circunstâncias imprevistas. Andar de balsa sobre águas tranquilas e límpidas sugere que você vai ter muita sorte para realizar seus planos, e a prosperidade vai lhe coroar.

BAMBU Sonhar com bambu significa que uma grande fortuna está chegando em sua vida. Se um panda está comendo bambu, é sorte em dobro.

BANDANA Se você estiver usando esse tipo de lenço em sonho, é porque preocupações e muito trabalho o aguardam. Se outra pessoa estiver usando, espere boas notícias para a família.

BANDEIRA Sonhar com a bandeira nacional prenuncia vitória em caso de guerra, e prosperidade em tempos de paz. Sonhar com bandeiras estrangeiras sugere rupturas e quebra de confiança entre nações e amigos. Se alguém estiver usando uma bandeira para sinalizar algo a você no sonho, cuidado com a saúde e com seu nome, pois ambos estão ameaçados.

BANDEJA Ver bandejas nos sonhos indica que sua riqueza vai ser tolamente desperdiçada, e que surpresas de natureza desagradável vão causar choque. No entanto, se as bandejas parecerem estar cheias de objetos de valor, as surpresas virão na em forma de boa sorte. Se a bandeja estiver vazia, é porque você sofre de um vazio emocional. | *Ver também* Prato.

BANDIDO Sonhar que você está sendo roubado ou ver outras pessoas sendo roubadas significa que você vai ser constrangido por alguma coisa.

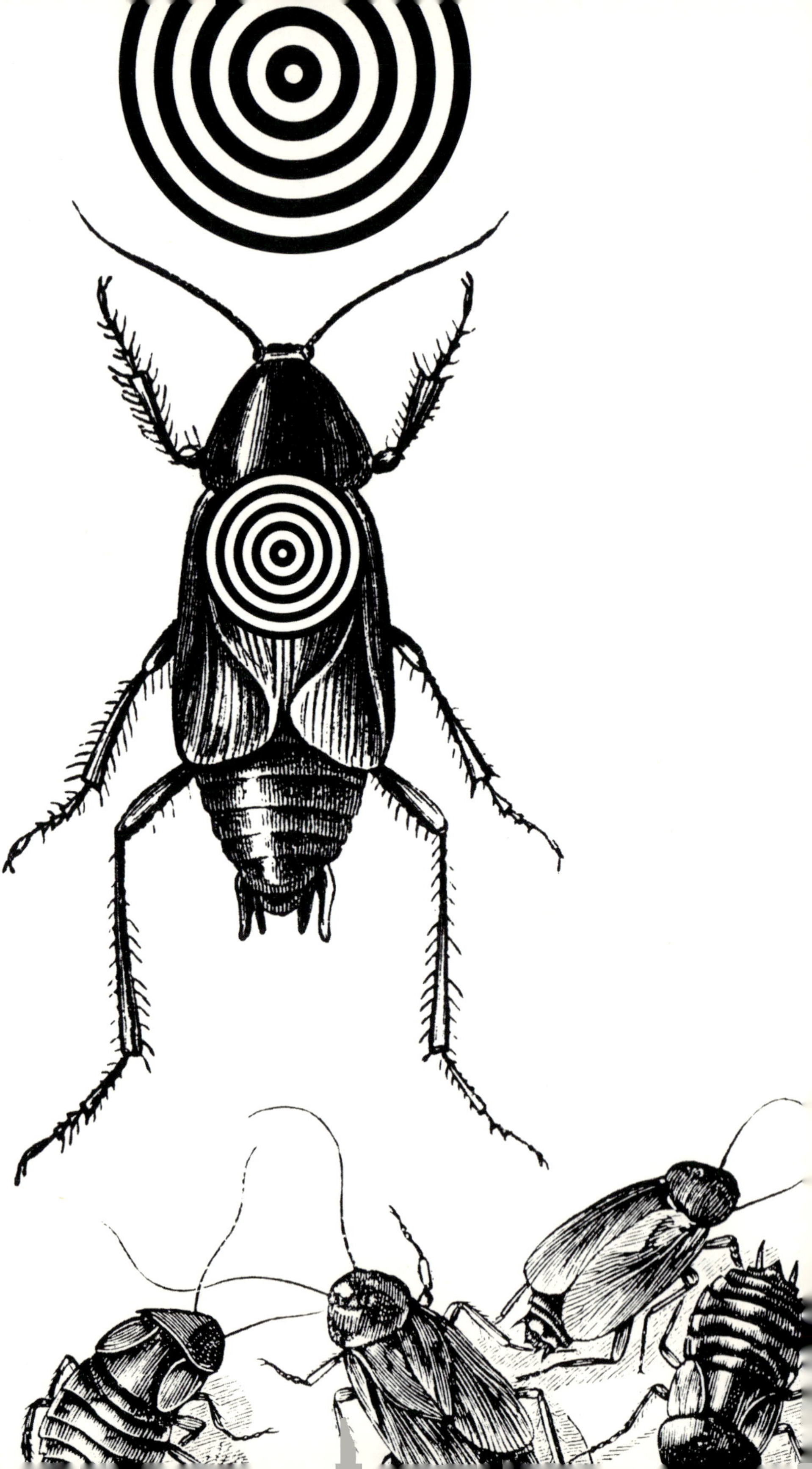

BANGUELA Sonhar que você não tem dentes sugere sua incapacidade de promover seus interesses; é sinal também de que a saúde precária vai lançar tristeza sobre suas perspectivas. Ver os outras pessoas desdentadas significa que rivais estão tentando prejudicar sua reputação com falsas acusações — felizmente, tudo em vão para eles.

BANHA Sonhar com banha de toucinho significa aumento da prosperidade.

BANHEIRA Sonhar que vê uma banheira cheia de água denota contentamento doméstico. Uma banheira vazia proclama infelicidade e a míngua da sorte. Uma banheira quebrada sugere desentendimentos e brigas familiares.

BANHEIRO Sonhar com um banheiro é presságio de boa sorte. Esteja ele sujo ou limpo, representa ganho financeiro.

BANHO Sonhar que está tomando banho indica boa sorte chegando.

BANHO DE VAPOR Sonhar com um banho de vapor significa que você precisa de um tempo para reavaliar seus relacionamentos. Se você sonha que está saindo de um, é porque sua cautela vai ser temporária.

BANHO TURCO Sonhar que está em um banho turco pressupõe que você vai buscar saúde longe de casa e dos amigos, mas obter muita satisfação com isso. Ver outras pessoas em um banho turco significa que boas companhias vão prender sua atenção.

BANIMENTO Sonhar que está sendo banido para uma terra estrangeira é um sonho de grande prosperidade. | *Ver também* Exílio.

BANJO Sonhar com um banjo representa momentos de prazer no horizonte.

BANQUETE É prenúncio de agradáveis surpresas planejadas para você. Porém presenciar bagunça ou má conduta em um banquete sugere brigas ou infelicidade por negligência ou doença de alguma pessoa. Sonhar que se vê junto a muitos convidados lindamente vestidos, comendo em porcelana caríssima e bebendo vinho caro e envelhecido, pressagia um enorme ganho em empreendimentos de todas as naturezas, bem como a felicidade entre os amigos. Chegar atrasado em um banquete indica ocupação com assuntos complicados.

BAQUETA Tocar uma bateria com baquetas é sinal de tempos felizes por vir. Se o instrumento for outro, você será enganado em um contrato, caso não seja cuidadoso.

BAR Sonhar que cuida de um bar é sinal que você pode recorrer a algum modo questionável de promoção. Ver um bar denota ação em comunidade, melhora rápida das finanças ou a consumação de desejos ilícitos.

BARÃO Sonhar com um barão sugere que seu status social vai se elevar.

BARATA Esse inseto pressagia que seus amigos estão fazendo você de bobo.

BARBA Sonhar que vê uma barba sugere que uma pessoa hostil vai fazer oposição a você. Pode ser também que você enfrente uma luta feroz para impor seu domínio, e provavelmente vai perder dinheiro. Uma barba grisalha significa má sorte e brigas. Ver barba em uma pessoa do gênero feminino pressagia parcerias desagradáveis e doenças prolongadas. Se alguém puxar sua barba, você corre o risco de perder uma propriedade na vida desperta. Pentear e admirar uma barba mostra que sua vaidade vai crescer com prosperidade.

BARBANTE Sonhar com pequenos pedaços de barbante é um alerta de que você precisa lidar com o medo reprimido. Sonhar que manipula barbante implica em felicidade e bem-estar — quanto mais comprido o barbante, maior sua felicidade.

BÁRBARO Encontrar um bárbaro em seu sonho sugere que você deve abordar alguém em sua vida de forma pouco convencional, caso deseje transmitir seu ponto de vista.

BARBEAR Meramente cogitar fazer a barba em um sonho sugere que você vai planejar o desenvolvimento de empreendimentos, mas não vai conseguir gerar energia suficiente para ter sucesso. Sonhar que faz a barba prediz que você vai comandar seu próprio negócio e seu lar. Se seu rosto ficar macio, você vai desfrutar da tranquilidade, e sua conduta não será questionada por seus pares. Mas se a pele ficar irritada, espere muitos protestos. Se sua navalha estiver cega e ferir seu rosto, você dará aos seus amigos motivos para criticar sua vida particular. Se sua barba estiver grisalha, você vai se ver absolutamente desprovido de qualquer senso de justiça para com aqueles que têm queixas contra você. Sonhar que raspa a cabeça ou qualquer parte do corpo até deixar completamente careca indica seu desejo de revelar seu verdadeiro eu aos outros.

BARBEIRO Sonhar com um barbeiro prediz que o sucesso virá por meio de muito empenho e muita atenção aos detalhes.

BARCO Sonhar com um barco em águas límpidas sinaliza perspectivas brilhantes. Já se a água estiver agitada e turbulenta, sinal de preocupações e mudanças infelizes à vista. Azarado é o sonhador que cai no mar ao navegar em águas turbulentas.

BARCO A REMO Sonhar que está em um barco a remo com outras pessoas revela que você sente muito prazer na companhia de pessoas felizes e comuns. Se o barco virar, sinal de perdas financeiras devido ao envolvimento em empreendimentos sedutores. Se você for derrotado em uma prova de remo, é porque vai perder a pessoa amada para um rival. Porém, se sair vencedor, seu romance irá muito bem. E a vida de forma geral vai correr de maneira agradável.

BARÍTONO Sonhar que você é dono de uma voz grave fala de sua capacidade de detectar discrepâncias no trabalho provocadas pelas fraudes de prestadores de serviço. Romanticamente, prediz distanciamentos e brigas.

BARÔMETRO Ver um barômetro em sonho indica uma mudança lucrativa em breve em sua vida. Se o barômetro estiver quebrado, incidentes desagradáveis podem surgir inesperadamente na vida profissional.

BARRANCO Sonhar que está fisicamente preso a um barranco significa que em breve, graças à ajuda de uma fonte inesperada, você vai superar um problema atual que tem sido um incômodo.

BARRIGA É ruim sonhar que vê uma barriga inchada, indica doença. Ver uma barriga saudável denota boa saúde e bem-estar. | *Ver também* Abdômen.

BARRIGUDO Ver qualquer coisa barriguda em um sonho é presságio de sorte e ganho financeiro.

BARRIL Sonhar com um barril cheio denota momentos e banquetes prósperos. Se estiver vazio, sua vida ficará desprovida de alegria e conforto.

BARRIL KEG Sonhar com esse modelo de barril de menor capacidade indica que você deve lutar para se livrar da opressão. Barris quebrados significam separação de familiares ou amigos.

BARTENDER Sonhar com um atendente de bar significa que você precisa ser mais seletivo na escolha dos parceiros. Sonhar que você é um atendente de bar significa que em breve alguém vai lhe convocar para receber seus conselhos.

BARULHO Se você ouvir um barulho estranho em um sonho, notícias desfavoráveis à vista. Se o barulho for capaz de despertar você, é porque vai haver uma mudança repentina em sua vida pessoal.

BARULHO DE PANCADA Se você sonha que ouviu alguém fazer barulhos altos e batendo em alguma coisa — ou se você mesmo está fazendo o barulho —, a mensagem é que você precisa impor sua voz.

BASEADO Sonhar que fuma um cigarro de maconha significa que você está assumindo muitos riscos em sua vida social, e que vai passar por constrangimentos se não parar. | *Ver também* Maconha.

BASQUETE Participar de um jogo desse esporte em sonho significa que você vai alcançar seus objetivos. Já estar como espectador de um jogo de basquete é um conselho para parar de sentar-se à margem de sua vida e participar mais plenamente.

BATALHA A batalha representa a luta contra as adversidades, e finalmente a vitória. Se você for derrotado, é porque maus negócios feitos por terceiros vão frustrar suas perspectivas. Se você vencer, vai superar bem os obstáculos.

BATISMO Sonhar com batismo é um conselho para fortalecer seu caráter, buscando demonstrar moderação ao expressar suas opiniões. Sonhar que está sendo batizado significa que você vai se humilhar para obter algum tipo de favorecimento público.

BATOM Sonhar que está usando ou passando batom sinaliza felicidade e alegria em seus relacionamentos amorosos num futuro bem próximo. Se o batom estiver sujo em sua embalagem, problemas com um colega de trabalho podem surgir.

BAZAR

BATATA Sonhar com batatas costuma pressagiar coisas boas. Se você estiver cavando para colhê-las, é sinal de sucesso; se estiver comendo-as, indica ganho substancial; cozinhá-las denota um emprego agradável. Plantá-las traz a realização dos desejos. Ver batatas apodrecendo revela o fim do prazer e um futuro sombrio.

BATEDOR Se você sonha que está usando um batedor numa porta, é porque vai ser obrigado a pedir ajuda e conselho a outras pessoas.

BATEDOR DE CARTEIRAS Se você sonha com um batedor de carteiras, é porque um desafeto vai ter sucesso ao perturbar você — e vai trazer perdas.

BATER MANTEIGA Se você sonha que está batendo manteiga, é porque terá tarefas difíceis adiante, mas com diligência e assiduidade será capaz de cumpri-las e terá muita prosperidade.

BATIDA Ouvir batidas nos sonhos sugere que em breve você vai ter notícias de natureza grave; ou o sonho pode ser um alerta sobre uma mudança crucial no horizonte. Se você for acordado pela batida, uma notícia vai afetar você muito seriamente.

BATUQUE Sonhar que você ouve um batuque e acha irritante sugere que em breve vai haver um desentendimento com um amigo ou membro da família.

BAÚ Sonhar com baús anuncia viagens e azar. Arrumar um baú de viagem sugere que em breve você vai fazer uma viagem agradável. Ver um baú bagunçado prediz brigas e uma viagem de última hora, a qual vai gerar apenas insatisfação. Baús vazios falam de decepção no amor e no casamento.

BAUNILHA Essa especiaria significa que em breve vai chegar um convite social.

BAZAR Ir a um bazar em sonho significa que você tem muitas opções. Se você comprar qualquer item no bazar, é porque na vida desperta vai gastar dinheiro em um objeto ou evento que trará alegria.

BAZÓFIA Se ouvir alguém se gabando em seus sonhos, você vai se arrepender sinceramente de um ato impulsivo que causa problemas para seus amigos. Vangloriar-se de um concorrente significa que você vai ser injusto e vai usar de meios desonestos para vencer uma competição na vida desperta.

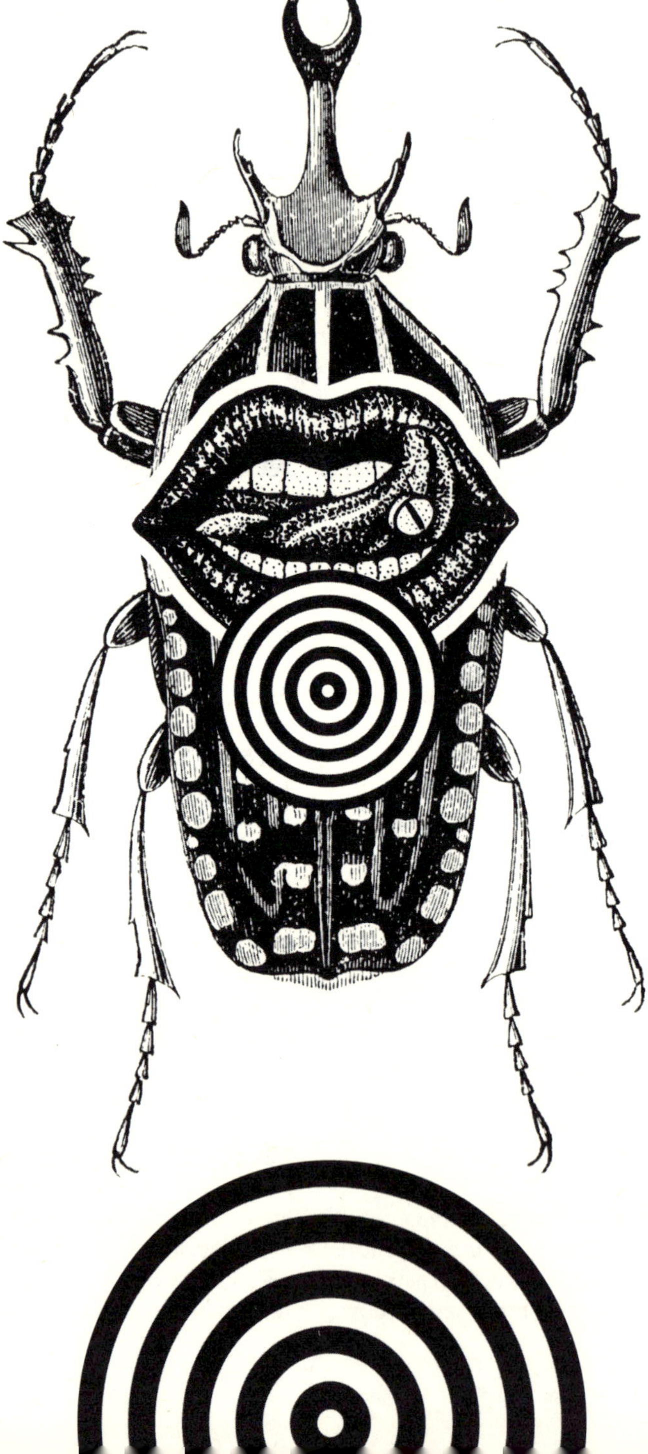

BEAGLE Sonhar com esse cão de caça sugere lealdade entre seus amigos e colegas de trabalho.

BEBÊ Sonhar com bebês chorando é indicativo de problemas de saúde e decepções. Já um bebê feliz denota amor correspondido e muitos amigos calorosos.

BEBIDA Dedicar-se a beber em seu sonho sugere rivalidade mal-humorada e contendas por pequenas posses. Constatar que parou de beber, ou descobrir que outros pararam, mostra que você vai superar sua situação atual e vai prosperar. Sonhar que está bebendo tem a ver com sua sede de vida sendo saciada; você sempre se depara com muita alegria em viver. Dar bebida a outra pessoa significa que você vai ajudá-la a atingir uma meta. | *Ver também* Ponche.

BEBIDA ALCOÓLICA Sonhar que está comprando bebida alcoólica denota a usurpação egoísta de um bem sobre o qual você não tem direito legal. Se você estiver vendendo bebidas alcoólicas, é porque vai ser criticado por sua benevolência. Sonhar que consome bebidas alcoólicas de modo geral sugere que você vai se enfiar em algo de valor duvidoso, mas sua generosidade vai atrair amigos sociáveis. Ver bebida em barris denota prosperidade, mas também uma vida doméstica pouco propícia. Se a bebida estiver engarrafada, a sorte vai se apresentar de forma muito tangível.

BECO Sonhar com um beco é sinal de que sua sorte não será tão boa ou promissora quanto antes. Muitos aborrecimentos vão aparecer.

BEIJA-FLOR Nos sonhos, esse pássaro pequenino simboliza bênçãos, felicidade e prazer.

BEIJO Sonhar que vê crianças se beijando denota um reencontro familiar feliz e um trabalho satisfatório. Se sonha que está beijando sua mãe ou seu pai, é porque vai ter muito sucesso em seus empreendimentos e será homenageado e amado por seus amigos. Beijar um irmão ou irmã sugere igual prazer e bem-estar em seus relacionamentos. Beijar a pessoa que você gosta no escurinho denota perigo e imoralidade. Beijá-la sob a luz mostra que no romance suas intenções são as mais honrosas. Sonhar que troca um beijo ilicitamente denota passatempos perigosos. Ceder a um beijo repulsivo pode trazer tragédia. Se você sonha que beija um inimigo, é porque vai avançar em direção à reconciliação com um amigo que anda bravo com você. Beijar a mão indica respeito, e beijar um desconhecido revela sua necessidade de desenvolver mais amor-próprio em vez de buscar a aprovação das pessoas que lhe cercam.

BEIRADA Sonhar que está à beira de qualquer coisa — uma cadeira, uma escada, um penhasco ou uma ribanceira — revela que em breve você vai se arriscar em uma coisa que vai se revelar muito boa. Sonhar que está *caindo* da beira de algum lugar é ainda melhor. Significa que uma oportunidade aproveitada vai melhorar sua vida.

BEISEBOL Se houver um jogo de beisebol em seu sonho, você vai se flagrar facilmente satisfeito, e sua alegria vai fazer de você uma companhia bem popular.

BELADONA Movimentos estratégicos trarão sucesso no trabalho. Se você sonha que está tomando beladona, no entanto, problemas com dívidas se aproximam.

BELDADE Sonhar que você é uma beldade em uma reunião social denota constrangimento em um evento social que está por vir. Preste atenção nas situações em que você vai se inserir.

BELEZA Se você se vê bonito em seus sonhos, é porque vai se revelar um bajulador engenhoso. Ver outras pessoas bonitas indica que você vai desfrutar da confiança de gente do alto escalão.

BELICHE Sonhar que dorme em um beliche, ou ver outras pessoas dormindo em um, simboliza segurança. Sonhar com um beliche vazio aponta a necessidade de encontrar mais segurança em sua vida.

BELISCÃO Sonhar que está sendo beliscado significa que você vai ficar subitamente ciente de um problema que carece de solução imediata. Se você estiver beliscando alguém, é porque vai ser extremamente difícil encontrar uma solução para um problema atual.

BEM-AVENTURANÇA Sentir que é abençoado em sonho representa uma agradável surpresa chegando.

BÊNÇÃO Sonhar que se sente bem-aventurado e feliz prenuncia tristeza na vida real.

BENGALA Ver uma bengala em um sonho prediz que você vai se envolver em contratos sem a devida ponderação, e consequentemente sofrerá reveses. Se no sonho você usa uma bengala para caminhar, é porque vai depender do conselho de outras pessoas. Se estiver admirando bengalas bonitas, então vai confiar seus interesses a terceiros, e eles felizmente serão fiéis.

BENS MATERIAIS Sonhar que é dono de bens materiais indica que você vai chegar a lugares altos devido ao seu constante esforço e atenção ao seu trabalho. | *Ver também* Riqueza.

BERÇO Sonhar com um berço com um lindo bebê ocupando-o é prenúncio de prosperidade. Embalar o bebê no berço indica doença grave de um familiar.

BERIMBAU DE BOCA Se você sonha com esse instrumento musical, é porque vai vivenciar uma ligeira melhora em sua vida pessoal. Tocá-lo é sinal de que você vai se apaixonar por uma pessoa desconhecida.

BERINJELA Sonhar que cultiva berinjelas significa aumento da prosperidade. Preparar ou comer berinjela é boa sorte em dobro.

BERRANTE Um berrante estragado denota morte ou acidente.

BESOURO Sonhar que vê besouros denota pobreza e pequenos males. Sonhar que os mata é bom.

BESTA Sonhar que dispara essa arma significa que em breve você vai estar pronto para correr atrás de seus objetivos. Sonhar que alguém atira em você usando uma besta é um alerta sobre seus pretensos desafetos.

BETERRABA Se o seu sonho mostra beterrabas crescendo abundantemente, a paz e a colheita frutífera reinarão em seu terreno; comê-las com outras pessoas é sinal de boas novas.

BÉTULA Sonhar com essa árvore significa que você vai se livrar dos seus medos, tornando-se menos frágil e mais flexível na maneira de pensar.

BETUME Sonhar que trabalha com massa de vidraceiro sugere que você está se arriscando muito com a sorte. Se você colar uma vidraça com a massa, é porque vai buscar a prosperidade, porém com resultados ruins.

BEXIGA (ANATOMIA) Sonhar com a bexiga do corpo humano sugere que você terá sérios problemas no trabalho se não tomar cuidado com sua saúde e com a maneira como investe sua energia.

BEZERRO Sonhar com bezerros pastando pacificamente em um gramado aveludado, sugere que você vai se tornar um grande favorito na sociedade e que vai conquistar o coração de uma pessoa leal. Para os jovens, esse sonho indica reuniões festivas e diversão. Para um empresário, fala de lucro nas vendas; para um amante, é a entrada em um relacionamento de respeito mútuo. Aqueles empenhados em buscar riqueza verão seu rápido crescimento. Se os bezerros estiverem magricelos, o objetivo que você mira será muito mais difícil de se atingir. | *Ver também* Gado.

BÍBLIA Sonhar com a Bíblia representa bênçãos e boa sorte.

BIBLIOTECA Sonhar que está em uma biblioteca sugere que você vai ficar descontente com seu ambiente e seus relacionamentos, e por causa disso vai buscar companhia nos estudos e na exploração de antigos hábitos. Flagrar-se em uma biblioteca com outro propósito que não seja o estudo ou a leitura implica que sua conduta pode enganar seus amigos. Sonhar que não consegue encontrar um livro na biblioteca indica que você sente saudade de um aspecto da sua personalidade que não tem aparecido muito. Olhe para si mesmo e busque a peça que falta.

BÍCEPS Sonhar com os músculos do bíceps significa proteção. Já bíceps esqueléticos apontam um problema de saúde.

BIFE Sonhar com um bife malpassado ou cru é prenúncio de más notícias. Cozinhar bife prevê aumento na atividade social; comê-lo, aumento na renda.

BIGAMIA O fato de um homem cometer bigamia em sonho denota perda de masculinidade e deficiência intelectual. Se uma mulher comete bigamia em sonho, é sinal de que sua atenção dividida vai lhe trazer problemas.

BIGORNA

BICHO DE PELÚCIA Sonhar com um bichinho de pelúcia significa que em breve você vai ter segurança e proteção em sua vida.

BICHO-DA-SEDA Se você sonha com o bicho-da-seda, é porque vai ter um trabalho muito lucrativo, e que também trará uma posição de destaque. Vê-los mortos ou rompendo seus casulos significa reveses e momentos difíceis.

BICICLETA Sonhar que está subindo uma colina de bicicleta significa perspectivas brilhantes.

BICO Sonhar com o bico de um pássaro é um alerta de que as palavras rudes de alguém podem estragar o seu dia.

BICO-DE-PAPAGAIO Sonhar com essa planta natalina sugere harmonia familiar e relações estáveis. Mas se ela estiver morta ou doente, no entanto, é presságio de discussões familiares e discórdia.

BICO DE PENA Sonhar com esse artefato para escrita denota uma temporada de sucesso para aqueles com inclinação literária. Sonhar que os bicos de pena estão sendo usados apenas como enfeite significa agilidade comercial e boa remuneração.

BIGODE Sonhar que você tem bigode é um aviso para não deixar que as irritações se transformem em grandes dores de cabeça. Raspar um bigode indica uma experiência infeliz em um relacionamento atual, porém um novo amor está no horizonte.

BIGORNA Sonhar com uma bigorna com faíscas ao redor representa um trabalho agradável; para o fazendeiro, sugere safra abundante. É um sonho favorável para as mulheres. Sonhar com uma bigorna fria prevê que você pode esperar pequenos favores daqueles que estão no poder. O meio do sucesso está em suas mãos, mas para alcançá-lo, será preciso trabalhar sob percalços. Se a bigorna estiver quebrada, é indicativo de que você, devido à própria negligência, jogou fora oportunidades promissoras e irrecuperáveis.

BILHAR Sonhar que joga bilhar prenuncia problemas, processos judiciais e contendas sobre propriedades. A calúnia pode vir a prejudicá-lo. Se a mesa e as bolas de bilhar estiverem sem uso, é porque há pessoas no seu círculo social falando mal de você.

BINÓCULOS Usar binóculos em sonho prevê um acontecimento súbito e inesperado que você vai conseguir examinar com cautela e resolver fácil e rapidamente.

BIOGRAFIA Se você sonha que está lendo ou escrevendo uma biografia sobre alguém, fique atento para não espalhar boatos na vida desperta, e use suas palavras com sabedoria ao falar sobre terceiros.

BIOLOGIA Estudar ou ver alguém estudando biologia sugere que um relacionamento em sua vida deve ser dissecado para que você possa compreendê-lo melhor.

BIOQUÍMICA Estudar bioquímica ou ver outra pessoa estudando bioquímica significa que você vai ficar sabendo de algum acontecimento científico que vai abalá-lo profundamente.

BISPO Sonhar com um bispo diz que será necessário muito trabalho para atingir seus objetivos.

BISQUE Sonhar com essa sopa típica da culinária francesa significa que sua alma necessita de alimento.

BLASFÊMIA Sonhar com blasfêmia é um aviso de que um desafeto está se infiltrando em sua vida. Ao fingir amizade, essa pessoa vai causar um grande dano. Sonhar que está blasfemando a si mesmo significa má sorte. Sonhar que está sendo xingado por outros significa afeto e prosperidade. Sonhar que outras pessoas estão blasfemando é sinal de que você vai ser magoado de alguma forma, e provavelmente também será alvo de insultos.

BISCOITO

BIQUÍNI Sonhar que se vê de biquíni e que sente vergonha de sua aparência significa que você está se cuidando muito bem fisicamente. Ver outra pessoa de biquíni é um alerta para você cuidar da saúde física.

BISÃO Sonhar com um bisão vivo significa que seu espírito vai se manter forte em face de uma adversidade que se aproxima. Um bisão morto ou empalhado sugere a perda da fé em si e em sua capacidade de resolver um problema incômodo.

BISBILHOTAR Sonhar que bisbilhota uma conversa significa que logo você vai se flagrar no centro de falsos rumores. Se outra pessoa estiver bisbilhotando, você vai descobrir um amigo desleal.

BISCOITO Comer ou assar biscoitos aponta problemas de saúde e rompimento da paz familiar devido a questões desimportantes. Sonhar com biscoitos prenuncia pequenas discussões.

BLECAUTE Se você sonha que está tendo um blecaute físico, ou seja, que está sofrendo um desmaio, é sinal de que na vida seus sentidos vão estar totalmente despertos durante uma situação que carece ser solucionada. Sonhar com um apagão elétrico sugere que você use seus cinco sentidos para resolver os problemas cotidianos.

BLOCO DE NOTAS Um bloco de papel limpo ou novinho em seu sonho sugere novas oportunidades.

BLOCOS Sonhar com blocos de concreto é indicativo de que em breve você vai encarar problemas financeiros. Bloquinhos de construção pedagógicos indicam que atualmente você está construindo seu futuro material.

BLOQUEIO NA ESTRADA Encontrar um obstáculo numa estrada é sinal de que um problema que você pensou que seria facilmente resolvido será bem mais complicado. Mas se você conseguir superar o obstáculo, aí o problema será facilmente sanado.

BLUSA Sonhar com uma blusa de botão feminina significa que você vai ouvir fofocas desfavoráveis a seu respeito. Fique atento e prepare-se para cortar os burburinhos pela raiz.

BLUSH Sonhar que se maquia com blush implica que você vai usar do logro para realizar seus desejos. Ver outras pessoas usando blush é um alerta de que você está sendo engenhosamente usado para promover os planos de algumas pessoas astutas. Se vir suas mãos ou roupas sujas de blush, é porque vai ser descoberto em algum tipo de intriga. Se o blush no seu rosto sair, é porque você vai sofrer humilhação diante de um rival e vai perder a pessoa que ama por causa de uma fraude que você mesmo terá cometido.

BOATE Sonhar que está em uma boate pressagia notícias tristes.

BOBINA Sonhar com uma bobina significa que muito trabalho o aguarda se você quiser concluir um projeto.

BOCA O sonho com uma boca aberta significa que você precisa parar de se meter na vida alheia. Se você vê dentes na boca aberta, sugere-se amizades falsas. Se a boca for pequena, pode ser que venha ganho financeiro por aí. Sonhar com uma bocarra prediz uma nova e valiosa amizade.

BOCEJAR Se você boceja em seus sonhos, é porque vai buscar saúde e contentamento na vida desperta — mas será em vão. Ver os outros bocejando sugere que alguns de seus amigos vão se afogar na tristeza. A doença vai afastá-los de suas tarefas habituais.

BOI Ver um boi bem alimentado significa que você vai se tornar uma pessoa influente em seu campo de atuação. Ver bois gordos em pastagens verdejantes representa prosperidade e sua ascensão a posições que estão além de suas expectativas. Se eles estiverem desnutridos, sua prosperidade vai sofrer uma queda. Se você vir bois iguais e unidos por um jugo, é sinal de um casamento feliz e abundante, ou que você já está unido a sua alma gêmea. Ver um boi morto é sinal de luto. Se os bois estiverem bebendo de um lago ou riacho límpido, você vai conseguir algo ou alguém há muito desejado. | *Ver também* Rebanho.

BOICOTE Flagrar a si ou a outras pessoas boicotando algo em um sonho significa que essa mesma coisa logo vai se tornar parte de sua vida.

BOLA Pegar ou jogar uma bola nos sonhos representa dar ou receber o amor de alguém.

BOLHA (DE SABÃO) Sonhar com bolhas significa que seus problemas atuais vão desaparecer no ar. Sonhar que sopra bolhas de sabão é um conselho para cuidar das finanças.

BOLHA (FERIMENTO) Sonhar que vê uma bolha na pele ou que sente sua dor característica é um sinal para tomar cuidado com uma aventura vindoura. Estourar uma bolha e vê-la secar significa que qualquer passo em falso em um empreendimento será corrigido imediatamente.

BOLICHE Sonhar que joga boliche e derruba os pinos é um presságio de boa sorte. Sonhar que pega uma bola na canaleta ou que não acerta os pinos significa que a boa sorte logo estará ao seu alcance, mas que você não será capaz de segurá-la.

BOLINHOS Se você sonha que prepara ou come bolinhos, é porque vai ficar um bom tempo livre de estresses.

BOLO Nos sonhos, os bolos simbolizam ganhos para quem trabalha duro e oportunidade para os empreendedores. Os apaixonados vão prosperar. Sonhar que está preparando massa de bolo significa que algo que você tem tentado realizar ainda não foi concluído. Assar bolos não é um presságio tão bom nos sonhos quanto vê-los ou comê-los. | *Ver também* Panqueca.

BOLOR Sonhar com bolor significa que você vai se decepcionar em um relacionamento romântico ou platônico.

ATOMIC BOMB TEST

U.S. NAVY   **1946**

BOLOTAS (FRUTO DO CARVALHO) As bolotas são um poderoso presságio de coisas agradáveis. Sonhar que colhe bolotas do solo sugere sucesso após trabalhos extenuantes. Sonhar que você sacode árvores para que as bolotas caiam indica um rápido alcance dos desejos, seja nos negócios ou no amor. Ver bolotas verdes ou espalhadas pelo chão sugere que as coisas vão mudar para melhor. Em contraste, bolotas danificadas ou podres simbolizam decepções e reveses. Sonhar você as arranca ainda verdes das árvores indica que seus interesses serão prejudicados pela pressa e pela indiscrição.

BOLSA Sonhar com uma bolsa vazia prenuncia sorte financeira num futuro próximo. Uma bolsa cheia é um alerta para ter cuidado com a especulação financeira. Sonhar que você não consegue achar algo em sua bolsa significa que um objeto perdido será encontrado em breve.

BOLSA-CARTEIRA Se você encontrar uma bolsa-carteira cheia de dinheiro em seus sonhos, é porque vai ter muita sorte, conseguindo o que deseja em quase todas as ocasiões. Mas se estiver vazia, é sinal de decepção com algumas expectativas. Se você perder sua bolsa-carteira, infelizmente vai discordar de um melhor amigo.

BOLSA DE MÃO Sonhar que sua bolsa está cheia denota relações nas quais o positivismo é o lema, e a harmonia e o amor vão fazer do mundo um lugar lindo. Sonhar que sua bolsa está vazia sugere problemas financeiros.

BOLSA DE VALORES Sonhar que está em uma bolsa de valores pressagia uma mudança em seu bem-estar financeiro, podendo ser boa ou ruim.

BOLSA ESCOLAR Sonhar que recebe uma bolsa escolar prevê ganho financeiro. Sonhar que concede uma bolsa significa que em breve você vai oferecer ajuda a um amigo.

BOLSO Sonhar com o bolso é sinal de azar.

BOMBA (ARMA) Ver uma bomba explodir em seus sonhos, ou fabricar uma, diz a você que um projeto exige atenção meticulosa aos detalhes, caso contrário, ele explodirá.

BOMBA (MECÂNICA) Ver uma bomba em um sonho sugere que a energia e a fidelidade nos assuntos profissionais vão render as riquezas desejadas. Esse sonho também pode ser indicativo de boa saúde. Uma bomba avariada significa que seus meios de progredir na vida serão absorvidos pelos cuidados familiares. Tanto para os casados quanto para os solteiros, é sugestão de energia desperdiçada. Se você estiver manejando uma bomba, sua vida será repleta de prazer e empreendimentos lucrativos.

BOMBA NUCLEAR Sonhar que testemunha uma explosão nuclear prevê que seu mundo tal como você conhece será espiritual, mental ou emocionalmente destruído — porém reconstruído de forma positiva.

BOMBA-RELÓGIO Sonhar com bombas-relógio não detonadas prediz um convite para uma festa ou evento social. Se a bomba explodir, haverá uma mudança inesperada em sua vida pessoal — e pode não ser boa.

BOMBEIRO Representa a constância e solidez de suas amizades. Celebre!

BONDE Sonhar que anda num bonde implica em viagens. Sonhar que salta de um bonde prevê uma nova casa ou moradia. Ver bondes em sonho avisa da existência de alguém em sua vida ativamente interessado em causar problemas.

BONÉ Se uma mulher sonha que vê um boné, ela será convidada para um evento festivo.

BONECA A boneca representa uma necessidade de olhar para dentro de si. Você poderá se surpreender com desejos do seu subconsciente.

BÔNUS Sonhar que recebe um bônus indica ganho financeiro inesperado.

BORBOLETA Ver uma borboleta entre flores e gramado verde é sinal de prosperidade. Ver muitas delas voando pressagia notícias de amigos por carta ou por meio de terceiros.

BORDA Sonhar que está na borda ou no parapeito de um edifício e não sentir medo significa que você vai se dispor a assumir um risco em um negócio que será bem lucrativo. Pular ou cair da borda de algum lugar sugere que você é capaz de superar um problema que pensava ser impossível de solucionar.

BORDADO Se você sonha com bordados, é sinal de que é capaz de construir sua felicidade pessoal sozinho. Sonhar que está fazendo bordado sugere felicidade e contentamento. Se você sonha que os outros estão bordando, fique de olho em obstáculos no trabalho, e no logro causado por pessoas próximas.

BORDEL Sonhar que está em um bordel é um alerta de que você vai se deparar com malefícios por alimentar sua vaidade ao adquirir bens materiais que não consegue pagar.

BORDER COLLIE Sonhar com essa raça de cachorro sugere um resgate de uma situação desagradável em um futuro próximo. | *Ver também* Cachorro.

BORDO Sonhar com essa árvore ou com a madeira dela implica em uma vida familiar feliz. Sonhar com xarope de bordo, açúcar de bordo ou qualquer outro ingrediente de bordo fala de uma vida amorosa feliz e de extraordinário vigor sexual.

BORLA Ver borlas em sonho significa que você vai atingir o ápice de seus desejos e ambições.

BORRACHA Sonhar que está usando roupas de borracha é sinal de que você vai receber honrarias devido à sua pureza e moralidade constantes e imutáveis. Se as roupas estiverem rasgadas ou puídas, seja cauteloso em sua conduta; um escândalo está prestes a atacar sua reputação. Se nos sonhos seus membros estiverem se esticando feito borracha, é sinal de que uma doença está à espreita, e é provável que você vá enganar alguém numa paquera ou no trabalho. Sonhar com itens de borracha denota que sua carreira será conduzida em segredo, e que seus amigos não vão conseguir entender sua conduta na maioria das circunstâncias.

BORRÃO Se você sonha que vê uma mancha ou borrão em algo que não é de sua autoria, é porque logo vai resolver um mistério que tem se mostrado frustrante. Se você deixar algo manchado, espere melhorias inesperadas em suas finanças.

BORRASCA Sonhar com temporais repentinos prediz negociações decepcionantes e infelicidade.

BOSQUE Sonhar com bosques significa uma mudança natural em sua vida. Se o bosque estiver bem verde, a mudança será de sorte; se estiver seco, será desastroso. Ver um bosque pegando fogo implica que seus planos vão atingir uma maturidade satisfatória. A prosperidade vai trazer benesses.

BOTA Se você sonha que usa botas novas, terá sorte na vida profissional. Botas velhas e rasgadas indicam doença e ciladas.

BOTÂNICA Sonhar com essa ciência ou que você é um botânico sugere muitas surpresas agradáveis na vida.

BOTÃO Sonhar que está costurando botões é um aviso de que preocupações emocionais logo vão surgir. Sonhar com botões, em geral, sugere perdas ou problemas de saúde.

BOTE SALVA-VIDAS Sonhar que está em um bote salva-vidas denota uma fuga de uma possível turbulência. Se você vir um bote salva-vidas afundando, seus amigos vão contribuir para aumentar sua angústia. Se você sonha que se perde em um bote salva-vidas, sinal de problemas à vista — e seus amigos estarão inclusos na confusão até certo ponto. Se você for salvo, é porque vai escapar de uma enorme calamidade.

BOXE Se você estiver lutando boxe ou assistindo a boxeadores, tome cuidado para não repetir os erros do passado.

BRACELETE Sonhar com esse ornamento significa que você se sente acorrentado por um acontecimento, decisão ou pessoa.

BRAÇO Sonhar que vê um braço saudável implica que uma pessoa próxima a você está com problemas de saúde. Sonhar com um braço machucado sugere boa saúde no horizonte.

BRASA Sonhar que você foi queimado por uma brasa implica em momentos difíceis em seus relacionamentos. Apagar brasas acesas ou fumegantes significa o encerramento de uma amizade ou relacionamento amoroso muito em breve.

BRASÃO Nos sonhos, o brasão simboliza a lealdade entre amigos e colegas de trabalho.

BRAVURA Ver a si ou outra pessoa realizando um ato de bravura em sonho significa que você não vai ter a coragem necessária em uma situação futura.

BRECHÓ Sonhar com um brechó sugere a chegada de dinheiro, sorte e prosperidade.

BREJO Brejos em sonhos falam de fardos pesados. Pode ser que você se sinta desesperançoso mesmo enquanto tenta enfrentar um desafio. Doenças e outras preocupações podem lhe oprimir. | *Ver também* Pântano.

BRIGA Brigar ou discutir com alguém em sonho aponta um relacionamento feliz no horizonte.

BRINCADEIRA DE CABRA-CEGA Sonhar com essa brincadeira na qual o pegador está vendado sugere envolvimento num empreendimento que provavelmente vai trazer humilhação e perdas financeiras. Reflita sobre as oportunidades que aparecem para você.

BRINCO Ver brincos nos sonhos revela boas notícias e trabalhos interessantes chegando. Já brincos quebrados indicam que fofoquinhas serão dirigidas contra você.

BRINDE (CELEBRAÇÃO) Fazer um brinde ou ser homenageado num brinde implica em honra e respeitabilidade no local de trabalho.

BRINQUEDO Ver brinquedos novos é um prenúncio de alegrias familiares; mas se estiverem quebrados, a morte ou a doença vão lhe trazer muita tristeza. Se você vir crianças com brinquedos, presságio de um casamento feliz. Doar brinquedos nos sonhos sugere que você será socialmente ignorado por seus conhecidos.

BRISA Sentir uma brisa em sonho significa que um projeto ou acontecimento futuro fluirá sem problemas.

BRITADEIRA Sonhar que opera uma britadeira, ou ver outra pessoa operando, implica em um grande salto na carreira.

BROCHE Um broche reluzente e novo é um conselho para cuidar do seu coração. Um broche antigo, mostra que você pode contar com relacionamentos próximos e que as pessoas ao seu redor são confiáveis e leais.

BRONQUITE A bronquite aparecendo no sonho diz que complicações de uma doença em casa vão frear seus planos.

BRONZE Sonhar com esse metal é sinal de que sua sorte será incerta e insatisfatória.

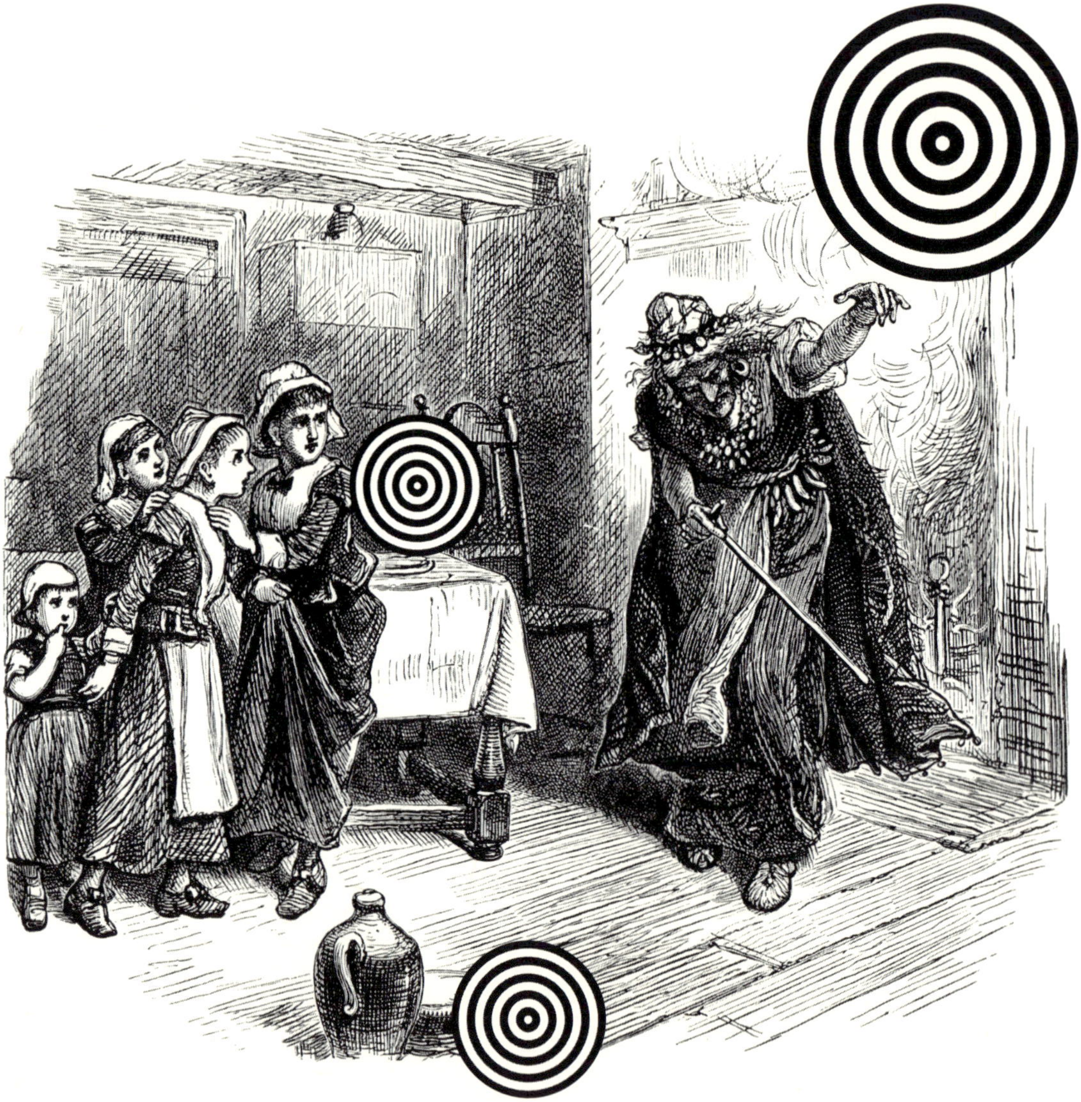

BRUXA Sonhar com bruxas indica que você vai vivenciar aventuras muito divertidas. Se as bruxas avançarem sobre você, é porque questões profissionais serão prejudicadas; a vida doméstica pode ser decepcionante.

BUDA Sonhar com o Buda é sinal de bênçãos abundantes.

BÚFALO Sonhar com búfalos prevê grandes lucros — a menos que você esteja matando ou machucando o animal; nesse caso, aí é preciso ter cuidado em novos empreendimentos comerciais.

BUFÃO Esse sonho diz que você vai ignorar coisas importantes enquanto se concentra em bobagens.

BUGIGANGA Sonhar com uma bugiganga significa que o sucesso social e a fortuna estão a caminho.

BULDOGUE Se você sonha que está entrando em instalações estranhas e é atacado por um buldogue, você corre o risco de cometer perjúrio para alcançar seus desejos. Se um buldogue o recebe de maneira amigável, você ascenderá na vida, independentemente das críticas e da interferência dos desafetos. | *Ver também* Cachorro.

BULLYING Ser intimidado em sonho fala de amigos leais e bons em sua vida desperta. Mas se você estiver praticando bullying, é porque não é um amigo tão bom quanto deveria. Avalie suas atitudes com as pessoas ao seu redor.

BUMERANGUE Se você joga um bumerangue e ele volta, é porque alguém está sendo desonesto com você. Se ele não volta, espere uma mudança em algum aspecto de sua vida.

BUQUÊ Sonhar com um buquê ricamente colorido sugere uma herança de algum parente rico e desconhecido; além disso, sugere também encontros agradáveis e alegres entre os jovens. Um buquê murcho significa doença e morte.

BURACO Sonhar que pisa ou cai em um buraco significa que você precisa se preocupar com amizades desonestas. Sonhar que tem um buraquinho na sua roupa sugere sorte financeira. Se você estiver cavando um buraco, uma viagem repentina está prestes a acontecer. E se você estiver examinando buracos, momentos mais tranquilos estão chegando.

BURACO DA FECHADURA Sonhar que está espionando outras pessoas pelo buraco da fechadura significa que você vai prejudicar alguém ao revelar confidências. Se você flagrar os outros espiando pelo buraco da fechadura, falsos amigos podem estar investigando seus assuntos particulares para se defenderem de você. Sonhar que você não consegue encontrar um buraco de fechadura ao tentar destrancar uma porta sugere que, inconscientemente, você vai magoar um amigo.

BURRO Sonhar com um burro zurrando na sua cara diz que você está prestes a ser insultado publicamente por uma pessoa obscena e desprovida de escrúpulos. Se você ouvir um zurro distante enchendo o ambiente de melancolia, é porque vai ser contemplado pela riqueza e vai se libertar de amarras desagradáveis com a morte de alguém próximo. Se você se flagrar montado em um burro, vai visitar regiões estrangeiras e explorar muitos lugares de difícil acesso. Ver os outros montando burros sugere uma herança escassa para eles e uma vida de labuta. Conduzir um burro significa que todas as suas energias e coragem serão colocadas em jogo contra os esforços desesperados de seus desafetos para prejudicar você. Se você monta um burro enquanto está apaixonado, pessoas ruins vão causar problemas em sua vida desperta. Se você tomar um coice, isso mostra que você está tendo casos ilícitos e está tenso com a possibilidade de ter seu segredo revelado. Se você conduzir um burro por um cabresto, é porque vai comandar todas as situações, essa representação fala de sua capacidade de conduzir os outros do seu jeito por meio da adulação. Ver crianças cavalgando e guiando burros sugere que elas serão

BÚSSOLA

saudáveis e obedientes. Cair ou ser jogado de um burro é sinal de má sorte e decepção. Os amantes vão brigar e se separar. Ver um burro morto denota saciedade resultante de excessos desregrados. Sonhar que está bebendo leite de burra sugere que os desejos frívolos serão satisfeitos às custas da responsabilidade. Se você vir um burro esquisito no meio de um rebanho, ou em seu estabelecimento, é sinal de que você vai herdar algumas coisas valiosas. Sonhar que ganha um burro de presente, ou que compra um, pressagia que você vai chegar a alturas invejáveis no mundo profissional ou social; se você for solteiro, terá um casamento bem-sucedido. | *Ver também* Mula.

BÚSSOLA Sonhar com uma bússola sugere que você vai ser obrigado a lutar sob limites rígidos, fator que vai dificultar o sucesso, porém torná-lo ainda mais merecido. Ver uma bússola apontando na direção errada é ameaça de perda.

BUSTO (ANATOMIA) Um busto saudável significa prosperidade vindoura, e um busto doente significa perda, podendo ser financeira ou pessoal.

BUZINA DE NEVOEIRO Ouvir uma buzina de nevoeiro em seu sonho é um aviso; talvez seu subconsciente o esteja alertando para se preparar para mudanças repentinas. Ouvir a sirene continuamente sugere que você está passando por um estresse extremo.

BUZINA Sonhar que ouve o som de uma buzina indica uma notícia repentina de alguém alegre.

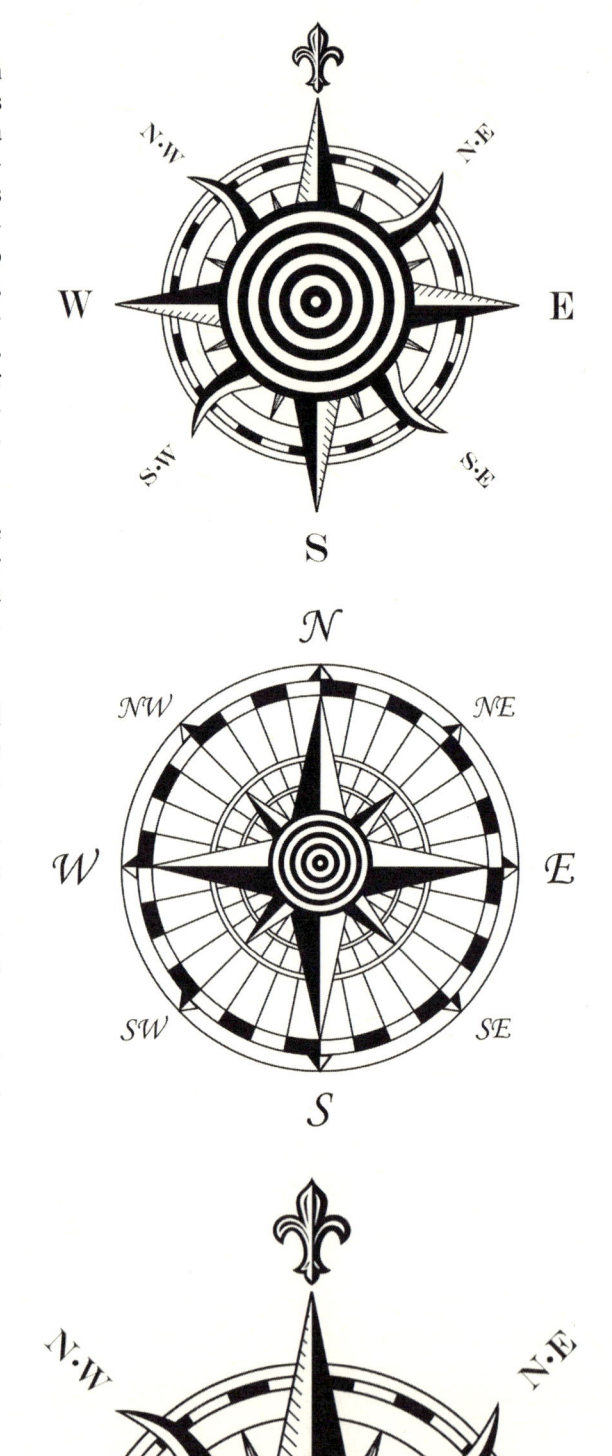

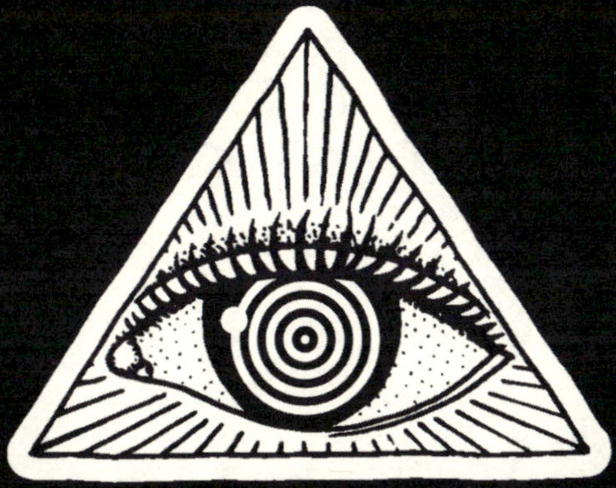

O sonho é uma festa do espírito.

Machado de Assis

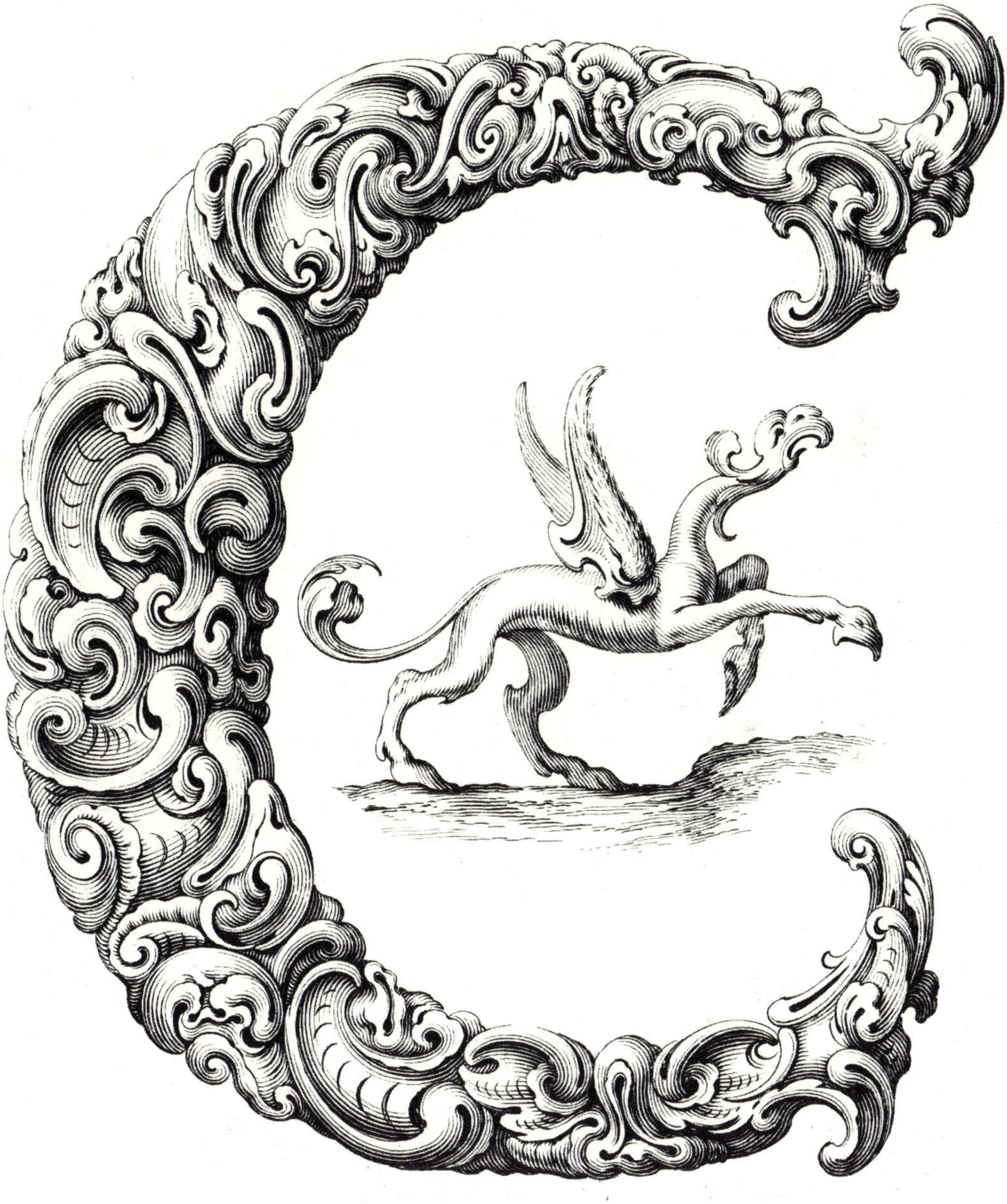

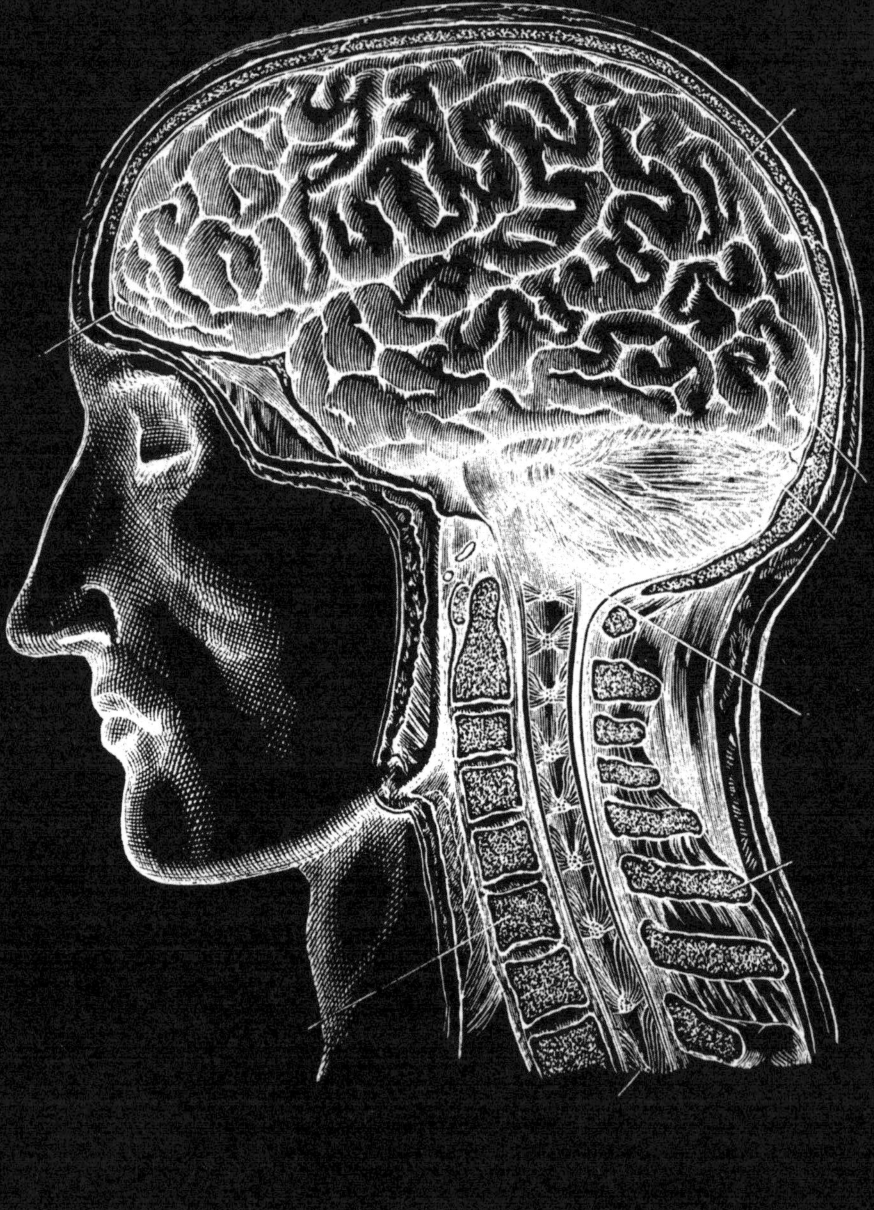

"Recordações são sementes de sonhos."

CABANA Sonhar com uma cabana denota um sucesso indiferente. Se você estiver dormindo em uma cabana, espere problemas de saúde e insatisfação. Uma cabana em um pasto verdejante prevê prosperidade, porém felicidade oscilante. Uma casinha num bosque ou uma cabana na praia é o sonho que fala de encontros familiares felizes no futuro.

CABEÇA Se você vir a cabeça de uma pessoa em seu sonho, e ela é bem formada e proeminente, é porque você vai conhecer indivíduos dotados de poder e de vasta influência, e que vão ajudar em empreendimentos importantes. Se você sonhar com a sua cabeça mesmo, é porque corre o risco de sofrer problemas no sistema nervoso ou no cérebro. Se você vir uma cabeça decepada, e ela estiver ensanguentada, é porque você vai se deparar com decepções angustiantes e com a destruição de suas esperanças e expectativas mais estimadas. Ver-se com duas ou mais cabeças pressagia uma ascensão rápida e fenomenal na vida, porém há grande probabilidade de essa ascensão não se mostrar estável. Sonhar que sente dor de cabeça indica que você vai ser oprimido pela preocupação. Também diz que você precisa consultar um médico. Uma cabeça inchada sugere mais coisas boas do que ruins em sua vida. Sonhar com a cabeça de um bicho implica que a natureza de seus desejos vai ocorrer em um plano mais vulgar; apenas os prazeres físicos vão lhe interessar. Se você estiver lavando a cabeça em sonho, é sinal de que vai ser procurado por pessoas importantes devido à sua capacidade de julgamento e bons conselhos.

CABELEIREIRO Se você for a cabeleireiro em um sonho, é um aviso contra fofocas recorrentes. Cuide da sua vida.

CABELO Ver-se coberto por cabelos é um presságio de indulgência para com os vícios, a tal ponto que você não será bem-vindo nas camadas mais refinadas da sociedade. Se você vir um cabelo bem cuidado e bem penteado, sua sorte vai melhorar. Sonhar que cortou o cabelo rente ao couro cabeludo indica que você vai ser generoso a ponto de esbanjar irrefletidamente com um amigo. Ver o cabelo crescendo macio e exuberante significa felicidade e luxo. Se você vir cabelos embaraçados e despenteados, a vida vai se revelar um verdadeiro fardo, com prejuízo profissional e dificuldades para levar com tranquilidade a vida conjugal. Sonhar que corta o cabelo sugere grandes decepções. Se você sonha que seu cabelo está caindo e a calvície é aparente, é porque vai sofrer prejuízos financeiros. Sonhar que uma mecha de seu cabelo fica grisalha e cai é sinal de dificuldade e decepção na vida pessoal. Uma doença vai lançar melancolia sobre suas expectativas. Sonhar que está lavando o cabelo significa que seus problemas também vão descer pelo ralo.

CABELO LOIRO Sonhar com um cabelo loiro brilhante (seu ou de outra pessoa) significa que logo você vai ofuscar todos ao seu redor em um projeto. Sonhar com cabelos loiros sujos é um alerta para se tomar precauções nesse projeto.

CABIDE Sonhar que pendura qualquer coisa em um cabide significa que em breve você vai se ver livre de preocupações.

CABIDEIRO DE MADEIRA Sonhar que pendura algo em um cabide de madeira sugere que você vai se livrar de algum estresse mental que tem lhe incomodado.

CABINE O sonho de estar em uma cabine ou estande significa que você logo vai se flagrar encurralado e vai precisar tomar uma decisão. Se você sonha que está diante de um estande, pode ser que precise ajudar alguém a tomar uma decisão libertadora. Sonhar com a cabine de um navio é muito ruim. Alguém está armando para você. Provavelmente você vai se envolver num processo judicial, e vai perder devido à instabilidade de sua testemunha. | *Ver também* Casa, Cabana de madeira.

CABINE DE NAVIO Se você sonha que está deitado em uma cabine de navio significa que vai fazer uma viagem segura por água.

CABINE DE PEDÁGIO Sonhar que faz um pagamento numa cabine de pedágio significa que você vai ter um ganho financeiro. Mas se você não pagar, é porque na vida desperta precisa abrir os olhos para roubo e desonestidade quando se trata de seu dinheiro e investimentos.

CABO Um cabo de metal pesado pressagia um projeto certamente arriscado, mas que será recompensado com riquezas e homenagens caso você seja bem-sucedido. Sonhar que recebe uma mensagem via cabograma sugere que na vida real uma mensagem importante também chegará em breve, e ela trará problemas.

CABRA Sonhar com cabras perambulando por uma fazenda é sinal de clima agradável e boa safra. Vê-las em outra situação indica negociações cautelosas e um aumento constante da riqueza. Se você for atacado por uma cabra ou bode, tenha cuidado para que os inimigos não se apossem de seus segredos ou planos profissionais. | *Ver também* Animais.

CABRESTO Sonhar que coloca um cabresto em um potro significa que você vai administrar um negócio muito próspero e honesto. As questões amorosas também vão se moldar para se adequar a você. Ver outras coisas sendo atadas por cabrestos indica que você vai ver sua sorte travada por um tempinho. A recuperação é certa, porém vai exigir muito trabalho.

CABRIOLÉ Dirigir um cabriolé em sonho indica você vai ter de abrir mão de uma viagem agradável para receber visitas indesejáveis. A doença também é uma ameaça. | *Ver também* Carroça.

CABRITO Sonhar com um filhotinho de cabra sugere que você não é escrupuloso em sua moral, e vai magoar o coração de alguém por causa disso.

CAÇA Se você sonha que está caçando, é porque vai lutar pelo inatingível. Se você sonha que está numa brincadeira de caça ao tesouro e o encontra, é sinal de que vai superar obstáculos e conquistar seus desejos.

CACHIMBO Sonhar que fuma cachimbo implica que você vai apreciar a visita de um velho amigo; também vai ocorrer a resolução pacífica das diferenças.

CACHOEIRA Sonhar com uma cachoeira prevê que seu desejo mais louco será realizado, e a sorte será extremamente favorável ao seu progresso.

CABRITO

CAÇA ESPORTIVA Sonhar que abate animais selvagens implica em empreendimentos afortunados, porém em emoções egoístas; se você não conseguir abater nenhuma presa, é indício de má gestão e perda. | *Ver também* Caça.

CAÇA-NÍQUEIS Sonhar com qualquer coisa ligada a um caça-níqueis é um aviso para você economizar dinheiro para uma despesa inesperada.

CAÇADA HUMANA Sonhar que você persegue uma pessoa numa caçada prediz o rompimento de uma amizade. Já sonhar que você está sendo caçado significa novas amizades surgindo.

CACAREJO Ouvir o cacarejar das galinhas é um alerta de choque devido à notícia de uma morte inesperada.

CAÇAROLA Sonhar com esse modelo de panela anuncia ganhos financeiros e prosperidade em um futuro muito próximo. Sonhar com uma caçarola significa que em um futuro próximo você vai ser capaz de combinar muitos aspectos de sua vida para gerar felicidade.

CACAU Sonhar com cacau indica que você vai tolerar amigos desagradáveis para seu próprio progresso e prazer.

CACHORRO Sonhar com um cachorro feroz sugere desafetos e um infortúnio inalterável. Sonhar que um cachorro cheira você indica grande ganho e amigos constantes. Um cão bonzinho mostra que você vai ter riquezas sólidas. Se você sonha que está sendo rastreado por um cão de caça, é provável que caia em alguma tentação que pode causar sua ruína. Sonhar com cachorros pequenos indica que seus pensamentos e principais prazeres são de ordem frívola. Se você sonha que está sendo mordido por cachorros, espere um parceiro briguento, seja no casamento ou no trabalho. Cães magrelos e imundos indicam fracasso na vida profissional, bem como adoecimento entre as crianças. Uma exposição de cães simboliza variadas benesses concedidas pela sorte. Ouvir latidos é um prenúncio de notícias de natureza deprimente. As dificuldades são mais do que prováveis. Ver cães perseguindo raposas ou outra presa grande sugere uma vivacidade incomum em todos os assuntos pessoais. Ver cães de estimação extravagantes revela um apreço pelo exibicionismo — e um tutor egoísta e mesquinho. Sentir muito medo diante de um cão de guarda implica que você vai viver algumas inconveniências devido aos seus esforços para se erguer acima da mediocridade. Ouvir o rosnado de cães diz que você está à mercê de pessoas insidiosas e que vai ser afetado por desconfortos no ambiente doméstico. Ouvir um latido solitário prediz morte ou uma longa separação

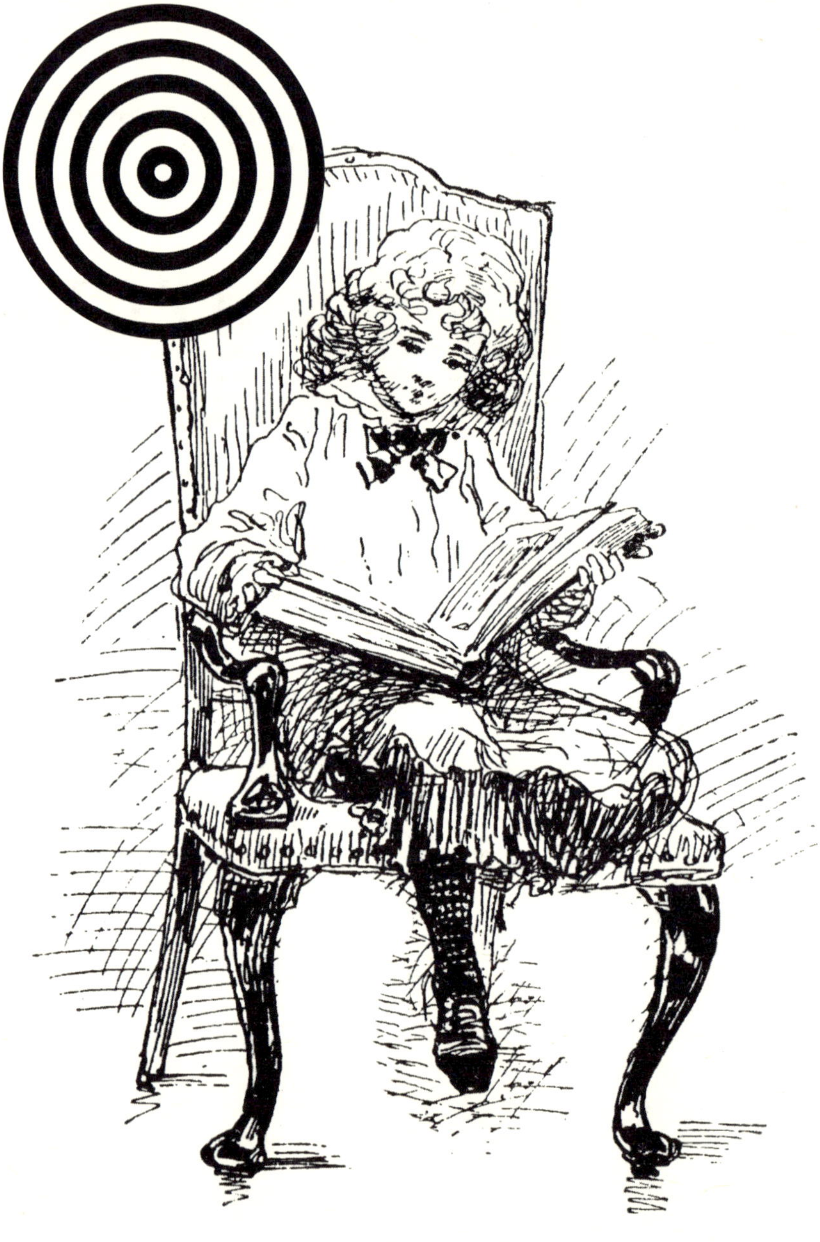

de amigos. Ouvir cães rosnando e brigando pressagia que você vai ser abatido pelos seus desafetos e que sua vida vai ser tomada pela depressão. Se você sonha com cães e gatos em interações aparentemente amigáveis, mas que de repente arreganham os dentes e iniciam uma briga generalizada, é porque na vida desperta você vai se deparar com o desastre no amor e nas buscas mundanas, a menos que no sonho você consiga reprimir a briga deles. Se você sonha com um simpático cãozinho branco se aproximando, é sinal de um relacionamento vitorioso, seja no trabalho ou no amor. Sonhar com um cachorro com muitas cabeças, como a criatura mitológica Cérbero, é um alerta de que você está tentando manter muitas ramificações profissionais ao mesmo tempo. O sucesso sempre vem da concentração de energias. A pessoa que busca o sucesso em qualquer campo deve dar atenção a esse tipo de sonho. Se você sonha com um cachorro louco, é porque seus esforços mais extenuantes não trarão os resultados desejados, e uma doença fatal pode até estar arrebatando seus sinais vitais. Se você for mordido por ele, é sinal de que você ou algum ente querido está à beira da loucura, e uma tragédia pode acontecer. Sonhar que viaja sozinho com um cão de acompanhante pressagia amigos leais e empreendimentos de sucesso. Cães nadadores falam de um caminho tranquilo rumo à felicidade e à prosperidade. Sonhar que um cachorro mata um gato na sua presença significa negócios lucrativos e prazer inesperado. Se um cão mata uma cobra na sua presença é presságio de boa sorte. | *Ver também* Buldogue, Border Collie, Cachorro Louco, Filhote de cachorro.

CACHORRO DE PORTE PEQUENO Sonhar com um cachorrinho pequeno, que pode ser carregado no colo, prediz que você vai ser socorrido por amigos durante um dilema que se aproxima. Se o bichinho estiver magrinho e parecer doente, ocorrências angustiantes podem prejudicar seus clientes em potencial.

CACHORRO LATINDO Ouvir um cachorro furioso e ameaçador é um alerta para ter cuidado com um falso amigo.

CACHORRO LOUCO Sonhar que vê um cachorro louco sugere que os desafetos vão fazer ataques grosseiros contra você e seus amigos. Mas se você conseguir matar o cachorro no sonho, é porque vai superar as opiniões negativas e ter muita prosperidade financeira. | *Ver também* Cachorro.

CACTO Esse sonho implica na navegação tranquila em seus casos amorosos.

CADÁVER Sonhar com um cadáver significa uma vida plena e feliz — se o cadáver for de um desconhecido. Se for alguém que você conhece, é sinal de desavenças e infelicidade nos assuntos amorosos. Ver um campo de batalha coberto de cadáveres é presságio de guerra e insatisfação geral entre países e facções políticas. O cadáver de um animal representa uma situação pouco saudável, seja no trabalho ou na saúde.

CADEIA Se você sonha que está confinado na cadeia, é porque na vida desperta vai ser impedido de fazer um trabalho lucrativo devido à intervenção de pessoas invejosas; se você conseguir fugir, no entanto, vai desfrutar de uma temporada de negociações favoráveis. Se você vir outras pessoas na cadeia, é porque alguém vai insistir para que você conceda privilégios a pessoas que você não gosta. | *Ver também* Prisão.

CADEIRA Ver uma cadeira em sonho indica o não cumprimento de uma obrigação. Ver um amigo sentado imóvel em uma cadeira significa que ele vai adoecer ou morrer.

CADEIRA DE BALANÇO As cadeiras de balanço representam uma conversa amigável e contentamento em qualquer ambiente. Ver uma mãe, esposa ou namorada em uma cadeira de balanço fala das alegrias mais doces que o mundo pode oferecer. Ver cadeiras de balanço vazias pressagia luto ou alienação afetiva. Fortaleça sua mente para lidar com infortúnios.

CADEIRA DE ALIMENTAÇÃO Sonhar consigo ou com outra pessoa em uma cadeira infantil de alimentação significa que você precisa se divertir mais: você tem sido excessivamente sério.

CADEIRA DE RODAS Se você sonha que está em uma cadeira de rodas — mas não depende de uma em sua vida desperta —, é sinal de que pode ocorrer um acidente. Ver outra pessoa em uma cadeira de rodas indica notícias inesperadas, mas que não necessariamente são boas.

CADERNO Sonhar que escreve em um caderno é um conselho para cuidar melhor de suas finanças. Ler algo em um caderno indica ganhos financeiros.

CAFÉ Se você sonha com café, talvez seja hora de desacelerar e relaxar mais. Sonhar que bebe café é sinal de que seus amigos reprovam seus planos matrimoniais. Se você é casado, implica em desentendimentos e brigas frequentes. Sonhar que negocia café é um presságio do fracasso empresarial. Vender café significa perda. Já comprá-lo é menos agourento. Café moído fala de lutas bem-sucedidas contra as adversidades.

CAFÉ DA MANHÃ Ver um saboroso desjejum indica mudanças repentinas e favoráveis. Se você estiver comendo sozinho, é sinal de que cairá em uma armadilha preparada por seus desafetos. Comer junto a outras pessoas é um bom sinal. | *Ver também* Refeição.

CAFEÍNA Se você sonha que está consumindo cafeína, precisa encontrar paz em seus relacionamentos. Se você sonha que está ingerindo cafeína em excesso, é um aviso de que seus relacionamentos se tornaram obsoletos.

CAFETÃO Sonhar que faz negócios com um cafetão é um alerta para examinar melhor as novas oportunidades financeiras e profissionais. Se você for o próprio cafetão, aguarde um fracasso em um acordo de trabalho.

CAFETERIA Sonhar com uma cafeteria cheia significa que você tem muitos amigos e apoiadores. Uma cafeteria vazia é um alerta de que você precisa se concentrar mais em seus amigos e cultivar esses relacionamentos. Ver ou visitar uma cafeteria sugere que você, de forma um tanto imprudente, vai tentar manter relações amigáveis com aqueles que são reconhecidamente seus desafetos.

CAIENA Nos sonhos, essa pimenta picante simboliza discussões acaloradas.

CAIS Sonhar com um cais denota que você vai cogitar um longo passeio num futuro próximo. Ver as embarcações enquanto está de pé no cais sugere a fruição de desejos e projetos.

CAIXA Abrir uma caixa significa riqueza incalculável e sugere que viagens deliciosas a lugares distantes podem ter resultados felizes. Se a caixa estiver vazia, porém, a decepção virá a seguir.

CAIXA DE AREIA Sonhar que brinca em uma caixa de areia é prenúncio de momentos felizes.

CAIXA DE BANCO Sonhar que entrega dinheiro a um caixa de banco é sinal de ganho financeiro. Já sonhar que recebe dinheiro de um caixa de banco sugere prejuízo financeiro.

CAIXA DE CHAPÉU A caixa de chapéu representa uma surpresa agradável entrando na sua vida.

CAIXA DE CORREIO Ver uma caixa de correio indica que você está prestes a se meter em transações ilegais. Se você estiver colocando uma carta em uma caixa de correio, é porque vai ser responsabilizado por alguma irregularidade cometida por terceiros.

CAIXA REGISTRADORA Sonhar que vê dinheiro e objetos de valor numa caixa registradora prevê sucesso: seus casos amorosos serão extremamente favoráveis. Uma caixa registradora vazia denota expectativas frustradas.

CAIXA-FORTE Sonhar com uma caixa-forte denota luto e outras tristezas. Ver uma caixa-forte para objetos de valor significa que sua fortuna surpreenderá a muitos, pois sua situação vai parecer escassa. Ver uma caixa-forte com portas abertas implica na perda e traição de pessoas em quem você confia. Sonhar que coloca itens em uma caixa-forte vazia alerta que em breve você vai ter de gastar dinheiro com um item quebrado. Sonhar que está tirando algo de uma caixa-forte cheia indica ganhos financeiros.

CAIXÃO Sonhar com um caixão vazio indica a perda de uma amizade. Sonhar que se vê em um caixão é presságio de boa sorte. Sonhar que vê outra pessoa em um caixão prenuncia tristeza, mas não morte.

CÁLCIO Sonhar que precisa de mais cálcio na dieta significa que você precisa de mais força em sua vida.

CÁLCULO RENAL Sonhar com essa dolorosa condição física na verdade indica boa saúde a caminho.

CALCULADORA Se você estiver calculando algo em sonho, é um alerta de que talvez você não consiga contar com uma pessoa ou de que se aproxima um acontecimento muito esperado.

CALOR

CAL (QUÍMICA) Sonhar com esse aditivo para gramados prediz que o revés vai colocar você em prostração por um tempo, mas depois você vai se reerguer rumo a uma prosperidade maior do que antes.

CALAFETAGEM Se você sonha que está calafetando alguma coisa em sua casa ou empresa, é hora de calar a boca.

CALÇA Sonhar com calças prediz que você vai ficar tentado a realizar atos desonrosos. Se você as vestir do avesso, ficará obcecado por alguma coisa.

CALÇADA Sonhar com uma calçada limpa e bem cuidada é prenúncio de viagem. Se você sonha que a calçada está quebrada, suja ou cheia de obstáculos, é porque precisa examinar seu veículo para reparos. Sonhar que caminha em uma calçada sugere sua rápida ascensão nos círculos de negócios. Você é muito estimado por amigos e pelo público.

CALCANHAR Sonhar com o calcanhar do pé — principalmente se estiver desconfortável ou dolorido — alerta contra colegas ou parentes desonestos em sua vida.

CALDA Sonhar com esse doce significa que a alegria e a felicidade estão a caminho.

CALDEIRA Sonhar que vê uma caldeira necessitando de conserto é um alerta para decepções ou para uma administração ruim das coisas da vida.

CALDEIRÃO Sonhar com um caldeirão, vazio ou cheio, avisa para ter cuidado com truques ardilosos de pessoas mesquinhas.

CALDEIREIRO Sonhar com um caldeireiro sugere lucros parcos oriundos do trabalho, mas contentamento geral.

CALDO (SOPA) O caldo representa a sinceridade dos amigos que estarão ao seu lado. Se você precisar de ajuda financeira, estará disponível. Para os amantes, é promessa de vínculo forte e duradouro. Sonhar que se está preparando um caldo significa que você governa seu próprio destino e o dos outros.

CALEIDOSCÓPIO Nos sonhos, os caleidoscópios pressagiam mudanças com algumas boas promessas.

CALENDÁRIO Sonhar que marca algo num calendário indica que você será muito metódico e sistemático ao longo do ano. Ver um calendário denota decepção em suas previsões.

CALÊNDULA Essa flor representa contentamento.

CÁLICE O cálice sugere prazer para você, porém tristeza para os outros. Deixá-lo cair prediz seu fracasso ao tentar obter poder sobre alguém. Se você sonha que bebe água de um cálice de prata, é porque vai se deparar com resultados profissionais desfavoráveis em um futuro próximo. Ver cálices antigos sugere favorecimento e benefícios vindos de desconhecidos.

CALICÔ Nos sonhos, esse tecido pode simbolizar ideias antiquadas sobre relacionamentos amorosos.

CALIGRAFIA Sonhar que está fazendo caligrafia significa que você vai assinar papéis importantes. Se você vir alguém praticando caligrafia, será convidado para um evento social importante. Sonhar que vê e reconhece sua própria caligrafia pressagia que desafetos vão usar o que você diz para impedir seu avanço em alguma circunstância controversa.

CALIPSO Se você sonha que ouve música calipso, significa momentos de alegria e diversão adiante.

CALMARIA Sonhar com mares calmos sugere uma conclusão bem-sucedida para um empreendimento duvidoso. Sentir-se calmo e feliz em sonho é o prenúncio de uma vida longa, próspera, e de uma velhice vigorosa.

CALO Se você sonha que está calejado, é um alerta de que as pessoas têm sido muito precipitadas e duras ao lidar com você.

CALOR Sonhar que está oprimido pelo calor denota falha na hora de levar seus projetos a cabo devido à traição de um amigo. Sonhar com calor não é muito favorável.

CALORIAS Se você sonha com calorias, então na vida desperta deve cuidar de seus hábitos alimentares, que podem estar levando a problemas de saúde.

CALOSIDADES Sonhar que calos machucam seus pés diz que os desafetos estão minando você, e que haverá muita aflição à vista; mas se você conseguir livrar seus pés das calosidades, é porque herdará uma grande propriedade de uma fonte desconhecida.

CALÚNIA Sonhar que você está sendo caluniado é uma pista sobre suas atitudes mentirosas e sobre sua ignorância. Se você estiver caluniando alguém, vai sentir a perda de amigos por causa do egoísmo.

CALVÍCIE Se você vir uma pessoa careca em sonho, espere uma mudança benéfica.

CAMA Sonhar com uma cama limpa e alva denota paz de espírito. Sonhar que está arrumando uma cama significa uma nova amizade ou parceiro profissional. Sonhar que está na cama em um quarto desconhecido sugere a visita de amigos inesperados. Se uma pessoa doente sonha que está na cama, pode ser que ela seja acometida por complicações e talvez até acabe por falecer. Sonhar que está dormindo em uma cama ao ar livre pressagia experiências deliciosas e oportunidades para melhorar sua sorte. Sonhar com uma criança fazendo xixi na cama implica em ansiedade incomum; os doentes na vida desperta podem não se recuperar tão rapidamente quanto seria de se esperar. Se é você quem faz xixi na cama, uma doença ou tragédia pode interromper sua rotina diária.

CAMA DE LONA Sonhar com uma cama de lona pressagia uma aflição, seja por doença ou acidente. Várias camas de lona enfileiradas significam que você não vai ser o único com problemas; amigos também serão atingidos.

CAMA ELÁSTICA Sonhar com uma cama elástica significa que você está perdendo tempo em sua carreira. Você precisa mudar de emprego.

CAMAFEU Uma ocorrência triste requer sua atenção.

CAMALEÃO Camaleões significam engano e autopromoção; seu sucesso trará sofrimento aos outros.

CÂMARA Flagrar-se em uma câmara bonita e ricamente mobiliada implica em fortuna repentina, seja por herança de parentes desconhecidos ou por investimentos. Se a câmara estiver mobiliada de maneira simples, é um aviso para você ser mais frugal no futuro próximo.

CAMAREIRA Em sonhos, a camareira representa azar e mudanças deletérias.

CAMELO Ver esse bicho de carga em sonho é sinal de grande paciência e coragem em um momento de angústia quase insuportável. Esse sonho também sugere que você vai receber um benefício inesperado e que vai fazer uso de suas novas honrarias com dignidade e caridade. Para os amantes, esse sonho prediz arranjos agradáveis. Ver uma manada de camelos no deserto é sinal de assistência quando a ajuda parece improvável. Também pode envolver uma doença da qual você se recupera, contrariando todas as expectativas.

CÂMERA Sonhar com uma câmera significa mudanças em seu ambiente.

CAMINHADA Sonhar que está caminhando por trajetos intrincados de espinheiros indica que você vai se angustiar com as complicações de seus assuntos profissionais, e mal-entendidos desagradáveis vão gerar frieza e indiferença. Se você estiver caminhando por lugares agradáveis, aí a sorte estará a seu favor. Caminhar à noite fala de infortúnios e uma luta inútil por contentamento. | *Ver também* Vadear.

CAMINHÃO, CAMINHONETE Sonhar com um caminhão ou caminhonete sugere conforto na vida e boa posição social.

CAMINHÃO DE BOMBEIRO Ver um caminhão de bombeiros é sinal de preocupação sob circunstâncias extraordinárias que, no entanto, vão resultar em boa sorte. Ver um desses caminhões avariado indica acidente ou perda grave.

CAMINHO Sonhar que está passando por um caminho estreito e acidentado, tropeçando em pedras e outros obstáculos, é previsão de um encontro complicado com uma adversidade que vai pesar muito sobre você. Sonhar que está tentando encontrar seu caminho implica que você não vai conseguir concluir algum trabalho. Passar ao longo de um caminho cercado por gramado verde e flores fala de sua liberdade de um amor opressor.

CAMISA Sonhar que veste uma camisa prenuncia a preparação para um novo empreendimento. Perder uma camisa é um presságio de desgraça romântica ou profissional. Uma camisa rasgada representa infortúnio e um ambiente triste. Uma camisa suja indica que doenças contagiosas vão ser um problema.

CAMISA DE FORÇA Sonhar com uma camisa de força sugere que um projeto vai desfrutar de um desenvolvimento tranquilo.

CAMISOLA Se você sonha que está de camisola, é porque vai ser acometido por uma leve enfermidade. Ver outras pessoas com essa roupa sugere notícias desagradáveis de amigos distantes. Os assuntos profissionais também podem sofrer um revés. | *Ver também* Roupas.

CAMPAINHA Sonhar que ouve ou toca uma campainha anuncia notícias inesperadas, ou uma convocação de última hora para o trabalho ou para ficar ao leito de um parente doente.

CAMPANÁRIO Ver um campanário de uma igreja é prenúncio de doença e reveses. Um campanário quebrado aponta morte em seu círculo de amigos. Escalar um campanário indica que você vai enfrentar sérias dificuldades, mas por fim vai superá-las. Cair de um campanário pressagia perdas no comércio e saúde frágil.

CAMPANHA Sonhar que embarca numa campanha política significa sua oposição às formas sancionadas de conduzir assuntos profissionais. Você vai estabelecer planos inovadores para si, mesmo se os desafetos estiverem atuando contra você, e vai triunfar sobre os que estão no poder.

CAMPEÃO Sonhar com um campeão é indicativo de que você vai conquistar a amizade mais calorosa de todas por causa de sua dignidade e conduta moral.

CAMPO Sonhar com um milharal morto ou com campos com restolho indica perspectivas sombrias para o futuro. Já campos com milho ou grãos maduros denotam grande abundância e felicidade para todas as categorias. Ver campos recém-arados sugere riqueza precoce e promoção a lugares de honra. Se você sonha com campos recentemente preparados e prontos para o plantio, é porque logo vai se beneficiar de sua longa luta em busca do sucesso. | *Ver também* Milharal, Terra, Trigo.

CANAL Sonhar com um canal lamacento e estagnado pressagia doenças, distúrbios digestivos e planos sombrios de seus desafetos. Mas se as águas estiverem límpidas, vislumbre uma vida plácida e a devoção de amigos.

CANÁRIO Sonhar com esse doce pássaro canoro denota prazeres inesperados. Sonhar que ganhou um canário é sinal de um legado positivo. Doar um canário sugere decepção ante seus desejos mais acalentados. Sonhar com a morte de um canário é um alerta para a infidelidade de amigos queridos.

CANCELAMENTO Cancelar ou ter algo cancelado em sonho é um aviso para ter cuidado em sua vida amorosa.

CANECA

CAMPONÊS Sonhar que você é um camponês sugere um ganho financeiro inesperado por meio de herança ou prêmio. Sonhar com camponeses pressupõe um pequeno ganho financeiro por meio do trabalho árduo.

CAMPUS Sonhar que está em um campus sugere aprendizado em breve ou um retorno à escola.

CAMUNDONGO Sonhar com camundongos pressagia problemas domésticos e a ausência de sinceridade da parte de amigos. As questões profissionais vão assumir um tom desanimador. Matar camundongos indica que você vai subjugar seus desafetos. Já se os bichos escaparem, prepare-se para batalhas de caráter duvidoso. Se você sonha com um único camundongo, é sinal de que precisa estar ciente de que uma pessoa que você detesta vai tentar apunhalar você pelas costas ou espalhar boatos horríveis a seu respeito.

CANECA Sonhar que bebe de uma caneca fala de um relacionamento caloroso e duradouro no horizonte.

CANELA (ANATOMIA) Sonhar que bate, fratura ou ganha um hematoma na canela é um presságio de dificuldades financeiras em um futuro próximo.

CANETA Esse sonho avisa que você está sendo levado a complicações sérias devido ao seu amor pela aventura. Se a caneta falhar, sinal de problema na vida desperta.

CÂNFORA É um alerta sobre pessoas inescrupulosas e hostis em sua convivência.

CANGURU Se você vir um canguru em seus sonhos, é porque vai conseguir ser mais esperto do que um desafeto que deseja criar uma posição desfavorável para você, tanto publicamente quanto diante da pessoa que você deseja conquistar. Se um canguru atacar você, é porque na vida desperta sua reputação estará em risco. Se você matar um, vai ter sucesso mesmo com a influência de desafetos e de obstáculos.

CÂNHAMO O cânhamo representa seu sucesso em todos os empreendimentos, principalmente nos acordos grandiosos. Ver sementes de cânhamo nos sonhos denota a aproximação de uma amizade profunda e contínua. Para o empresário, é uma oportunidade favorável para se ganhar dinheiro.

CANHÃO Um canhão diz que sua casa e seu país estão em perigo de invasão estrangeira, talvez guerra.

CANIBAL Se você sonha com um canibal ou uma tribo de canibais, cuidado para não ser explorado em um acordo profissional.

CANIL Sonhar com um canil é um alerta de que as pessoas que você considera importantes na verdade não são tudo isso.

CANINO Nos sonhos, o dente canino representa sorte; quanto mais longo, maior a sorte. Sonhar com um cão (canino) significa lealdade. | *Ver também* Cachorro.

CANJICA Sonhar com canjica sugere que o romance irá conceder a você uma distração dos estudos e do planejamento para o progresso.

CANO, TUBO Nos sonhos, canos e tubos são representantes da paz e do conforto depois de muitas batalhas. Canos de esgoto, gás e semelhantes denotam pensamento incomum e prosperidade em sua comunidade. Canos velhos e quebrados significam problemas de saúde e estagnação profissional.

CANOA Remar uma canoa em sonho reflete perfeita confiança em sua capacidade de conduzir assuntos profissionais lucrativamente. | *Ver também* Água.

CANONIZAÇÃO Sonhar que alguém ou você está sendo canonizado é um alerta para ter cuidado com as forças negativas ou malignas em sua vida.

CANSAÇO Sonhar que está excessivamente cansado é um aviso contra exageros; você deve diminuir o ritmo ou consultar um médico.

CÂNTARO Sonhar com um cântaro denota que você é dotado de uma disposição generosa e agradável. O sucesso vai acompanhar seus esforços. Um cântaro quebrado implica na perda de amigos.

CANTAROLAR Sonhar que está cantarolando é um presságio de uma vida social melhor. Ouvir cantos em seus sonhos denota um espírito alegre e boas companhias. Em breve você vai ter notícias promissoras de gente que não vê há tempos. Se você estiver cantando enquanto tudo ao seu redor promete felicidade, é porque na vida desperta o ciúme irá insinuar uma sensação de falsidade em sua alegria. Se houver um tom de tristeza na música, você vai ficar desagradavelmente surpreso com o rumo que seus negócios vão tomar. Ouvir em sonho um canto sendo repetido indefinidamente significa que você precisa repetir seus erros antes de aprender a lição. Canções indecentes indicam um desperdício horrível e extravagante. | *Ver também* Hino.

CANTEIRO CENTRAL Sonhar que fica frustrado porque você não pode cruzar um canteiro central é um aviso de que os acontecimentos em sua vida profissional serão tranquilos e satisfatórios.

CANTIL Sonhar com um cantil indica que você tem uma sensação de segurança em sua vida.

CANTO Esse é um sonho desfavorável se você se flagra assustado e escondido em um canto, buscando segurança.

CÃO DE CAÇA Sonhar com cães de caça sugere deleites e mudanças agradáveis. | *Ver também* Cachorro.

CÃO DE LAREIRA Se os cães de lareira no seu sonho suportam a queima de toras, então você vai ter boa vontade entre amigos; se estão em uma lareira vazia, é indicativo de perda de propriedade e morte.

CAPA Se você sonha que usa uma capa, é porque os outros consideram você alguém que domina bem seu ofício. Se você colocar sua capa em outra pessoa, é sinal de que vai se afastar e permitir que um problema seja resolvido por terceiros.

CAPACETE Se você vê um capacete suntuoso, é porque vai ser famoso e bem-sucedido. Se o capacete estiver velho e gasto, você vai ter de entregar seus bens a outras pessoas.

CAPACETE DE BICICLETA Se você usa um capacete de bicicleta no sonho ou coloca um na cabeça, é um alerta sobre a falsa sensação de segurança.

CAPACHO Fique longe dos capachos em seus sonhos, pois eles vão conduzir à tristeza e à confusão.

CAPELA Sonhar com uma capela denota divergência nos círculos sociais e negócios mal resolvidos. Estar em uma capela tem a ver com decepção e mudança de rumo profissional.

CAPINAR Sonhar que você está capinando sugere dificuldade para prosseguir com algum trabalho que lhe traga distinção. Se você vir outras pessoas capinando, é recomendado temer os rivais que podem atrapalhar seus planos.

CAPITÃO Se você vê um capitão em sonho, suas aspirações mais nobres serão realizadas.

CAPITÓLIO Se você sonha que vê o prédio do capitólio, é sinal de que deseja ter mais controle sobre os projetos nos quais está envolvido atualmente.

CAPOTAMENTO Sonhar com capotamento pressagia que algo vai virar o seu mundo de cabeça para baixo.

CAPPUCCINO Beber ou preparar um cappuccino em sonho significa que suas amizades vão esfriar.

CÁPSULA Sonhar com uma cápsula (comprimido) é sinal de que você precisa conter seu temperamento. | *Ver também* Pílula.

CÁPSULA DO TEMPO Sonhar com uma cápsula do tempo fala de lembranças agradáveis e da reconexão com um velho amigo.

CAPUZ Sonhar que usa capuz é um alerta sobre uma fraude de alguém que parecia confiável.

CÁQUI Sonhar com um uniforme feito desse tecido pressagia mudança de emprego ou de cargo. Sonhar que usa calças cáqui significa avanço na posição social.

CARACOL Ver caracóis rastejando em seu sonho significa que você está cercado por condições insalubres. Pisar neles denota que você vai entrar em contato com pessoas desagradáveis.

CARAMELO Sonhar com esse doce mastigável significa que as mesmas palavras que saem de sua boca de modo tranquilo e gentil logo serão usadas contra você.

CARANGUEJO Sonhar com caranguejos indica muitos assuntos complicados e necessidade de bom julgamento para resolvê-los. Esse tipo de sonho também pressagia uma paquera demorada e difícil.

CARATÊ Sonhar com essa arte marcial sugere um obstáculo em um objetivo de longo prazo, mas que você vai conseguir superar. Se você direcionar e concentrar sua energia, terá grande chance de sucesso.

CARAVANA Sonhar com uma caravana sugere que, num futuro próximo, você será convocado para ser o líder de um projeto.

CARCAÇA A carcaça é sinal de renascimento espiritual e iluminação.

CARCEREIRO Sonhar com um carcereiro sugere que você está se sentindo controlado de alguma forma. Ver uma turba tentando escapar da cadeia é um precursor de infortúnio: alguém vai usar de medidas desesperadas para tentar extorquir dinheiro de você.

CARDÁPIO Sonhar com um cardápio indica uma vida longa, confortável e suntuosa pela frente.

CARDEAL É azar sonhar que vê um cardeal em suas vestes; um cardeal católico é prenúncio de más notícias. Sonhar com o pássaro, no entanto, sugere harmonia familiar, eventos sociais felizes e expansão da vida profissional.

CARDO-ROXO Embora seja uma planta espinhosa, essa florzinha indica que um problema de saúde atual vai ser resolvido e que você vai passar por um período de cura e bem-estar.

CARGA Sonhar que leva algum tipo de carga significa uma vida longa e repleta de ocupações com amor e caridade. Cair sob uma carga denota sua incapacidade de proporcionar os confortos necessários àqueles que necessitam de sua ajuda na subsistência. Ver os outros caindo sob uma carga denota provações para eles, e que no fim vão envolver você.

CARGO POLÍTICO Sonhar que foi eleito significa que suas aspirações podem levá-lo a caminhos perigosos, mas a ousadia vai ser recompensada com o sucesso. Se você não conseguir o cargo desejado, é porque vai ficar profundamente decepcionado na vida desperta. Sonhar que foi afastado do cargo significa perda de objetos de valor.

CARIBU Sonhar com esse cervídeo é um aviso para não acompanhar o rebanho.

CARICATURA Ver um desenho seu ou de outra pessoa mostra que você está enxergando a si ou aos outros de forma distorcida.

CARIDADE Sonhar que está doando para a caridade pressagia que você vai ser assediado por súplicas dos mais pobres e que seus assuntos profissionais vão ficar paralisados. Se você sonha que está doando para instituições de caridade, seu direito de posse de alguma propriedade será contestado. Preocupações e problemas de saúde serão uma ameaça. Se você sonha que está recebendo caridade de alguém, é porque vai se sair bem após tempos difíceis. | *Ver também* Pedido.

CÁRIE Cáries em sonho indicam que em breve você terá um desejo realizado.

CARIMBO Sonhar com carimbos de qualquer tipo pressagia uma boa previsão financeira.

CARNAVAL Sonhar que está participando de um carnaval diz que em breve você vai desfrutar de prazeres ou de algum tipo de recreação incomuns. Se as pessoas estiverem usando máscaras, ou houver figuras absurdas ou palhaços, espere discórdia em casa; a vida profissional ficará insatisfatória e o amor não será correspondido.

CARNE Sonhar com carne é um bom sinal. Comprar carne em um sonho significa que você vai ter cuidado ao assumir riscos. Cortar carne significa aumento da riqueza material. Cozinhar carne sugere mudança em sua situação atual. Comer carne prenuncia boa sorte.

CARNE DE BOI Sonhar com carne de boi é um presságio de ambiente agradável e harmonia no amor e no trabalho. Se estiver crua e sangrenta, no entanto, significa tristeza e decepção.

CARNE DE CAÇA Sonhar com carne de caça sugere constrangimento social.

CARNE DE PORCO Se você comer carne suína nos sonhos, é porque vai ter problemas na vida desperta; mas se você apenas vir a carne de porco, é porque vai sair vitorioso de um conflito. | *Ver também* Bacon.

CARNE HUMANA Sonhar com carne saudável sugere problemas médicos futuros. Já ver a carne apodrecendo indica ganho monetário.

CARNE MALPASSADA Sonhar com carne mal passada pressagia problemas e uma possível morte.

CARNEIRO Sonhar que está sendo perseguido por um carneiro implica que o infortúnio está à espreita. Ver um carneiro pastando tranquilamente diz que você tem amigos poderosos que vão fazer o possível pelo seu bem. | *Ver também* Cordeiro, Ovelha.

CARNIFICINA Sonhar que está de alguma forma ligado a uma carnificina prediz um período de forte estresse emocional, e você pode precisar de ajuda para controlar seu humor. Testemunhar uma carnificina pressagia uma mudança indesejável. É também, prenúncio de nascimento. | *Ver também* Matança, Assassinato.

CARONA Sonhar com carona sugere que você tem medo de ficar só. Sonhar que está pegando carona significa que você é muito autossuficiente e que não precisa de ninguém para resolver seus problemas. Sonhar que dá uma carona prevê aperto financeiro.

CARPA Nos sonhos, esse peixe simboliza boa sorte e riquezas.

CARPINTEIRO Ver um carpinteiro trabalhando pressagia esforços honestos para aumentar sua prosperidade em vez de se envolver em passatempos que consomem muito tempo e desperdiçam energia.

CARRANCA Ver uma carranca em você mesmo ou em outra pessoa em um sonho marca amizades novas e empolgantes entrando em sua vida.

CARRAPATO Sonhar que vê carrapatos rastejando em sua pele é um sinal de situação de pobreza e problemas de saúde. Pode ser que você tenha de ir à emergência do hospital. Esmagar um carrapato indica irritação com rivais traiçoeiros. Se você vir carrapatos grandes no gado, é porque desafetos estão se esforçando para roubar suas posses por meios um tanto sujos.

CARRAPICHO Sonhar com essa plantinha indica que você vai lutar para se livrar de um obstáculo desagradável e buscar uma mudança de ambiente.

CARREATA Sonhar que assiste a uma carreata significa que os problemas logo vão desaparecer de sua vida. Sonhar que participa de uma carreata prevê viagens no futuro.

CARREGADOR DE CAIXÃO Sonhar com carregadores de caixão indica que um rival vai provocar mal-estar ao atacar sua integridade. Se no ato do sonho o carregador estiver levando um caixão, é presságio de uma mudança repentina em sua vida.

CARRINHO DE MÃO Sonhar que empurra um carrinho de mão prevê novas amizades empolgantes. Um carrinho de mão vazio pressagia notícias tristes; um carrinho posicionado de cabeça para baixo sugere responsabilidades extras que serão gratificantes.

CARRO Sonhar que se está vendo carros denota viagens e mudanças em rápida sucessão. Se você entra em um, mostra que a viagem que você está vislumbrando será feita em circunstâncias diferentes daquelas inicialmente imaginadas.

CARRO

CARREGADOR DE MALAS Ver em sonho um funcionário responsável por carregar bagagens é decididamente um presságio de azar. Mas se você for o carregador, sugere circunstâncias humildes. Se estiver contratando um, é porque você vai poder desfrutar de todo o sucesso que vier.

CARREGANDO TACOS DE GOLFE Sonhar com um carregador de tacos é um conselho para assumir a responsabilidade por seus problemas. Se você sonha que está carregando tacos, é sinal de que está se sobrecarregando com os fardos alheios.

CARREIRA Sonhar com uma mudança na carreira significa que você vai permanecer na sua carreira atual. Porém, se sonhar que permanece na carreira atual, então vai passar por uma mudança de carreira na vida desperta.

CARRETEL Sonhar com carretéis de linha prenuncia algumas tarefas longas e árduas, mas que quando concluídas vão atender às suas expectativas. Se os carretéis estiverem vazios, sinal de decepções chegando.

CARRINHO DE BEBÊ Um carrinho de bebê sugere que um amigo vai promover muitas surpresas agradáveis para você. Sonhar que empurra um carrinho de bebê sugere notícias de gravidez.

CARRO FUNERÁRIO O carro funerário representa o alívio de seus fardos e preocupações. Se você só acompanha o veículo ou se for o motorista, aguarde por um aumento nas responsabilidades na vida. Se você estiver dentro do carro funerário, haverá uma mudança importante para o seu futuro.

CARROÇA Se você sonha que está andando de carroça, o azar e o trabalho constante vão tomar seu tempo enquanto você luta para sustentar sua família. Ver uma carroça denota más notícias de parentes ou amigos. Guiar uma carroça indica sucesso em assuntos profissionais e em outras aspirações.

CARROÇÃO Sonhar com um carroção indica que você vai formar uma parceria amorosa infeliz e que vai envelhecer prematuramente devido ao excesso de problemas. Sonhar que conduz um carroção morro abaixo é agouro de condutas que vão causar muita inquietação e prejuízos. Já se estiver subindo uma colina, é sinal de melhoria nas situações cotidianas. Conduzir um carroção com muita carga denota que o dever vai manter você sob uma postura virtuosa, apesar de sua vontade de jogar tudo para o alto. Conduzir o carroção por águas lamacentas é um prognóstico horroroso, que pode levar a um vórtice de infelicidade e pressentimentos amedrontadores.

CARROSSEL

Ver um carroção com capota indica que você vai se flagrar cercado por uma deslealdade misteriosa, que por sua vez vai retardar seus avanços. Um carroção quebrado representa aflição e fracasso.

CARROSSEL Um sonho com um carrossel sugere que você vai se flagrar refletindo continuamente sobre um problema incômodo até encontrar uma solução para ele.

CARRUAGEM Sonhar com uma carruagem significa que você vai ficar contente e que fará visitas. Se você sonha que anda de carruagem, é sinal de que oportunidades favoráveis vão surgir; e se você fizer bom uso delas, podem levar ao bem. Andar em uma carruagem sugere também uma doença passageira, mas logo a seguir, você vai voltar a gozar de saúde e boa sorte. Cair de uma carruagem ou ver outros caindo indica a queda de posições elevadas. Se você sonha que está procurando uma carruagem, vai trabalhar muito e, por fim, terá sucesso.

CARTA Sonhar com cartas indica novas oportunidades ou desafios. Sonhar que vê uma carta registrada sugere que questões financeiras vão atrapalhar relações há muito estabelecidas. Sonhar com uma carta anônima é um presságio de que você vai se incomodar com uma fonte insuspeita. Escrever uma carta anônima sugere que você sente ciúmes de um rival. Sonhar que recebe cartas com notícias desagradáveis denota dificuldades ou enfermidades. Já se a notícia tiver um caráter alegre, você terá muitos motivos na vida para agradecer. Se a carta for afetuosa, porém estiver escrita em papel colorido, você será desprezado no amor e no trabalho. A tinta azul denota constância, afeto e sorte reluzente. A vermelha implica em distanciamentos por desconfiança e ciúmes, mas isso pode ser superado se você conseguir manipular o objeto de suas suspeitas com sabedoria. Se você não conseguir ler a carta no sonho, é porque vai perder algo em sua vida profissional ou social. Se sua carta for interceptada, rivais estão agindo para difamar você. Sonhar que tenta esconder uma carta da pessoa amada indica que você tem se interessado por ocupações indignas. Sonhar com uma carta com uma borda preta significa angústia e morte de um parente. Receber uma carta escrita em papel preto com tinta branca fala de tristeza e decepção lhe tomando de assalto, no entanto, uma intervenção amigável trará um breve alívio. Se essa carta for trocada entre marido e mulher, sugere separação e escândalo. Para empresários, denota inveja e avareza. Sonhar que está escrevendo uma carta prevê que você vai se precipitar ao condenar alguém, e o arrependimento virá logo a seguir. Uma carta rasgada significa que erros podem estragar sua reputação. Receber uma carta em mãos indica que você está agindo indelicadamente com seus colegas ou com a pessoa amada, e que não está sendo justo. Sonhar com frequência que recebe uma carta de um amigo prediz a chegada dessa pessoa. Pode ser também que você receba notícias desse amigo por e-mail. | *Ver também* Escrita.

CARTA DE COBRANÇA Sonhar que recebeu uma carta de cobrança é um alerta para cuidar de seus negócios e corrigir a tendência a negligenciar o trabalho e o amor.

CARTÃO DE VISITAS Se você sonha que está entregando ou recebendo um cartão de visitas, espere ser apresentado a pessoas que serão benéficas para suas finanças.

CARTÃO SIM Sonhar com um cartão SIM para celular indica que em breve você vai se reconectar a alguém de seu passado de quem você guarda lembranças agradáveis.

CARTÃO-POSTAL Sonhar que envia, compra ou escreve um cartão-postal significa que você vai se constranger por algo que fez no passado. Sonhar que recebe um cartão-postal fala de constrangimento ou perda financeira.

CARTAS DE BARALHO Se você sonha que está jogando baralho com outras pessoas para se divertir, é porque na vida desperta verá a realização de desejos que há muito têm causado empolgação. Pequenos males vão desaparecer. Mas jogar profissionalmente ou em apostas altas implica dificuldades de natureza grave. Se você sonha que perde o jogo, vai se deparar com inimigos. Mas se vencer, é porque vai precisar se justificar aos olhos da lei, mas pode ter problemas para fazê-lo.

CARTEIRA (DE BOLSO) Ver carteiras em sonho significa que algumas obrigações agradáveis aguardam você. Uma carteira velha ou suja implica em resultados desfavoráveis no trabalho.

CARTEIRA DE MOTORISTA Em um sonho, a carteira de motorista simboliza disputas e perdas.

CARTEIRO Se você sonha com um carteiro chegando com suas cartas, é porque logo vai receber notícias de caráter indesejável e desagradável. Se o carteiro passar sem deixar nenhuma correspondência, é prenúncio de decepção e tristeza. Se você entregar a ele cartas para enviar, é porque vai sofrer danos devido à inveja ou ao ciúme. Se você meramente papear com um carteiro, é porque vai se envolver em processos escandalosos.

CARTEL Sonhar com carteis prenuncia sucesso indiferente no comércio ou no campo jurídico. Se você é membro de um cartel, é porque vai ter sucesso em projetos de natureza especulativa.

CARTOLA Sonhar que usa cartola pressagia uma possível morte. Ver outra pessoa usando cartola pressagia uma viagem.

XII	XIII	XIIII	XV	XVI
LE PENDV		TENPERANCE	LE DIABLE	LA MAISON DIEV

XVII	XVIII	XVIIII	XX	XXI
LESTOILLE	LA LVNE	LE SOLEIL	LE IVGEMENT	LE MONDE

CARTOLINA Sonhar com cartolina implica que amigos infiéis vão enganar você a respeito de assuntos importantes. Se você cortar a cartolina, é porque na vida desperta vai superar as dificuldades em sua batalha para chegar ao topo.

CARTOMANTE Sonhar com cartomantes significa que você vai precisar de ajuda para lidar com sua indecisão na carreira ou em questões pessoais. Se você sonha que é o cartomante, então é sinal de que tem boa capacidade de julgamento.

CARTUCHO (ARTILHARIA) Sonhar com cartuchos pressagia brigas e divergências. Um destino infeliz é uma ameaça para você ou para alguém próximo a você. Se os cartuchos estiverem vazios, você vai ficar tentado a ser irresponsável em suas atitudes para com amigos e colegas de trabalho.

CARUNCHO Sonhar com esse inseto pressagia perda comercial e falsidade no amor.

CARVALHO Sonhar com uma floresta de carvalhos significa grande prosperidade em todas as áreas da vida. Ver um carvalho com frutos denota aumento e promoção.

CARVÃO Carvões em brasa representam prazer e muitas mudanças agradáveis. Sonhar que você os manipula fala de alegria absoluta. Ver carvões com as brasas já apagadas implica problemas e decepções.

CARVÃO VEGETAL Sonhar com carvão apagado significa situações sombrias e infelicidade. Se houver brasas queimando e reluzindo, no entanto, espere um grande aumento de sorte e alegria.

CASA Se você sonha que constrói uma casa é porque vai realizar mudanças sábias na sua situação atual. Sonhar que você é dono de uma casa elegante indica mudança para uma casa melhor muito em breve em sua vida desperta, e a sorte a seu favor. Casas velhas e dilapidadas denotam fracasso profissional ou em qualquer empreitada, além de saúde em declínio. | *Ver também* Edifícios.

CASA DA MOEDA Sonhar com o lugar onde o dinheiro é cunhado indica uma ascensão em seu status social.

CASA DE CORREÇÃO Sonhar que está em uma casa de correção fala de um acontecimento que trará prejuízos e perdas. | *Ver também* Cadeia, Prisão.

CASA DE PENHORES Se em seus sonhos você entrar em uma casa de penhores, é porque na vida desperta vai se deparar com perdas e decepções. Sonhar que vê uma casa de penhores sugere que você não é confiável, e por isso corre o risco de sacrificar seu honrado nome devido a um caso lascivo. Se você sonha que está penhorando objetos, é porque vai vivenciar cenas desagradáveis com a pessoa que ama, e talvez venha a sofrer decepções profissionais. Resgatar um artigo em uma casa de penhores sugere que você vai recuperar coisas que perdeu.

CASA DE VIDRO Ver uma estufa feita em vidro indica que você provavelmente vai se magoar por causa de adulação.

CASA GEMINADA Sonhar com uma casa geminada é um aviso para definir seus objetivos mais ambiciosos para assim atingir maiores realizações.

CASA-BARCO Sonhar com uma casa-barco sugere que você possui a segurança de um lar — mas também o luxo de poder se locomover.

CASACO Se você sonha com um casaco ou blazer bonito, bem ajustado e confortável, é sinal de problemas na vida desperta. Já uma peça surrada ou rasgada sugere ganho financeiro. Sonhar que usa o casaco de outra pessoa significa que você vai pedir a um amigo para lhe proteger. Um casaco rasgado representa a perda de um amigo íntimo e uma vida profissional fatigante. Se você perder seu casaco, é porque vai ter de reconstruir sua fortuna perdida por excesso de confiança em especulações. Um casaco novo pressagia para você a honra literária. | *Ver também* Vestuário, Roupas.

CASACO DE VISON Sonhar com um casaco de vison sugere que você deve tomar cuidado com a ganância e o egoísmo.

CASAMENTEIRO Se você é casado e sonha que está indo a um casamenteiro, é porque seu relacionamento vai apresentar problemas. Se você não é casado, esse sonho prenuncia um novo amor, mas que será efêmero. Sonhar que você é um casamenteiro prevê a chegada do amor da sua vida.

CASAMENTO (MATRIMÔNIO) Sonhar que vê uma cerimônia de casamento denota alegria caso os convidados estejam felizes e vestidos com cores agradáveis; mas se estiverem usando preto ou outros tons sombrios, é sinal de luto e tristeza para o sonhador. Se você sonha que está planejando se casar, é porque pode receber notícias desagradáveis. Se você for um convidado em um casamento, é porque vai ser muito agraciado pelos cuidados dos entes queridos, e os assuntos profissionais ficarão extraordinariamente promissores. Sonhar com qualquer ocorrência infeliz em relação a um casamento prediz sofrimento na família. Se uma jovem sonhar que está vestida de noiva, e que está se sentindo infeliz ou indiferente, é prenúncio de decepções. | *Ver também* Noiva, Núpcias.

CASCA DE ÁRVORE Sentir a casca de uma árvore sob a mão em sonho significa que você possui um caráter sólido. Ver a casca de uma árvore é um conselho para ir devagar com seu interesse amoroso.

CASCA DE PÃO Sonhar com casca de pão indica que a incompetência dos eleitos ameaça trazer tristeza. | *Ver também* Pão, Confeitaria.

CASCALHO Nos sonhos, o cascalho representa planos e empreendimentos infrutíferos. Se você vir cascalho misturado a terra, vai se meter em especulações malsucedidas e perderá boas propriedades.

CASCAVEL Sonhar com uma cascavel prenuncia uma traição inesperada de alguém em quem você confia. Se você apenas ouve a cascavel no sonho, é porque vai enxergar essa traição antes de ela chegar. Se a cascavel picar você, é sinal de discussão.

CASCO Sonhar com o casco de um animal representa ganhos financeiros.

CASCO FENDIDO Sonhar com um casco fendido (como o dos caprinos) diz que um azar incomum vem ameaçando você. Evite criar laços de amizade com desconhecidos neste momento.

CASIMIRA Sonhar com esse tecido significa muito carinho em suas amizades.

CASO (AMOROSO) Sonhar que está tendo um caso romântico ou sexual indica que você está sendo enganoso consigo e com as pessoas ao seu redor.

CASSETE Se você sonha com uma fita cassete, pode ser que necessite de garantias durante um projeto ou evento.

CASSINO É sinal de que você anda apostando demais.

CASTANHA DE CAJU Prenuncia melhoria da saúde.

CASTANHA Sonhar que manuseia castanhas pressupõe prejuízos profissionais, mas também pode indicar uma companhia agradável na vida. Comê-las sugere um instantinho de tristeza, porém uma felicidade definitiva.

CASTANHOLA Sonhar com esse instrumento musical sugere tempos felizes adiante.

CASTELO Se você sonha que está em um castelo, é porque tem dinheiro suficiente para construir a vida que deseja. Você pode ser um viajante bem-sucedido, desfrutando do contato com gente de várias nações. Ver um castelo antigo coberto de videiras sugere sabores românticos; tome cuidado para não aceitar um casamento ou noivado sem que este seja seu desejo sincero. Se você sonha que está deixando um castelo, é porque vai ser roubado ou vai perder o parceiro amoroso ou outro ente querido para a morte.

CASTIÇAL Ver um castiçal com uma vela inteira significa um futuro brilhante e repleto de saúde, felicidade e companheiros amorosos. Se estiver vazio, então é o inverso.

CASTIGO Sonhar que está sendo castigado implica que você não tem sido prudente na vida desperta. Se você está castigando outra pessoa, então tem um parceiro complicado no trabalho ou no casamento.

CATECISMO Sonhar com catecismo prediz que vão lhe oferecer um emprego lucrativo, mas as condições não serão nada fáceis e por isso você vai relutar para aceitar.

CATEDRAL Se no sonho você entrou em uma catedral, suas relações pessoais ficarão mais sérias. Se visualizar a catedral de longe, é sinal de que precisa se aproximar do que é importante é para você.

CARRO

CASTOR Sonhar que vê castores significa que você vai atingir circunstâncias confortáveis por meio de esforços diligentes. Mas se você sonha que está matando castores por causa de suas peles, é porque na vida desperta pode ser acusado de fraude e conduta imprópria para com inocentes.

CATA-VENTO Nos sonhos, o cata-vento simboliza boa sorte e felicidade.

CATA-VENTO DE PAPEL Sonhar com um cata-vento artesanal significa que sua vida em breve vai ficar mais interessante e colorida.

CATACUMBAS Sonhar com uma câmara funerária subterrânea marca a necessidade de direcionamento e navegação cuidadosos em uma situação futura.

CATAPORA Sonhar com essa doença é um aviso para avaliar bem suas amizades.

CATAPULTA Sonhar com uma catapulta é sinal de mudança repentina e imprevista.

CATARRO Sonhar que pigarreia para expulsar o catarro é um bom presságio sobre um problema de saúde. Sonhar com outra pessoa cuspindo catarro é um alerta para um problema de saúde que não deve ser ignorado.

CAUDA Sonhar em ver apenas uma cauda sugere um aborrecimento incomum onde o prazer é certo. Cortar a cauda de um animal prediz que você vai sofrer infortúnios devido ao próprio descuido. Sonhar que uma cauda cresce em você prediz que seu comportamento duvidoso vai lhe causar uma angústia incalculável e que acontecimentos estranhos vão render muita confusão.

CAVALARIA Sonhar que vê uma divisão de cavalaria denota avanço pessoal e distinção.

CAVALEIRO Ver um cavaleiro em sonhos representa honra, proteção e segurança, seja nesse plano ou no mundo oculto. As forças estão se unindo para proteger você.

CAVALETE Sonhar com uma pintura em um cavalete, ou com o ato de pintar, sugere a capacidade de construir sua vida em um futuro próximo. Você fará mudanças maravilhosas e grandiosas em seu cotidiano.

CAVALGADA Esse sonho diz que você deve resistir à tentação de seguir os outros.

CAVALINHO DE BALANÇO Sonhar que brinca num cavalinho de balanço significa sorte em um assunto pessoal.

CAVALO Sonhar com cavalos sugere que você vai acumular riquezas e aproveitar a vida ao máximo. Se você sonha estar numa montaria em plena fuga, seus interesses vão ser prejudicados pela tolice de um amigo ou empregador. Ver um cavalo fugindo com outros é um alerta de que você vai ficar sabendo de doenças de amigos. Ver garanhões de fino trato é sinal de sucesso e crescimento social; uma paixão desmedida pode dominar você. Éguas reprodutoras sugerem harmonia e ausência de ciúme entre casais e namorados. Se você sonha que cruza um riacho a cavalo, é porque em breve vai desfrutar de boa sorte e de prazeres fartos. Se o riacho estiver instável ou turvo, suas alegrias tão esperadas serão um tanto decepcionantes. Se você estiver sobre o lombo de um cavalo em um fluxo de água límpido e bonito, sua concepção de alegria arrebatadora será rapidamente concretizada. Para quem está no mundo dos negócios, esse sonho pressagia muitos ganhos. Ver um cavalo ferido denota problemas com amigos. Um cavalo morto significa decepções de diversos tipos. Sonhar que sua montaria dá pinotes sugere que seus desejos serão difíceis de realizar. E se ainda por cima o cavalo jogar você longe, é porque vai surgir um rival profissional forte e você vai sofrer um pouco com a concorrência. Se você levar um coice, vai sofrer rejeição da pessoa amada e sua prosperidade será um tanto reduzida devido a problemas de saúde. Sonhar que pega um cavalo para selá-lo ou colocar freio e arreio significa que você verá melhoria nos negócios de todos os tipos. Se você não conseguir capturá-lo, é porque será iludido pela sorte. Cavalos malhados significam que vários empreendimentos lhe trarão lucro. Se você sonha com cavalos sendo ferrados significa que seu sucesso está garantido. E se você mesmo estiver sendo responsável pela ferragem, implica que você vai agir diretamente para tomar posse de um bem em situação incerta. Sonhar com cavalos de corrida significa que você vai se fartar da correria da vida, mas para os fazendeiros esse sonho simboliza prosperidade. Se você sonha que cavalga em uma corrida, é porque vai ser próspero e aproveitar bastante a vida. Sonhar que mata um cavalo é um alerta sobre a possibilidade de magoar seus amigos em função do egoísmo. Se você monta um cavalo sem sela, vai batalhar bastante, enriquecer e ter tranquilidade. Se você escova um cavalo, seus interesses comerciais não serão negligenciados por prazeres frívolos. Sonhar que apara a crina ou a cauda de um cavalo sugere que você será um bom financista. Ver cavalos puxando veículos denota riqueza com algum ônus, e o amor vai encontrar obstáculos. Se você estiver subindo por uma colina e o cavalo cair, mas mesmo assim você chegar ao topo, é indicativo de prosperidade, embora você vá precisar brigar para evitar desafetos e inveja. Se você e o cavalo chegarem ao topo, sua ascensão vai ser fenomenal e substancial. Se você estiver cavalgando morro abaixo, sem dúvida é sinal de decepção em assuntos pessoais. Ver um cavalo com cascos desgastados implica que algo desagradável e inesperado vai se insinuar em sua vida outrora favorável. | *Ver também* Égua.

CAVALO DE CORRIDA Sonhar com um cavalo de corrida saudável significa sorte inesperada. Mas se ele estiver debilitado, espere perdas financeiras.

CAVALO-MARINHO Sonhar com essa criatura do mar prevê uma viagem agradável.

CAVANHAQUE Se você sonha que vê um cavanhaque em você mesmo ou em outra pessoa, tome cuidado para não arriscar sua saúde.

CAVEIRA COM OSSOS CRUZADOS Sonhar com ossos cruzados não é bom. Pressagia perda financeira e problemas com relacionamentos.

CAVERNA, GRUTA Sonhar que vê uma caverna aberta à sua frente sugere que muitos problemas vão tomá-lo de assalto; adversários podem atrapalhar seu progresso. Trabalho e saúde estão ameaçados. Estar dentro de uma caverna pressagia mudança.

CAVIAR Cuidado para não gastar seu dinheiro de forma imprudente.

CEBOLA Ver montes de cebolas em sonho representa a quantidade de despeito e inveja com os quais você vai se deparar quando for bem-sucedido. Se você estiver comendo cebolas, é porque vai conseguir superar toda a oposição. Se você as vir crescendo, é porque a rivalidade em seu campo profissional vai ser na medida certa para tornar as coisas interessantes. Cebola cozida denota placidez e pequenos ganhos na carreira. Sonhar que está cortando cebolas (e chorar por isso) sugere que você vai ser derrotado por seus rivais.

CECEADURA Sonhar que sofre de ceceio significa que suas palavras serão consideradas ouro; seus conselhos serão valiosos. Sonhar que outra pessoa tem um ceceio sugere que a desonestidade e as mentiras estão vindo de um amigo ou de uma fonte confiável.

CEDRO Sonhar que vê galhos de cedro verdes e bonitos é indicativo de sucesso. Vê-los mortos ou quebrados significa desespero.

CÉDULA Preencher uma cédula ou votar em um sonho significa que alguém valoriza sua opinião.

CEGONHA Sonhar com cegonhas implica em problemas no horizonte, mas serão pequenos e fáceis de superar.

CEGUEIRA Sonhar que é cego denota mudança repentina da riqueza para a pobreza. Ver outra pessoa cega significa que uma pessoa respeitável na sua vida desperta vai lhe pedir ajuda.

CELA Sonhar com uma cela de prisão é um conselho para delegar tarefas entre seus colegas no trabalho.

CELEBRIDADE Sonhar com uma celebridade alerta para um escândalo social iminente.

CELEIRO Ver um celeiro cheio de grãos maduros, espigas de milho perfeitas e gado gordo é um presságio de grande prosperidade. Mas se o celeiro estiver vazio, espere o inverso.

CELOFANE O plástico celofane é um alerta para se ter cuidado com as ilusões em seus relacionamentos.

CELTA Sonhar que faz parte do povo celta ou que pertence a um clã de celtas significa que em breve você vai encontrar seu centro espiritual.

CELULITE Sonhar que tem celulite é sinal de boa saúde.

CEMITÉRIO Sonhar que está em um cemitério bonito e bem cuidado sugere notícias inesperadas sobre a recuperação de alguém que parecia fadado à morte. Ou você pode recuperar uma propriedade à qual tinha direito. Um cemitério abandonado e coberto de vegetação prevê que você vai viver o suficiente para ver a partida de todos os seus entes queridos, e você vai terminar aos cuidados de um desconhecido. Se uma mãe sonha que leva flores frescas a um cemitério, ela pode esperar a continuidade da boa saúde de sua família. Se você vir criancinhas colhendo flores e perseguindo borboletas entre os túmulos, espere mudanças prósperas, e nenhum amigo será perdido para a morte. A boa saúde vai prevalecer.

CEMITÉRIO (EM IGREJAS) Sonhar que caminha no cemitério nos arredores de uma igreja significa decepções que certamente serão superadas.

CENOURA É sinal de saúde e prosperidade.

CENSO Sonhar que realiza um censo sinaliza que em breve você vai ser responsabilizado por suas ações, sejam elas boas, más ou neutras.

CENTAURO Sonhar com esse ser mítico meio homem e meio equino indica que você está vivendo duas realidades diferentes.

CENTEIO Ver centeio nos sonhos é bom sinal. A prosperidade vai tornar seu futuro brilhante. Ver café feito a partir do centeio significa que seu prazer será temperado com bom senso, e que tudo em sua vida vai ocorrer sem grandes atritos. Ver rebanhos adentrando em campos de centeio é uma previsão de prosperidade.

CENTOPEIA Nos sonhos, esse inseto é um conselho para acelerar em um projeto ou para realizar uma mudança em sua vida.

CENTRO DE MESA Sonhar que está fabricando um centro de mesa significa que em breve você vai organizar sua vida pessoal. Olhar para um centro de mesa sugere que sua vida já está em ordem.

o sucesso. Ver um rebanho pulando a cerca e *entrando* em seu cercadinho significa que você vai receber ajuda de fontes inesperadas; se os animais estiverem pulando para *sair*, podem ocorrer perdas no comércio e em outros negócios. Sonhar que constrói uma cerca indica que, por meio da economia e da indústria, você está fomentando uma base para a riqueza futura.

CERVEJA

CEO Sonhar que você é um CEO, ou seja, um presidente de empresa, é sinal de que o avanço em sua carreira virá apenas por meio de muito esforço. Se você sonha com outra pessoa como CEO, é porque será reconhecido por seu trabalho árduo.

CERÂMICA Sonhar com peças de cerâmica inteiras e perfeitas é uma dica para aperfeiçoar um ofício. Se você sonha com uma cerâmica intacta, em breve terá uma surpresa agradável. Se estiverem rachadas ou quebradas, deixe os novos projetos para depois. A cerâmica quebrada prediz ainda relacionamentos, promessas e acordos rompidos.

CERCA Sonhar que escala até o alto de uma cerca indica que o sucesso irá coroar seus esforços. Cair de uma cerca significa que você vai empreender em um projeto para o qual não está qualificado, e verá seu empenho cair por terra. Estar sentado em uma cerca com outras pessoas e vê-las cair prevê um acidente em que alguma pessoa ficará gravemente ferida. Sonhar que você pula uma cerca significa que você talvez venha a empregar meios que não são totalmente legítimos para alcançar seus desejos. Derrubar uma cerca e caminhar para o outro lado indica que, com iniciativa e energia, você vai superar as barreiras mais insistentes entre você e

CERCO Testemunhar o cerco de um castelo ou de outro edifício prediz que algo pode ser roubado de você. O sonho é um aviso para proteger sua casa ou empresa.

CÉREBRO Ver seu próprio cérebro em sonho é um alerta de que ambientes incompatíveis vão transformar você numa companhia desagradável. Ver os cérebros de animais indica problemas mentais. Se você comer um cérebro, vai ganhar conhecimento e lucrará inesperadamente.

CEREJA Sonhar com cerejas significa que você vai ganhar popularidade por causa da sua afabilidade e altruísmo. Comê-las pressagia a posse de um objeto muito desejado. Se estiverem verdes, indica boa sorte chegando.

CERIMÔNIA DE CASAMENTO Assistir a um casamento nos sonhos prenuncia uma ocasião que vai trazer amargura e atrasar seu sucesso. | *Ver também* Noiva, Casamento.

CERVEJA Sonhar que está bebendo em um bar prognostica decepção. Se você vir outras pessoas bebendo, o trabalho de golpistas vai estragar suas esperanças mais acalentadas. | *Ver também* Embriaguez.

CERVO Esse é um sonho favorável, denotando amizades puras e profundas, e uma vida tranquila e sem intercorrências. Já sonhar que está caçando cervos denota fracasso em suas atividades.

CESTA Sonhar que está vendo ou carregando uma cesta significa que você vai ter sucesso absoluto — mas só se a cesta estiver cheia; cestas vazias apontam descontentamento e tristeza.

CESTO Sonhar com um cesto de roupa suja vazio prenuncia transtorno emocional. Já um cesto cheio indica boas notícias.

CETRO Sonhar que você empunha um cetro sugere que você será escolhido por amigos para ocupar cargos de confiança; e você vai fazer jus à confiança deles em sua capacidade. Sonhar que outros empunham um cetro pressagia que você vai procurar emprego com a ajuda alheia em vez de depositar toda sua energia agindo sozinho.

CÉU Sonhar com o céu significa honrarias distintas e viagens interessantes com companheiros cultos — isto se o céu estiver límpido. Caso contrário, pressagia expectativas frustradas. Ver o céu ficando vermelho fala de inquietação pública. | *Ver também* Firmamento, Paraíso (teologia).

CEVADA Se você sonha com esse grão é porque precisa de um recomeço em algum aspecto de sua vida.

CHÁ Sonhar que está preparando chá indica que você vai ser culpado de atos indiscretos e sentirá muito remorso. Sonhar que beberica chá com amigos sugere que os prazeres sociais vão perder seu apelo; você vai tentar mudar esses sentimentos dando apoio aos outros nos momentos de tristeza. Ver a borra em seu chá é um aviso sobre problemas no amor e na vida social. Derramar chá é sinal de confusão doméstica e tristeza. Encontrar sua caixa de chá vazia pressagia muitas fofocas e notícias desagradáveis. Se você sonha que está doido para tomar chá, é porque vai ser surpreendido por convidados indesejados.

CHABLIS Se esse tipo de vinho branco surgir em sonho, é porque novos amigos, um novo amor e muitas alegrias aguardam por você.

CHACAL Se você sonha com esse canídeo selvagem, é porque um amigo pode persuadi-lo a fazer algo que você considera errado.

CHACINA Sonhar com uma chacina pressagia problemas na frente mundial.

CHALÉ Sonhar com esse tipo de casa das montanhas significa que você vai avançar a postos altos no trabalho.

CHALEIRA Sonhar que vê uma chaleira prediz uma notícia repentina que provavelmente vai trazer estresse. Ver chaleiras denota também, uma tarefa imensa e trabalhosa adiante. Uma chaleira com água fervente significa que suas batalhas logo vão chegar ao fim, e junto virá uma mudança. Uma chaleira quebrada denota fracasso após muito esforço para descobrir o caminho para o sucesso.

CHAMA (FOGO) Sonhar que luta contra chamas prediz que vai ser preciso seus melhores esforços e energia para obter sucesso no acúmulo de riquezas. | *Ver também* Fogo.

CHAMADO Se você sonha que recebeu um chamado para entrar na vida religiosa — ou em qualquer tipo de profissão — é sinal de que vem por aí uma boa escolha de carreira e bem-estar financeiro.

CHAMINÉ Sonhar que vê chaminés pressagia que vai ocorrer um incidente muito desagradável em sua vida. Uma chaminé danificada é sinal de tristeza e provável morte na família. Já uma chaminé coberta de hera ou outras videiras indica que a felicidade virá depois da tristeza ou perda de parentes. Ver uma chaminé soltando fumaça indica que muita coisa boa se aproxima.

CHANCELER Sonhar que é ou que lida com um chanceler sugere que o trato com a lei o aguarda no horizonte.

CHANTAGEM Ser chantageado ou querer chantagear alguém em sonho sugere que você é considerado um amigo confiável.

CHÃO Se você sonha que está deitado no chão, é um aviso para ter cuidado com os ditos amigos.

CHÃO SEM PISO Andar no chão nu diz que você sempre estará firme em seus pés.

CHAPA DE COBRE Quando vista em um sonho, sinaliza que pontos de vista discordantes podem causar infelicidade entre os membros de uma família.

CHAPÉU Se você sonha que perde um chapéu, pode esperar negócios insatisfatórios e o fracasso das pessoas na hora de honrar compromissos importantes. Se um homem sonhar que usa um chapéu novo, sinal de mudança de casa e profissional, que por fim vai se revelar vantajosa. Para uma mulher, denota a obtenção de riqueza. Ver o vento soprar seu chapéu sugere mudanças repentinas, porém um tanto para pior.

CHARCO Sonhar que caminha por charcos ou brejos sugere doenças decorrentes do excesso de trabalho e da preocupação. Você vai sofrer bastante com a conduta imprudente de um parente próximo. | *Ver também* Pântano.

CHARLATÃO Ver um charlatão em seus sonhos implica que você está alarmado com uma doença e seu tratamento inadequado.

CHARUTO Sinal de festa em um futuro próximo.

CHAVE Sonhar com chaves, de modo geral, diz respeito a mudanças inesperadas. Se as chaves forem perdidas, você vai se deparar com aventuras desagradáveis e uma sensação generalizada de perda de controle de uma situação. Se você estiver entregando chaves a alguém, tome cuidado, pois as pessoas podem estar tentando roubar seu poder; ou você pode estar prestes a entregar o controle a algo que não deveria. Encontrar chaves indica paz doméstica e viradas bruscas na situação profissional, e geralmente prenuncia que você está perto de encontrar uma solução para um problema. Chaves quebradas pressagiam separação de algo ou de alguém. Você não mais terá acesso a alguma coisa com a qual mantinha contato. O tilintar de chaves sugere que você tomou uma atitude decisiva e que vai render boas recompensas.

CHAVE DE FENDA Sonhar com chaves de fenda significa que você vai alcançar seus objetivo — mas só se for diligente e trabalhar arduamente.

CHAVEIRO Sonhar que usa os serviços de um chaveiro avisa que você pode necessitar de assistência jurídica para resolver um assunto pessoal ou familiar. Se você mesmo for o chaveiro, as questões jurídicas correrão muito bem em um futuro próximo.

CHEFE Sonhar com um chefe ou superior de qualquer tipo aponta um avanço em sua carreira. Não gostar do seu chefe em sonho, ao contrário, significa que, em sua vida desperta, você e seu supervisor se dão muito bem. Gostar de seu chefe em um sonho significa que você precisa tomar cuidado no trabalho. Sonhar que você é o chefe significa que logo você vai fracassar no emprego ou na carreira.

CHEGADA Chegar a algum lugar com estardalhaço no sonho mostra que você carece de mais humildade. Já chegar discretamente é o oposto: você precisa ser mais incisivo.

CHEIRO Nos sonhos, cheiros agradáveis são bons presságios. Já os desagradáveis significam ansiedades que podem ser pequenas ou grandes, a depender da sua postura diante delas.

CHEQUE Sonhar que passa cheques sem fundos é um sinal que você vai recorrer a subterfúgios para levar seus planos adiante. Se você receber um cheque, é porque vai conseguir pagar suas contas e vai herdar dinheiro. Sonhar que está descontando cheques é sinal de depressão e perda no campo profissional.

CHIADO Sonhar que você está vendo algo chiar de tão quente significa que é hora de expor o que está pensando para evitar rompantes — você está muito perto de explodir.

CHICOTE Sonhar com um chicote representa conflitos e amizades infelizes.

CHOCOLATE Sonhar com chocolate sugere que você vai prover fartura àqueles que dependem de você. Ver chocolate indica companhias e empregos agradáveis. Se for chocolate amargo, é indício de doença ou outras decepções. Beber chocolate pressagia prosperidade após um curto período de reveses.

CHOQUE Sonhar que está em estado de choque implica na superação das dificuldades presentes em sua vida.

CHINELO

CHINA, CHINÊS Sonhar que está saboreando comida chinesa significa que em breve você vai ter boas notícias. Ver a si mesmo como um indivíduo chinês significa que você vai mudar sua aparência num futuro muito próximo. Sonhar que está cercado por chineses — se você não é chinês — significa prosperidade e sorte financeira.

CHINELO Sonhar com um chinelo ou um par de chinelos confortáveis sugere um novo romance. Se os chinelos estiverem machucando seus pés ou estiverem sendo usados por outra pessoa, é hora de cuidar das questões financeiras.

CHIRÍVIA Ver ou comer essa erva da família das umbelíferas é um presságio favorável para a área profissional ou comercial; no entanto, o amor vai ganhar aspectos desfavoráveis e sombrios.

CHOCAGEM Sonhar que vê um pintinho eclodindo de um ovo prediz um anúncio de gravidez ou nascimento.

CHOCALHO Sonhar que vê um bebê brincando com seu chocalho é um presságio de paz e contentamento no lar; os empreendimentos serão honestos e lucrativos.

CHOQUE ELÉTRICO Sonhar que leva um choque é um alerta sobre uma surpresa da qual você não vai gostar.

CHORAMINGO Choramingar em um sonho anuncia más notícias e distúrbios em família. Ver outras pessoas choramingando indica encontros agradáveis após períodos de tristeza e distanciamento. | *Ver também* Lamento, Angústia.

CHORO Sonhar que está chorando significa momentos felizes pela frente. Ouvir e ver outras pessoas chorando é um alerta de que elas podem pedir sua ajuda de supetão. Ver ou ouvir bebês chorando pressagia boas notícias.

CHOUPANA Sonhar com uma choupana indica que você vai sair de casa para buscar sua saúde. Também é um alerta para quedas na prosperidade.

CHUMBO Sonhar com chumbo prenuncia pouco sucesso em qualquer compromisso. Sonhar com minério de chumbo é sinal de angústia e acidentes. A carreira vai assumir um aspecto sombrio. Derreter chumbo é um alerta que sua impaciência vai acabar levando ao fracasso — que vai atingir a você mesmo e também a outras pessoas.

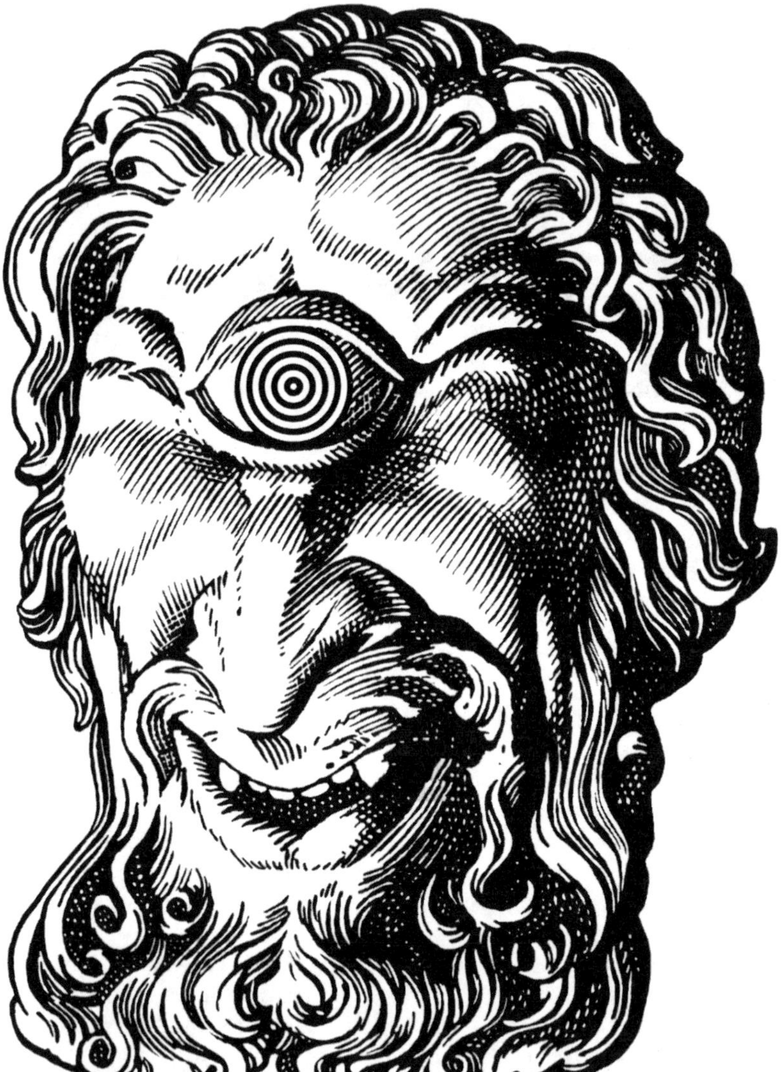

CHURRASCO Sentir cheiro de churrasco ou comê-lo em sonho significa que seu eu espiritual está sendo nutrido.

CHUTE Ser chutado por alguém nos sonhos significa forte concorrência no trabalho e na vida pessoal. Chutar alguém implica em melhoria ou avanço em sua carreira, ou um lembrete sutil para não ser tão agressivo com alguém. Chutar uma bola durante uma brincadeira indica momentos felizes chegando.

CHUVA Sonhar que está sob uma chuva forte sugere que você desfrute dos prazeres da vida com o mesmo entusiasmo da juventude, e assim a prosperidade virá. Se a chuva cair de nuvens escuras, você vai ficar alerta ante a gravidade de seus empreendimentos. Se no sonho você for capaz de ver e ouvir a chuva se aproximando, e conseguir evitar se molhar, é porque vai ter sucesso em seus planos, e suas ideias vão avançar rapidamente. Estar em casa e ver uma chuva torrencial pela janela significa que você terá prosperidade, e o amor apaixonado será correspondido. Ouvir o barulho da chuva no telhado prediz uma concretização de felicidade e alegria doméstica. A sorte virá em pequena escala. Se você sonha que sua casa está com vazamentos durante uma chuva e a água está límpida, isso prediz que um prazer proibido virá a você de forma inesperada; se a água estiver suja ou lamacenta, sua vida será exposta ao público. Lamentar-se por ter de cuidar de uma tarefa enquanto ouve a chuva denota que seu jeito de buscar o prazer vai ofender o senso de propriedade de outra pessoa. Ver outras pessoas tomando chuva prevê a exclusão de amigos de seu círculo de confiança. Ver um rebanho tomando chuva indica decepção profissional e desagrado nos círculos sociais. Em sonhos, condições climáticas tempestuosas sempre representam um augúrio infeliz.

CHUVEIRINHO (FOGOS DE ARTIFÍCIO) Ver chuveirinhos nos sonhos é sinal de obtenção rápida de prazeres e cargos cobiçados. Sonhar que colocou pólvora em um chuveirinho mas flagrá-lo vazio denota que você vai se decepcionar com a posse de algo que há muito tem se esforçado para obter. | *Ver também* Foguete.

CHUVEIRO Sonhar que toma banho representa limpeza em sua vida pessoal e renovação espiritual. | *Ver também* Chuva.

CIA Sonhar com esse ramo secreto do governo significa que você vai ser solicitado a fazer algo ilegal ou que vai de encontro ao que você acredita ser o correto.

CIANETO Esse veneno representa boa saúde. | *Ver também* Veneno.

CICATRIZ Se você sonhar com cicatrizes em outra pessoa, é porque vai enfrentar um curto período de instabilidade antes de as coisas se acalmarem. Sonhar com cicatrizes em você mesmo é um alerta para parar de fazer coisas que trazem constrangimento.

CICATRIZ DE VARÍOLA Sonhar que vê seu rosto marcado por cicatrizes de varíola sugere que outras pessoas estão admirando você devido a sua beleza interior. Sonhar com o rosto de outra pessoa marcado é um lembrete para examinar o jeito como você lida com os outros.

CICLONE Sonhar com um ciclone prenuncia grandes mudanças em casa.

CÍCLOPE Ver essas criaturas de um olho só nos sonhos é um presságio de uma intriga secreta contra sua sorte e felicidade.

CIDADE Sonhar que está em uma cidade desconhecida significa que um acontecimento infeliz pode obrigar a uma mudança de casa ou de estilo de vida.

CIDADE PORTUÁRIA Sonhar que visita uma cidade portuária pressagia que você vai ter oportunidades de viajar e adquirir conhecimento, mas haverá quem se oponha aos seus passeios.

CIENTISTA Sonhar com um cientista sugere melhoria em seu status social ou profissional.

CÍLIOS Nos sonhos, cílios longos e bonitos representam felicidade no amor e na vida social. Se forem falsos, você vai descobrir um segredo sobre um relacionamento que o deixará estupefato. Estar sem cílios é um alerta para tomar cuidado com certos amigos ou colegas.

CÍMBALO Ouvir um címbalo nos sonhos representa a morte de uma pessoa muito idosa que você conhece.

CIMENTO Se você sonha com cimento sólido, sua vida também vai se revelar sólida no futuro próximo. Se o cimento estiver quebrado, é porque você precisa cuidar de suas relações com os outros e evitar ser fraco.

CINTA Se você sonha que usa uma cinta justa, é porque vai ser influenciado por pessoas manipuladoras. Ver outras pessoas usando cintas de veludo ou ornadas com joias prediz que você vai se empenhar mais pela riqueza do que pela honra.

CINTO Sonhar com um cinto novo e estiloso sugere que você logo vai conhecer um estranho e criar um vínculo com ele que pode prejudicar sua prosperidade. Se seu cinto estiver fora de moda, você será censurado por causa de sua grosseria.

CINTO DE SEGURANÇA Usar ou apertar o cinto de segurança em um sonho indica que você se sente confinado a um relacionamento ou trabalho, e talvez precise de mudanças. Sonhar em colocar ou retirar o cinto de segurança de outra pessoa sugere que você tomou uma boa decisão em seus relacionamentos e que deve permanecer onde está.

CINTURA Sonhar com uma cintura rotunda denota que você será favorecido por uma boa dose de prosperidade. Uma cintura bem delgada e artificial indica fracasso e recriminações.

CINTURÃO Sonhar que usa um cinturão prenuncia que você vai tentar conquistar o afeto de uma pessoa muito paqueradora.

CINZAS Sonhar com cinzas é uma advertência sobre o infortúnio; muitas mudanças amargas certamente virão. No trabalho, as cinzas representam acordos malsucedidos.

CIRCO Sonhar com um circo sugere que você criou uma ilusão sobre si, e que pode vir a ser exposta num futuro próximo.

CÍRCULO Sonhar com um círculo diz que seus negócios serão enganosos quanto ao potencial de ganho.

CIRCUNCISÃO É hora de tirar de sua vida pessoas ou coisas que não importam.

CIRCUNSTÂNCIA INFELIZ Sonhar com uma situação infeliz representa uma perda significativa para você mesmo e problemas para os outros.

CIRURGIA PLÁSTICA A menos que você esteja se submetendo a uma cirurgia estética, esse sonho é um alerta de que a vaidade e a arrogância serão sua ruína social.

CIRURGIÃO Sonhar com um cirurgião indica que você está sendo ameaçado por rivais muito próximos no trabalho.

CISNE Sonhar que vê cisnes brancos em águas plácidas anuncia perspectivas prósperas e experiências deliciosas. Ver um cisne negro denota prazer ilícito caso ele esteja perto de águas límpidas. Um cisne morto fala de saciedade e desgosto. Se você vir cisnes voando, aguarde agradáveis expectativas em breve.

CISTERNA Sonhar com uma cisterna indica que você corre o risco de interferir nos prazeres e direitos de seus amigos. Tirar água de uma cisterna indica que seu divertimento na vida vai crescer sob um modelo um tanto questionável. Uma cisterna vazia anuncia a mudança de felicidade para tristeza.

CISTO Sonhar que tem um cisto é um alerta sobre significados ocultos nas palavras das pessoas.

CITAÇÃO Sonhar que cita alguém ou algo sugere sucesso social. Se você sonha que está sendo citado, tome cuidado com um parceiro profissional ou amigo.

CIÚME Sonhar que está com ciúmes indica que você pode estar abrigando esses mesmos sentimentos em sua vida desperta. E talvez seja hora de examinar sua autoestima com mais afinco e ver onde ela está falhando. Sonhar que está com ciúme de seu cônjuge ou parceiro significa que as pessoas ao seu redor têm tido má vontade para com você. Ser o alvo do ciúme sugere que em breve você vai se deparar com alguma dose de hostilidade, mas vai superar; no fim, tudo vai estar a seu favor.

CLARIM Se você ouve o alegre ressoar de um clarim em sonho, prepare-se para a felicidade, pois poderes invisíveis estão criando harmonia e coisas boas para você. Se você estiver tocando o clarim, é sinal de acordos afortunados.

CLARINETE Sonhar com um clarinete é um sinal de que, sob sua aparência respeitável, você pode estar se entregando demais a frivolidades. Se o clarinete estiver quebrado, você vai incorrer no desagrado de um amigo próximo.

CLARIVIDÊNCIA Sonhar que pode ver o futuro denota mudanças importantes em sua ocupação atual. Sonhar que vai a um vidente sugere que você deve buscar conselhos para sanar sua indecisão.

CLAVA Sonhar que é abordado por alguém carregando um porrete sugere que você será atacado por seus desafetos, mas que vai vencer, e será extraordinariamente feliz e próspero. Se você bater em alguém com a clava, no entanto, é porque vai enfrentar uma viagem complicada e sem sentido.

CLEMÊNCIA Sonhar que está se esforçando para obter clemência por um crime não cometido implica em preocupações com a sua vida, aparentemente todas por um bom motivo; mas por fim todos os acontecimentos vão ser favoráveis para seu progresso. Se você for culpado pelo crime, por outro lado, é porque vai se deparar com alguns estorvos. Se você sonha que recebe clemência, sinal de que vai prosperar após uma série de infortúnios.

CLÉRIGO O clérigo representa pequenas decepções que vão acabar se revelando uma bênção. | *Ver também* Padre.

CLIENTE Atender clientes significa que você vai receber um presente inesperado. Sonhar que é um cliente significa que você vai dar um presente para alguém.

CLONAGEM Sonhar com clonagem sugere que você deve analisar os dois lados de um problema antes de encontrar uma solução.

CLOSET DE ROUPAS Sonhar com um closet vazio é sinal de problemas financeiros. Se estiver cheio, indica lucros oriundos dos negócios. Sonhar que você está trancado em um closet significa a necessidade de revelar algo de si para aqueles à sua volta muito em breve.

COALA Nos sonhos esse animal representa sua ligação com o reino inconsciente. Também pode simbolizar proteção e qualidades femininas ligadas ao cuidado.

COBERTOR Cobertores sujos significam traição. Cobertores novos e alvos falam de sucesso onde você teme o fracasso.

COBERTOR PEQUENO Sonhar com uma pequena manta indica que situações suspeitas vão colocar você sob a vigilância de outras pessoas. Se você perder seu cobertorzinho, suas ações serão condenadas pelos seus desafetos, e você vai se dar mal.

COBERTURA (ARQUITETURA) Sonhar com uma cobertura é um alerta de que você anda gastando demais e deve cuidar melhor de seu dinheiro. Se você já mora em uma cobertura em sua vida desperta, então esse sonho não significa nada.

Head of Poisonous Snake.

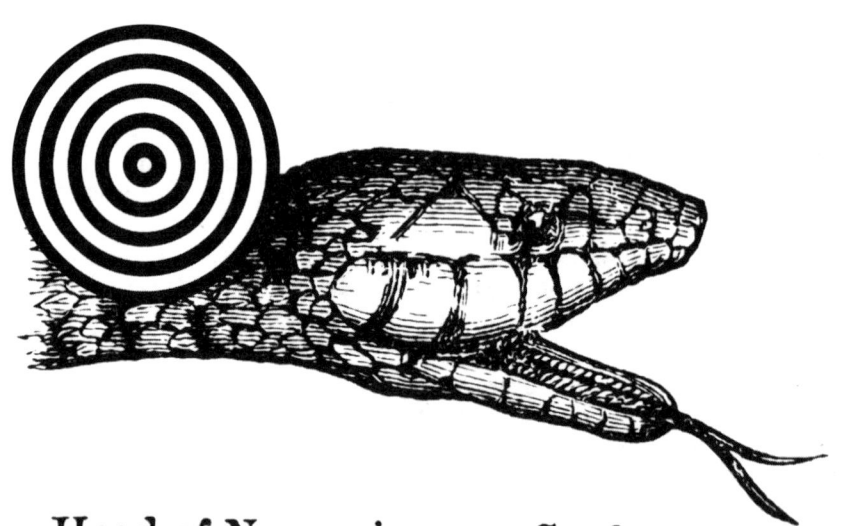

Head of Non-poisonous Snake.

COBRA Sonhar com cobras é um alerta sobre problemas de diversas formas. Vê-las se contorcendo e caindo sobre as pessoas indica lutas com o destino e o remorso. Se você matá-las, vai sentir que aproveitou todas as oportunidades para defender seus interesses ou respeitar os interesses alheios. Vai desfrutar da vitória sobre os rivais. Se você caminhar sobre cobras, terá medo de adoecer. Se for picado, pode sucumbir às más influências e aos desafetos. Sonhar que uma cobra se enrosca em você e expõe a língua é sinal de que você vai ser colocado em uma posição em que ficará impotente. Se você sonha que manuseia cobras, vai usar de estratégia para ajudar a derrubar a oposição. Se as cobras assumirem formas não naturais, seus problemas serão dissipados caso tratados com indiferença, calma e força de vontade. Ver ou pisar em cobras enquanto anda ou toma banho indica que haverá problemas onde havia expectativa de somente prazer. Vê-las picando outras pessoas indica que algum amigo será magoado e criticado por você. | *Ver também* Réptil, Serpente.

COBRADOR Sonhar que é um cobrador indica que você vai gastar dinheiro demais em breve.

COBRE Esse metal sugere opressão de seus superiores.

COCA-COLA Esse refrigerante significa futuros problemas de saúde ou problemas de relacionamento.

COCAÍNA Sonhar que é viciado em cocaína ou que está fazendo uso dessa droga significa tristeza chegando.

COCAR Esse ornamento sugere que você deve tomar cuidado para não buscar títulos ou reconhecimento especial pelos quais se gabar.

CÓCEGAS Sonhar que fazem cócegas em você denota preocupações e doenças insistentes. Se você estiver fazendo cócegas nos outros, é porque vai desperdiçar muitas alegrias por causa da fraqueza e da insensatez.

COCEIRA Se você sonha que vê pessoas com coceira e tenta escapar do contato com elas, é porque na vida desperta vai ter medo de resultados angustiantes. Se você também estiver com coceira, é porque vai ser usado de forma vil, e vai se defender incriminando outras pessoas. Sonhar que está se coçando sugere atividades desagradáveis.

COCHE Sonhar que anda em um coche indica perdas contínuas no campo profissional. Dirigir um implica mudanças no trabalho.

COCHEIRO Sonhar com um cocheiro significa que você vai embarcar em uma estranha jornada em busca de sorte e felicidade.

COCHILO Sonhar que tira uma soneca é sinal de bem-estar emocional e segurança financeira.

COCKPIT Sonhar que está sentado num cockpit de aeronave, seja voando ou parado, significa melhor controle de um problema em um futuro muito próximo.

COCO O coco é um alerta sobre inimigos astutos que estão usurpando seus direitos sob o disfarce de amigos fervorosos. Coqueiros mortos são sinal de perda e tristeza. Pode ser que alguém próximo de você venha a morrer.

COCÔ Sonhar com excrementos denota ganho financeiro extremo e boa sorte.

CÓCORAS Se você se acocorar para pegar algo em seu sonho, é porque a descoberta de um novo talento ou passatempo pode lhe trazer ganhos financeiros.

CODORNA Ver codornizes em seus sonhos é um presságio muito favorável caso estejam vivas; se mortas, é sinal de azar. Atirar em codornas prenuncia sentimentos negativos de seus melhores amigos em relação a você. Comer codorna significa extravagância em sua vida pessoal.

COELHO Ver um coelho nos sonhos significa sorte, poder mágico e sucesso. Alternativamente, os coelhos simbolizam abundância. Em geral, esses bichinhos predizem uma reviravolta favorável nos acontecimentos, e você vai ficar bem satisfeito com seu progresso. Ver coelhos brancos denota fidelidade no amor, e isto vale para os casados e os solteiros. Ver coelhos brincando significa que as crianças vão contribuir para sua alegria. | *Ver também* Lebre.

COFRE Sonhar que vê um cofre denota segurança em relação a negociações e amores desestimulantes. Se você tentar destrancar um cofre em seu sonho, é porque vai se preocupar com o fracasso de seus planos de chegar à maturidade. Encontrar um cofre vazio fala de problemas. | *Ver também* Guarda-louça.

adequado. Mas se for um sonho perturbador, é um alerta para você repensar a abordagem de uma situação ou acontecimento na sua vida.

COITO Sonhar que está numa relação sexual e desfrutar dela pressagia uma mudança feliz em sua vida amorosa. Ver os outros fazendo sexo sugere felicidade em um relacionamento. Presenciar ou participar de uma relação sexual desconfortável ou desagradável implica que seu jeito de pensar sobre um relacionamento vai mudar, mas não para melhor. | *Ver também* Sexo.

COLEIRA

COFRE INDIVIDUAL Sonhar com um cofre individual, daqueles que você aluga em bancos, significa que em breve você vai ganhar um presente. Tirar algo de um cofre desse tipo representa um convite inesperado.

COFRE PORTÁTIL Sonhar com uma caixa de metal cheia de dinheiro significa que perspectivas favoráveis se abrirão em breve. Se estiver vazia, seu salário não vai segurar as pontas.

COGUMELO Ver cogumelos nos sonhos denota desejos pouco saudáveis e pressa imprudente no acúmulo de riquezas, as quais podem desaparecer em processos judiciais e prazeres vãos. Comer cogumelos significa humilhação e um amor infame.

COGUMELO (VENENOSO) Sonhar com um cogumelo tóxico significa que você vai ter de lutar para alcançar seus objetivos. Prepare-se para o trabalho árduo.

COISAS ANTIGAS Se você sonha com algo muito antigo ou remoto, e é agradável para você, significa que seu velho jeito de fazer as coisas está

COLA Se no sonho há cola em você ou em suas roupas, é indício de que você tem amigos muito leais. Colar algo sugere avanço e reconhecimento em sua vida profissional.

COLAR Sonhar com um colar representa sorte no amor. Se o colar se quebrar ou for perdido, no entanto, é sinal de decepções no relacionamento.

COLCHA É muito bom sonhar com uma colcha caso esteja limpa e alva, mas se estiver suja, espere situações de assédio. A doença geralmente sucede esse sonho. Sonhar com colchas prenuncia circunstâncias agradáveis e confortáveis.

COLCHÃO Sonhar com um colchão sugere que você é capaz de assumir novos deveres e responsabilidades. Dormir em um colchão novo num sonho significa contentamento com o ambiente atual. Sonhar com uma fábrica de colchões diz que você vai se associar a profissionais prósperos e logo vai acumular riquezas.

COLEIRA Se você sonha que está usando uma coleira, é porque vai receber grandes homenagens das quais não será lá muito digno.

CÓLERA Sonhar com essa temida doença pressagia uma doença virulenta se agravando e muitas decepções a seguir. Sonhar que está sendo atacado pela cólera prenuncia sua própria doença.

COLETA Coletar itens em seus sonhos é sinal de que você vai encontrar muita satisfação em sua vida.

COLETE SALVA-VIDAS Sonhar com um colete salva-vidas sugere que um amigo ou parente vai ajudar com um problema particular. Se você for resgatado por um colete salva-vidas, pode ser indício de um problema pessoal com um amigo ou membro da família.

COLHEITA Sonhar com a época de colheita é um precursor da prosperidade e do prazer. E se no sonho os rendimentos da colheita forem abundantes, é um bom indicativo para o país e para o estado, já que o maquinário político vai estar atuando para melhorar todas as condições. Uma colheita ruim é sinal de lucros irrelevantes na vida desperta.

COLHEITADEIRA Sonhar que vê colheitadeiras em plena atividade denota prosperidade e contentamento. Se elas estiverem passando por restolho seco, é porque na vida desperta as colheitas serão ruins e os negócios vão decair. Ver colheitadeiras paradas implica em um episódio desanimador em meio à prosperidade. Ver uma colheitadeira quebrada significa perda de emprego ou decepção na carreira.

COLHER Ver ou usar colheres nos sonhos fala de avanços. Os assuntos domésticos vão trazer contentamento. Perder uma colher sugere que você vai desconfiar de algo errado. Roubar uma é sinal de que você merece ser censurado por uma maldade desprezível em sua casa. Sonhar com colheres quebradas ou sujas indica perda e problemas.

COLINA Sonhar que está subindo por colinas é bom se você conseguir chegar ao topo; caso contrário, é sinal de muita inveja e contrariedades para combater. | Ver também Subida.

COLISÃO Se você sonha com uma colisão, é porque vai se deparar com um acidente grave ou com uma decepção profissional. Se você sonha que está colidindo contra alguém ou alguma coisa (não importa se você foi o autor ou a vítima da colisão), tenha cuidado onde coloca sua lealdade.

COLMEIA A colmeia representa prosperidade e libertação das preocupações no futuro. Mas se no sonho você perturbar a colmeia, vai sofrer com os problemas financeiros que criou.

COLO Sonhar que senta no colo de alguém sugere boa capacidade de evitar compromissos vexatórios.

COLO DO ÚTERO Sonhar com o colo do útero é presságio de gravidez.

COLÔNIA (FRAGRÂNCIA) Sonhar que está comprando ou passando colônia indica momentos felizes por vir.

COLUNA Sonhar com qualquer tipo de coluna estrutural significa que você vai ser reconhecido por seus pares pelo seu trabalho.

COMA Ver outra pessoa em coma em sonho prediz que você logo vai "despertar" para uma ideia nova que vai melhorar sua vida. Ver a si mesmo em coma pressagia um revés na busca de uma meta.

COMANDANTE Sonhar que é um comandante de navio significa que em breve você vai viajar a lugares que nunca pensou que iria um dia. Receber ordens de um comandante sugere uma viagem profissional inesperada.

COMANDO Sonhar que obedece a comandos lhe diz que tempos melhores estão por vir. Sonhar que dá comandos indica problemas em seus relacionamentos.

COMBATE O combate representa a luta para permanecer em terreno firme. Se você sonha que está se envolvendo em um combate, é porque tem se insinuado romanticamente para alguém que você sabe que é comprometido, e você vai correr um grande risco de perder sua boa reputação se insistir nisso.

COMÉDIA Sonhar que assiste a uma situação ou cena de comédia sugere prazeres simples e tarefas tranquilas à vista.

COMER Sonhar que come sozinho significa perda e melancolia. Comer com outras pessoas denota ganho pessoal, ambientes alegres e empreendimentos prósperos. | *Ver também* Refeição.

COMERCIAL Sonhar que está em um comercial ou ver alguém que você conhece produzindo ou atuando em um comercial sugere que você vai ter reconhecimento social.

COMERCIANTE DE CAVALOS A aparição de um negociante de cavalos nos sonhos significa grande lucro em empreendimentos arriscados. Se você sonha que está negociando cavalos e é enganado pelo vendedor, você vai sofrer uma perda real no comércio ou no amor. Se você conseguir um cavalo melhor do que aquele que entregou, sua sorte vai melhorar.

COMÉRCIO Sonhar com seu envolvimento num comércio é um presságio de que você vai lidar com suas oportunidades de modo sábio e vantajoso. Sonhar com o fracasso e com uma perspectiva sombria nos círculos comerciais alerta para problemas profissionais na vida desperta.

COMETA Nos sonhos, esses corpos celestes inspiradores que navegam pelos céus falam de boas mudanças e tempos felizes.

COMÍCIO Sonhar que está organizando um comício em prol de uma causa prediz um acontecimento social inesperado que trará muita alegria. O mesmo vale se você estiver participando de um comício.

COMIDA CONGELADA Comer ou preparar comida congelada sugere momentos agradáveis ou uma viagem inesperada.

COMIDA, ALIMENTO Comer alimentos frescos em um sonho é sinal de boa sorte. Sonhar que ingere comida estragada ou podre é um aviso para esperar contratempos em algum de seus planos. Vender comida significa boa sorte financeira, enquanto comprá-la fala de uma comemoração familiar no horizonte. Apenas provar a comida significa que em breve você vai sofrer uma perda financeira.

COMINHO-ROMANO (ALCARAVIA) Esse tempero representa que algo novo pode estar entrando em sua vida.

COMITÊ Formar um comitê em seus sonhos significa que você precisa seguir os conselhos de terceiros por um tempo. Ser membro de um comitê implica que você vai distribuir conselhos.

COMPANHEIRO Sonhar que vê uma esposa ou marido significa pequenas ansiedades e provável doença. Sonhar com companhias sociais diz que passatempos frívolos podem prender sua atenção, distraindo-o do trabalho.

COMPLACÊNCIA Sonhar que cede aos desejos de outrem denota que, por fraqueza e indecisão, você vai desperdiçar uma grande oportunidade de melhorar de vida. Mas se outros se submeterem a você, é sinal de que privilégios exclusivos serão concedidos e que você vai se flagrar acima de seus pares.

COMPLEXO DE APARTAMENTOS Sonhar com um complexo de apartamentos é sinal de que você quer se sentir em segurança, cercado por muitas pessoas.

COMPORTAMENTO BIZARRO Testemunhar ou exibir um comportamento bizarro significa que você tem se levado muito a sério.

COMPORTAMENTO INFLEXÍVEL Sonhar que está sendo inflexível é indício de que algum desejo na sua vida será perturbado e destruído.

COMPROMISSO Sonhar com um compromisso empresarial denota entorpecimento e preocupação no trabalho. Já o compromisso romântico, como ficar noivo com a intenção de se casar, é presságio de um relacionamento rompido. Romper um noivado significa que alguém que você conhece logo ficará noivo ou que você vai receber um convite para um casamento. Também pode significar uma atitude precipitada e imprudente em algum assunto importante. Sonhar que firma um compromisso implica na evolução de seu status social ou profissional.

CONCHA DE OSTRA Ver conchas de ostras significa que você vai se frustrar ao tentar defender a prosperidade de outra pessoa.

CONCHAS MARINHAS Ver conchas marinhas na beira da praia e não pegá-las sugere que você vai encontrar dificuldades para decidir entre suas muitas opções. Mas, pegar as conchas na mão significa que você fez boas escolhas na vida e logo vai receber retorno por isso.

CONCHA

COMPUTADOR Sonhar que trabalha em um computador sugere um período de aprendizado. Se você não consegue distinguir o que está na tela, é porque precisa repensar seus objetivos. | Ver também Deletar.

COMUNIDADE Flagrar a si ou a um ente querido nos sonhos morando em uma comunidade sugere que você precisa viver uma vida mais simples em prol de sua saúde.

CONCERTO Sonhar com um concerto de sucesso fala de épocas de sucesso e prazer. Se você for escritor, sua obra literária vai ser sucesso também. Se você é empresário, isso pressagia bons negócios. Para os jovens, é sinal de felicidade e fidelidade romântica. Concertos sem nada de especial sugerem companhias desagradáveis e amigos ingratos. Os assuntos profissionais vão apresentar uma queda.

CONCHA (TALHER) Ver uma concha em seus sonhos aponta sorte na escolha de um companheiro, e os filhos serão fonte de felicidade. Se a concha estiver quebrada ou suja, você vai sofrer uma perda terrível.

CONCLUSÃO Sonhar que está concluindo uma tarefa implica que na vida desperta você vai completar uma tarefa mais cedo do que o esperado, algo que finalmente vai lhe dar a oportunidade de relaxar. Se você sonha que está completando uma jornada, significa que em breve vão surgir os meios financeiros e a oportunidade de ir a algum lugar que você não imaginava ser possível.

CONCURSO Sonhar com um concurso de qualquer tipo sugere o retorno de um amigo ou parente sumido.

CONDENADO Sonhar que vê condenados sugere desastres e notícias tristes. Sonhar que é um condenado mostra que você vai se preocupar com alguma coisa, mas vai desafazer todos os erros e mal-entendidos.

CONDIÇÕES CLIMÁTICAS Sonhar com as condições climáticas representa as flutuações em sua sorte. Num momento você progride imensamente, só para se flagrar repentinamente confrontado com dúvidas e rumores de fracasso. Se você

CONDOR

sonha que está lendo os boletins de uma estação meteorológica, é porque vai se mudar de casa depois de muita deliberação, mas vai ser para melhor.

CONDOR Sonhar que presencia o voo desse pássaro incrível significa que você vai "voar alto" no futuro em relação à sorte financeira, e terá muito amor nos relacionamentos.

CONDUÇÃO Sonhar que dirige significa uma crítica injusta à sua aparente extravagância. Você vai ser compelido a fazer coisas que parecem indignas. Sonhar que dirige um táxi denota trabalho braçal com poucas chances de progresso. Se for uma carroça, você vai permanecer na pobreza e em circunstâncias infelizes durante algum tempo. Se outra pessoa estiver dirigindo, você vai se beneficiar com um conhecimento superior, e é sinal de que você sempre vai conseguir dar um jeito em meio às dificuldades.

CONDUTA Sonhar que vê alguém agindo sob má conduta implica em deixar de realizar empreendimentos devido às atitudes de um colega. Mas se você se deparar com pessoas afáveis em seu sonho, é porque ficará agradavelmente surpreso com os acontecimentos do momento, com sua sorte tomando um rumo favorável.

CONFEITARIA Nos sonhos, assar guloseimas é sinal de boa sorte. | *Ver também* Pão, Casca de pão, Pudim.

CONFEITOS Sonhar com essas guloseimas indica que as palavras de alguém podem soar doces, porém não são verdadeiras.

CONFESSIONÁRIO Se você sonha que está em um confessionário significa que seus segredos serão expostos.

CONFETE Sonhar com confetes obstruindo sua visão no meio de uma multidão de foliões indica muitas perdas se você buscar a diversão antes de concluir seu trabalho.

CONFLITO Sonhar que está tendo um desentendimento diz que seus amigos são extremamente leais quando você tem um problema para resolver.

CONHAQUE Sonhar com conhaque alerta que, embora você possa alçar distinção e riqueza, você carece de habilidade para desenvolver uma amizade verdadeira com as pessoas que tenta agradar. Em outras palavras, há uma inautenticidade nesses relacionamentos que o levaram ao status social elevado.

CONHECIDOS Encontrar conhecidos nos sonhos e papear com eles é um indicativo de que seus negócios vão correr bem, assim como os assuntos domésticos. Já se você estiver discutindo ou numa conversa desagradável com conhecidos, é sinal de que na vida desperta vai ser acometido por humilhações e constrangimentos. Se você sentir vergonha por estar encontrando um conhecido, ou se encontrá-lo em um momento inoportuno, significa que vai ser culpado por uma conduta ilícita e que a outra parte vai divulgar seu segredo. Depois de sonhar com conhecidos, pode ser que você receba notícias deles ou mesmo que os encontre na vida real.

CONJUNTO DE BALANÇOS Sonhar com um conjunto de balanços de parque vazio significa que sua vida está muito equilibrada e tranquila. Se alguém estiver se balançando neles, sua indecisão vai lhe causar problemas.

CONSAGRAÇÃO Ver uma figura religiosa consagrada em sonho prediz muitas bênçãos financeiras e nos assuntos pessoais.

CONSCIÊNCIA Sonhar que está com peso na consciência por ter enganado alguém implica que você pode ficar tentado a cometer transgressões. Atente-se a essa tendência. Sonhar que tem a consciência limpa significa que você é muito estimado.

CONSELHEIRO Se você sonha com um conselheiro (matrimonial, jurídico etc.), é porque certamente possui algum tipo de habilidade em dar conselhos, e geralmente vai preferir seu julgamento ao de outras pessoas. Só cuidado para não ser crítico demais.

CONSELHO MUNICIPAL É um aviso de que seus interesses vão se chocar com as instituições públicas, com resultados desanimadores para você.

CONSELHOS Sonhar que recebe um conselho diz que você vai elevar seu padrão de integridade e que vai se empenhar, por meios honestos, para atingir a competência e uma nova altitude moral. Sonhar que busca aconselhamento jurídico sugere transações de mérito e legalidade duvidosos.

CONSERTO, REPARO Sonhar que conserta algo sugere uma mudança que vai ser benéfica em sua vida.

CONSPIRAÇÃO Sonhar que é alvo de uma conspiração prediz um movimento errado em suas escolhas na vida desperta. Sonhar que está conspirando contra outra pessoa é um lembrete de que você deve enfrentar os altos e baixos de sua vida profissional para seguir em frente.

CONSTELAÇÃO Olhar ou distinguir uma constelação no céu noturno pressagia sonhos que vão se tornar realidade em um futuro próximo.

CONSTITUIÇÃO Ver ou ler esse documento em sonho sugere a vitória em uma batalha judicial.

CONSTRANGIMENTO Sentir-se constrangido em uma situação ou perto de uma pessoa em sonho, tem significado oposto na vida desperta: você vai ter toda a coragem e confiança necessárias para enfrentar algo que antes era intimidador. Quanto maior o seu constrangimento em um sonho, maior será o seu sucesso. Se você estiver constrangendo outras pessoas é porque precisa aprender a confiar mais no próprio julgamento.

CONTA Pagar uma conta em sonho é uma dica para você fazer uma contabilidade cuidadosa do seu dinheiro na vida desperta. Receber uma conta significa boa sorte. Se você não conseguir pagar a conta, é porque algo que está comprando ou pagando em sua vida desperta vai custar muito menos do que você previa.

CONTABILIDADE Sonhar com um contador significa que em breve alguém vai responsabilizar você por suas ações recentes. Sonhar que você é um contador é sinal de que em breve você vai responsabilizar alguém por suas ações.

CONTAGEM Sonhar que conta dinheiro significa que você vai ter sorte e sempre vai conseguir pagar suas dívidas; mas se você está contando dinheiro para outra pessoa, então vai ter algum tipo de perda. A mesma coisa vale se você estiver contando outras coisas no sonho: se você faz a contagem para si, é ótimo; para os outros, é sinal de azar.

CONTAS Sonhar que estão lhe apresentando contas para pagamento sugere que você vai se flagrar numa posição perigosa. Pode ser que você precise recorrer à lei para se livrar do problema. Se você sonha que paga essas contas, é porque logo, logo vai fazer um acordo em alguma disputa séria. Sonhar que está apresentando contas para os outros fala de contingências desagradáveis que surgirão nos assuntos profissionais, prejudicando sua gestão tranquila.

CONTRATO A assinatura ou redação de contratos em sonho alerta para tomar cuidado com questões jurídicas que estão por vir. Se você se recusa a assinar um contrato, ou se outra pessoa se recusa, significa que uma promoção grandiosa no trabalho está chegando.

CONVENÇÃO Sonhar com uma convenção sugere atividade incomum em negócios e relacionamentos.

CONVENTO Sonhar que busca refúgio em um convento indica que seu futuro será livre de preocupações e desafetos — a menos que ao entrar no convento você encontre um padre. Nesse caso, você vai buscar alívio para o estresse e as contendas, porém será em vão.

CONVERSA Sonhar que está conversando denota que em breve você vai ficar sabendo da doença de parentes, e vai ter preocupações no dia a dia. Se você ouvir outras pessoas conversando alto, pode acabar acusado de interferir na vida de outras pessoas. Se você acha que outras pessoas estão falando de você nos sonho, é porque uma doença e problemas estão à espreita.

CONVÉS Se você sonha que está em um navio durante uma tempestade, é porque na vida desperta vai ser atormentado por desastres e alianças infelizes; mas se o mar estiver calmo e a luz distinta, seu caminho para o sucesso será igualmente límpido. Para os amantes, esse sonho pressagia felicidade. | *Ver também* Barco, Navio.

CONVITE Sonhar que você convida pessoas para uma visita indica que um acontecimento desagradável vai causar preocupação e agito em seu ambiente outrora agradável. Se você for convidado a visitar alguém, sinal de que vai receber notícias tristes.

CONVOCAÇÃO Sonhar que foi convocado para o exército indica tempos de paz em sua vida.

CONVULSÃO Sonhar que está tendo convulsões indica que você vai sofrer problemas de saúde e vai perder o emprego. Se você vir outras pessoas passando por esse apuro, é porque vai vivenciar muitas coisas desagradáveis em seu círculo social, causadas por brigas daqueles que estão abaixo de você.

CÓPIA Sonhar que faz uma cópia denota um resultado desfavorável para planos que geralmente são bem-sucedidos.

CÓPIA CARBONO Sonhar com uma cópia carbono é um conselho para se pensar fora da caixa e para não se copiar mais ninguém.

COQUETEL Bebericar um coquetel em sonhos é sinal de que você vai ser enganado por seus amigos.

COR-DE-ROSA Sonhar com essa cor sugere momentos felizes.

CORAÇÃO Se você sonha com seu coração doendo e causando sensação de sufocamento, é indício de problemas profissionais. Você vai cometer algum erro que trará prejuízo caso não seja corrigido a tempo. Ver o próprio coração pressagia doença e ausência de energia. Se você vir o coração de um animal, é porque vai superar seus desafetos e merecer o respeito de todos.

inimizade e a competição. Amarrar cordas sugere que você vai conseguir controlar os outros como desejar. Andar sobre uma corda mostra que você vai se envolver em algumas especulações arriscadas, mas mesmo assim vai ter um sucesso surpreendente. Se vir outras pessoas andando sobre uma corda, é porque vai se beneficiar com os empreendimentos bem-sucedidos de terceiros. Pular corda prediz que você vai conseguir surpreender seus pares com uma aventura empolgante, que beira o sensacional. Pular corda com crianças mostra que você é egoísta e autoritário. Pegar uma corda com o pé indica que você vai ser benevolente e afetuoso em seus cuidados. Sonhar que você jogou uma corda pela janela

CORDEIRO

CORAL Nos sonhos, o coral simboliza amizades duradouras e muito benéficas, especialmente em momentos de dificuldade.

CORAL DE NATAL Sonhar com um coro natalino é sinal de boas novas em breve.

CORÇO Sonhar que vê esse tipo de cervo indica que você tem amigos verdadeiros e íntegros. Para os jovens, é sinal de fidelidade no amor. | *Ver também* Cervo.

CORCUNDA Sonhar com um corcunda fala de reveses inesperados em suas perspectivas.

CORDA Nos sonhos, a corda representa perplexidades, complicações e incertezas no romance. Se você estiver subindo em uma corda, é porque vai vencer os desafetos que estão agindo para lhe prejudicar. Já descer por uma corda fala de decepção em seus momentos mais alegres. Se você estiver atado com uma corda, provavelmente vai se render ao amor, indo de encontro a todo seu bom senso. Uma corda arrebentada representa sua habilidade de superar a

de um hotel para deixar que alguém lá embaixo subisse, numa invasão que desagradaria aos proprietários do lugar, significa que você vai se meter em um caso que vai soar mal aos olhos de seus amigos, mas que vai lhe trazer prazer e benesses.

CORDA BAMBA Sonhar com uma corda bamba é uma alerta para tomar cuidado especial com um assunto pessoal ou profissional, pois só assim você terá benefícios.

CORDÃO UMBILICAL A menos que você já esteja grávida, esse sonho prevê o anúncio de uma gravidez ou nascimento.

CORDEIRO O cordeiro prediz muitas coisas boas. Ver um cordeiro brincando em um campo verde indica muitas amizades. Carregar um nos braços denota aumento na riqueza por meio do trabalho árduo. Também pode indicar vulnerabilidade, sua ou de outra pessoa, a qual precisa ser avaliada na hora de tomar medidas para algum problema. Cozinhar, comer ou servir cordeiro é um bom presságio para as finanças. | *Ver também* Ovelha.

CORNETIM Ver ou ouvir um cornetim em um sonho sugere a gentileza de desconhecidos.

CORNISO Sonhar com essa árvore é sinal de bênção entrando em sua vida, principalmente se ela estiver florida fora da estação.

CORO Se você sonha com um coro musical, espere um ambiente alegre para substituir a tristeza e o descontentamento.

CORPULÊNCIA Sonhar que está corpulento indica um aumento de riqueza. Ver outras pessoas corpulentas diz respeito a atividade incomum e momentos prósperos.

CORREDEIRA Sonhar que você está sendo carregado por corredeiras sugere uma perda terrível acontecendo devido à negligência dos deveres e ao envolvimento com prazeres tentadores.

CORPO

COROA Sonhar com uma coroa prenuncia mudanças em seus hábitos na vida desperta. Você vai fazer uma viagem para longe de casa e vai firmar novos relacionamentos. Uma doença fatal também pode ser o triste presságio desse sonho. Sonhar que usa uma coroa significa perda de propriedade pessoal. Sonhar que está coroando uma pessoa denota seu próprio valor.

COROAÇÃO Sonhar com uma coroação prediz que você vai desfrutar de amizades com pessoas importantes.

CORONEL Sonhar que vê ou é comandado por um coronel pressagia que você não vai conseguir nenhum tipo de destaque no meio social ou empresarial. Se você for um coronel, significa que vai tentar ocupar cargos acima daqueles de amigos ou conhecidos.

CORPETE Sonhar com um corpete é um conselho para prestar atenção à saúde dos seios.

CORPO Se você sonha com seu próprio corpo, significa que o sucesso está ao seu alcance. Já sonhar com o corpo alheio significa que você tem um longo caminho a percorrer antes de atingir o sucesso. Se você sonha com um cadáver, seja ele bonito ou deformado, é porque um enorme sucesso está chegando.

CORREDOR Sonhar que está caminhando por um corredor lhe diz — a depender do comprimento do corredor — quanto tempo você vai levar para encontrar uma resposta para uma pergunta pendente.

CÓRREGO Se você sonha com um córrego límpido e que flui suavemente, sua vida também vai seguir igualmente tranquila. Mas se o riacho estiver agitado, espere obstáculos, problemas e provações. Quanto mais turbulentas as águas, mais difícil será a jornada.

CORREIOS Nos sonhos, os correios simbolizam azar e notícias geralmente desagradáveis.

CORRENTE DE AR Sonhar que está sentado ou de pé diante de uma corrente de ar significa que você vai aprender uma boa lição.

CORRENTE TORNOZELEIRA Se você sonha com aquelas correntes de presidiário, é porque vai se libertar das preocupações em sua vida. Sonhar com alguém usando essas correntes fala da segurança e da proteção que cercam você.

CORRENTES Sonhar com correntes sugere calúnias e planos traiçoeiros por parte de invejosos. Sonhar que está acorrentado pressagia fardos injustos prestes a serem jogados em seus ombros; se conseguir se livrar das correntes, no entanto, é porque você também vai se libertar de alguns negócios ou compromissos sociais desagradáveis na vida desperta. Ver os outros acorrentados denota má sorte para eles.

CORRETOR DE IMÓVEIS Sonhar com um corretor de imóveis, seja ele você ou outra pessoa, significa que você precisa ter cuidado em suas transações financeiras.

CORRIDA Estar correndo ou ver alguém correndo em um sonho prenuncia boa saúde física e mental. Sonhar que corre na companhia de outras pessoas é sinal de que você vai participar de alguma festividade, e vai descobrir que sua situação está rumando à prosperidade. Se você tropeçar ou cair, vai perder bens e sua reputação. Correr sozinho indica que você vai superar seus amigos na corrida pela riqueza e que vai ocupar um lugar socialmente mais alto. Se você estiver correndo de um perigo, é porque vai ser ameaçado por perdas e se verá sem esperanças de ajeitar as coisas. Se você sonha com outras pessoas correndo em fuga, é porque vai ficar angustiado pela possível derrocada de amigos. Sonhar que está em uma corrida sugere que os outros estão aspirando às coisas que você tanto tem se esforçado para conseguir. Mas se você vencer, é porque vai superar todos os seus concorrentes.

CORRIMÃO Segurar um corrimão em sonho enquanto desce escadas significa que você está muito seguro em sua vida. Agarrar-se a um corrimão ao cair da escada prevê que você ficará a salvo de aborrecimentos no último segundo.

CORSAGE (BUQUÊ DE ENFEITE) Usar um corsage no pulso ou lapela, ou colocá-lo em outra pessoa, é um aviso de doença ou morte.

CORTADOR DE GRAMA Empurrar ou pilotar um cortador de grama significa que você vem eliminando dramas desnecessários de sua vida.

CORTE Sonhar com um corte significa que a doença ou a traição de um amigo podem trazer grande infelicidade.

CORTES NA EMPRESA Sonhar que foi demitido porque sua empresa foi reduzida é indicativo de progresso no trabalho.

CORTINA Sonhar com cortinas prenuncia visitantes indesejáveis que trazem preocupação e infelicidade. Cortinas sujas ou rasgadas são sinal de brigas e repreensões. Sonhar com cortinas em uma janela ou flagrar a si ou outra pessoa enrolando algo com um tecido, sugere que você está tentando encobrir um problema financeiro de pessoas que lhe cercam.

CORUJA Sonhar com uma coruja denota sabedoria, ressaltando que seu julgamento a respeito de uma pessoa ou situação foi correto. Ouvir o pio solene e sobrenatural de uma coruja é um alerta sobre azar e frustrações.

CORUJA-DO-MATO Sonhar que ouve as notas estridentes e assustadoras da coruja-do-mato indica o choque com a notícia da doença ou da morte de um amigo querido.

CORVO Sonhar que vê um corvo é sinônimo de infortúnio e luto. Se você ouvir corvos crocitando, é porque será influenciado por terceiros a fazer um mau negócio ao alienar uma propriedade. Sonhar com um corvo-comum denota reveses na sorte e ambientes inóspitos. | *Ver também* Gralha.

COSMÉTICOS Usar ou comprar cosméticos em sonho dá sorte.

COSSACO No sonho, simboliza a humilhação pessoal provocada pela devassidão e pela extravagância.

COSSIGNATÁRIO Acrescentar seu nome a um documento ou ser o cossignatário de um documento prevê que você vai ter ajuda quando precisar.

COSTAS Sonhar que vê costas nuas denota perda de poder. Ceder conselhos ou dinheiro neste momento pode ser perigoso. Se você vir uma pessoa dando as costas e se afastando de você, é porque a inveja e o ciúme estão atuando para lhe prejudicar. Sonhar com as próprias costas é mau presságio.

COSTELA Sonhar que vê as costelas de uma pessoa denota pobreza e tristeza.

COSTUME Sonhar que está seguindo algum costume adverte contra a mente fechada.

COSTURA Sonhar com costuras em qualquer coisa é um aviso para ter cuidado com os gastos. Sonhar que costura roupas novas prediz que a paz doméstica vai arrematar seus desejos.

COSTUREIRA Ver uma costureira em sonho pressagia um azar inesperado que vai barrar visitas agradáveis.

COTA Sonhar que cumpre uma cota em seus sonhos pressagia novos amigos e parceiros comerciais benéficos. Sonhar que você não consegue cumprir uma cota implica na perda de um amigo ou parceiro de trabalho.

COTOVELO Ver cotovelos em um sonho indica que você será confrontado por trabalhos árduos pelos quais receberá um pequeno reembolso.

COTOVIA Sonhar com cotovias voando sugere que, assim que atingir seus objetivos e propósitos grandiosos, você vai se livrar do egoísmo e cultivar grandes virtudes mentais. Se você ouvir o canto das cotovias enquanto voam, é porque vai ficar muito feliz com uma nova mudança de casa, e seu trabalho vai florescer. Mas se você as vir caindo no chão, e elas continuarem a cantar enquanto caem, uma angústia desesperadora vai se apossar de você em meio ao deleite desconcertante do prazer. Uma cotovia ferida ou morta sugere tristeza ou morte. Matar uma cotovia pressagia dano à inocência por meio da devassidão. Caso elas voem e pousem em cima de você, é porque a sorte vai voltar seu semblante promissor em sua direção. Se você capturar cotovias em uma armadilha, vai ganhar honra e amor facilmente. Vê-las comendo diz respeito a uma colheita abundante.

COURO Sonhar com couro denota negócios bem-sucedidos e compromissos favoráveis. E se no sonho você estiver vestindo roupas de couro, é porque vai se embrenhar em especulações de sorte. Ornamentos de couro sugerem fidelidade no amor e em casa. Pilhas de couro implicam em fortuna e felicidade. Manipular couro diz que nenhuma mudança em seus relacionamentos se faz necessária para conseguir acumular riqueza.

COURO CRU Sonhar com o couro de um animal denota lucro e emprego permanente.

COUVE-DE-BRUXELAS Sonhar com esses vegetais — esteja você comendo-os, cozinhando-os ou apenas olhando para eles — indica pequenos ganhos no futuro.

COUVE-FLOR Sonhar que está comendo couve-flor significa que você vai ser acusado de negligenciar seus deveres. Se você vir a couve-flor crescendo, seus clientes em potencial vão se avivar após um período de perda.

COVA COLETIVA Ver uma cova coletiva em seus sonhos é um alerta sobre pobreza e tristeza.

COVINHA Sonhar com uma covinha prenuncia agradáveis surpresas na vida.

COXA DE GALINHA Sonhar que come uma coxa de galinha é sinal de boa sorte.

COXAS Sonhar que vê coxas denota boa sorte e prazer incomuns. Ver coxas machucadas pressagia doença e traição.

COZINHA Sonhar com uma cozinha indica a necessidade de alimento espiritual ou emocional, ou sugere que essa necessidade está sendo atendida. Sonhar que sua cozinha está limpa e organizada significa que sua vida pessoal também está em ordem.

COZINHAR Sonhar que prepara uma refeição diz que você vai ser incumbido de um dever, porém será agradável. Muitos amigos vão visitá-lo em breve. Se houver discórdia ou ausência de alegria no ato de cozinhar, espere assédio e decepção.

CRACA Sonhar com esses crustáceos implica que você irá "raspar" tudo o que é negativo de sua vida.

CRÂNIO Sonhar com crânios sorrindo para você é sinal de brigas domésticas. Se você manusear os crânios, os assuntos profissionais vão apresentar queda. Ver o crânio de um amigo denota que um amigo que estima você vai lhe causar um prejuízo. Ver seu próprio crânio sugere que você vai se render ao remorso.

CRAVO Sonhar com essa flor é prenúncio de más notícias sobre a vida de alguém.

CREME DE LEITE Sonhar que vê creme de leite sendo servido sugere que você logo vai se associar à riqueza, desde que esteja envolvido em algum negócio que não envolva agricultura. Consumir creme de leite denota boa sorte imediata.

CRENÇA Sonhar que é inabalável em suas crenças indica que você será questionado sobre algo que disse. Sonhar que questiona suas próprias crenças no sonho indica que na vida desperta terá a coragem e a força para defender aquilo em que acredita.

CREPE (TECIDO) Sonhar que vê um pedaço de crepe pendurado em uma porta indica que você vai ficar sabendo da morte repentina de um parente ou amigo. Ver alguém usando roupa de crepe é sinal de tristeza chegando, porém não de morte. Ver esse tecido em um sonho é ruim para assuntos profissionais.

CRECHE

CRECHE Sonhar que é professora de uma creche é um alerta para cuidar melhor da sua saúde mental e espiritual. Sonhar que você é aluno de uma creche é uma previsão de avanços na educação acadêmica.

CRÉDITO Sonhar que está pedindo crédito é sinal de que você tem motivos para se preocupar, embora às vezes esteja inclinado ao otimismo. Conceder crédito a outra pessoa é um aviso para ter cuidado com seus assuntos pessoais pois é provável que você esteja confiando naqueles que um dia vão lhe fazer mal.

CREMAÇÃO Sonhar que vê corpos cremados tem a ver com inimigos diminuindo a influência nos círculos profissionais. Se você sonha que está sendo cremado, é porque vai fracassar se der ouvidos às opiniões de terceiros em vez de respeitar sua intuição.

CREPÚSCULO Esse é um sonho de tristeza; pressagia declínio precoce e esperanças não correspondidas, e sugere uma perspectiva sombria para o comércio e para aspirações de qualquer tipo. Sonhar com o crepúsculo sugere também algumas dificuldades românticas no horizonte — mas elas serão apenas irritantes, e não arrasadoras.

CRESCIMENTO Sonhar com coisas crescendo implica em avanços, seja no trabalho ou no relacionamento.

CRIANÇAS Sonhar que está vendo um monte de crianças lindas sugere muita prosperidade e bênçãos. Ver crianças trabalhando ou estudando diz respeito a tempos de paz e prosperidade de forma geral. Brincar e fazer travessuras junto às crianças é um aviso de que seus investimentos vão levar à felicidade.

CRIMINOSO Sonhar que está se juntando a um indivíduo que cometeu um crime indica que você vai encontrar pessoas inescrupulosas que vão tentar se aproveitar de sua amizade para progredir.

CRIOGENIA Sonhar com um corpo sendo preservado criogenicamente — incluindo o seu — significa que você vai se livrar de um fardo financeiro.

CRISÂNTEMO Nos sonhos, essas flores simbolizam a morte. Reunir crisântemos significa perda. Vê-los em buquês é sinal de amor em oferta.

CRISTA-DE-GALO Sonhar com essa flor sugere desânimo. Trabalhe para elevar sua mente e cultivar pensamentos mais nobres.

CRISTAL Sonhar com cristais em qualquer formato é sinal de que a depressão está chegando, seja social ou financeira.

CRISTO Sonhar que vê Cristo significa dias pacíficos, repletos de riqueza e conhecimento, abundantes de alegria e contentamento.

CROCHÊ Sonhar que faz crochê pressagia o envolvimento em um incidente de menor importância oriundo da curiosidade excessiva com a vida particular de terceiros.

CROCODILO Sinaliza que você será enganado por seus amigos mais calorosos.

CROISSANT Momentos felizes e despreocupados estão chegando.

CRONOGRAMA Sonhar que monta um cronograma significa a necessidade de ter cuidado para não perder tempo. Sonhar que segue um cronograma pressagia uma viagem profissional que será um tanto benéfica para sua carreira.

CRONÔMETRO Sonhar com um cronômetro sugere que em breve você vai precisar fazer um balanço de suas finanças e realizar alterações para evitar perdas.

CRUCIFICAÇÃO Se por acaso você sonhar com a crucificação, é porque vai ver suas oportunidades lhe escaparem, acabando com suas esperanças e deixando em seu rastro apenas frustração pelo desejo insatisfeito.

CRUCIFIXO É um bom presságio e uma bênção.

CRUELDADE Sonhar que presencia uma crueldade pressagia problemas e decepções. Se outros estiverem presenciando uma cena cruel, é sinal de que você vai atribuir uma tarefa desagradável a terceiros, o que por sua vez vai colaborar para sua própria perda.

CRUZ Sonhar que vê uma cruz indica alegria e triunfo depois de uma luta árdua.

CRUZAMENTO Se você sonha que está em um cruzamento e não sabe qual caminho seguir, é porque vai se flagrar muito determinado a alcançar seus objetivos, e que vai ficar muito feliz com o resultado.

CUBÍCULO Significa que suas ideias precisam ser expandidas.

CUCO O cuco prognostica uma doença dolorosa, a morte de um ente querido ou um acidente com um familiar.

CUIA A cuia simboliza relacionamentos felizes em abundância. No entanto, se a cuia aparece vazia no sonho, você precisa avaliar suas relações de confiança.

CUIDADOR Se no sonho você é o cuidador, sinal de que é hora de cuidar de sua vida pessoal. Esse sonho também sugere que você está exercendo controle demais sobre terceiros. Sonhar com outra pessoa cuidando de você significa que os outros têm se metido demais na sua vida.

CULPA Sonhar que os outros são culpados significa que alguns de seus amigos não são confiáveis. Tome cuidado. Sonhar que está se sentindo culpado prediz novas amizades.

CÚMPLICE Sonhar que você é ou necessita de um cúmplice para qualquer ato, seja ele ilegal ou não, significa que você teme não ser capaz de realizar uma tarefa sozinho. Você precisa de ajuda para terminar algo em sua vida.

CUNHA Sonhar com uma cunha indica que você vai ter problemas em alguns acordos profissionais, que por sua vez vão causar o distanciamento de parentes.

CUPIM Sonhar com esses insetos pressagia um problema emocional que vai desgastar seus nervos.

CURANDEIRO Sonhar que vai a um curandeiro indica que você está bem de saúde.

CURATIVO Sonhar com um curativo significa cura e boa sorte. Se você sonha que usa um curativo, seu problema terá uma solução fácil. Se outra pessoa estiver usando, é porque você ajudará alguém a resolver um problema.

CURINGA Sonhar com o curinga do baralho significa que sua preguiça pode lhe custar dinheiro.

CURRÍCULO Sonhar com seu currículo significa que sua carreira está segura. Sonhar que recebe um currículo de outra pessoa sugere que talvez você venha a ter preocupações com seu trabalho.

CURTO-CIRCUITO Sonhar com algo em curto-circuito diz que algo que você está prestes a comprar vai durar bastante.

CURTUME Sonhar com um curtume denota contágio e doença. Pode esperar perda em transações comerciais também. Sonhar que trabalha realizando curtimento sugere a necessidade de se dedicar a um trabalho que não é do seu gosto, mas não vai ter jeito: outras pessoas vão depender de você. Se você comprar couro em um curtume, vai ter sucesso em seus empreendimentos, mas não fará muitos amigos.

CUSPE Sonhar com cuspe denota conclusões infelizes em empreendimentos aparentemente auspiciosos. Se alguém cuspir em você, é prenúncio de desacordos e alienação de afetos. A baba de um cachorro representa a lealdade de seus amigos e colegas. A saliva de um cavalo sugere aumento na prosperidade; de outros animais, a superação de obstáculos e da oposição.

CUSTÓDIA Estar sob custódia ou detido em um sonho sugere que você vai ter a liberdade de fazer o que quiser em um projeto futuro. Deter outra pessoa significa que você vai ter de seguir as regras desse projeto.

CUTÍCULA Sonhar que a manicure tira suas cutículas — ou que elas precisam ser tiradas — significa que você será muito criativo no futuro.

CÚTIS Sonhar que sua cútis está bonita é sinal de sorte. Você vai ter muitas experiências agradáveis na vida. Sonhar que tem uma pele ruim denota decepção e doença.

...Voltam sonhos nas asas da esperança.

Augusto dos Anjos

D

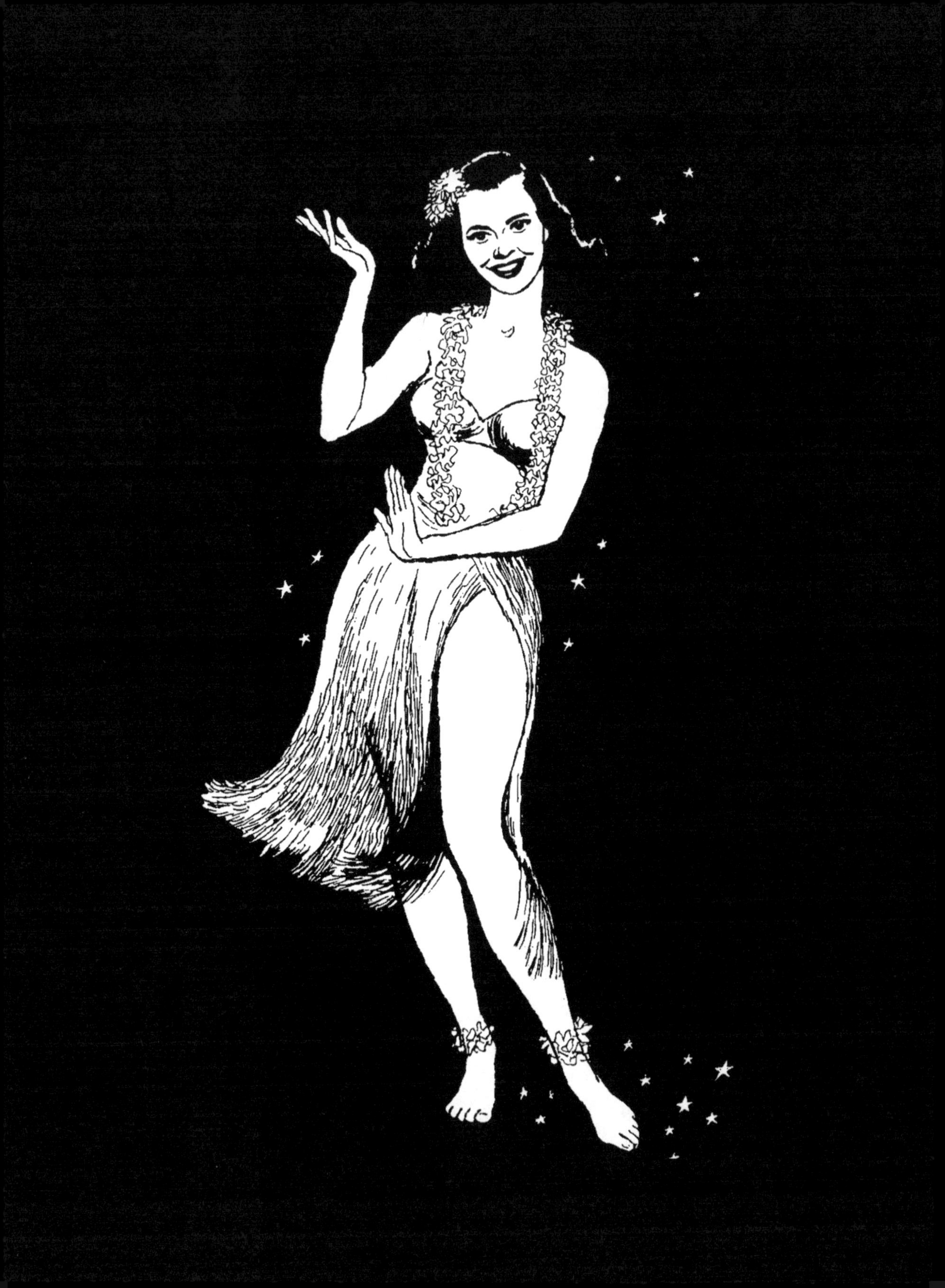

DANÇA

"Hoje dançarei com meus desejos."

DADO Sonhar que joga dados indica especulações infelizes e consequente tristeza. Também pode prever doenças contagiosas.

DÁLIA Ver dálias frescas e lindas é sinal de boa sorte.

DAMA Sonhar que está jogando damas sugere que você vai se envolver em graves dificuldades. Pessoas desconhecidas podem entrar em sua vida e lhe fazer mal. Sonhar que vence a partida implica em sucesso em um empreendimento duvidoso.

DAMASCO Os sonhos com o cultivo de damascos denotam que o futuro, embora aparentemente promissor, guarda amargura e tristeza. Comê-los significa a proximidade de influências calamitosas. Se outras pessoas estiverem comendo-os, é porque o ambiente ao seu redor vai ficar monótono e desagradável.

DANÇA Para os casados, sonhar que vê uma multidão de crianças alegres dançando significa filhos amorosos, obedientes e inteligentes, e um lar alegre e acolhedor. Para os jovens, indica tarefas fáceis e muitos prazeres. Ver pessoas mais velhas dançando sugere boa perspectiva profissional. Se você sonha que está dançando sozinho, vai ser acometido por uma sorte inesperada. | *Ver também* Baile, Quadrilha.

DAR ORDENS Sonhar que recebe ordens de alguém significa que na vida desperta você vai ser humilhado de alguma forma por seus colegas por zombar de seus superiores. Se você sonha que está dando uma ordem, é porque vai receber algum tipo de homenagem, mas se der as ordens de maneira tirânica ou arrogante, sinal de decepções à vista.

DARDO Se você sonha que se defende com um dardo, seus assuntos mais particulares serão investigados para provar alegações de desonestidade, e você só vai conseguir provar sua inocência depois de uma bela disputa. Se você for perfurado por um dardo, é porque na vida desperta os desafetos vão conseguir lhe causar problemas. Se você vir outras pessoas carregando dardos, cuidado: seus interesses estarão ameaçados.

DAVI Sonhar com o Davi bíblico simboliza a chegada de bênçãos.

DEBILIDADE Sonhar com debilidades implica em infortúnio no amor e no trabalho. Sonhar que vê outros debilitados aponta para vários problemas e decepções profissionais.

DEBULHA Sonhar que debulha grãos denota grande avanço nos negócios e felicidade entre as famílias. Mas se houver abundância de palha e poucos grãos, é porque você vai se envolver com empreendimentos malsucedidos. Sonhar que se machuca enquanto faz a debulha pressagia uma grande tristeza em meio à prosperidade.

DECAPITAÇÃO Se você sonha que é decapitado, logo virá uma derrota aterradora ou fracasso em um empreendimento. Ver outras pessoas decapitadas significa que você em breve vai tomar outra direção em sua vida pessoal ou profissional.

DECEPÇÃO Sentir decepção no sonho prediz um presente chegando.

DECLAMAÇÃO Sonhar que recita algo significa que você vai ser convocado a ajudar com um problema, pois sua opinião é de muito valor. Já se você ouvir alguém recitando algo, preste atenção às palavras alheias para resolver um problema.

DECLARAÇÃO DE ÓBITO Sonhar que alguém foi declarado morto — ou ouvir isso ser dito sobre você mesmo — significa que você vai receber boas notícias a respeito de um problema de saúde, seja ele seu ou de um ente querido.

DECORAÇÃO Sonhar com decoração significa uma perspectiva favorável nos negócios e um sucesso contínuo na vida social e educacional.

DEDAL Se você usar um dedal nos sonhos, é porque vai ter muita gente para agradar além de você mesmo. Perder um dedal implica em miséria financeira e problemas. Um dedal velho ou quebrado sugere que você está prestes a agir de forma imprudente em uma situação importante. Receber ou comprar um dedal novo pressagia novas relações nas quais você vai encontrar contentamento. Sonhar que usa um dedal aberto e descobrir que a pontinha está fechada indica percalços, mas os amigos vão ajudar a escapar das consequências desastrosas.

DEDICATÓRIA Sonhar que vê uma dedicatória anuncia informações desagradáveis. Se você estiver redigindo uma dedicatória, perderá um amigo valioso.

DEDO Sonhar que está faltando um dedo na mão ou no pé significa que você vai precisar de ajuda para concluir um projeto vigente. Sonhar que vê seus dedos arranhados e sangrando implica em muitos problemas e sofrimento. Mãos bonitas com dedos limpos sugerem que seu amor será correspondido e que você vai ser reconhecido pela sua benevolência. Se você sonhar que seus dedos são decepados, é sinal de perda de riqueza e de herança por causa da atuação de desafetos.

DEFESA DE DIREITOS Advogar em prol de qualquer causa nos sonhos significa que você é fiel aos seus interesses, que tenta lidar com o público honestamente e é leal aos amigos.

DEFESA PESSOAL Flagrar-se praticando defesa pessoal em um sonho pressagia bem-estar e felicidade.

DEGELO Sonhar que descongela ou que precisa descongelar algo é um alerta para ser paciente com um projeto que vai consumir mais tempo do que o previsto. Sonhar que vê gelo derretendo indica que uma situação muito preocupante vai trazer lucro e prazer em breve. Ver o degelo do solo após um longo inverno pressagia circunstâncias prósperas.

DEGRAU Sonhar que você sobe degraus sugere que perspectivas justas vão aliviar sua ansiedade. Se você estiver descendo, pode ser que encontre infortúnio. Se cair, é porque vai ser ameaçado por um fracasso inesperado. | *Ver também* Escadaria.

DEGUSTAÇÃO Sonhar que degusta algo indica atrasos em seus projetos ou assuntos pessoais.

DELETAR Sonhar que deleta palavras (ou arquivos do seu computador) avisa para ter cuidado com o engano e a desonestidade ao seu redor.

DELICATESSEN Sonhar que trabalha em um espaço requintado com vinhos, queijos, doces e salgados finos significa que você vai ter férias agradáveis. Sonhar que faz compras em uma delicatessen mostra que os sonhos estão começando a se tornar realidade.

DELIMITAÇÃO Sonhar que estabelece um limite físico ao seu redor, independentemente do material do qual é feito, é um conselho para você estabelecer regras em sua vida. Sonhar que uma delimitação é destruída também é um aviso para estabelecer regras.

DELEITE

DEIXAR CAIR Sonhar que deixa algo cair sugere boa saúde. Se no sonho você deixa cair uma fruta, significa muita perspicácia em futuras negociações comerciais. Flagrar outra pessoa deixando um objeto cair é um alerta para ler as letras miúdas dos contratos.

DÉJÀ VU Sonhar que vê a mesma coisa acontecendo com você repetidamente, ou ver a mesma pessoa repetidamente, sugere a necessidade de lidar com um problema várias vezes antes que ele seja resolvido.

DELEGAÇÃO Delegar poder a outra pessoa ou ver outra pessoa assumindo seu cargo significa que seus esforços não estão sendo vistos.

DELEITE Sonhar que está se deleitando com alguma coisa indica uma virada favorável nos acontecimentos. Para os amantes, o deleite com a conduta de seus parceiros sugere encontros agradáveis. Ser tomado pelo deleite ao contemplar belas paisagens oníricas fala de muito sucesso e de relacionamentos afetuosos.

DEMISSÃO Sonhar que foi demitido do emprego prognostica fama. Sonhar que se demite de qualquer cargo significa o embarque em novos empreendimentos, mas com resultados infelizes. Ficar sabendo da demissão de outras pessoas pressagia maré de má sorte. Sonhar com demissões temporárias significa que em breve você vai receber uma promoção no trabalho. Sonhar que está demitindo pessoas temporariamente é um alerta para ficar atento a mudanças de emprego inesperadas.

DEMOLIÇÃO Assistir a algo sendo demolido indica que você vai passar por uma mudança. Mas se você estiver infeliz ao ver a cena, essa mudança inesperada não será bem-vinda.

DEMÔNIO Sonhar que encontra um demônio pressagia uma vida imprudente e moral frouxa. Estar na presença de um demônio no sonho é um alerta sobre malfeitos ao seu redor. Lutar contra um demônio e derrotá-lo sugere que você vai ter muitas bênçãos na família, no lar e no trabalho. Em geral, o

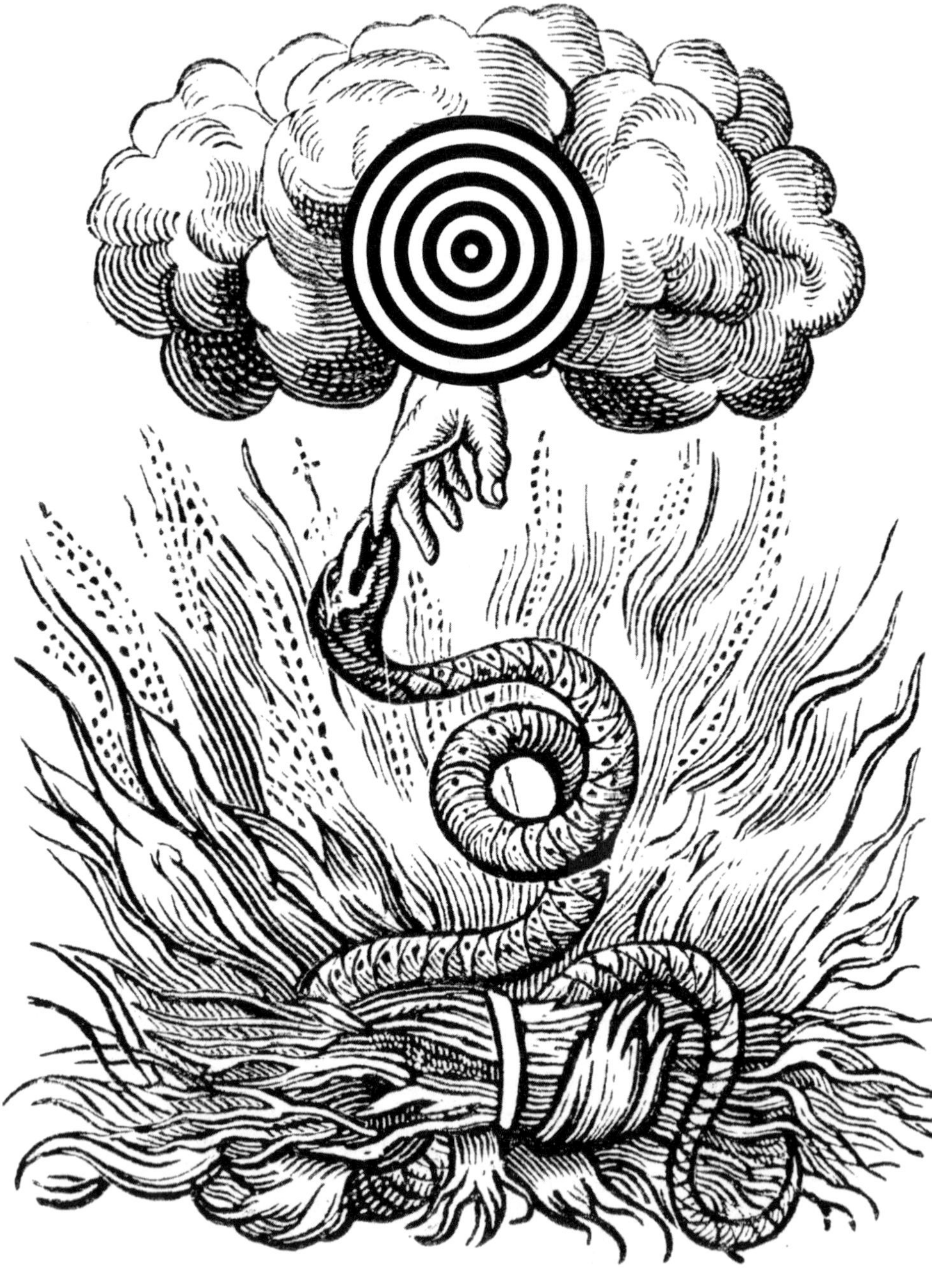

demônio também é um alerta sobre ataques de falsos amigos. Mas se você derrotar demônio, é porque vai ser capaz de interceptar os planos dos desafetos.

DENTE-DE-LEÃO Ver dentes-de-leão em flor e a folhagem frondosa é sinal de união feliz e prosperidade.

DENTES Um sonho comum com dentes pressagia um contato desagradável com doenças ou pessoas ansiosas. Se você sonha que seus dentes estão frouxos, espere fracassos e notícias sombrias. Se o dentista arrancar seu dente, você vai sofrer uma doença desesperadora; se não for fatal, será prolongada. Se você estiver fazendo obturações para tapar suas cáries, espere recuperar objetos de valor perdidos após muito desconforto. Limpar ou escovar os dentes prediz que, se você deseja garantir sua prosperidade, vai ter de batalhar muito. Sonhar que estão fazendo dentaduras ou próteses para você prediz fardos caindo sobre seus ombros, e você vai se esforçar para se livrar deles. Se você perder seus dentes, vai lidar com fardos que vão esmagar seu orgulho e destruir seus negócios. Sonhar que seus dentes foram arrancados numa pancada denota infortúnio repentino. Ou você vai ter problemas no trabalho, ou vai ter de lidar com mortes e acidentes. Ter seus dentes examinados é um alerta para ter cuidado com sua vida pessoal, pois os desafetos estão à espreita e muito perto. Se seus dentes estiverem deteriorados, seu trabalho ou saúde sofrerão de intensa tensão. Sonhar que cospe dentes é prenúncio de doença, podendo ser com você ou com familiares imediatos. A perda de um único dente anuncia notícias desagradáveis; de dois, indica situações infelizes nos quais você será envolvido, embora não dê a mínima. Admirar seus dentes por sua brancura e beleza sugere que você vai realizar seus desejos e viverá feliz para sempre.

DENTISTA Sonhar com um dentista trabalhando em seus dentes é sinal de que você vai duvidar da sinceridade e da honra de alguém de seu círculo de relacionamentos.

DEPENAR Nos sonhos, depenar algo representa o livramento de companhias indesejadas.

DEPORTAÇÃO Ser deportado de seu país nos sonhos significa viagem a trabalho em breve.

DEPÓSITO Sonhar com um depósito ou almoxarifado denota um empreendimento de sucesso. Se estiver vazio, é porque você pode vir a ser enganado e frustrado em algum projeto ao qual dedicou muito planejamento e cuidado. Sonhar que deposita dinheiro em um banco é um aviso para você ter cuidado com os gastos. Se outra pessoa estiver depositando dinheiro em sua conta, é sinal de boa sorte.

DERMATOLOGISTA Sonhar que você é um dermatologista significa que em breve alguém vai irritá-lo e lhe causar aborrecimentos. Sonhar que vai a um especialista dessa área para resolver problemas de pele sugere que seus amigos são leais e verdadeiros.

DERRAMAR Sonhar que está derramando algo ou que algo está sendo derramado sobre você sugere um problema chegando. O líquido que está sendo derramado vai indicar a facilidade para resolver o problema.

DERRAME Sonhar que tem um derrame significa que você precisa de um check-up médico. Se outra pessoa tiver um derrame, espere notícias sobre uma doença.

DERRAPAGEM Sonhar com uma derrapagem incontrolável significa que um problema que anda incomodando bastante está sendo agravado por sua indecisão. Esse sonho é um aviso de que você precisa resolver as coisas logo.

DERRETIMENTO Ver qualquer coisa derretida, seja metal, ouro ou rocha, diz que em breve você vai ver uma mudança para melhor em um relacionamento.

DESACATO Se você sonha que está cometendo desacato em um tribunal, é porque na vida desperta cometeu indiscrições profissionais ou sociais. Se você for preso por desacato de forma injustificada, é porque terá sucesso na conquista da mais alta estima por parte das outras pessoas e se verá próspero e feliz. Mas se a prisão for merecida, seu exílio no trabalho ou círculos sociais está declarado.

DESAFIO Se você for desafiado a lutar em um duelo, é porque vai se envolver em uma situação socialmente difícil e será obrigado a se desculpar, caso contrário, vai perder amizades.

DESÂNIMO Sonhar que todos ao seu redor estão desanimados indica que momentos divertidos e felizes estão chegando. Se é você o desanimado, espere férias ou bons momentos num futuro próximo.

DESAPARECIMENTO Sonhar que algo, alguém ou você mesmo desapareceu sugere que você vai lidar com muita clareza com um problema que se aproxima, tornando-o muito fácil de ser resolvido.

DESASTRE Sonhar que está em um desastre envolvendo transporte público alerta sobre o risco de perder um patrimônio ou de ser prejudicado por uma doença. Outros tipos de desastre podem significar perda por morte; mas se você sonha que é resgatado, é porque vai enfrentar situações difíceis e sairá incólume. Se você sonha com um desastre de trem do qual não participa, é porque vai demonstrar preocupação com algum parente ou amigo acidentado, ou terá problemas de natureza comercial.

DESATAR Sonhar que desata algo prediz sucesso em um empreendimento comandado por você.

DESBOTAMENTO Sonhar com algo desbotando é um alerta de que é preciso ter cuidado para não perder alguma coisa.

DESCANSO Sonhar que está descansando significa que você vai precisar trabalhar muito arduamente em sua vida desperta.

DESCAROÇADOR DE ALGODÃO Sonhar com esse maquinário pressupõe um avanço positivo. Ver a máquina quebrada ou dilapidada significa que azar e problemas darão fim ao sucesso.

DESCARRILAMENTO Sonhar que vê ou que está em um descarrilamento de trem sem vítimas significa que seus problemas de saúde atuais vão melhorar rapidamente. Mas se alguém sair machucado, é porque um problema de saúde inesperado vai surgir em breve.

DESCARTE Descartar qualquer coisa representa ganho na vida desperta.

DESCOBERTA Sonhar que você faz uma descoberta de qualquer tipo é sinal de que em breve você vai perder um item estimado. Esse sonho de advertência é um lembrete para ter cuidado com objetos pessoais.

DESCONEXÃO Sonhar que seu telefone está desconectado aponta que você vai fazer um novo amigo em breve. Desconectar o telefone de alguém pressagia que você vai lidar com uma mentira ou boato a seu respeito.

DESCONFORTO Sentir desconforto é sinal de boa saúde. Causar desconforto a outras pessoas é um aviso de um futuro problema de saúde.

DESCONHECIDO Sonhar que encontra pessoas desconhecidas prenuncia mudanças para o bem, ou para o mal, isso depende se a pessoa é bonita ou não. Sentir que você é desconhecido denota que acontecimentos estranhos vão lhe trazer uma maré de azar. | *Ver também* Mistério.

DESCONTINUAÇÃO Sonhar com algum produto ou serviço que você aprecia sendo descontinuado é sinal de uma grande surpresa chegando.

DESCONTO Pedir desconto no sonho é um alerta para observar como você vem gastando seu dinheiro.

DESCRÉDITO Sonhar que desacreditou outra pessoa significa que logo você vai ser convocado para ajudar a provar a honestidade de alguém. Já ser desacreditado sugere que seus amigos vão se provar leais e verdadeiros quando confrontados com um boato a seu respeito.

DESEJO Sonhar que deseja algo que nunca lhe despertou interesse até então prevê uma aventura em um lugar inesperado. Não sentir desejo pelas coisas que ama significa que você necessita de mudança no trabalho, em casa, na família ou nas amizades.

DESEMBARQUE Sonhar que está desembarcando de qualquer meio de transporte — navio, avião, carro — é um indício de que você vai viajar em breve.

DESENCARNAÇÃO Sentir-se ou ver-se desencarnado em sonho é um alerta para examinar seu eu espiritual.

DESESPERO Estar em desespero pressagia muitos aborrecimentos cruéis no universo profissional. Ver os outros em desespero é sinal que algum parente ou amigo tem passado por angústias e situações complicadas. Flagrar-se desesperado para resolver um problema ou para se livrar de algo significa que você vai conseguir os meios para tirar férias ou para comprar um item que tanto deseja.

DESESTÍMULO Sentir-se desestimulado com qualquer coisa em um sonho indica que seus desejos estão se tornando realidade.

DESERTO

DESENGASGAR Desalojar algo de sua garganta em um sonho significa que você de fato vai ser ouvido quando falar a verdade sobre alguma coisa ou alguém. Mas se não conseguir desentalar, o sonho é um aviso para ter cuidado com suas palavras, pois elas podem ser mal interpretadas ou mal compreendidas.

DESENHO Sonhar que está fazendo um desenho de si ou de outra pessoa representa a chegada de um questionamento sobre seu eu espiritual.

DESENHO ANIMADO Sonhar com um desenho animado é um alerta de que as ilusões podem anuviar a maneira como você se vê ou como vê os outros.

DESERDAÇÃO Sonhar que foi deserdado é um alerta para cuidar bem do trabalho e de sua posição social.

DESERTO Sonhar que está vagando por um deserto tenebroso e árido prevê fome, conflito racial e grande perda de vidas e propriedades.

DESFIGURAÇÃO Estar desfigurado nos sonhos significa que na vida desperta alguém está tentando distorcer as suas palavras. Se você sonha que vai desfigurar alguém, é porque vai ficar surpreso com a integridade de certa pessoa.

DESFILE DE RUA Sonhar que encabeça um desfile de rua significa reconhecimento social. Se você estiver simplesmente marchando em um, é porque pode vir a receber visitas inesperadas que vão se revelar bem irritantes. Sonhar que assiste a um desfile de rua é um presságio de ganho financeiro.

DESGARRAR Flagrar-se desgarrado num sonho significa que talvez você tenha de adotar uma abordagem diferente em um problema pessoal ou empresarial. Encontrar uma pessoa perdida ou desgarrada prenuncia uma nova amizade que vai se revelar leal e amorosa.

DESGOSTO Se você sente desgosto em seus sonhos, é porque vai ser tomado por muitas preocupações assim que acordar. Se você acha que alguma pessoa está aborrecida ou desgostosa com você, é sinal de que ao menos num período breve não haverá reconciliação para um pequeno mal-entendido.

DESINFECÇÃO Desinfetar qualquer coisa é um conselho para examinar um contrato atentamente antes de assiná-lo.

DESLEALDADE Sonhar que é traído por um ente querido indica que ele sempre será um companheiro constante e leal. Sonhar que está traindo um ente querido significa que você não é tão leal quanto afirma ser.

DESLIZAMENTO DE TERRA Sonhar que assiste a um deslizamento pressupõe a chegada de uma enorme quantia em dinheiro. Ser você pego por um deslizamento de terra significa uma grana colossal.

DESLOCAMENTO Deslocar um osso prediz que uma amizade será rompida.

DESMAIO Sonhar que desmaia significa doença na família e notícias desagradáveis em relação aos entes distantes.

DESMONTAGEM Desmontar qualquer coisa representa um projeto sendo concluído antes do tempo.

DESMONTE Ver-se em um sonho desmontando de um animal significa que você vai viajar em breve. Se você ajudar outra pessoa a desmontar, é sinal de uma viagem inesperada.

DESNUTRIÇÃO Na verdade, esse sonho significa abundância e prosperidade.

DESOBEDIÊNCIA Ter seus comandos desobedecidos é um conselho para ser claro ao fazer suas solicitações. Desobedecer a outra pessoa sugere que você vai encarar um problema vigente ou vindouro com clareza mental.

DESODORANTE Sonhar que precisa usar desodorante significa boa saúde. Recusar-se a usá-lo significa que em breve você vai ter um problema de saúde que vai requerer atenção imediata.

DESONESTIDADE Descobrir a desonestidade de alguém em um sonho significa que a verdade sobre um amigo será revelada, surpreendendo você. Se você mesmo for o desonesto, é porque será honesto em sua vida desperta: apenas cuidado com suas palavras, elas podem magoar.

DESONRA Sonhar com uma conduta desonrosa lhe trará esperanças frustradas e preocupações incômodas. Ser o objeto da desonra indica que você tem a moralidade em baixa estima; com isso, há o risco de prejudicar sua reputação.

DESORDEM Encontrar sua vida ou ambiente em desorganização significa que sua vida desperta na verdade é muito estável e equilibrada.

DESORGANIZAÇÃO Este sonho é um aviso para dar um jeito de modificar um relacionamento atual, caso contrário, ele vai terminar.

DESPEDIDA Sonhar que está se despedindo não é particularmente favorável; é provável que você receba notícias desagradáveis sobre amigos distantes. Sonhar que você se despede alegremente das pessoas é indicativo de visitas agradáveis e de que você vai desfrutar de muitas festividades; mas se as despedidas tiverem um tom triste ou melancólico, é sinal de perdas e mágoas. Se você estiver se despedindo de seu lar e país, é porque que vai viajar como um exilado da sorte e do amor. Mandar beijos de despedida a entes queridos ou crianças prediz que em breve você vai ter uma viagem pela frente, mas que não haverá acidentes ou incidentes desagradáveis ligados a ela.

DESPENSA Nos sonhos, uma despensa cheia representa prosperidade; vazia, perda financeira.

DESPERDÍCIO Sonhar que desperdiça sua sorte indica que você vai ficar desagradavelmente sobrecarregado com os cuidados domésticos.

DESPESA Sonhar que há dinheiro sendo desembolsado para você é um alerta para ter cuidado com furtos. Desembolsar dinheiro no sonho significa que logo você vai ter um ganho monetário.

DESPIR-SE Sonhar que está se despindo sugere que uma fofoca escandalosa vai ofuscar você. Ver outras pessoas se despindo é presságio de prazeres roubados, que por sua vez vão repercutir em tristeza.

DESQUALIFICAÇÃO Sonhar que foi desqualificado de um evento esportivo ou competição significa que você vai vencer em um empreendimento semelhante em sua vida desperta. Ver outra pessoa sendo desqualificada é um aviso de que talvez você não consiga chegar ao final de um evento esportivo, competição ou concurso.

DESTAQUE Sonhar que destaca trechos de um livro ou de qualquer outro material impresso é um aviso para prestar muita atenção ao seu crédito ou a finanças no futuro.

DESTILAÇÃO Sonhar que destila álcool presságia problemas na vida amorosa. Beber qualquer coisa destilada significa que há um novo amor no horizonte.

DESTITUIÇÃO Ser advogado e sonhar que está sendo destituído da função presságia que você vai ganhar o reconhecimento de seus colegas. Sonhar que conhece um advogado destituído alerta para problemas jurídicos.

DESTRUIÇÃO Ver algo sendo destruído é sinal de que logo sua vida desperta vai ser reconstruída de um jeito melhor. Destruir coisas é um alerta para você examinar sua vida e certificar-se de que está mesmo tomando as decisões certas para ter a mudança desejada.

DESVIO Se você sonha estar fazendo um desvio em uma estrada, atente-se para ser direto e honesto em suas relações com os outros em sua vida desperta.

DETERGENTE Comprar ou usar detergente presságia que você vai confessar algo que tem mantido em segredo. Você vai se sentir revigorado e aliviado depois.

DETESTABILIDADE Sonhar que está sendo detestável é um conselho para falar o que pensa em sua vida desperta, ou as pessoas vão se aproveitar de você. Se você sonha com outra pessoa sendo detestável, tome cuidado com puxadas de tapete dos amigos.

DETETIVE Sonhar que é seguido por um detetive quando você é inocente indica que a sorte e a honra estão se aproximando cada dia mais; mas se você tem culpa, é porque provavelmente vai ver sua reputação em jogo e seus amigos vão se afastar. Contratar um detetive é um aviso de desonestidade

DETURPAÇÃO

entre seus amigos. Ser um detetive nos sonhos significa que em breve você vai descobrir um segredo que trará boa sorte.

DETURPAÇÃO Sonhar que alguém deturpou algo que você fez ou disse significa que você tem amigos leais e confiáveis. Mas se você foi aquele a deturpar os atos ou a fala de alguém, é sinal de que logo vai ser pego em uma mentira ou fazendo algo desonesto.

DEUS Se você sonha com Deus, é porque vai alcançar um contentamento raro, uma paz de espírito e bênçãos abundantes.

DIADEMA Sonhar com esse ornamento implica que você vai aceitar algum tipo de homenagem.

DIAGNÓSTICO Receber um bom diagnóstico para uma doença no sonho é um alerta para ter cuidado com os problemas de saúde. Mas se for um diagnóstico ruim, é porque na vida desperta sua saúde vai estar boa.

DIAGRAMA Desenhar ou ver um diagrama sugere prestar atenção a assuntos jurídicos em sua vida.

DIÁLISE Sonhar que faz diálise renal é indício de que em breve você vai eliminar relacionamentos tóxicos de sua vida.

DIABO

DEVOÇÃO Sonhar com devoção implica prosperidade, paz e adoração por parte de seus pares.

DEZEMBRO Sonhar com esse mês sinaliza o acúmulo de riquezas, porém a perda da amizade. Um desconhecido vai capturar o coração de alguém que amou você.

DIA Sonhar com o dia pressagia melhora e boas parcerias. Um dia sombrio ou nublado anuncia perdas e decepções em novos empreendimentos.

DIA DE AÇÃO DE GRAÇAS Sonhar com este feriado festivo norte-americano pressagia boas notícias e momentos felizes.

DIABETES Sonhar que você tem diabetes é sinal de boa saúde.

DIABO Se o sonho envolve lutar contra o diabo, você será mais esperto que aqueles que querem seu mal. Se você só conversar com ele, é porque vai achar difícil resistir às tentações. Esse sonho também pode pressagiar problemas de saúde e estresse mental.

DIAMANTE Sonhar que possui diamantes é muito propício, significando grande honra e reconhecimento de altos escalões. Para um especulador, denota transações prósperas. Diamantes são presságios de boa sorte, a menos que sejam roubados dos corpos de cadáveres, e neste caso sugerem que sua infidelidade vai ser descoberta pelos seus amigos.

DIÁRIO Sonhar que escreve em um diário prediz o contato de alguém de quem você não tem notícias há um bom tempo. Sonhar que lê o diário de outra pessoa implica em amizades desonestas e desleais. Sonhar que está escrevendo em um diário significa necessidade de tomar cuidado com o que pensa, pois pode se tornar realidade. Sonhar que lê o diário de outra pessoa sugere amizades novas ou renovadas.

DIARREIA Esse tipo de sonho é um presságio de muita prosperidade e boa sorte.

DICIONÁRIO Consultar um dicionário em sonho significa que você depende demais das opiniões e sugestões dos outros para gerir suas coisas; você mesmo poderia fazer isso se desse rédea solta à sua vontade.

DIESEL Sonhar com esse combustível é um aviso para não alimentar ou espalhar fofocas maldosas.

DIETA Sonhar que está de dieta e que não consegue emagrecer é presságio de problemas de saúde. Sonhar que está de dieta e perdendo peso indica boa saúde no horizonte.

DIFICULDADE Esse sonho significa constrangimento temporário para trabalhadores de todos os ramos, incluindo soldados e escritores. Mas se você se livrar das dificuldades, espere prosperidade.

DIFTERIA Sonhar que seu filho está com difteria denota uma doença leve na vida desperta, não é motivo para temer. Geralmente é um bom presságio para a saúde e a harmonia doméstica.

DIGESTÃO Sonhar que tem problemas para digerir a comida indica que você vai se deparar com uma situação futura muito difícil de engolir.

DÍGITOS Sonhar com dígitos (números) indica grande sofrimento mental e um malfeito sendo cometido. Você vai ter perdas em um grande negócio se não for cuidadoso em suas atitudes e conversas.

DILAPIDAÇÃO Se você vê um prédio em ruínas em sonho, significa que vai se mudar para uma casa cujo valor está muito além dos seus sonhos mais loucos.

DILIGÊNCIA Sonhar que você é diligente ou laborioso indica que você vai se revelar incomumente ativo no planejamento e na elaboração de ideias para promover seus interesses, e será bem-sucedido no final. Ver os outros sendo diligentes é favorável ao sonhador.

DILÚVIO Sonhar com muita água ao mesmo tempo significa boa sorte e prosperidade — se a água estiver limpa. Se a água estiver lamacenta, problemas financeiros estão por vir.

DINAMITE Ver dinamite em um sonho é sinal de mudança próxima e da expansão de seus negócios. Ficar assustado com o estouro indica que um desafeto está atuando contra você. Se você não se cuidar, ele vai aparecer em um momento inesperado e de muita fragilidade. | *Ver também* TNT.

DINHEIRO Sonhar que encontra dinheiro sugere pequenas preocupações, porém grande felicidade. Mudanças virão a seguir. Pagar dinheiro devido denota infortúnio; já receber dinheiro indica grande prosperidade e prazeres puros. Se você perder dinheiro, é porque vai viver momentos infelizes em casa e as coisas no trabalho ficarão sombrias. Se você contar seu dinheiro e encontrar um déficit, é porque vai se preocupar em fazer pagamentos. Sonhar que rouba dinheiro indica que você está em perigo e deve se precaver. Já economizar dinheiro pressagia riqueza e conforto. Sonhar que engole dinheiro sugere que você pode se tornar um mercenário. Admirar grande quantidade de dinheiro denota que a prosperidade e a felicidade estão ao seu alcance. Sonhar que você encontra um bolo de notas, e que alguém o reivindica, prediz que você vai sofrer perdas em um empreendimento devido à interferência de um amigo. Você vai descobrir que está gastando seu dinheiro imprudentemente e vivendo além de suas posses. É um sonho de alerta.

DINHEIRO EM ESPÉCIE Se você sonha que tem muito dinheiro vivo porém emprestado, é porque na vida desperta será considerado merecedor do que tem, embora aqueles que se aproximarem podem considerá-lo mercenário e insensível. Se você sonha que vê seus bolsos ou bolsa cheios de dinheiro, é porque vai precisar gastar em um problema inesperado. Procurar dinheiro no sonho indica uma sorte inesperada em um futuro próximo.

DINHEIRO FALSIFICADO Se você sonha com dinheiro falso, vai ter problemas com uma pessoa indisciplinada e desprezível.

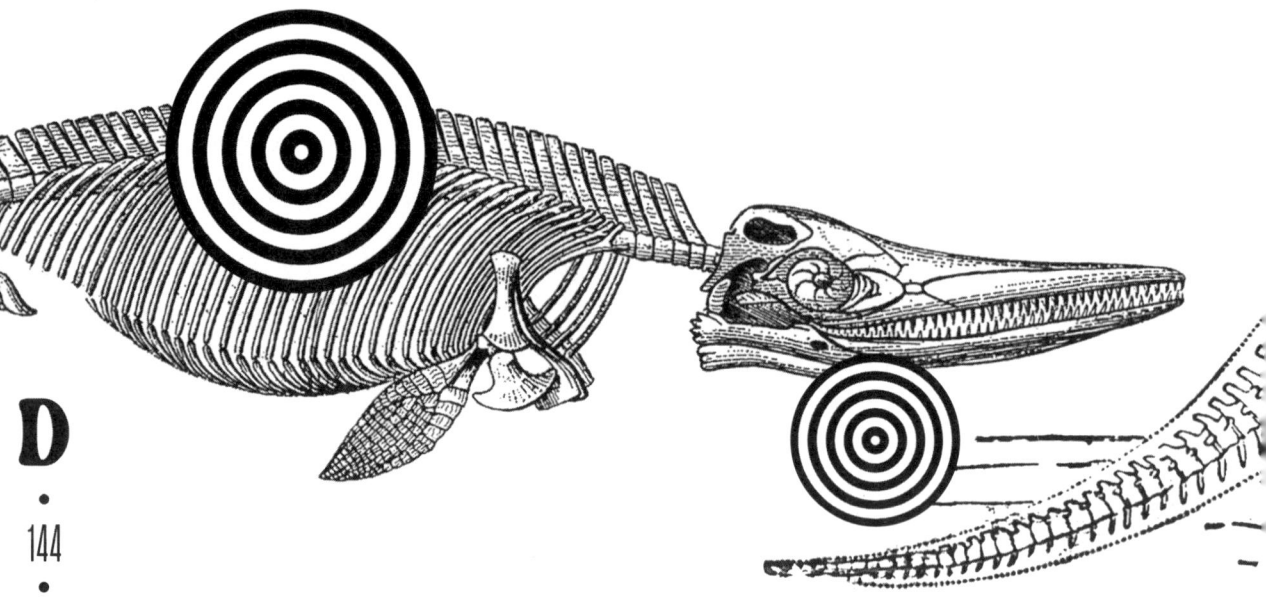

DINOSSAURO

DINOSSAURO Sonhar com esses animais ancestrais é uma recomendação para repensar uma ideia que pode estar desatualizada.

DIPLOMA Sonhar com um certificado presságia a assinatura de documentos jurídicos em um futuro próximo. Receber ou entregar diploma é sinal de que terá reconhecimento por seus méritos. Se você assinava um diploma, pode esperar notícias sobre um bom emprego.

DIPLOMATA Sonhar com um diplomata (você ou outra pessoa) sugere ter cuidado com o que fala — e como fala — às pessoas.

DIQUE, REPRESA Uma barragem se rompendo ou vazando — seja a água limpa ou lamacenta — indica que a desonestidade está entrando em sua vida. Sonhar que conserta um dique rompido é presságio de boa sorte — caso a água esteja limpa. Água suja prevê tempos difíceis, mas no fim tudo vai dar certo.

DIREITA (DIREÇÃO) Sonhar com o lado direito de qualquer coisa, ou virar à direita, significa que você vai constatar um conflito entre suas crenças e seus desejos. Sonhar que se é destro quando na vida desperta você não o é sugere sucesso em questões jurídicas ou uma agradável ascensão social.

DIRETOR Ser um diretor nos sonhos indica que é hora de liderar em vez de seguir.

DIRETOR ESCOLAR Sonhar com o diretor de uma escola é um alerta para ter cuidado ao dirigir; você pode acabar recebendo uma multa. Sonhar que você é o diretor de uma escola sugere que você vai conseguir escapar de problemas legais.

DISCURSO FÚNEBRE

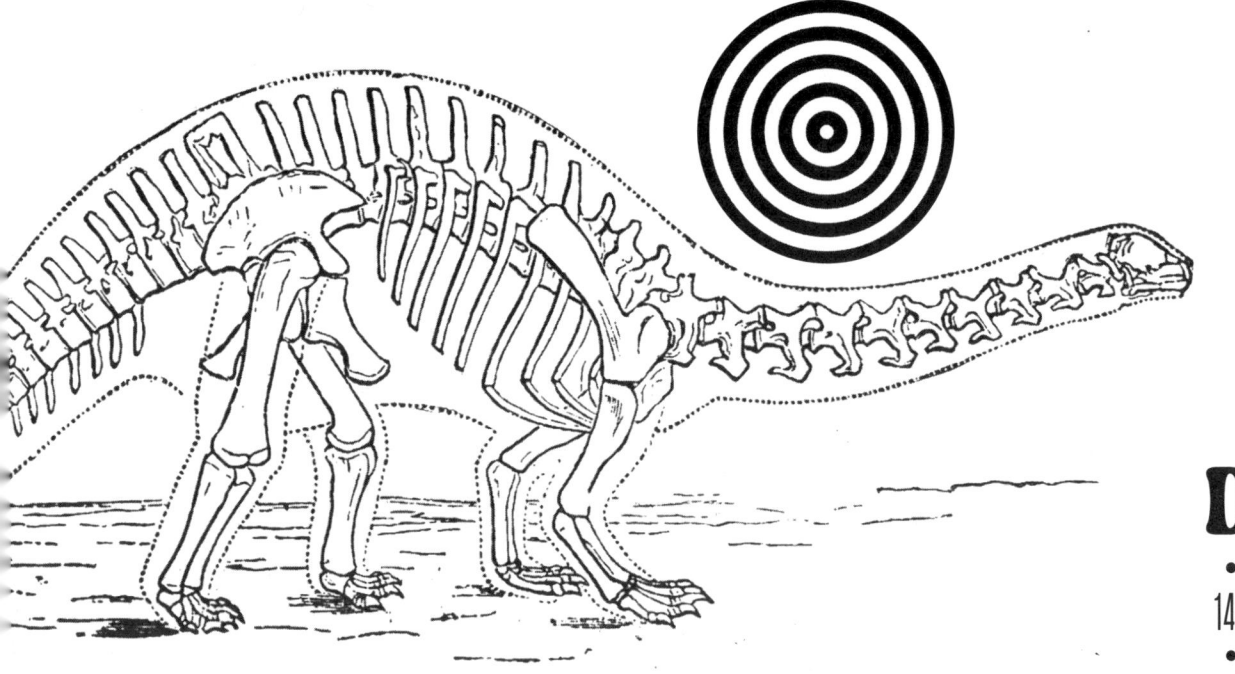

DIRIGIR Sonhar que está conduzindo um veículo prenuncia azar. Muitas vezes, a doença sucede esse sonho. Se você estiver devagar, vai ter resultados insatisfatórios em seus empreendimentos. Se estiver veloz, pode significar prosperidade, porém sob condições arriscadas.

DISCAGEM Discar num telefone pressagia boa sorte, principalmente se você conseguir se lembrar dos números discados.

DISCÍPULO Sonhar com um dos discípulos de Jesus, ou que você é um deles, é sinal de muitas bênçãos.

DISCOTECA Se você sonha que dança em uma discoteca, espere bons momentos pela frente. Assistir a outras pessoas dançando sugere que você será negligenciado em um evento ou festa especial.

DISCRIMINAÇÃO Sonhar que está sendo discriminado diz que você vai ganhar o respeito de seus pares. Discriminar alguém sugere a oportunidade de ajudar um colega de trabalho.

DISCURSO Sonhar que faz um discurso significa melhoria de status social. Sonhar que ouviu um discurso implica em lealdade entre seus amigos e colegas de trabalho.

DISCURSO FORMAL Sonhar que está fazendo um discurso prevê constrangimento social devido à preguiça. Se você sonha que ouve um discurso, é porque precisa se livrar de um relacionamento incômodo.

DISCURSO FÚNEBRE Sonhar que faz um discurso num funeral significa que num futuro próximo talvez você venha a dizer algo que lhe causará

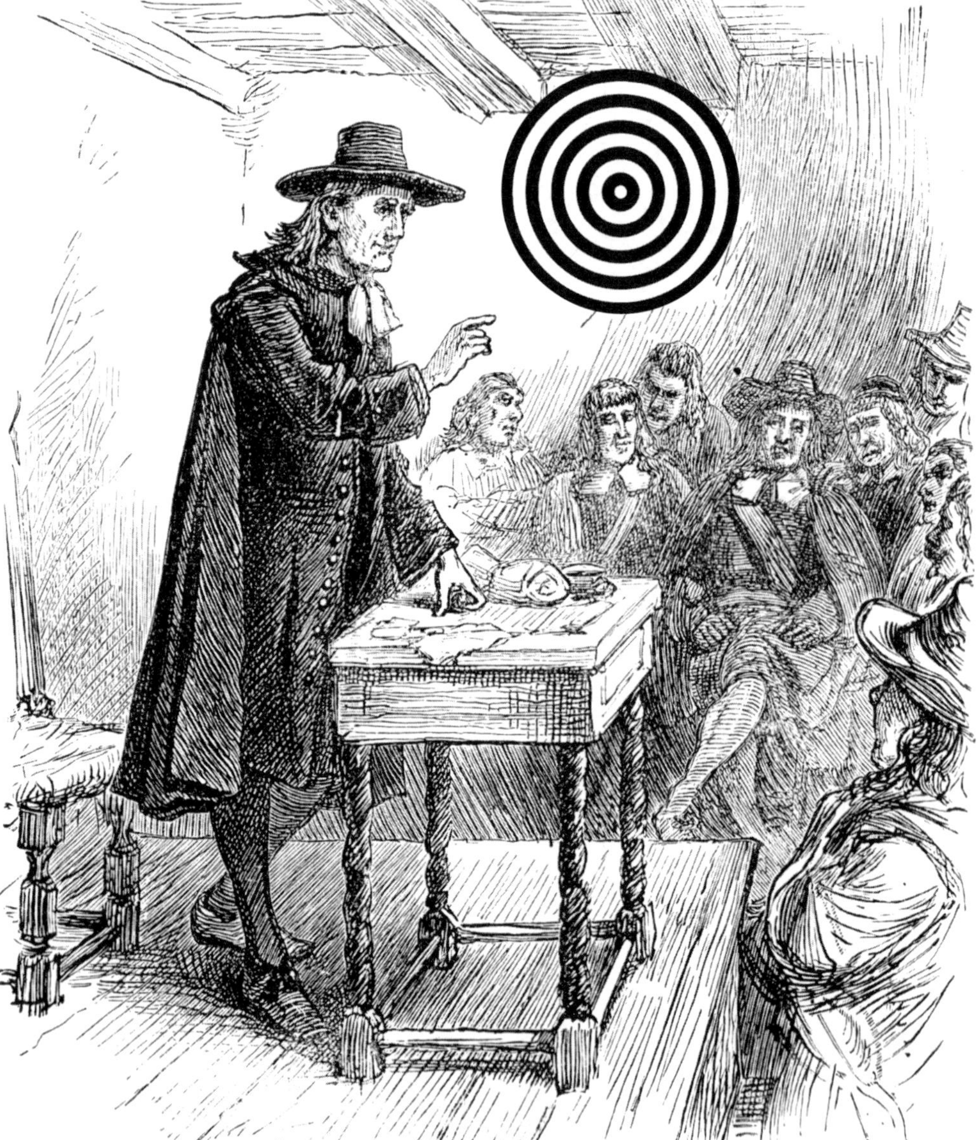

constrangimento. Se alguém estiver fazendo o discurso do *seu* funeral, uma surpresa agradável virá, geralmente um presente.

DISCUSSÃO Discutir com alguém nos sonhos significa que na verdade você vai ter uma conversa afável com essa pessoa. Participar oniricamente de uma longa discussão, acalorada ou não, é sinal de que em breve você vai ter de provar seu valor no trabalho.

DISENTERIA Sonhar que sofre de disenteria sugere uma doença desesperadora ou fatal se apoderando de você ou de algum membro de sua família. Ver os outros com disenteria implica em decepção ao levar a cabo algum empreendimento, muito por negligência alheia. Você se aborrecerá com desavenças.

DISFARCE Sonhar que está disfarçado é um aviso para não mentir em seus relacionamentos. Ver outra pessoa disfarçada sugere que mentiram para você.

DISJUNTOR Sonhar que está religando um disjuntor desarmado significa que você vai ter de refazer algo que pensava já ter concluído.

DISLEXIA Sonhar que tem dislexia significa que você terá uma visão muito nítida do que deseja em um futuro próximo no que diz respeito a fechar contratos. Se você sonha que auxilia alguém a superar a dislexia, é porque vai ter de ler nas entrelinhas o que as pessoas estão lhe dizendo.

DISPENSA Em sonho, ser dispensado do serviço militar, de um hospital militar ou de um emprego militar implica em uma mudança positiva em sua vida.

DISPOSITIVO Sonhar que um dispositivo está funcionando significa que logo você vai comprar algo que vai lhe dar prazer. Sonhar com um dispositivo que necessita de reparos sugere que algum aparato mecânico em breve vai pifar.

DISPUTA Ser pego em uma disputa contínua em um sonho significa que você vai ter muitos amigos de confiança para ajudar nos momentos de dificuldade. Sonhar com disputas por ninharias indica saúde ruim e injustiça ao julgar os outros. Sonhar que disputa com pessoas instruídas mostra que você tem alguma habilidade latente, mas é um pouco preguiçoso para desenvolvê-la.

DISQUETE Ver um disquete pressagia a construção de boas lembranças em um novo relacionamento.

DISSECÇÃO Dissecar qualquer coisa em um sonho é presságio de que em breve você vai ter de enfrentar um problema do qual vem tentando se esconder.

DISSOLUÇÃO Sonhar com algo se dissolvendo em um líquido significa o fim dos seus problemas muito em breve.

DISTÂNCIA Sonhar que está muito longe de casa implica que haverá uma viagem em breve, na qual você pode vir a conhecer muitas pessoas que vão colaborar para mudar sua vida negativamente. Sonhar com amigos vivendo longe sugere ligeiras decepções. Sonhar com a distância propriamente dita significa viagem e uma longa jornada.

DISTINÇÃO Sonhar que está fazendo distinção de alguém significa que em sua vida desperta você na verdade está em plena sintonia com essa pessoa.

DISTINTIVO Dar ou receber um distintivo indica a necessidade de desenvolver mais coragem para um acontecimento vindouro.

DISTORÇÃO Sonhar com algo distorcido significa a necessidade de avaliar com mais afinco as coisas que você planeja comprar.

DISTRAÇÃO Sonhar que está distraído ou esquecido significa que você tem, ou que vai ter, uma compreensão nítida e exata a respeito de algum problema.

DIVA Ver a si como uma prima-dona significa que você será humilhado diante de seus pares. Ver outra pessoa agindo como diva sugere que você vai humilhar alguém.

DIVERSÃO Divertir-se em um sonho é sinal de bons momentos chegando.

DÍVIDA A dívida em um sonho é um tanto desafiadora e prenuncia preocupações no trabalho e no amor, bem como sensação de incompetência; mas se você tiver dinheiro suficiente para arcar com todas as suas obrigações, é porque na vida desperta as coisas vão melhorar.

DIVIDENDO Nos sonhos, os dividendos simbolizam especulações bem-sucedidas ou colheitas prósperas. Mas se você fracassar na obtenção dos dividendos esperados, considere o sonho uma proclamação do fracasso na gestão das coisas ou nos relacionamentos amorosos.

DIVISÃO Sonhar que faz esse tipo de operação matemática ou que divide algo fisicamente significa que em breve você vai ter tempo para o prazer em sua vida. Se você vir outra pessoa se dedicando ao ato de dividir, é porque vai ter mais do que o suficiente para compartilhar com outras pessoas.

DIVÓRCIO Se você sonha que se divorcia, é porque não está satisfeito com seu parceiro e deve cultivar um ambiente mais agradável no lar. É um sonho de advertência.

DJ Se você sonha que é um DJ assumindo as carrapetas significa que em breve vai se deparar com uma diversão inesperada. Ver um DJ em sonho prenuncia o convite de uma pessoa surpreendente.

DNA Se o termo *DNA* aparecer no seu sonho ou você estiver olhando uma hélice de DNA, é sinal de gravidez e nascimento.

DOADOR A doação de órgãos nos sonhos alerta para problemas de saúde.

DOBRA Dobrar um objeto em sonho indica que você vai encontrar as respostas que procura sem rodeios. Dobrar uma pessoa à sua vontade ou modo de pensar sugere fortemente que você deve examinar sua consciência sobre algo que disse e que pode ter causado mágoa.

DOADOR

DOBRADIÇA Uma dobradiça enferrujada ou rangendo sugere problemas familiares e pessoais por causa de fofocas.

DOCA Sonhar que está em uma doca sinaliza que você está prestes a fazer uma viagem nada favorável. Acidentes estarão à espreita. Se você estiver vagando sozinho nas docas e for tomado pela escuridão é porque na vida desperta vai encontrar desafetos terríveis; mas se o sol estiver brilhando, você vai escapar dos perigos.

DOCE Sonhar com qualquer tipo de sabor doce indica que você vai ser elogiado por sua conversa agradável e comportamento tranquilo em um momento de comoção e angústia. Sonhar que está tentando se livrar de um gosto doce é sinal de que você vai oprimir e ridicularizar seus amigos, causando desagrado. Se você sonha que está preparando doces, é indício de que seu esforço vai gerar lucro. Sonhar que está comendo doces frescos implica em prazer social e romance. Um doce de sabor ácido sugere doença. Também indica que vão surgir aborrecimentos devido a segredos guardados por muito tempo. Se você sonha que está mandando uma caixa de bombons para alguém, é porque vai fazer uma oferta, mas ficará decepcionado.

DOCENTE Sonhar que você é um docente é um aviso de que, se quiser evitar repercussões desagradáveis por ter feito algo errado sem querer, você deve ser decidido e firme em suas decisões.

DOCUMENTO Ler, assinar ou conseguir a assinatura de documentos de qualquer natureza em um sonho avisa sobre problemas jurídicos ou especulações pouco lucrativas.

DOENÇA Sonhar que está doente denota uma doença leve ou relações desagradáveis com um parente.

DOENÇA DE LYME Sonhar com essa doença significa boa saúde.

DOENÇA FATAL Sonhar que você sofre de uma doença fatal significa uma boa notícia sobre um problema de saúde.

DOENÇA TERMINAL Sonhar com uma doença terminal sugere muito boa saúde.

DOENÇA VENÉREA (IST) Sonhar que tem uma infecção sexualmente transmissível é um conselho para cuidar da saúde.

DÓLAR Sonhar com uma moeda ou nota de dólar significa boa sorte.

DOMINGO DE RAMOS Sonhar com esse dia sagrado sugere a chegada de muitas bênçãos em sua vida.

DOMINÓ Se você sonha que joga dominó e perde, é porque vai ser insultado por um amigo, e sua família vai se preocupar muito com a sua segurança, pois você não sabe ser discreto romanticamente ou em outros assuntos. Se você vence, é porque vai ser cortejado e admirado por certas figuras devassas, que vão lhe trazer prazeres egoístas, porém muita angústia para seus familiares.

DONINHA Sonhar com esse animal da família dos mustelídeos significa escândalos obscenos. Se você notar o odor de uma doninha em suas roupas, ou sentir o cheiro emanado por ela, é porque vai descobrir que sua conduta é considerada grosseira e que vai haver insatisfação em sua vida. Matar uma doninha revela que você vai superar obstáculos consideráveis.

DONUT Essa rosquinha frita simboliza viagem, às vezes, inesperada.

DOR Sonhar que você está sofrendo é um prenúncio de arrependimentos inúteis por causa de alguma transação trivial. Ver outras pessoas sentindo dor é um alerta de que você está cometendo erros em sua vida.

DOR DE CABEÇA Sonhar que está com dor de cabeça indica que você precisa consultar um médico.

DOR DE DENTE Sonhar com uma dor de dente indica que o que você tem a dizer será levado a sério. Escolha suas palavras com sabedoria.

DORES Sonhar que sente dores significa que outra pessoa está lucrando com suas ideias. Porém, se o sonho for atrelado a um incômodo físico real, então não tem grande importância.

DORMIR Sonhar que está dormindo em camas limpas e cheirosas denota a paz e os cuidados daqueles que você ama. Dormir em lugares que não são voltados para o descanso prediz doença e rompimento de relacionamentos. Dormir ao lado de uma criança indica alegria doméstica e amor correspondido. Se você vir outras pessoas dormindo, é porque vai vencer todos os obstáculos na busca por seus objetivos. Sonhar que está dormindo com uma pessoa ou objeto repulsivo é um alerta de que seu amor e interesse por alguma coisa podem minguar.

DORMIR DEMAIS (PERDER A HORA) Sonhar que está chateado porque dormiu demais e perdeu algo importante sugere que você vai ter tempo mais do que suficiente para o trabalho e para o lazer.

DORMITÓRIO Ver-se morando em um dormitório implica em possível mudança para outro local. Visitar um dormitório é sinal de viagem no horizonte.

DOSSEL Sonhar com um dossel ou que você está debaixo de um é sinal de que falsos amigos estão lhe influenciando a buscar ganhos por vias antiéticas. Proteja aqueles que estão sob seus cuidados.

DOTE Se você sonha que vai receber um dote, suas expectativas para o dia serão satisfeitas. Mas se não receber, sugere pobreza e um mundo frio para se viver.

DOURAR, BANHAR EM OURO Se você sonha que está dourando algo, é porque vai ser felizmente acometido por um golpe de sorte financeira. Sonhar que vê algo sendo banhado em ouro sugere que sua sorte está mudando para melhor.

DRAGÃO O dragão sugere que você frequentemente se deixa governar por suas emoções; é provável que você acabe sendo rendido por seus desafetos devido a esses impulsos sarcásticos. Esse sonho é um alerta para cultivar o autocontrole.

DRAGONA Sonhar que usa dragonas implica no recebimento de homenagens e no respeito de seus pares.

DREADLOCK Sonhar que usa esse penteado é sinal de que você vai pensar sobre um relacionamento amoroso de forma totalmente diferente. Ver outra pessoa usando dreads significa um novo amor entrando em sua vida.

Cortar ou mandar cortar seus dreadlocks implica em um problema que pode modificar um relacionamento amoroso.

DROGARIA Sonhar com qualquer coisa relacionada a uma farmácia sugere um acordo profissional de sucesso.

DROGAS Usar uma droga enquanto sonha sugere que você vai ficar sabendo que um ente querido está com a saúde precária. Dar drogas a alguém significa um problema com sua própria saúde. Se você compra ou vende drogas, há desonestidade entre seus amigos, familiares ou colegas de trabalho; fique longe deles. | *Ver também* drogas específicas.

DUELO Sonhar que está duelando significa que as pessoas ao seu redor podem tentar lhe causar problemas, ou aponta para encontros desagradáveis com seus oponentes profissionais, e processos judiciais que serão uma ameaça. Ver lutas entre outras pessoas significa que você está desperdiçando seu tempo e dinheiro. Se você sonhar que foi derrotado em uma luta, é porque vai perder seu direito a uma propriedade. Dar um couro em seu oponente, por outro lado, pressagia ganho de honra e riqueza por meio da coragem e da perseverança, mesmo com a presença de torcida contrária. Sonhar que vê dois homens duelando com armas de fogo sugere muitas preocupações e complicações. Embora esse sonho não preveja nenhuma perda real, ele sinaliza um lucro menor e algumas coisas desagradáveis.

DUENDE Ver duendes em sonho significa problemas oriundos do que parece um prazer passageiro. Sonhar que você é um duende indica que a loucura e o vício vão levá-lo à miséria financeira.

DUETO Sonhar que ouve um dueto fala de uma convivência pacífica entre os amantes. Os empresários vão manter uma rivalidade moderada. Para os músicos, denota competição e disputa por superioridade. Ouvir uma canção em dueto pressagia notícias desagradáveis; mas não vai durar, pois logo algum prazer novo vai substituir o infortúnio.

DUNA Escalar uma duna é sinal de tranquilidade para resolver um problema que está por vir. Correr ou cair da duna significa problemas difíceis de solucionar.

DUPLEX Morar em um duplex, ser dono de um ou mesmo visitar alguém que mora em um significa que você vai ter de dividir algo que pensava ser só seu, como o dinheiro de uma herança.

DUPLICAR Duplicar qualquer coisa em sonho é um conselho para rever as coisas antes de tomar uma decisão importante na vida.

DUPLICATA Sonhar que vê dois de um item significa boa sorte financeira. Sonhar que vê em dobro significa necessidade de olhar algo ou alguém novamente para compreender um problema em sua totalidade.

DÚZIA Sonhar que você tem uma dúzia de qualquer coisa representa abundância, esteja você mantendo essa coisa recebida para si ou doando a terceiros.

DVD Você vai se deparar com lembranças que causam alegria ou dor.

Sonhamos com imagens que já temos em nós.

David Lynch

E

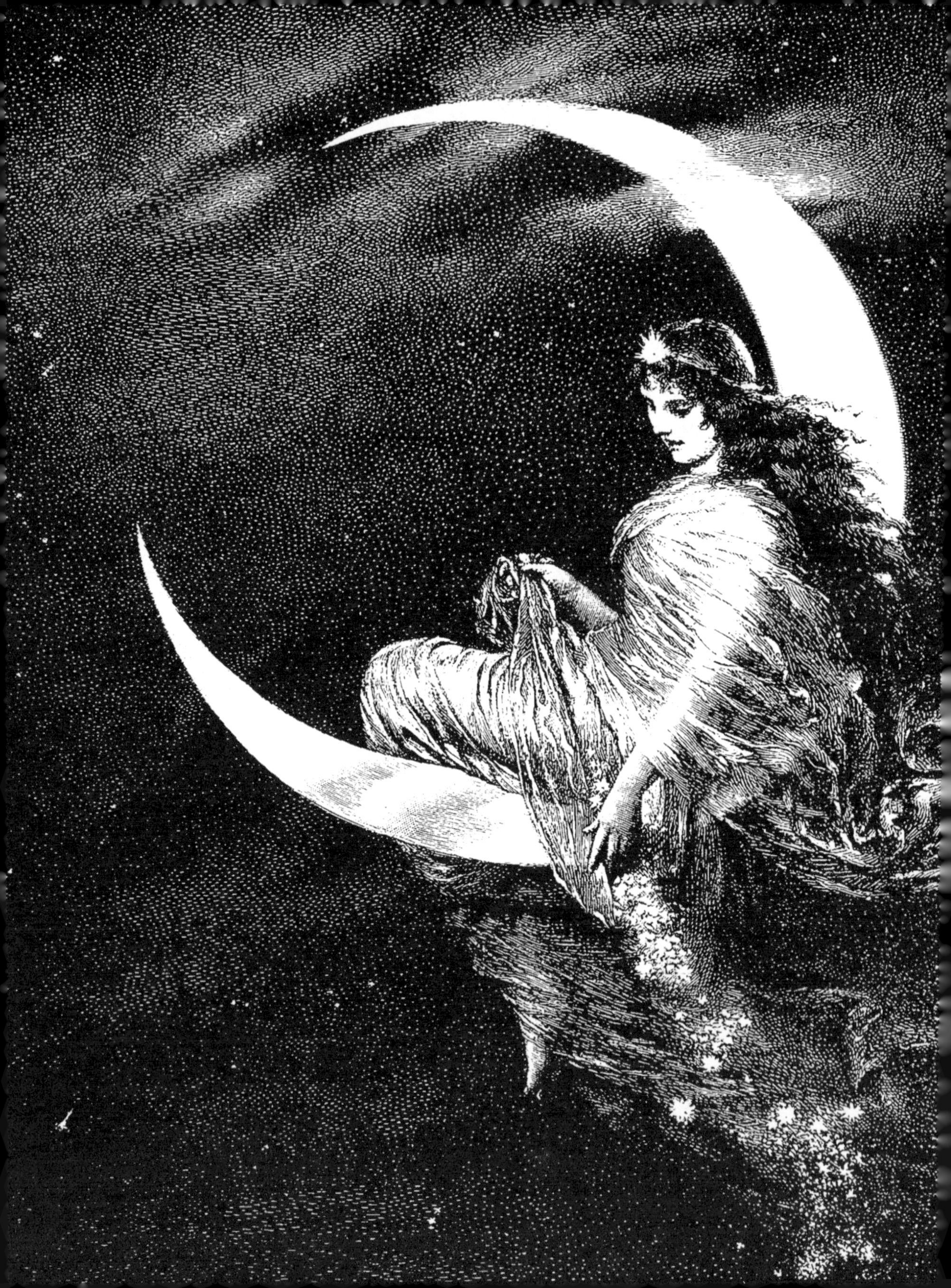

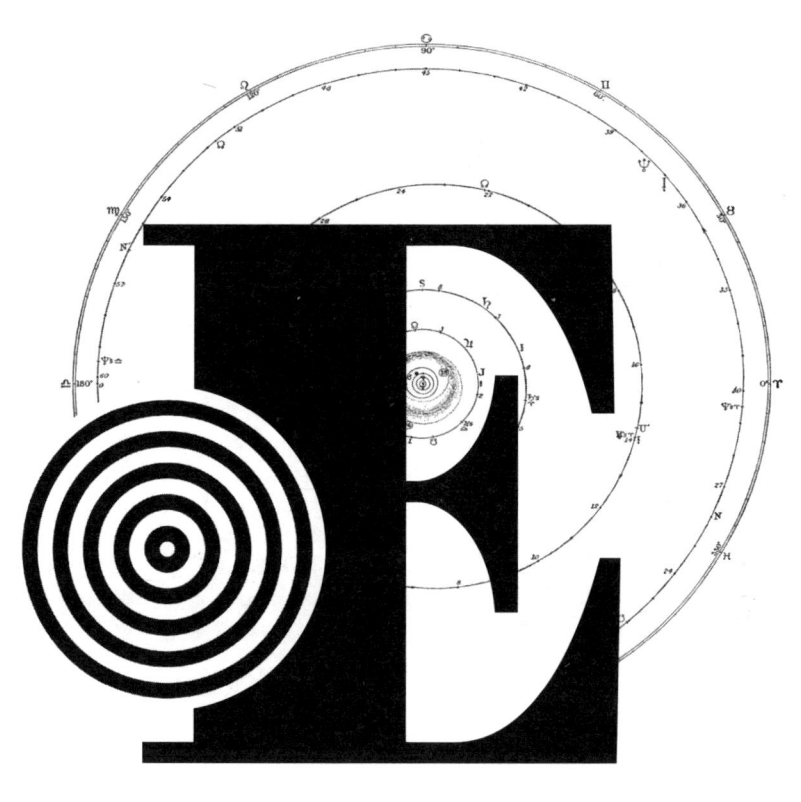

"Ecos oníricos inspiram a realidade."

E-MAIL Enviar ou receber e-mail em um sonho é presságio de boas notícias chegando. Não conseguir abrir seu e-mail significa que você vai ter de achar um jeito de se comunicar com alguém que vem lhe causando problemas, caso contrário, as coisas vão se revelar problemáticas para você.

ÉBANO Se você sonha com móveis ou outros artigos de ébano, é porque vai enfrentar muitas disputas e brigas angustiantes em casa.

ECHARPE Sonhar com uma echarpe sugere um caso amoroso feliz.

ÉCLAIR Sonhar que prepara ou come esse doce é sinal de sorte chegando.

ECLIPSE Sonhar com eclipse fala sobre as nossas emoções contidas e motivações de espírito. Um eclipse solar é sinal de atenção à questões profissionais e intrigas, pois estão tentando tirar a atenção de você. Um eclipse lunar significa mudanças na maneira como você se vê, e necessidade de dar atenção às emoções.

ECO Sonhar com um eco pressagia doença ou angústia chegando. Por causa de sua doença, você pode perder seu emprego e ser abandonado pelos amigos nos momentos de necessidade.

ECZEMA Ter esse problema de pele em um sonho é um bom presságio no que diz respeito à saúde. Ver outra pessoa com eczema é sinal de que você precisa estar alerta para problemas de saúde em um futuro próximo.

EDIÇÃO Se você estiver editando um documento ou algo assim em um sonho, haverá mudanças em seu trabalho ou carreira, geralmente para melhor.

EDIFÍCIOS Ver edifícios grandes e magníficos, com gramados verdejantes estendendo-se diante deles, significa uma longa vida de abundância, e inclui viagens e exploração de países estrangeiros. Edifícios pequenos e recém-construídos são o símbolo de lares felizes e empreendimentos lucrativos; prédios velhos e imundos, no entanto, alertam sobre problemas de saúde e perda de amor e dos meios de subsistência. | *Ver também* Casa.

EDITORA Sonhar com uma editora prenuncia longas viagens e aspirações ao ofício literário. Se no sonho um editor rejeitar seu manuscrito, indica que você vai se decepcionar com o fracasso de seus planos um tanto estimados. Se, ao invés disso, o manuscrito for aceito, você vai se alegrar a plena realização de suas expectativas. Se o manuscrito for perdido, você vai sofrer nas mãos de estranhos. Sonhar que se envolve com uma editora sugere prejuízo financeiro. Sonhar que tem algo publicado implica em uma evolução nas áreas pessoal e financeira.

EDREDOM Estar enrolado em um edredom para se aquecer significa que uma amizade ou relacionamento amoroso vai começar a se tornar frio e confuso. Envolver outra pessoa em um edredom é sinal de que você vai ser útil para alguém que esteja passando por momentos confusos em um relacionamento.

EDUCAÇÃO Sonhar que está ansioso para estudar mostra que, quaisquer que sejam as circunstâncias de sua vida, você tem sede de conhecimento, o que por sua vez o coloca em vantagem em relação ao seus pares. A sorte também será mais clemente para com você. Sonhar que está em locais de aprendizado pressagia muitos amigos influentes em sua vida.

EGITO Sonhar que você está no Egito ou que é egípcio é um sonho espiritual poderoso. Em breve você vai rever suas crenças sobre religião.

ÉGUA Sonhar que vê éguas no pasto denota sucesso na carreira e companhias agradáveis. Se o pasto estiver estéril, indica um período de pobreza, porém dotado de amizades calorosas. | *Ver também* Cavalo.

EIXO Sonhar que está consertando um eixo quebrado de um veículo motorizado significa que o que você pensava estar quebrado, na verdade, vai voltar a ficar inteiro. Sonhar com um eixo quebrado irrecuperável fala de uma meta que deve ser abandonada de vez.

EJACULAÇÃO Ejacular oniricamente é um aviso de que você está gastando dinheiro demais com coisas desnecessárias.

ELÁSTICO Esse material representa o recebimento da ajuda necessária para resolver um problema.

ELEFANTE Sonhar que monta um elefante indica que você vai alcançar honrarias e o caráter mais sólido, os quais portará com dignidade. Você vai governar de maneira absoluta em todos os seus assuntos profissionais, e sua palavra será a lei em seu lar. Ver muitos elefantes é sinal de imensa prosperidade. Um elefante solitário significa que você vai viver sob parcimônia, porém de maneira sólida. Se você sonha que está dando de comer a um elefante, é porque vai crescer em sua comunidade por meio de sua bondade para com aqueles que estão em posição social mais baixa.

ELEIÇÃO Sonhar que está em uma eleição prediz envolvimento em alguma controvérsia que será prejudicial à sua situação social ou financeira.

ELETRICIDADE Representa mudanças repentinas em você, mas que não vão lhe proporcionar nenhum progresso ou prazer. Se você receber um choque elétrico no sonho, é porque vai enfrentar um perigo lastimável. Ver um fio elétrico ligado indica que os desafetos vão atrapalhar seus planos, planos estes que andaram lhe causando muita ansiedade.

ELETROCARDIOGRAMA Sonhar que seu cardiograma teve um resultado ruim é presságio de dor de cabeça. Mas se estiver bom, é porque um novo amor está por vir.

ELEVADOR Se você sonha que sobe pelo elevador, significa que vai alcançar rapidamente a riqueza e uma boa posição social; mas se estiver descendo, seus infortúnios serão esmagadores e desanimadores. Se você vir um elevador descendo sem você, é porque vai escapar por um triz da decepção em algum empreendimento. Um elevador panorâmico é sinônimo de perigo.

ELOGIO

ELITE Flagrar-se como parte da elite em um sonho significa que em breve você vai perder dinheiro devido a uma especulação ruim.

ELMO Sonhar que vê um elmo é um conselho: a tristeza e a perda podem ser evitadas por meio de uma atitude sábia.

ELOGIO Sonhar que recebe elogios prediz um presente inesperado em dinheiro. Sonhar que elogia alguém fala de uma despesa imprevista.

ELOQUÊNCIA Se você vê sua fala eloquente nos sonhos, é porque haverá notícias agradáveis sobre aquela pessoa por quem você cultiva interesse. Se você não conseguir impressionar os outros com sua eloquência, é sinal de bagunça na vida pessoal.

EMACIAÇÃO Flagrar-se emaciado em um sonho prediz um bom resultado para um exame médico. Ver os outros emaciados significa que um problema de saúde vindouro precisará ser resolvido imediatamente.

EMBAIXADA Sonhar que trabalha em uma embaixada ou estar em uma é a personificação do sonho de viajar.

EMBALAGEM Embalar algo em sonho sugere uma conclusão satisfatória para um trabalho ou projeto. Pode sinalizar também que você está preso em uma rotina e não irá a lugar algum no futuro próximo.

EMBALSAMAMENTO Ver o processo de embalsamamento prediz posições alteradas na vida social e prenuncia a pobreza. Sonhar que se vê embalsamado é sinal de amizades infelizes que vão obrigar você a ingressar em círculos sociais abaixo daqueles aos quais está acostumado.

EMBARAÇO Sonhar que está embaraçado ou enredado, seja física ou emocionalmente, significa que você tem liberdade para escolher um novo rumo em sua vida.

EMBARCAÇÃO Sonhar com embarcações denota trabalho e movimento. | *Ver também* Navio.

EMBARCADOURO Estar em um embarcadouro nos sonhos indica que você vai demonstrar coragem em sua batalha pelo reconhecimento e que vai ter espaço nos mais altos escalões da honraria. Se você se esforçar para chegar a um embarcadouro e fracassar, é porque vai perder a distinção que mais cobiça.

EMBOSCADA Sonhar que foi atacado numa emboscada é um alerta de perigo oculto à espreita; em breve você vai ser atacado e subvertido, caso desconsidere o aviso. Se você estiver emboscando alguém para se vingar, é porque na vida desperta vai se rebaixar a atitudes degradantes para defraudar seus amigos.

EMBRIAGUEZ A embriaguez em todas as formas quase nunca é um bom sonho. Ele sempre serve de alerta para mudar os pensamentos para rumos mais saudáveis. É ainda mais desfavorável se você

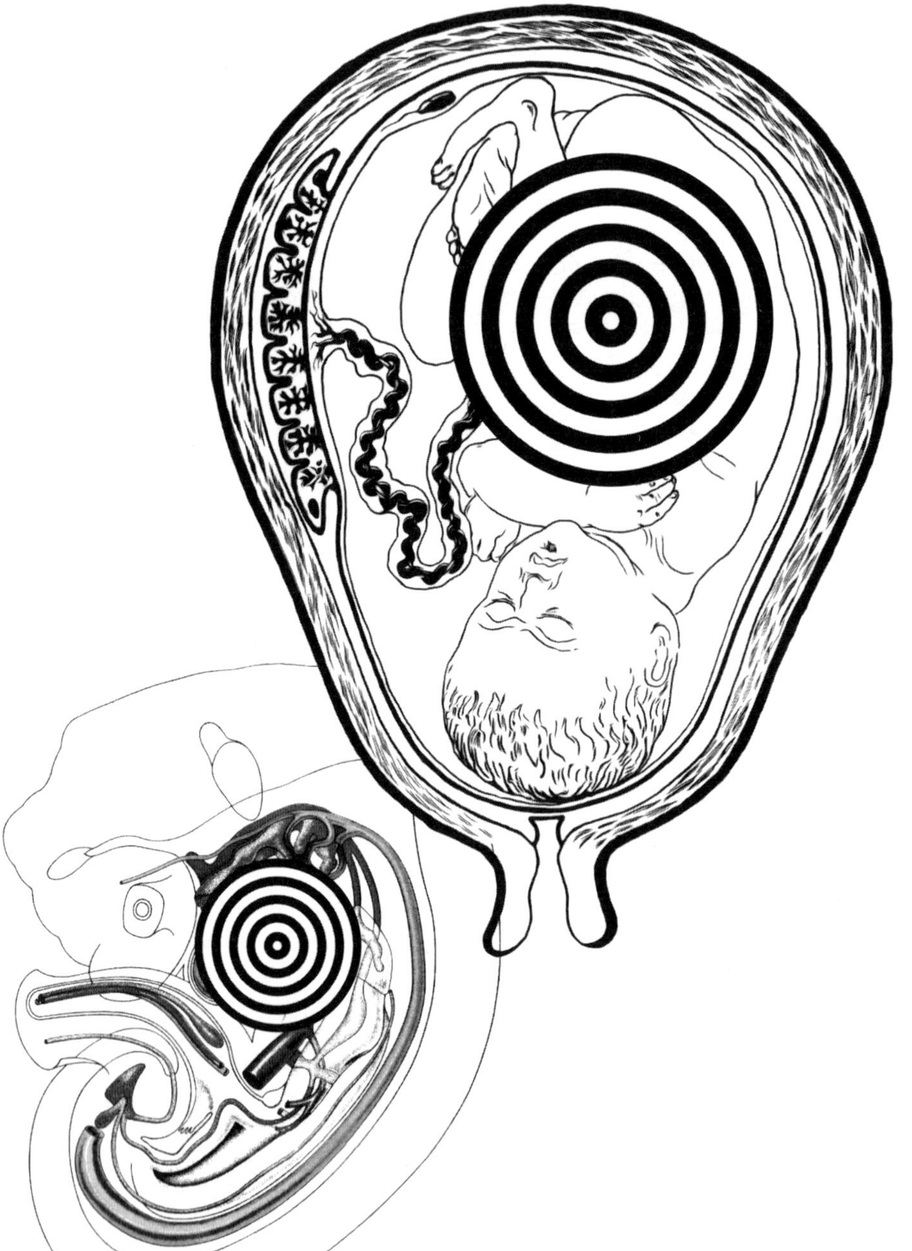

estiver embriagado com bebidas alcoólicas pesadas, indicando desregramento e perda do emprego. Você será desonrado por se rebaixar à falsificação ou ao furto. Ver os outros embriagados também é um prenúncio para você, e provavelmente para os outros, sobre situações infelizes. No entanto, há uma exceção: se você estiver bêbado de vinho, é porque vai ter sorte no trabalho e no amor, e vai alcançar um bom status nas atividades literárias. Esse sonho especificamente prenuncia experiências harmoniosas. Ver outras pessoas embriagadas revela que você não se preocupa com o comportamento de seus pares. | *Ver também* Cerveja, Intoxicação.

EMBRIÃO Ver um embrião em sonho significa boa saúde. Um embrião morto pressagia gravidez, a menos que você já esteja grávida; aí então não tem nenhum significado.

EMERGÊNCIA Sentir que algo em seu sonho é motivo para uma ação emergencial significa que logo você será chamado para ajudar a resolver um grande problema profissional ou familiar.

EMIGRAÇÃO Flagrar-se emigrando de seu país em um sonho que indica mudança de residência iminente.

EMPALAMENTO Ser empalado nos sonhos significa que em breve você vai vivenciar confusão e frustração em um relacionamento.

EMPILHAR Empilhar coisas nos sonhos significa que você precisa ser mais organizado em relação à ajuda que está disposto a dar aos outros; se você assumir responsabilidades demais, talvez não consiga cumprir uma promessa.

EMPREENDEDOR Sonhar que é um empreendedor significa progresso na carreira. Sonhar que está lidando com um empresário sugere perda de emprego.

EMPREGADA DOMÉSTICA Sonhar que você tem uma empregada doméstica significa sorte chegando. Mas se você for a pessoa empregada, esse sonho sugere um avanço em sua posição e status social.

EMPREGO Esse não é um sonho aventurado. Ele implica em depressão financeira e, se você for assalariado, perda de emprego. Também denota doença física. Sonhar que está desempregado sugere que você não tem nada a temer, pois sempre é procurado devido a seus escrúpulos, o que faz de você um funcionário desejável. Dar emprego a outras pessoas no sonho indica uma perda para você. Sonhar que procura emprego, ou que perdeu o emprego, implica que logo você vai ser promovido. E se nos sonhos alguém lhe oferecer um emprego, é um alerta contra uma possível perda de emprego na vida desperta.

EMPRESA Sonhar que compra ou vende uma empresa, ou que uma empresa vai à falência, prevê boa sorte nos assuntos profissionais.

EMPRÉSTIMO Sonhar que está emprestando dinheiro prenuncia dificuldades para quitar dívidas e uma influência desagradável na vida particular. O empréstimo de qualquer outro artigo fala de empobrecimento devido ao excesso de generosidade. Se você se recusar a emprestar coisas, é porque vai estar ciente de seus interesses e vai manter o respeito dos amigos. Se outros estiverem se oferecendo para lhe emprestar objetos ou dinheiro, aí é sinal de prosperidade e amizades íntimas. Se os banqueiros sonham que estão tomando empréstimos de outros bancos, é um alerta para uma temporada catastrófica em seus próprios bancos. Se outra pessoa pedir algo emprestado de você em um sonho, a ajuda será estendida ou oferecida a você em momentos de necessidade na vida desperta. Verdadeiros amigos se farão presentes.

EMPURRAR Sonhar que empurra ou é empurrado prediz problemas que você vai superar.

ENCANAMENTO Sonhar com um encanamento reluzente sugere uma oportunidade inesperada trazendo ganhos financeiros. Encanamentos velhos, foscos ou com vazamentos pressagiam frustração e aborrecimento com um amigo ou colega.

ENCANTAMENTO Sonhar que está sob algum feitiço significa que você pode vir a ser enganado de algum modo. Já resistir ao encantamento prediz que você será muito procurado por seus sábios conselhos e mente aberta. Sonhar que está tentando encantar os outros é presságio de má sorte.

ENCARAR Sonhar que tem alguém encarando você prevê um constrangimento social. Se você estiver encarando alguém ou alguma coisa, é porque precisa se concentrar mais em si e em seus problemas, e não nos das pessoas ao seu redor. Em outras palavras, cuide da sua vida.

ENCERRAMENTO Se você sonha que está encerrado em alguma coisa, é porque logo vai achar uma saída para um problema que você pensava não ter solução.

ENCHILADA Preparar ou comer esse prato mexicano significa prosperidade e boa sorte.

ENCICLOPÉDIA Sonhar que vê ou busca em enciclopédias sinaliza que suas habilidades literárias ficarão à custa da prosperidade e do conforto. Sonhar que pesquisa algo em uma enciclopédia sugere um avanço nos estudos — isso se no sonho você encontrar o que procura. Do contrário, você terá de se esforçar muito mais para aprender algo novo.

ENCOMENDA Se você sonha que uma encomenda está sendo entregue a você, é porque vai ficar agradavelmente surpreso com o retorno de um ente querido sumido, ou vai receber cuidados de primeira linha. Se você estiver carregando uma encomenda, é porque vai ter uma tarefa desagradável para realizar. Deixar cair uma encomenda no ato da entrega prevê o fracasso de um acordo.

ENCONTRO MARCADO Sonhar que tem um encontro marcado com alguém que você conhece pressagia um convite para um evento social muito em breve. Sonhar que o encontro é com alguém que você não conhece na vida desperta sugere que logo você vai conhecer um bom amigo.

ENCRUZILHADA A encruzilhada sugere que você não vai conseguir aproveitar uma oportunidade outrora favorável de alcançar seus objetivos. Se estiver indeciso sobre o caminho a seguir, é provável que você vá se irritar frequentemente com banalidades. Você será melhor beneficiado pela sorte se escolher uma rota e planejar com antecedência. Depois desse sonho, pode ser que você tenha um assunto importante para resolver, seja no trabalho ou no amor.

ENDEREÇO Sonhar com um endereço específico, seja de uma casa, escrito em uma carta ou em qualquer outro lugar, é um presságio para você apostar os números dele na loteria.

ENEMA Fazer ou passar por lavagem intestinal em um sonho pressagia grande sorte financeira.

ENERGIA Flagrar-se tentando economizar energia é o prenúncio de um período de descanso após muito trabalho árduo. Já desperdiçar energia significa que você deve repetir seu trabalho se quiser concluí-lo.

ENFEITE Flagrar-se enfeitando qualquer coisa em seu sonho — especialmente com joias — representa muita sorte. Sonhar que usa algum enfeite brilhante prevê o ganho de um prêmio ou na loteria. Se você usa enfeites em sonhos, é porque vai ser agraciado com uma honraria lisonjeira. Se você ganhar enfeites, terá sorte nos empreendimentos. Doá-los denota imprudência e extravagância excessivas. A perda de um enfeite acarreta na perda da pessoa amada ou de um bom emprego.

ENFERMARIA Sonhar que está saindo de uma enfermaria denota sua escapada de desafetos astutos que vão causar muita preocupação. | *Ver também* Hospital.

ENFERMEIRA Sonhar que uma enfermeira está em sua casa indica uma doença angustiante ou uma visita infeliz entre amigos. Ver uma enfermeira saindo de sua casa é sinal de boa saúde para a família.

ENFERMIDADE Sonhar com enfermidades sugere transtornos. | *Ver também* Doença.

ENGANO Se você sonha que foi enganado, é porque vai receber ajuda de um colega de trabalho. Se você sonha que andou enganando alguém, logo será convocado a ajudar — mas não vai conseguir devido à sua ausência de experiência ou conhecimento.

ENGENHEIRO Sonhar com um engenheiro é sinal de jornadas cansativas, mas encontros alegres.

nada grave, é algo que vai se curar sozinho. Se você estiver grávida e sonhar que tem enjoos matinais, aí não significa nada em especial.

ENROSCO Sonhar que algo está enroscado indica que agora é hora de resolver a confusão em sua vida e evitar constrangimentos.

ENSABOAR Sonhar que ensaboa qualquer coisa sugere que você vai encontrar uma solução para um problema.

ENIGMA

ENGUIA É um sonho bom se você conseguir segurar a enguia. Caso contrário, a sorte será passageira. Para uma mulher, ver uma enguia em águas límpidas representa prazeres novos, porém efêmeros. Ver uma enguia morta significa que você vai vencer seus desafetos mais maliciosos. Para os amantes, esse sonho denota o fim de um namoro ou casamento longo e incerto.

ENIGMA Sonhar que está tentando solucionar enigmas significa o envolvimento em algo que vai testar sua paciência.

ENJOO DO MAR Sonhar que está sentindo enjoo causado pelo balanço do mar prediz um período de doença, mas não se preocupe: vai passar logo. Sonhar que outra pessoa está enjoada significa que você está com boa saúde.

ENJOO EM VEÍCULOS Sonhar que fica enjoado quando se está em veículos significa que boa saúde e uma viagem segura esperam por você.

ENJOO MATINAL Se você sonha que está com enjoo matinal e não está grávida, é porque logo vai ter um problema de saúde — mas não vai ser

ENSAIO GERAL Sonhar que está em um ensaio geral revela sua capacidade de dedicar seu tempo para descobrir um problema vindouro ou uma situação confusa.

ENSINO MÉDIO Sonhar com a escola na época do ensino médio prenuncia a ascensão a um status mais elevado nos assuntos amorosos, sociais e profissionais.

ENSOPADO Preparar ou comer ensopado em sonho significa que muitos amigos novos e importantes vão surgir em sua vida.

ENTERRADO VIVO Sonhar que está sendo enterrado vivo é um aviso de que você está prestes a cometer um grande erro, o qual seus oponentes rapidamente vão usar em sua desvantagem. Se você for resgatado do túmulo, sua luta vai acabar por corrigir seus erros.

ENTERRO Assistir a um enterro é sinal de relacionamentos saudáveis e felicidade em sua vida pessoal.

ENTRADA Sonhar com a entrada de um prédio prenuncia o fim de um relacionamento. | *Ver também* Porta.

ENXOFRE

ENTRADA DE GARAGEM Pavimentar uma entrada de garagem ou ver uma sendo pavimentada em seus sonhos indica muita sorte financeira chegando. Ficar dentro do carro à entrada da garagem significa a mesma coisa.

ENTREGA Entregar qualquer coisa ou receber algo entregue por outra pessoa significa boa sorte chegando.

ENTRETENIMENTO Sonhar com diversão em lugares com música e dança significa que você vai receber boas notícias e vai desfrutar de saúde e prosperidade. Para os jovens, esse é um sonho que simboliza muitos e variados prazeres e a alta estima por parte dos amigos.

ENTREVISTA Sonhar que se prepara para uma entrevista de emprego, ou que está a caminho de uma, prevê dinheiro chegando. Sonhar que está sendo entrevistado e não consegue o emprego implica em uma pequena perda financeira da qual você logo vai se recuperar. Mas se conseguir a vaga, significa um presente surpresa ou um ganho financeiro inesperado em um futuro próximo.

ENTULHO Sonhar com entulho sugere que você vai administrar sua vida de forma um tanto inadequada.

ENVELOPE Ver envelopes em sonho é presságio de notícias tristes.

ENVERNIZAÇÃO Sonhar que enverniza qualquer coisa denota que você vai tentar se destacar por meios fraudulentos. Ver os outros envernizando objetos indica que você corre perigo devido ao esforço de amigos para aumentar os próprios bens.

ENXADA Sonhar que vê uma enxada indica que você não vai ter tempo para os prazeres ociosos: há outras pessoas dependendo do seu trabalho para a subsistência. Se você sonha que está usando uma enxada, é porque vai se livrar da pobreza, direcionando sua energia para canais seguros. Se você sonha que alguém está atacando você com uma enxada, seus interesses serão ameaçados por desafetos, mas usando de cautela você vai conseguir manter o perigo longe.

ENXAQUECA Sonhar com essa terrível dor de cabeça é presságio de um problema que pode causar muito estresse. Talvez você vá precisar de ajuda para resolver isso.

ENXOFRE O enxofre representa acordos duvidosos que vão fazer você perder muitos amigos caso não corrija os erros que vem cometendo. Sonhar com enxofre é um aviso para usar de discrição em seus negócios, pois você está ameaçado por jogo sujo. Comer enxofre indica boa saúde e prazer. Ver fogo e enxofre é um alerta de que uma perda o ameaça.

EPICURISTA Se você sonha que se senta à mesa com um epicurista, é porque na vida desperta pode desfrutar de certa distinção, mas vai estar cercado por pessoas de princípios egoístas. Se você sonha que também é epicurista, sua mente, corpo e paladar serão desenvolvidos ao mais alto grau.

EPIDEMIA Sonhar com uma epidemia significa prostração mental e preocupação causada por tarefas chatas. O contágio entre parentes ou amigos também é predito por sonhos dessa natureza.

EQUILÍBRIO Sonhar que você tenta permanecer equilibrado em um objeto é sinal para buscar mais comprometimento em sua visão sobre determinada situação que vem ocorrendo. Ser incapaz de se equilibrar significa que você está analisando as coisas sob um olhar míope; é hora de ampliar sua visão.

EQUIPE Sonhar que vê uma equipe de trabalho é indicativo de viagem cancelada.

EREMITA Sonhar com um eremita sugere tristeza e solidão causadas pela infidelidade de amigos. Se você for o eremita, significa que vai pesquisar sobre assuntos complexos e terá grande interesse nas discussões em voga. Encontrar-se na morada de um eremita é sinal de altruísmo para com os amigos e também inimigos.

ERRO Se você sonha que assume a responsabilidade por um erro, é sinal de que um ganho financeiro está próximo. Mas se você culpa os outros pelo seu erro, significa perda financeira.

ERRO MÉDICO Se você é médico e sonha com uma imperícia em seu ramo, isso significa um aumento no número de pacientes e um estouro positivo em sua área. Se você sonha que está processando um médico por negligência, é porque em breve vai assinar papelada jurídica.

ERUPÇÃO Sonhar com algo em erupção, como um vulcão, significa mudança repentina — para melhor.

ERUPÇÃO CUTÂNEA Sonhar com erupções na pele fala de uma discussão desagradável ou do término de uma amizade ou relacionamento.

ERVA Sonhar com ervas indica que você vai nutrir algumas prudências um tanto inquietantes, embora alguns prazeres possam sucedê-las. Sonhar com ervas venenosas é um alerta sobre desafetos. O bálsamo e outras ervas úteis sugerem satisfação profissional e amizades calorosas.

ERVA DANINHA Sonhar com ervas daninhas é uma advertência contra amizades desonestas e desonrosas.

ERVA-DE-SANTIAGO Sonhar com essa planta é um aviso de que, se você não resolver um problema, ele vai se tornar um aborrecimento muito grande.

ERVILHA Sonhar que come ervilhas é presságio de saúde robusta e acúmulo de riqueza. Também é sinal de plena atividade para agricultores. Ver ervilhas crescendo denota empreendimentos de sucesso. Plantar ervilhas indica que suas esperanças estão bem fundamentadas; todas elas serão concretizadas. Colher ervilhas significa que seus planos vão culminar em algo de bom e que você vai usufruir dos resultados de seu trabalho. Se você sonha com ervilhas enlatadas, suas melhores esperanças vão ficar tomadas pelas incertezas por um curto período, mas o sucesso virá. Ervilhas secas sugerem que você tem sobrecarregado sua saúde. Comer ervilhas secas em um sonho revela que depois de muito sucesso você vai constatar uma ligeira queda no prazer ou na abundância.

ESBOÇO Fazer um esboço nos sonhos significa que logo você vai precisar prestar contas de suas finanças; talvez seja aconselhável reduzir gastos desnecessários por um tempinho.

ESCADA DE MÃO Descer uma escada indica decepção nos negócios e desejos não correspondidos. Já subi-la sugere prosperidade e felicidade ilimitadas. Se você sentir tontura ao subir, no entanto, é porque não vai saber usar de seus novos méritos serenamente. É provável que você fique arrogante e dominador ao atingir uma posição recém-adquirida. Sonhar com uma escada sendo erguida para que você suba a determinada altura significa que suas qualificações enérgicas e audaciosas vão levar à ascensão e destaque no campo profissional. Cair de uma escada denota desânimo e transações malsucedidas para comerciantes, e colheitas ruins para os agricultores. Se você escapar do cativeiro ou do confinamento por meio de uma escada, é porque vai ter sucesso, embora possa se deparar com montes de obstáculos arriscados no caminho. Uma escada quebrada indica falha em todas as instâncias. | *Ver também* Subida, Queda, Colina.

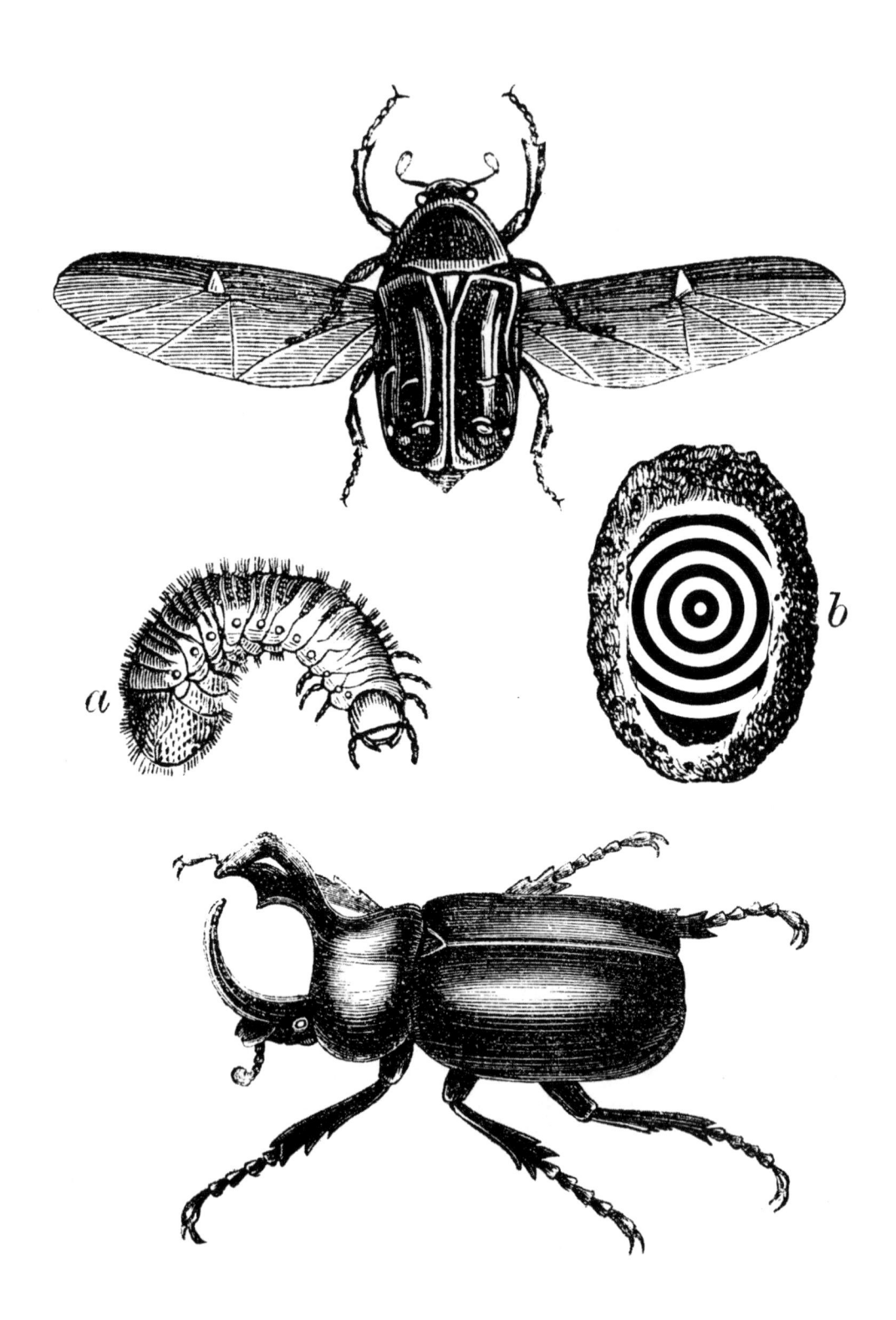

a

b

ESCADA ROLANTE Sonhar que sobe uma escada rolante é sinal de sucesso; já descer a escada rolante é um sinal de possível derrota, mas que pode ser revertida.

ESCADARIA Sonhar que sobe uma escadaria prenuncia boa sorte e muita felicidade. Se você cair, será alvo de ódio e inveja. Se estiver descendo, sinal de azar em seus negócios e romance desfavorável. Ver escadarias grandes e bonitas fala de riquezas e honrarias chegando. Ver outras pessoas descendo uma escadaria indica que condições desagradáveis vão tomar o lugar do prazer. Sentar-se nos degraus de uma escadaria denota um aumento gradual na prosperidade e no deleite.

ESCALADA Se você sonha que está escalando uma colina ou montanha e que chega ao topo, é sinal de que vai superar os obstáculos mais incríveis que se colocam diante de um futuro próspero; mas se não chegar ao cume, seus planos mais acalentados vão dar errado. Se você estiver subindo por uma escada de mão até o último degrau, é porque vai ter sucesso no trabalho; mas se a escada quebrar, você vai mergulhar em uma situação inesperada, e acidentes podem acontecer. Ver-se escalando a lateral de uma casa de algum jeito misterioso e ver uma janela aberta repentinamente, permitindo assim sua entrada, significa que você vai fazer ou terá feito aventuras extraordinárias, indo contra o conselho de amigos, mas que no final o sucesso vai coroar seus esforços, embora surjam momentos de desespero aqui e ali no caminho. | *Ver* Subida, Colina, Montanha.

ESCALDADURA Sonhar consigo ou com outra pessoa escaldando um alimento significa que, embora um problema em sua vida pareça resolvido, você precisa cavar mais fundo para encontrar a verdadeira solução. Sonhar que está sendo escaldado indica que incidentes angustiantes vão anular expectativas prazerosas.

ESCÂNDALO Sonhar que você é alvo de um escândalo implica na ausência de cuidado na hora de selecionar companheiros bons e verdadeiros. Comércio e negócios de qualquer natureza vão sofrer uma queda após esse sonho.

ESCANINHO DE DOCUMENTOS Ver em sonho um rack para organizar sua correspondência, daqueles de colocar sobre a mesa do escritório, é indicativo de notícias importantes que vão lhe proporcionar um período bem penoso.

ESCAPADA Se você sonha que está numa escapada, é presságio de desgraça e notícias desagradáveis sobre entes distantes. Se você sonha que algo está lhe escapando, é porque será vitorioso em algum assunto controverso na vida real. Sonhar que consegue escapar de uma lesão ou acidente costuma ser favorável. Se você escapar de um local de confinamento, significa ascensão devido à sua dedicação diligente à vida profissional. Fugir de algum tipo de contágio denota boa saúde e prosperidade. Mas se você tentar escapar e não conseguir, é porque vai sofrer com desafetos que se dedicam à difamação e à trapaça.

ESCARAVELHO Sonhar com esse besouro denota uma companhia mal-humorada onde se esperava alguém agradável.

ESCARLATINA Sonhar com escarlatina sugere que você corre o risco de adoecer ou que está sob o poder de um desafeto. Sonhar que um parente morre repentinamente de escarlatina prediz que você vai ser derrotado por uma traição vil.

ESCASSEZ Sonhar com a escassez prenuncia tristeza no ambiente doméstico e fracasso.

ESCAVAÇÃO Escavações indicam que, embora você jamais vá passar fome, sua vida vai ser bem difícil. Se você cava um buraco e encontra qualquer objeto brilhante, espere uma mudança favorável na sorte; mas se encontrar apenas o vazio e névoa, é porque vai ser incomodado por infortúnios reais e repletos de pressentimentos sombrios. Se a água preencher o buraco que você cavou, é porque os acontecimentos não vão se dobrar à sua vontade, apesar de seus esforços mais extenuantes. Sonhar com uma escavação também pressagia um presente surpresa.

ESCAVADORAS Ver escavadoras em seus sonhos sugere trabalho e fadiga.

ESCOLA Sonhar que frequenta a escola indica uma distinção em um trabalho literário. Se no sonho você ainda for jovem, é porque vai descobrir que a tristeza e os reveses vão criar anseios sinceros pela simples confiança e pelos prazeres de outrora. Sonhar que está ministrando aulas na escola diz que você vai se esforçar para conquistar realizações literárias, mas as necessidades básicas da vida vão exigir atenção. Visitar a escola de sua infância nos sonhos sugere que o descontentamento e os incidentes desanimadores têm obscurecido o presente.

ESCOLA DE EQUITAÇÃO Frequentar uma escola de equitação em seu sonho sugere que um amigo vai ser falso com você, mas você vai conseguir se livrar dessa influência desagradável.

ESCONDERIJO Se você sonha que coloca algo em um esconderijo, sua casa pode ser roubada. Sonhar que esconde qualquer objeto é sinal dificuldades em sua situação econômica. Se você encontrar coisas escondidas, é porque vai desfrutar de prazeres inesperados. Sonhar que está se escondendo é um alerta para não se precipitar nas próximas decisões. Mas se você sonha que está escondendo alguma coisa, então é sinal de que um segredo precisa ser trazido à tona para que alguém possa lhe ajudar.

ESCORPIÃO Sonhar com um escorpião revela que falsos amigos vão aproveitar as oportunidades para minar sua prosperidade. Se você não conseguir matar o escorpião, é porque um desafeto vai atacar, e você vai sair perdendo.

ESCORREGÃO Sonhar que escorrega é um presságio de decepção, e implica que você vai ser levado à ruína por promessas lisonjeiras.

ESCOTILHA Flagrar-se passando por uma escotilha em sonho marca o início de uma aventura inesperada.

ESCOVA Sonhar que está usando uma escova de cabelo significa que você vai sofrer um infortúnio devido à má gestão. Escovas de cabelo velhas indicam doença e problemas de saúde. Ver uma escova de roupas indica que há uma tarefa pesada pendente. Se você estiver escovando suas roupas, logo será reembolsado por trabalhos árduos.

ESTACA

ESCOVA DE DENTES Sonhar que usa uma escova de dentes é um presságio de momentos felizes. Sonhar que a perde aponta para sua incapacidade de falar o que pensa quando deve.

ESCOVAR ANIMAIS Sonhar com um animal sendo escovado sugere que em breve você vai lidar com questões jurídicas.

ESCOVAR UM CAVALO Sonhar que está escovando um cavalo implica que você vai ter muita dificuldade para atingir o ápice de suas ambições, mas que vai conseguir.

ESCRITA Sonhar que está escrevendo pressagia um erro que quase levará você à ruína. Ver algo escrito denota que você será repreendido por sua conduta negligente. Uma ação judicial pode causar constrangimento. Tentar ler uma escrita estranha significa que você vai escapar de seus desafetos somente se for conservador em suas ações. | *Ver também* Carta.

ESCRITURA Sonhar que vê ou assina uma escritura prenuncia uma ação judicial. Seja cuidadoso ao escolher seu advogado para evitar perder o caso. | *Ver também* Hipoteca.

ESCRITURA SAGRADA Nos sonhos, a escrita sagrada representa bênçãos, boa sorte e avanço espiritual.

ESCRIVANINHA Usar uma escrivaninha em um sonho implica má sorte imprevista. Ver dinheiro sobre o tampo implica um desembaraço inesperado em problemas particulares.

ESCULTOR Sonhar com um escultor prediz que você vai trocar de cargo para algo menos lucrativo, porém mais distinto.

ESCUMA Sonhar com escuma (como aquela que você vê na água estagnada) sugere decepção ante a ausência de sucesso social.

ESCURIDÃO Sonhar com a escuridão tomando conta durante uma jornada é um mau presságio para qualquer trabalho que você tentar, a menos que o sol nasça antes do fim da jornada; nesse caso, você vai conseguir superar as dificuldades.

ESFINGE Sonhar com essa maravilha milenar significa que em breve você vai encontrar a resposta para uma pergunta que o tem incomodado.

ESFOMEADO Sonhar que está morrendo de fome pressagia trabalho infrutífero e escassez de amigos. Ver outras pessoas nessa condição pressagia tristeza e insatisfação com os atuais companheiros e com o emprego.

ESFREGAÇÃO Sonhar que esfrega algo sugere ganho na vida, seja material ou profissionalmente.

ESFREGAR Flagrar-se esfregando alguma coisa em sonho é um sinal de tempos mais felizes chegando. Mas se o resultado de tanta esfregação não for satisfatório, significa que as dificuldades vão se fazer presentes por mais um tempinho.

ESMERALDA Se você sonhar com uma esmeralda, é porque vai herdar uma propriedade, e isto vai gerar problemas com outras pessoas como consequência. Sonhar que está comprando uma esmeralda significa acordos desventurados.

ESMOLA A esmola vai lhe trazer o mal se for dada ou recebida de má vontade. Caso contrário, o sonho é bom sinal.

ESMURRAR Sonhar que está esmurrando algo sugere frustração profissional ou na vida pessoal.

ESPADA Sonhar que você usa uma espada indica que você vai ocupar algum cargo público com honrarias. Ter sua espada tirada de você indica sua derrota numa rivalidade. Se você vir outros empunhando espadas, as discussões ruidosas serão acompanhadas de perigo. Uma espada quebrada prenuncia desespero.

ESPADAS (CARTAS) Se você sonhar com esse naipe de cartas, é porque vai ser levado à loucura, sendo tomado pela tristeza e pelo infortúnio.

ESPAGUETE Sonhar com esse tipo de macarrão representa um momento de comemoração.

ESPANCAMENTO Não é um bom presságio espancar ou ser espancado em sonho. Espere discórdia.

ESPANTALHO Sonhar com um espantalho significa que algo que antes assustava você já não o assusta mais. Agora você tem coragem suficiente para enfrentar esse monstro.

ESPANTO Ficar surpreso em um sonho sugere que você vai ficar decepcionado num futuro próximo. Se você sonha que está aturdido ou que está tentando aturdir ou confundir alguém, é porque sua honestidade sempre será forte.

ESPARTILHO Sonhar com um espartilho indica que você vai ficar perplexo quanto às intenções da atenção que pode estar recebendo das pessoas.

ESPÁTULA Sonhar com uma espátula significa que você vai se deparar com reações desfavoráveis na vida profissional. Se você vir uma espátula enferrujada ou quebrada, o azar inevitável se aproxima rapidamente.

ESPECIALISTA Sonhar com um especialista — seja você mesmo ou outra pessoa -— significa a recuperação de algo perdido.

ESPECIARIAS Sonhar com especiarias indica que provavelmente você vai prejudicar sua reputação em busca de prazer.

ESPECTRO, ALMA PENADA Sonhar com um espectro normalmente é uma boa notícia, a menos que você esteja assustado ou incomodado. Nesse caso, consulte um médico para um check-up.

ESPECULADOR Sonhar que foi vítima de um especulador diz que você será presa fácil para aduladores e enganadores.

ESPELHO Sonhar que se vê no espelho indica muitos problemas desanimadores, e a doença vai trazer angústia e perda de prosperidade. Também pode predizer infidelidade e negligência no casamento. Ver outro rosto no espelho junto ao seu indica que você está levando uma vida dupla. Você vai enganar seus amigos. Ver o reflexo de outra pessoa no espelho em vez de você mesmo significa que vão agir injustamente para com você, tudo porque essa pessoa quer promover os próprios interesses. Ver animais sugere decepção e perda financeira. Quebrar um espelho nos sonhos pressagia uma morte prematura e acidental. Ver um espelho já quebrado prediz a morte súbita ou violenta de alguém relacionado a você. | *Ver também* Vidraça, Superfície reflexiva.

ESPETÁCULO TEATRAL Sonhar que assiste a uma peça e curtir o espetáculo prenuncia momentos felizes. Sonhar que assiste a uma peça, mas acha tudo muito chato é um alerta sobre problemas financeiros que estão por vir. | *Ver também* Peça teatral, Teatro.

ESPINGARDA Sonhar com uma espingarda pressagia problemas domésticos e preocupação.

ESPINHA (ACNE) Sonhar que sua pele está cheia de espinhas denota preocupação com bobagens. Ver outras pessoas com espinhas significa incômodos por causa de reclamações de terceiros.

ESPINHEIRO Sonhar com espinheiros se enredando em você sugere que processos judiciais e problemas legais estão por vir.

ESPINHO Sonhar com espinhos é presságio de insatisfação; o mal vai tentar cercar todos os seus esforços para o progresso. Se os espinhos estiverem escondidos sob folhagem verde, rivais secretos vão interferir em sua prosperidade.

ESPIONAGEM Sonhar que está sendo assediado por espiões denota disputas arriscadas e inquietação. Se você sonha que é um espião, é porque vai se meter em especulações infelizes.

ESPÍRITO Ver espíritos em sonho denota um problema inesperado — a menos que você conheça os espíritos, aí nesse caso haverá uma mensagem que você precisará decifrar.

ESPIRRO Sonhar que espirra diz que notícias precipitadas vão incitar você a mudar seus planos. Se você vir ou ouvir os outros espirrando, é porque algumas pessoas vão trazer aborrecimento com visitas.

ESPONJA Esponjas nos sonhos indicam que tem alguém enganando você. Se você usar uma esponja para apagar alguma coisa, será vítima de uma insensatez.

ESPORA Sonhar que usa esporas indica que você vai se envolver em alguma controvérsia desagradável. Ver os outros usando esporas significa que um sentimento de inimizade está prestes a lhe causar problemas.

ESPOSA Se um homem sonha com sua esposa, é indicativo da existência de assuntos instáveis no lar. Se a esposa for extraordinariamente afável, pode ser que ele obtenha lucro de alguma negociação importante.

ESPUMA DE SABÃO Nos sonhos, a espuma de sabão representa momentos felizes e alegres.

ESPÚRIO Se você sonha que é uma pessoa espúria, isso significa que na vida desperta você é uma pessoa honrada. Se você sonha que outra pessoa está sendo espúria, espere avanços positivos em sua posição social.

esquife significa que esforços corajosos vão terminar em derrota e infâmia. Sonhar que está em um esquife num carro funerário em movimento denota uma doença desesperadora, provavelmente fatal, podendo o acometido ser você ou alguém próximo a você. Você vai repensar com remorso sua conduta em relação a um amigo.

ESQUINA

ESQUADRA Sonhar como uma esquadra dilapidada é uma indicação de amizades infelizes no trabalho ou no amor.

ESQUELETO Sonhar que vê um esqueleto é um prognóstico de doença, mal-entendido e ferimentos causados por outras pessoas, especialmente desafetos. Sonhar que você é um esqueleto é sinal de que você anda se preocupando desnecessariamente e que deve cultivar uma postura mais tranquila. Se você tiver a impressão de estar sendo perseguido por um esqueleto em sonho, é presságio de acidente ou morte; ou um problema pode assumir a forma de desastre financeiro.

ESQUI Sonhar com esse esporte, seja na neve ou na água, significa que você está equilibrando bem os aspectos físico, emocional, mental e espiritual de sua vida.

ESQUIFE Esse é um sonho azarado. Para o empresário, o esquife funerário representa dívidas e a incapacidade de evitar acumulá-las. Ver seu próprio esquife em sonho sugere que você deve esperar o fracasso profissional e a tristeza doméstica. Sonhar com um esquife se movimentando sozinho sugere doença e casamento em conjunção próxima, tristeza e prazer misturados. A morte pode vir a seguir, mas também haverá coisas boas. Ver seu próprio cadáver em um

ESQUILO Se você sonha que vê esquilos, é porque em breve vai receber a visita de bons amigos. Você também verá avanços em sua carreira. Matar um esquilo denota que você será hostil e antipático. Fazer carinho em um esquilo significa alegria familiar. Ver um cachorro perseguindo um esquilo prediz desacordo e desagrado entre amigos.

ESQUIMÓ Sonhar que está entre os esquimós significa necessidade de cuidado com os gastos; se você estiver com problemas financeiros, não vai ter ajuda.

ESQUINA Se o seu sonho envolve ver pessoas conversando em uma esquina, é sinal de que os desafetos estão querendo prejudicar você. Há grande possibilidade de você ser traído por alguém que considera um amigo.

ESTABANAMENTO Sonhar que você é muito descoordenado mostra que o encanto social, a realização e o respeito estão a caminho.

ESTÁBULO Nos sonhos, um estábulo representa sorte e ambientes vantajosos. Ver um estábulo se incendiando denota mudanças bem-sucedidas, ou que alguém pode ganhar popularidade na vida desperta.

ESTACA Sonhar que crava uma estaca em algo é um conselho para experimentar novas ideias para dissipar a angústia mental.

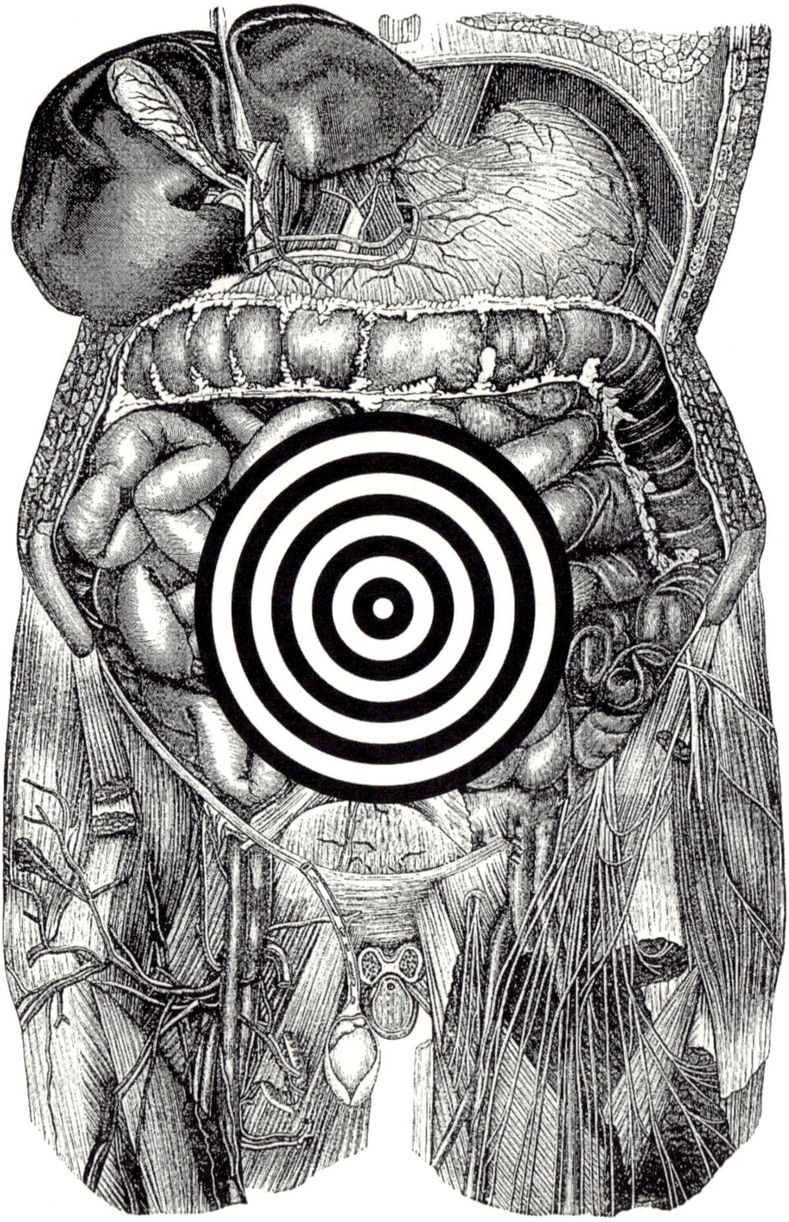

ESTACIONAMENTO Sonhar que está estacionando um veículo significa o fim de uma amizade que já não funciona mais.

ESTÁGIO Sonhar que está estagiando significa que você pode vir a enfrentar um revés em sua carreira e que talvez queira buscar outro emprego em breve.

ESTAMPA DE BOLINHAS Sonhar com esse design sugere que a confusão em um projeto profissional vai trazer muita frustração até que tudo seja resolvido.

ESTANDARTE Ver o estandarte ou bandeira de sua nação flutuando em um céu límpido denota triunfo sobre inimigos estrangeiros. Vê-lo destruído significa guerra e perda de proezas militares. | *Ver também* Bandeira.

ESTANHO Sonhar com essa liga de metal em seu estado fundido sugere obstáculos que você vai ter de superar. Comprar ou vender estanho implica em progresso após tempos difíceis. | *Ver também* Prato.

ESTANTE Ver uma estante de livros nos sonhos é a associação do conhecimento ao seu trabalho e ao prazer. Estantes vazias significam que você vai se chatear porque vão lhe faltar meios ou habilidades para realizar o seu trabalho.

ESTÁTICA Sonhar com estática no sinal de rádio ou televisão alerta para um comportamento errático e incomum no relacionamento das pessoas ao seu redor.

ESTÁTUA Ver estátuas nos sonhos significa afastamento de um ente querido. A falta de energia vai deixar você decepcionado em relação à realização de seus desejos.

ESTEIRAS, TAPETE DE IOGA Sonhar com esteiras para dormir no chão prediz perspectivas agradáveis e boas notícias de entes queridos ausentes. Mas se estiverem velhas ou rasgadas, podem indicar problemas incômodos.

ESTÊNCIL Sonhar que escreve ou desenha algo com estêncil significa que você pode ter de reviver um problema para aprender com ele.

ESTÉREO Um sonho com um aparelho de som implica em uma viagem ao exterior.

ESTEROIDE Sonhar que está injetando esteroides significa que você está mentindo para si sobre um relacionamento pessoal. Se vir outra pessoa injetando esteroides, é porque você vai fazer um novo amigo muito leal.

ESTERQUEIRA Esse é um sonho bom. Os lucros virão das fontes mais inesperadas.

ESTETOSCÓPIO Sonhar com um estetoscópio prediz realizações incomuns, podendo ser sozinho ou junto a colegas. Espere problemas e recriminações no amor.

ESTILISTA Se você sonha que visita um estilista para cuidar do seu visual, é porque vai mudar sua visão sobre determinadas amizades e colegas.

ESTOFAR Estofar algo em um sonho traz consolo para quem está triste, e indiferença para com as críticas hostis.

ESTÔMAGO Sonhar que sente dor de estômago significa boa saúde. Se você sonha que tem estômago inchado, mas isso não acontece na vida desperta, é hora de consultar um médico.

ESTOQUE Fazer um inventário em sonho prediz problemas fáceis de resolver.

ESTRADA Viajar por uma estrada acidentada e desconhecida significa novos empreendimentos que não renderão muita coisa senão tristeza e perda de tempo. Se a estrada estiver cercada de árvores e flores, sinal de sorte inesperada chegando. Se os amigos estiverem acompanhando você, espere sucesso na construção do lar ideal, com filhos felizes e um cônjuge fiel. Errar o caminho indica que você vai cometer um equívoco ao decidir uma questão profissional, e como consequência, vai sofrer algumas perdas.

ESTRANGEIRO (LUGAR E PESSOA) Sonhar que é estrangeiro significa que em breve você vai poder realizar um desejo ou um sonho. Ver um estrangeiro sugere boa sorte.

ESTRANGULAMENTO Sonhar que está sendo estrangulado significa que você precisa superar seus medos para alcançar um objetivo. Sonhar que estrangula alguém é um aviso para ouvir sua intuição em relação a uma pessoa de quem você gosta, mas que infelizmente não é confiável.

ESTRANHO, DESCONHECIDO Sonhar com desconhecidos prediz momentos felizes junto a amigos de grande valor. Se esses desconhecidos lhe agradarem, espere boa saúde e um ambiente bacana; do contrário, é indício de decepções. Sonhar que você é um estranho denota amizades duradouras.

ESTREIA Sonhar que vai assistir a uma estreia prenuncia uma surpresa agradável e boas notícias em sua família.

ESTREITEZA Sonhar que algo é excessivamente estreito sugere que você deve superar obstáculos antes de tentar concluir um projeto ou alcançar uma meta.

ESTRELA (ACROBACIA) Sonhar com o movimento acrobático da estrela sugere que os problemas em sua vida vão dar uma guinada.

ESTRELA CADENTE Sonhar com uma estrela cadente pressagia um presente inesperado ou um desejo que se torna realidade.

ESTRELA POLAR Nos sonhos, a Estrela do Norte representa boa sorte e prosperidade.

ESTRELA-DO-MAR Sonhar que vê, encontra ou cata uma estrela-do-mar é uma previsão de novas amizades.

ESTRELAS Sonhar que vê estrelas nítidas e brilhantes indica boa saúde e prosperidade. Se estiverem foscas, problemas e infortúnios virão. Ver uma estrela cadente ou caindo denota tristeza e pesar. Se você vir estrelas aparecendo e desaparecendo misteriosamente, é porque vão ocorrer mudanças e acontecimentos meio estranhos em um futuro próximo. Se você sonha que uma estrela cai em cima de você, vai haver uma perda em sua família. Ver estrelas orbitando em volta da Terra é sinal de perigo e tempos difíceis.

ESTRESSE Sonhar que está estressado anuncia a chegada da felicidade.

ESTÚDIO Se o seu sonho envolve um estúdio de qualquer tipo, sinal de encontros sociais agradáveis à vista.

ESTUDO Sonhar que estuda alguma coisa e compreende bem o assunto prenuncia novos conhecimentos e ganhos financeiros. Mas se houver dificuldade para entender o assunto, é um presságio de problemas com dinheiro.

ESTUFA Sonhar que vê ou que está em uma estufa sugere muito amor, sucesso e felicidade chegando em breve.

ESTUPRO Sonhar que alguém que você conhece sofreu estupro indica que você vai se chocar ante a angústia de alguns de seus amigos.

EUROPA Sonhar que viaja pela Europa pressupõe que em breve você vai fazer uma longa viagem na vida desperta, conhecendo os hábitos e costumes dos estrangeiros. Isso também vai permitir que você melhore sua situação financeira.

EVA Sonhar com esse personagem bíblico traz bênçãos e pode ser interpretado como um presságio de gravidez e nascimento.

EVACUAÇÃO Sonhar com evacuação indica uma possível mudança de casa.

EVANGELISTA Sonhar que é um evangelista significa empreender numa jornada espiritual que abrirá sua mente. Ouvir um evangelista é um conselho para examinar suas crenças espirituais.

EVITAÇÃO Sonhar que evita uma situação ou pessoa fala sobre a necessidade de confrontar algo ou alguém diretamente, caso contrário, um problema nunca será resolvido. Ser evitado em um sonho alerta que você não será reconhecido por suas realizações.

EXAGERO Sonhar que você ou outra pessoa está reagindo de forma exagerada é um alerta para prestar mais atenção aos seus relacionamentos.

EXAME Flagrar-se examinando alguma coisa em seu sonho significa que a maioria de seus problemas será fácil de resolver. Se for você o examinado, é um alerta para aprender a manter a boca fechada sobre seus problemas.

EXAUSTÃO Se você fica exausto no sonho, precisa ter mais cuidado com seus movimentos corporais. Ver um rosto abatido nos sonhos sugere infortúnio e derrota nos assuntos amorosos. Ver seu próprio rosto abatido e angustiado fala de problemas nas questões amorosas, o que por sua vez pode levar à incapacidade de cumprir compromissos profissionais de maneira saudável.

EXCITAÇÃO Estar excitado em um sonho significa que você precisa se dar um tempo para relaxar.

EXCOMUNHÃO Sonhar que foi excomungado é um alerta de que existe mentira e falsidade em suas amizades.

EXCURSÃO Sonhar que está excursionando pelo país denota que você vai ser oprimido pela tristeza e pela separação dos amigos, mas seu cotidiano vai se provar a coisa mais prazerosa mundo. Para uma jovem, esse sonho promete um lar confortável, porém uma perda precoce.

EXECUÇÃO Sonhar que vê uma execução significa o sofrimento de algum infortúnio devido ao descuido alheio. Sonhar que está prestes a ser executado e que ocorre alguma intervenção milagrosa que salva você no último minuto diz que você vai derrotar seus desafetos e que vai obter riqueza.

EXERCÍCIOS Sonhar que você está gostando de se exercitar significa boa sorte. Mas se estiver cansado e não quiser se exercitar nem em sonho, é um conselho para tomar cuidado com o dinheiro.

EXÉRCITO O sonho com um exército diz que você vai ter muitos amigos na vida.

EXÉRCITO DA SALVAÇÃO Sonhar com essa organização de caridade é sinal de contentamento em sua vida pessoal.

EXÍLIO Sonhar que está exilado sugere uma viagem indesejável. | *Ver também* Banimento.

EXPIAÇÃO A expiação representa o perdão por qualquer erro ou injustiça que você tiver cometido.

EXPLORAÇÃO Se você se vir como um explorador em uma aventura, é porque em breve vai brigar com amigos e parentes.

EXPLOSÃO Sonhar com explosões pressagia que a reprovação de seus pares vai causar descontentamento e perda transitórios. A parte profissional também terá desagrados. Sonhar que seu rosto, ou o rosto de outra pessoa, está oculto em uma sombra ou mutilado por causa de uma explosão significa que você vai ser injustamente acusado de indiscrição, e que as circunstâncias podem acabar por condená-lo, mesmo que a acusação não seja verdadeira. Ver o ar tomado pela fumaça e destroços de uma explosão indica insatisfação incomum nos círculos profissionais e muito antagonismo social. Se você sonha que está tomado pelas chamas de uma explosão, ou se você for lançado

EXPOSIÇÃO

no ar, é porque amigos indignos vão infringir seus direitos e abusar de sua confiança. Sonhar que está ouvindo ou sentindo uma rajada de ar ou fogo significa que você está protegido da negatividade em sua vida desperta.

EXPOSIÇÃO Sonhar que está numa exposição é sinal de que um de seus problemas pode exigir um pouco mais de paciência.

EXPOSITOR Sonhar que expõe algo ou alguém sugere que em breve você vai se envergonhar por um ato seu. Estar em exibição é sinal de que você vai ter de explicar suas ações.

ÊXTASE Sonhar que está em êxtase implica que você vai desfrutar da visita de um amigo há muito ausente. Mas se esse êxtase aparece em *pesadelos*, é porque na vida desperta você vai estar sujeito à tristeza e à decepção.

EXTERIOR (ÁREA EXTERNA) Encontrar-se modificando a parte externa de sua casa ou de um prédio em um sonho significa que em breve você vai se mudar.

EXTERIOR (VIAGEM PARA FORA) Sonhar que está no exterior, ou indo ao exterior, é sinal de que em breve você vai achar necessário se ausentar de seu país natal ou de seu estado habitual para uma estadia em outro lugar, podendo ser no sentido físico ou mental.

EXTINTOR DE INCÊNDIO Usar um extintor para apagar um incêndio em um sonho significa que em breve você vai ter de encarar um problema que não pode mais ser ignorado.

EXTRATERRESTRE Sonhar com um ser de outro planeta prediz a visita de um desconhecido.

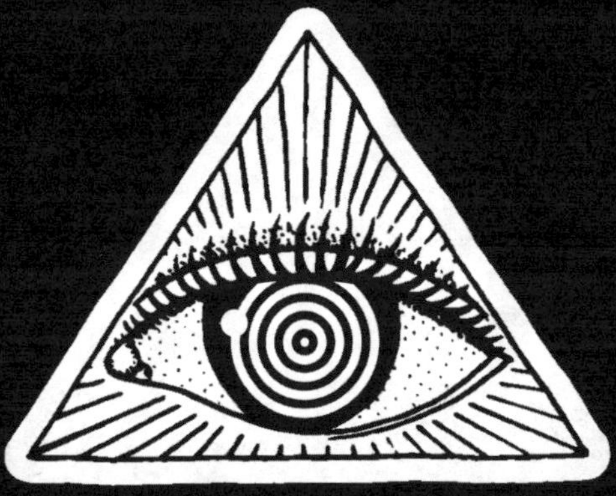

Todo indivíduo faz de si a imagem de seus sonhos.

H.P. Blavatsky

F

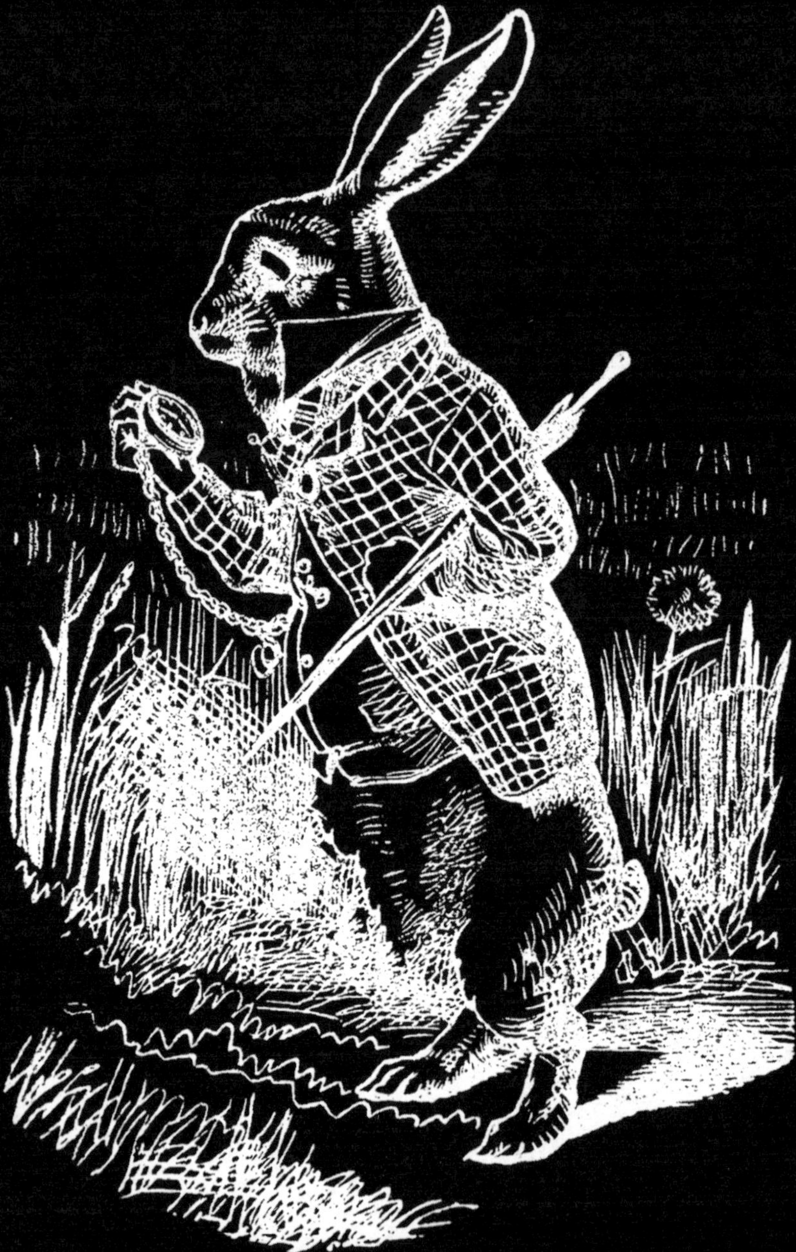

FACELIFT

"Eu vivo o meu sonho."

FÁBRICA Nos sonhos, ser dono de uma fábrica ou trabalhar em uma significa que você vai ter ganhos financeiros por meio de circunstâncias incomuns. Sonhar com uma grande fábrica denota atividade incomum no meio empresarial.

FÁBULA Sonhar que lê ou conta fábulas sugere tarefas agradáveis e mentalidade literária. Para os jovens, significa relações românticas. Ouvir ou contar fábulas religiosas prediz que você vai se tornar muito devoto.

FACA Sonhar com uma faca é ruim para o sonhador: pressagia separação, brigas e perdas no campo profissional. Ver facas enferrujadas sugere insatisfação e reclamações das pessoas de casa, e também a separação de amantes. Uma faca cega indica que o trabalho árduo não vai levar você a lugar algum. Facas afiadas e bem polidas denotam preocupação. Há desafetos cercando você o tempo todo. Facas quebradas falam de derrota, seja no amor ou nos negócios. Sonhar que foi ferido por uma faca é prenúncio de problemas domésticos. Para os solteiros, sugere possível desonra. Sonhar que esfaqueou outra pessoa denota baixeza de caráter, e você deve se esforçar para cultivar senso de justiça. Uma faca elétrica pressagia a chegada à raiz de um problema rapidamente.

FACELIFT Sonhar que faz esse tratamento estético é sinal de muita alegria e felicidade entrando em sua vida.

FACULDADE Sonhar com uma faculdade significa que você logo, logo vai avançar a uma posição que há muito buscava. Sonhar que está de volta à faculdade prenuncia distinção por meio de um trabalho privilegiado.

FADA Esse sonho é um presságio favorável.

FADIGA Sentir-se fatigado no sonho indica problemas de saúde ou opressão na vida profissional.

FAIA Sonhar com uma árvore de faia significa que você vai ruminar uma ideia por muito mais tempo do que o necessário.

FAISÃO Sonhar com faisões representa bom companheirismo entre seus amigos.

FALCÃO Esse animal representa boas perspectivas na vida pessoal e empresarial. Sonhar com um falcão é um alerta de que sua prosperidade vai fazer de você alvo de inveja e malícia.

FALÊNCIA Se você sonha que está falido, é porque na vida real não vai precisar recorrer à concordata para se resolver: sua energia e orgulho vão garantir o sucesso das suas transações. No entanto, outras preocupações podem afligi-lo profundamente. Se você sonha que outras pessoas estão falidas, é porque vai se deparar com sujeitos honestos em suas negociações, porém pode terminar prejudicado pelo excesso de franqueza deles. Um sonho com falência sugere um colapso parcial no trabalho e enfraquecimento das faculdades cerebrais. Considere um alerta para evitar especulações.

FALSIFICAÇÃO Tenha cuidado com novas amizades se vir sua assinatura falsificada em um documento no sonho. Já se você estiver falsificando a assinatura de alguém, significa dinheiro inesperado.

FAMA Sonhar que é famoso sugere aspirações frustradas. Sonhar com pessoas famosas presságia sua ascensão da obscuridade a lugares de distinção.

FAMÍLIA Sonhar com sua família harmoniosa e feliz é sinal de saúde e circunstâncias tranquilas; mas se houver briga ou doença, é um presságio de tristeza e decepção.

FANTASIA Ter um sonho ligado ao universo fantasioso prediz boa sorte; a fama pode estar chegando.

FANTASIA (VESTUÁRIO) Usar uma fantasia, ou ver outros usando uma, prediz uma reviravolta incomum nos acontecimentos. Certifique-se de ver as coisas como elas são de fato, e não como você gostaria que fossem.

FANTASMA Sonhar que é perseguido por um fantasma prediz experiências esquisitas e inquietantes. Se você vir um fantasma fugindo de você, é porque os problemas vão arrefecer. | *Ver também* Espectro, Alma penada, Aparição.

FANTOCHE, MARIONETE Sonhar com um fantoche é um aviso para que você examine sua carreira e vida pessoal para ver se está tudo sob controle.

FAQUIR Sonhar com um faquir indica atividade incomum e mudanças fenomenais em sua vida. Sonhos desse tipo às vezes podem ser sombrios.

FARDO Sonhar que você carrega um fardo pesado significa que você vai se flagrar travado por uma injustiça, porque aqueles que estão no poder vão mostrar favoritismo por seus desafetos. Se você lutar para se livrar do fardo, alcançará o auge do sucesso.

FARINHA Sonhar com farinha representa uma vida frugal, porém feliz.

FAROL Sonhar com um farol significa que sua vida é muito equilibrada. Se no sonho você estiver em perigo, aguarde vínculos carinhosos com pessoas jovens. Se estiver doente, esse sonho significa recuperação rápida e saúde ininterrupta. Os assuntos profissionais vão ganhar novo ímpeto. Ver a luz de um farol se apagar durante uma tempestade ou situação de perigo, no entanto, sugere contratempos durante um período em que você gostaria muito de ver a sorte lhe sorrir.

FAROL (DE AUTOMÓVEL) Sonhar que está cegado pelos faróis de um carro anuncia o reconhecimento em um projeto que está por vir.

FAROL (MARÍTIMO) Se você sonha que vê um farol no meio de uma tempestade, é porque vai enfrentar dificuldades e tristezas, mas logo elas darão lugar à prosperidade e à felicidade. Ver um farol no meio de um mar calmo denota alegria serena e amigos bacanas.

FAVORES Sonhar que está pedindo favores a alguém indica que você vai desfrutar da abundância e que não vai necessitar de nada em especial. Conceder favores significa que você está prestes a sofrer uma perda.

FAVORITO Sonhar que é o favorito entre amigos ou familiares significa que você vai ser convocado para ajudar em um projeto que vai melhorar sua situação financeira.

FAX Mandar ou receber um fax indica que você vai receber uma mensagem muito importante para sua carreira.

FAVORES

FARPA Sonhar que foi espetado por uma farpa indica que será muito doloroso se livrar de uma situação desagradável em sua vida. Sonhar com lascas de madeira cravadas na pele sugere que você vai ter muitos aborrecimentos com membros de sua família ou com rivais invejosos. Se durante o sonho uma farpa cravar no seu pé, é porque em breve você vai fazer ou receber uma visita que será extremamente desagradável. Seus negócios irão mal devido à sua contínua negligência.

FARTURA Sonhar com fartura sugere empreendimentos bem-sucedidos e bons relacionamentos com pessoas abonadas. | *Ver também* Riqueza.

FAST FOOD Sonhar que come, compra ou vende fast food significa que você deve desenvolver mais paciência para atingir um objetivo específico.

FAVO DE MEL Sonhar com um favo de mel significa que as palavras ditas serão acres em sua boca. Cuidado para não espalhar boatos.

FAZ-TUDO Sonhar que é um faz-tudo significa que em breve você vai se deparar com um problema muito difícil de resolver. Se você sonha que contrata um faz-tudo, é porque existe uma solução nítida e boa à sua espera.

FAZENDA Se você sonha que está morando em uma fazenda, é porque vai ter sorte em todos os empreendimentos. Sonhar com a compra de uma fazenda denota safras abundantes para o fazendeiro, um negócio lucrativo para o empresário e uma viagem segura para viajantes e marinheiros. Visitar uma fazenda significa relações agradáveis. | *Ver também* Propriedade.

FAZER CHECK-IN Sonhar que alguém preenche uma ficha de check-in em um hotel para você prediz que você vai aceitar algum trabalho que será finalizado por terceiros. Se você fizer check-in usando um nome falso, é porque vai se envolver em um empreendimento suspeito e questionável que vai causar muita inquietação.

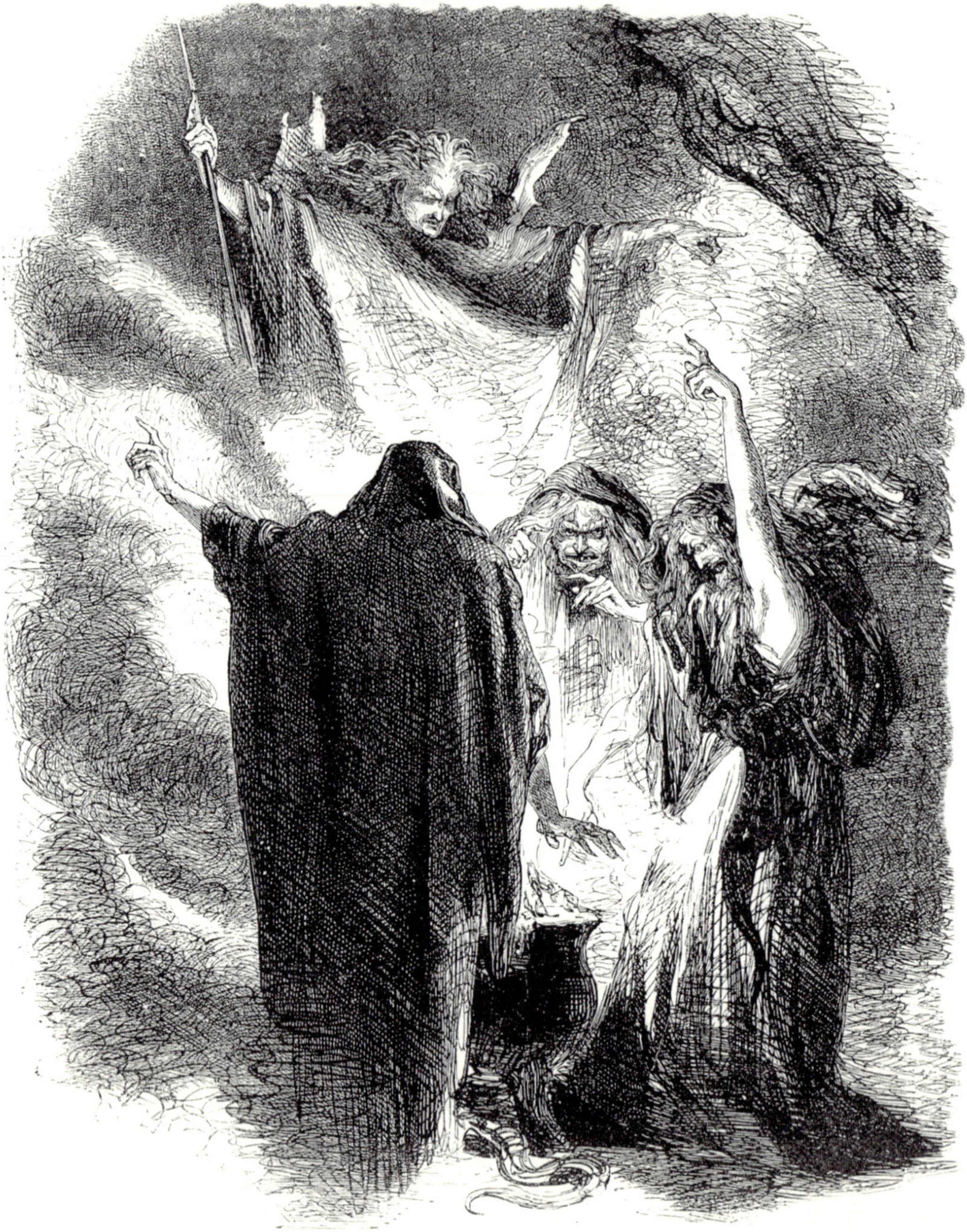

FBI Sonhar que lida com o FBI é um alerta de que você deve prestar atenção no que conta às pessoas sobre suas finanças e sua carreira; se não tiver cuidado, tudo o que disser poderá ser usado contra você.

FEBRE Sonhar que está com febre significa que você está se preocupando demais com trivialidades enquanto deixa passar o melhor da vida. Ponha-se em forma e busque um trabalho rentável. Sonhar que vê alguém de sua família com febre denota uma doença temporária para essa pessoa. | *Ver também* Doença.

FEBRE DO FENO Sonhar que sofre dessa alergia indica que a clareza mental está chegando para você.

FEBRE TIFOIDE Sonhar que está infectado com essa doença é um aviso para ter cuidado com os inimigos e cuidar bem da saúde. Uma epidemia de febre tifoide é um presságio de depressão na carreira; a boa saúde vai sofrer uma virada desagradável.

FECHADURA Sonhar com uma fechadura denota confusão. Se a fechadura funcionar sob seu comando ou como resultado de seus esforços, você vai descobrir que tem alguém tentando lhe prejudicar. Se você estiver apaixonado na vida desperta, esse sonho é um aviso de que você vai encontrar os meios para superar um rival; você também vai realizar uma viagem próspera. Se a fechadura resistir aos seus esforços, você será ridicularizado e desprezado no amor, e viagens arriscadas não vão lhe trazer qualquer benefício.

FEDOR Sonhar com algo que cheira mal sugere que seus amigos são honestos e íntegros.

FEIJÃO O feijão cru simboliza dificuldades pela frente; cozido, revela que você verá ganhos financeiros.

FEIRA Sonhar que está em uma feira significa que um dia você vai montar um negócio agradável e lucrativo, e que vai ter uma companhia agradável.

FEITICEIRO Sonhar com um feiticeiro é um aviso de que a negatividade está cercando você, e está vindo de alguém que parecia confiável. Sonhar com um feiticeiro prediz que suas ambições vão sofrer mudanças e decepções inesperadas.

FEITIÇO Sonhar que está sendo enfeitiçado ou que tenta enfeitiçar alguém é sinal de que você está desperdiçando muito tempo no seu dia a dia.

FEIURA Sonhar que você é feio denota dificuldades com a pessoa amada, e suas perspectivas serão prejudicadas.

FEIXE Sonhar com feixes anuncia ocasiões alegres. A prosperidade apresenta a você um panorama de eventos deliciosos, campos para empreendimento e ganhos afortunados. Se no sonho você vê um feixe de luz cintilando em seus olhos, significa que vai ficar no escuro em relação a um problema que vem tentando resolver. Sonhar com um feixe mostrando o caminho sugere que você vai ter a orientação de alguém. Sonhar com um feixe de madeira em bom estado indica que você está vivendo em um ambiente estável e robusto. Mas se você sonha com um punhado de madeira todo quebrado, algumas coisas em sua vida podem estar necessitando de conserto.

FEIXE DE LENHA Sonhar com uma pilha de lenha denota negócios insatisfatórios e mal-entendidos no amor.

FENO Se você sonha que está cortando feno, é porque vai encontrar muitas coisas boas na vida. Se você for fazendeiro, suas safras serão abundantes. Ver campos de feno recém-cortado é sinal de prosperidade incomum. Se você estiver arando o feno e armazenando-o em celeiros, sua prosperidade está garantida e você terá grande lucro com algum empreendimento. Se você vir muito feno passando pela rua, sinal de que vai conhecer pessoas influentes que vão contribuir muito para o seu prazer. Dar feno ao gado indica que você vai oferecer ajuda a alguém, que por sua vez vai retribuir o favor com muita rapidez e afeto.

FERA Sonhar que encontra e domina uma fera significa que você foi bem-sucedido no domínio de seu pior lado e de suas emoções mais vis. Ser perseguido, atacado e derrotado por uma fera é um conselho para avaliar as fraquezas e negatividades em seu caráter.

FERIADO Sonhar com feriados sugere que desconhecidos interessantes logo vão partilhar da sua hospitalidade.

FÉRIAS Sonhar que está de férias prevê ganhos inesperados ou um presente.

FERIDA Sonhar que vê feridas sugere que uma doença vai trazer perda e sofrimento mental. Fazer curativo numa ferida indica que seus desejos e vontades pessoais darão lugar ao prazer para outras pessoas. Sonhar com feridas em si é um presságio de deterioração da saúde e de capacidade mental prejudicada. Indica também angústia e uma virada desfavorável nas questões profissionais. Ver outras pessoas feridas denota que seus amigos serão injustos com você. Aliviar ou curar uma ferida significa que haverá uma oportunidade de comemorar sua boa sorte.

FERIDA PURULENTA Na verdade, esse sonho significa boa saúde.

FERIMENTO Se você machuca uma pessoa em seus sonhos, é porque vai atuar de forma terrível na busca por vingança e ofensa. Se você mesmo for ferido, indica derrota nas mãos dos desafetos. | *Ver também* Lesão.

FERMENTAÇÃO DE BEBIDA Sonhar que está em um imenso estabelecimento cervejeiro implica perseguição por funcionários públicos, mas você vai conseguir provar sua inocência e se erguer acima daqueles que o perseguem. Realizar fermentação de qualquer tipo que seja em seus sonhos denota ansiedade inicial que geralmente dá lugar a lucro e satisfação.

FERMENTO O fermento representa uma riqueza inesperada.

FERRADURA A ferradura representa avanço profissional e bons convites. Ferraduras quebradas pressagiam azar e doença. Encontrar uma ferradura pendurada numa cerca sugere que seus lucros crescerão muito além de suas expectativas. Se você pegar uma ferradura na estrada, é sinal de lucro de uma fonte desconhecida.

FERRAGENS Sonhar com ferramentas e outros artefatos comprados em lojas de ferragens prevê boa sorte no futuro.

FERREIRO Ver um ferreiro em sonho mostra que projetos difíceis logo vão virar em seu favor.

FERRO Sonhar com ferro é um presságio severo de angústia. Sentir um peso de ferro puxando você significa confusão mental e perdas materiais. Golpear algo ou alguém com ferro denota egoísmo e crueldade para com aqueles que dependem de você. Sonhar que está fabricando objetos de ferro sugere que você tem usado de meios injustificados para acumular riquezas. Se você vende ferro, terá um sucesso duvidoso e pode ser que seus amigos não tenham um caráter tão nobre assim. Se você sonha que o preço do ferro cai, vai perceber que o dinheiro é um fator muito instável em sua vida. Mas se o preço subir, você verá um lampejo de esperança em uma perspectiva sombria. Sonhar com ferro antigo e enferrujado significa pobreza e decepção. Ferro em brasa denota fracasso devido a energia mal direcionada.

FERRO-VELHO Sonhar com um ferro-velho indica que há muitas coisas em sua vida que devem ser descartadas, sejam elas atitudes, sonhos ultrapassados ou características pessoais que não lhe cabem mais.

FERROVIA Se você sonha com uma ferrovia, é porque vai descobrir que sua carreira precisa de atenção especial; os desafios estão tentando minar você. Ver um obstáculo em uma ferrovia indica jogo sujo no trabalho. Percorrer as encruzilhadas de uma ferrovia significa um período de preocupação e trabalho árduo. Se você sonha que está caminhando sobre os trilhos, espere muita felicidade devido a sua hábil capacidade administrativa. Ver uma ferrovia inundada por águas límpidas indica que por um curto período o prazer dará fim ao infortúnio.

FERRUGEM Sonhar com ferrugem em objetos como peças velhas de metal significa o declínio de suas cercanias. Doenças, perda de prosperidade e amigos falsos estão preenchendo sua esfera.

FERTILIZANTE Sonhar que usa — ou mesmo vê — fertilizante indica boa sorte chegando, e virá na forma de dinheiro.

FESTA Se você sonha que comparece a uma festa de qualquer tipo por prazer, é porque vai descobrir que a vida tem muitas coisas boas — a menos que a festa tenha conflitos. Neste caso, você precisa aprimorar suas habilidades sociais.

FESTA FORMAL Sonhar que comparece a uma festa formal prevê relacionamentos agradáveis. Mas se houver confusão, é porque na vida real você vai ter um desassossego. | Ver também Entretenimento.

FESTÃO NATALINO Sonhar com esse enfeite de Natal é um alerta de que, embora algo possa soar agradável aos seus olhos ou ouvidos, isso não é necessariamente verdade.

FESTIVAL Sonhar que está em um festival sugere indiferença às frias realidades da vida e amor pelos prazeres que causam envelhecimento precoce. Ainda que nunca queira, você vai depender muito dos outros.

FEVEREIRO Sonhar com esse mês sugere problemas de saúde contínuos e melancolia geral. Mas se acontecer de o dia estar claro e ensolarado, você será inesperada e felizmente surpreendido por boa sorte.

FEZES Sonhar com dejetos corporais pressagia sorte financeira extremamente boa.

FIANÇA Se o sonhador necessita de fiança ou está pagando a fiança de alguém, problemas imprevistos surgirão; é provável que ocorram acidentes; e alianças infelizes podem acabar sendo feitas.

FIBRA DE VIDRO Sonhar que manuseia esse material prediz a volta de um amigo há muito sumido.

FIBRA ÓPTICA Trabalhar com fibra ótica representa a abertura de portas na carreira por meio da comunicação.

FIESTA Participar dessa festa mexicana em um sonho é um sinal de bons tempos chegando em sua vida amorosa.

FÍGADO Sonhar com o próprio fígado é um alerta para buscar aconselhamento médico. Sonhar que está comendo fígado indica que há uma pessoa enganadora sob a estima da pessoa que você ama.

FIGO Sonhar que come figos significa que seu corpo ficará numa condição pouco saudável. Ver figos crescendo geralmente indica saúde e lucro.

FILA Sonhar que está parado numa fila, ou observando uma, significa bons conselhos familiares e generosidade.

FILETAR Se você sonha que está filetando carne ou peixe, é porque logo vai examinar seus objetivos e escolher aqueles que trarão melhores ganhos financeiros.

FILHA Sonhar com sua filha sugere que incidentes desagradáveis darão lugar ao prazer e à harmonia. Se no sonho ela decepcionar você por qualquer motivo que seja, é porque na vida desperta você vai sofrer vexame e descontentamento.

FILHO Sonhar com seu filho, caso você tenha um na vida desperta, belo e obediente, prediz que ele lhe vai lhe proporcionar muito orgulho e vai aspirar a altas honrarias. Mas se ele não estiver bonzinho e obediente nos sonhos, espere problemas pela frente.

FILHOTE Sonhar com um filhote de animal e seus pais sugere uma expansão em sua família. Sonhar com um filhote sozinho prevê problemas com seus filhos e a capacidade de aprendizado deles.

FILHOTE DE CACHORRO Sonhar com filhotinhos de cães indica que você vai entreter os inocentes e desafortunados, e deste modo vai se divertir também. Esse sonho também mostra que as amizades vão se fortalecer e a sorte vai aumentar — mas só se os filhotes forem saudáveis e bem formados; se estiverem magricelas e sujos, significa o contrário. | *Ver também* Cachorro, Cão de caça.

FILHOTE DE GATO Sonhar com gatinhos tende a simbolizar independência, magia e controle. Talvez seja hora de examinar seu estilo de vida para ver se você está sabendo manter uma discrição necessária de alguns aspectos dela. Gatinhos brancos indicam que seus amigos podem se voltar contra você. Gatinhos sujos de terra ou de outras coisas são um mau presságio e podem prever tempos difíceis pela frente. | *Ver também* Gato.

FILIGRANA Ver um filigrana em uma joia significa que você logo vai encontrar algo que foi perdido há muito tempo e que teve um significado profundo em sua vida.

FILMADORA Sonhar com uma câmera de vídeo profetiza que você vai criar memórias agradáveis em um futuro próximo.

FILME Sonhar que está curtindo um filme sugere momentos socialmente agradáveis. Se o filme estiver chato, você vai sofrer traição em um relacionamento amoroso.

FILME FOTOGRÁFICO Manusear ou carregar a câmera com filme em um sonho significa que em breve você vai experimentar algo que deixará uma impressão duradoura em sua vida.

FIO (DE TECIDO) Sonhar com fios de tecido sugere sucesso profissional e um companheiro trabalhador em sua casa.

FIO DENTAL (ODONTOLÓGICO) Sonhar com fio dental é um alerta para ter cuidado com o que você diz aos outros, pois no futuro isso pode ser usado contra você.

FIO, FIAÇÃO Sonhar com fiação indica que você fará viagens frequentes, porém curtas, que vão lhe causar danos. Uma fiação velha ou enferrujada significa que você vai ser tomado pelo mau humor, o que trará problemas para seus parentes.

FIRMAMENTO Sonhar com um firmamento repleto de estrelas denota muitas provações e esforços quase sobre-humanos antes de atingir o auge de suas ambições. Tome cuidado com as armadilhas de desafetos no trabalho. Ver o firmamento iluminado e repleto de anjos é indicativo de indagação espiritual, mas um retiro derradeiro na natureza em busca de sustento e consolo. Você também vai se decepcionar com a sorte. | *Ver também* Símbolos celestiais, Paraíso (teologia), Céu.

FISIOTERAPIA Sonhar que está fazendo fisioterapia implica que você está em ótima forma e que deve tentar um novo desafio físico. Se você estiver realizando os exercícios de fisioterapia em alguém, é hora de fazer um check-up médico.

FITA (DE TECIDO) Ver fitas em seus sonhos sugere companhias agradáveis, e que certas precauções exequíveis não vão se provar um grande incômodo.

FITA ADESIVA Sonhar com fita adesiva indica que seu trabalho será extenuante e sem lucro algum.

FITA MÉTRICA Usar uma fita métrica em sonho significa que em breve você vai ser responsabilizado por algo do qual imaginava ser capaz de escapar impune.

FIVELA (DE CINTO, DE SAPATO) Sonhar com fivelas prediz que você receberá muitos convites para eventos agradáveis, mas sua vida pessoal corre o risco de virar um caos.

FLAGELO DOS PECADOS Ver um ato de flagelação para expiação dos pecados denota empreendimentos desastrosos e decepção no amor.

FLAMINGO Essa ave sinaliza viagens a lugares novos e empolgantes.

FLANELA Sonhar com esse tecido quentinho significa que em breve você vai ficar sabendo de uma gravidez ou parto.

FLATULÊNCIA Peidar na frente das pessoas significa que você está na direção errada com suas ideias. Ouvir outra pessoa peidando no sonho sugere uma viagem inesperada.

FLAUTA Sonhar que ouve as notas de uma flauta significa um encontro agradável com amigos que estão longe e laços lucrativos.

FLECHA O prazer sucede esse sonho. Pode ficar na expectativa de entretenimento, festivais e viagens agradáveis. Uma flecha velha ou quebrada, no entanto, pressagia decepções no amor.

FLERTE Ser o agente ou o alvo do flerte em um sonho significa que você terá sucesso social.

FLIPERAMA Sonhar que está em um fliperama, com toda barulheira e luzes, é sinal de que você logo vai estar em uma situação muito festiva e alegre.

FLOCO Ver qualquer tipo de floco em um sonho implica que você vai se meter numa situação embaraçosa, e será preciso esforço para sair dela.

FLOR Sonhar que vê flores desabrochando em jardins significa prazer e ganho, caso elas sejam coloridas e frescas; flores brancas denotam tristeza. Flores murchas e mortas pressagiam decepção e melancolia. Se você sonha com flores desabrochando em solo estéril, sem nenhum vestígio de folhagem, é porque vai ter algumas experiências dolorosas na vida desperta, porém sua energia e alegria lhe darão forças para escalar rumo à notoriedade e a felicidade. | *Ver também* Buquê; espécies de flores individualmente.

FLOR DE LÓTUS Nos sonhos, essa flor flutuante que cresce nos pântanos representa boa sorte.

FLORAÇÃO Sonhar que vê árvores e arbustos florescendo sugere que uma época de prosperidade se aproxima.

FLERTE

FLORESTA Sonhar que se encontra em uma floresta densa denota perda no comércio, influências domésticas infelizes e brigas entre famílias. Se você estiver com frio e com fome, vai ser obrigado a fazer uma longa viagem para resolver um assunto chato. Ver uma floresta com árvores majestosas e repletas de folhagens denota prosperidade e prazeres.

FLORISTA Para os casados, sonhar com um florista pressagia problemas no relacionamento. Para os solteiros, é sinal de um novo romance a caminho.

FLUTUAÇÃO Sonhar que está flutuando indica que você vai superar obstáculos que parecem avassaladores. Mas se a água onde você flutua estiver suja, suas vitórias não serão gratificantes.

FOBIA Sonhar com qualquer tipo de fobia significa que você vai descobrir que não tem medo de correr atrás de seus objetivos ou de melhorar sua vida.

FOCA Sonhar que vê focas denota que você está lutando por um lugar que está acima de seu poder e capacidade. Sonhos com focas geralmente revelam que você nutre grandes aspirações; o descontentamento é um estímulo para avançar.

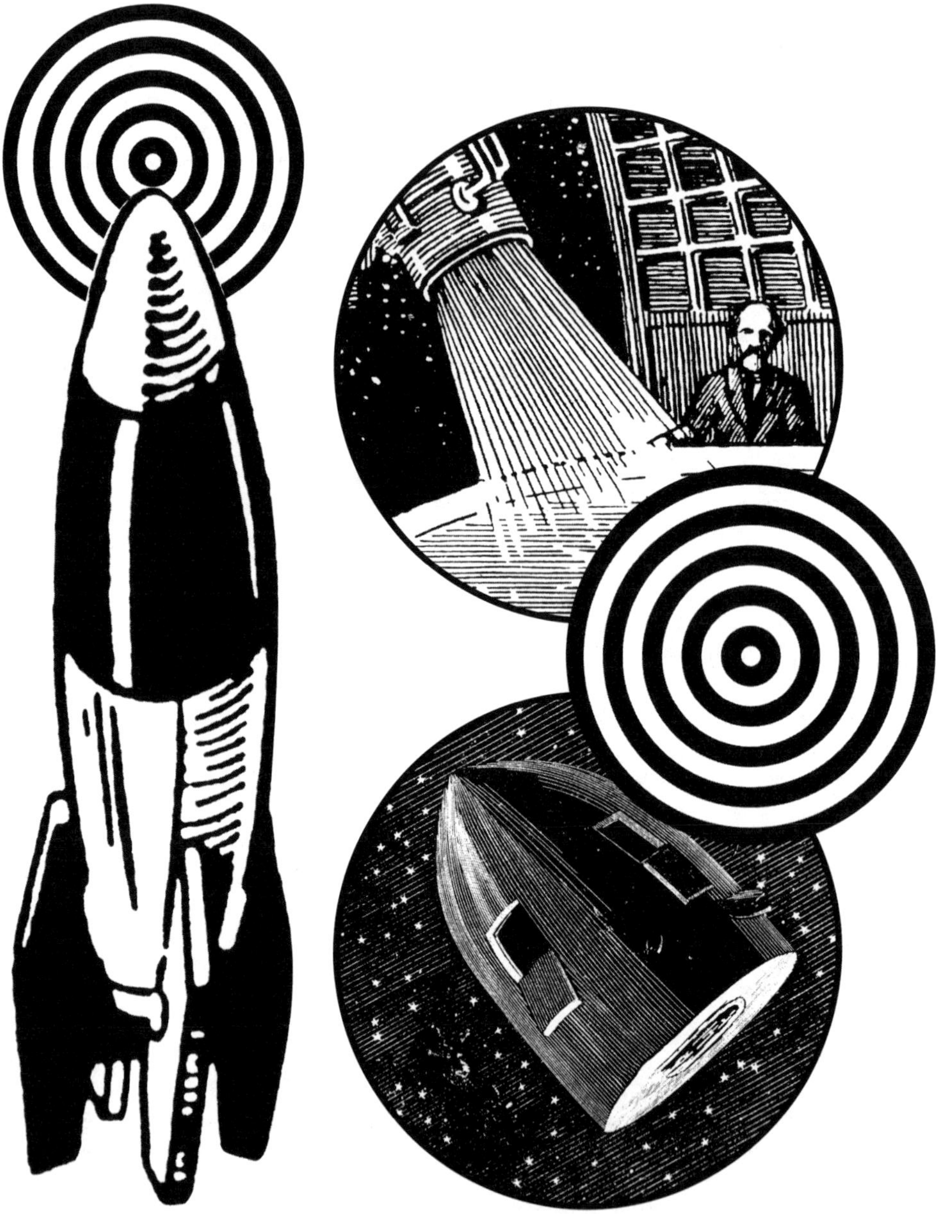

FOCINHO Sonhar com focinhos prediz temporadas perigosas. Os desafetos estão à espreita, e as dificuldades serão numerosas.

FOFOCA Sonhar que se interessa por fofoca sugere problemas humilhantes causados pelo excesso de confiança nas amizades efêmeras. Se você é alvo de fofocas, espere uma surpresa agradável em sua vida desperta.

FOGÃO Ver um fogão nos sonhos indica que muitas situações desagradáveis serão minimizadas por sua intervenção oportuna.

FOGO Sonhar com fogo é favorável, a menos que você se queime. Sonhar que vê sua casa pegando fogo sugere um companheiro amoroso e filhos obedientes. Se empresários sonharem com suas lojas queimando, eles podem esperar um grande avanço nos negócios e nos lucros. Sonhar que estão combatendo o incêndio e não se queimam denota muitas preocupações com os negócios. Ver as ruínas do estabelecimento após um incêndio é um presságio de azar. Haverá ameaça de desistir depois de tanto esforço, mas uma sorte inesperada vai reerguer tudo. Se você sonha que acende uma fogueira, espere muitas surpresas agradáveis. Você terá amigos distantes para visitar.

FOGOS DE ARTIFÍCIO Representam alegria e boa saúde.

FOGUETE Nos sonhos, ver um foguete subindo prediz também uma subida repentina e inesperada para você, uma paquera bem-sucedida e cumprimento fiel dos votos matrimoniais. Mas se você vir foguetes caindo, espere uniões infelizes. | *Ver também* Chuveirinho (fogos de artifício).

FOICE Sonhar com uma foice revela que acidentes ou doenças vão impedir compromissos ou viagens. Uma foice velha ou quebrada implica separação de amigos ou fracasso em algum empreendimento empresarial.

FOLE Trabalhar usando um fole sugere que, embora você esteja na batalha, com sua energia e perseverança você vai atingir um triunfo duradouro sobre a pobreza e o destino. Sonhar que apenas vê um fole significa que amigos distantes desejam encontrar você.

FÔLEGO Ficar sem fôlego é premissa de falha onde o sucesso parecia garantido.

FOLHA Sonhar com folhas verdes significa abundância, boa saúde e felicidade. Se estiverem secas ou murchas, espere perdas financeiras. Folhas caindo indicam uma mudança numa amizade. E folhas ao vento pressagiam discussões familiares.

FOLHAGEM Sonhar com uma folhagem nova sugere um novo romance. Já a folhagem em decomposição sugere o fim de um relacionamento.

FOLHAS DE OURO Representam um futuro brilhante.

FOLHEAR (REVESTIR) Sonhar que você está folheando uma superfície indica que vai sistematicamente enganar seus amigos; suas ações serão de natureza enganosa.

FOLHEAR (VIRAR PÁGINAS) Virar as páginas de um livro ou revista num sonho pressagia um pequeno ganho financeiro.

FOME Sonhar que está com fome é mau presságio. Sonhar que está faminto sugere que você está enfrentando um fracasso desanimador em um empreendimento que parecia promissor. Ver outras pessoas famintas indica tristeza para elas e também para você.

FONE DE OUVIDO Sonhar que usa fones de ouvido significa que em breve você vai ficar sabendo de um segredo que vai lhe deixar chocado.

FONTE Sonhar que vê uma fonte límpida cintilando à luz do sol denota posses, deleites intensos e muitas viagens agradáveis. Uma fonte turva sugere ausência de sinceridade de sócios e noivados ou casos amorosos infelizes. Uma fonte seca e quebrada é sinal de morte e fim dos prazeres.

FORA DA LEI Sonhar que é um fora da lei significa que você é respeitado pelos seus pares. Sonhar que captura um fora da lei é um alerta de que alguém que você supõe ser seu amigo pode revelar um de seus segredos.

FORCA Sonhar que vê um amigo na forca é um alerta para encarar emergências com propósito, caso contrário, uma grande calamidade vai lhe acometer. Mas se no sonho *você* estiver em uma forca, é porque na vida desperta você vai sofrer com a malícia de falsos amigos. Se você resgatar alguém da forca, é presságio de aquisições desejáveis. Sonhar que enforca um desafeto denota vitória em todas as esferas. Ver um grupo de pessoas se reunindo para testemunhar um enforcamento sugere que muitos inimigos vão se juntar para tentar derrubar você. | *Ver também* Execução.

FORÇA Sonhar que é muito forte significa que você está almejando uma ambição ou objetivo acima das possibilidades. Se você vir alguém fazendo exibições de força em um sonho, um caso de amor cheio de paixão vai ficar bem feio.

FÔRMA DE GELO Sonhar que faz gelo ou usa forminhas de gelo prenuncia uma surpresa agradável ou um lindo presente entrando em sua vida.

FORMAS Sonhar com qualquer coisa deformada denota decepção. Já belas formas implicam em condições favoráveis à saúde e aos assuntos profissionais.

FORMATURA Sonhar com uma formatura de qualquer tipo implica em ascensão profissional ou no status social.

FORMIGA Aquele que sonha com formigas deve esperar muitos aborrecimentos tolos durante o dia. Você vai ficar preso a pequenas preocupações e encontrar insatisfação geral em todas as coisas.

FORNALHA Sonhar com uma fornalha em funcionamento representa boa sorte. Se precisar de conserto, é porque você vai ter problemas com crianças ou mão de obra contratada. Cair em uma fornalha pressagia um desafeto dominando você em uma contenda empresarial.

FORNO Sonhar que seu forno está em brasa diz que você vai ser amado pela família e pelos amigos. Se você estiver cozinhando, decepções temporárias em vista. Se o forno quebrar, você vai se frustrar com acontecimentos que não estão fluindo conforme o planejado.

FORNO DE CAL Sonhar com um forno de cal indica que o futuro imediato não favorece especulações no amor ou nas questões profissionais.

FORNO DE MICRO-ONDAS Usar um forno de micro-ondas nos sonhos denota prosperidade e ganhos financeiros, a menos que você tenha colocado algo diferente de comida dentro dele; aí esse sonho indica perda financeira.

FORQUILHA, FORCADO Nos sonhos, as forquilhas representam batalhas para melhorar a prosperidade, além de algum tipo de esforço mental ou físico. Sonhar que foi atacado por alguém empunhando um forcado implica que você tem desafetos que não hesitariam em machucá-lo.

FORTALEZA Sonhar que está confinado em uma fortaleza indica que os desafetos vão conseguir colocar você em uma situação indesejável. Já prender outras pessoas em uma fortaleza denota sua habilidade de governar nas questões profissionais.

FORTE Sonhar que defende um forte indica que sua honra e seus bens vão ser atacados, causando-lhe grande preocupação. Sonhar que toma um forte denota vitória sobre seu pior desafeto e relações prósperas.

FORTUNA Quanto maior a fortuna que você constrói em um sonho, menor será seu sucesso financeiro na vida desperta.

FÓSFORO (ELEMENTO QUÍMICO) Sonhar que vê fósforo é indicativo de alegrias infinitesimais.

FÓSFORO (PALITOS OU CAIXA) Sonhar com fósforos denota prosperidade e mudança quando menos se espera. Se você acender um palito de fósforo em meio à escuridão, sinal de notícias inesperadas e prosperidade a caminho.

FOSSA Sonhar com uma fossa significa muito dinheiro, sorte e ganhos financeiros em um futuro próximo.

FOSSA SÉPTICA Sonhar com uma fossa séptica prenuncia boa sorte e ganhos financeiros.

FOSSO Se você estiver olhando para um buraco profundo em seu sonho, é porque vai correr riscos bobos em empreendimentos comerciais e deixará as pessoas desconfortáveis com suas súplicas. Cair em um fosso fala de calamidade e profunda tristeza. No entanto, se você acordar quando começa a sentir que está caindo, é sinal de que vai se livrar da angústia sem maiores danos. Sonhar que está descendo a um fosso significa que você tem ciência do quanto arrisca sua sorte e sua saúde para obter maior sucesso.

FOTOCÓPIA Sonhar que faz fotocópias sugere que você está tentando ser alguém que não é. Seja você mesmo, e tudo vai dar certo.

FOTOGRAFIA Se você vê fotos em seus sonhos, é porque precisa examinar certos relacionamentos em sua vida com mais afinco; você pode estar encarando-os muito superficialmente. Rasgar uma foto nos sonhos implica em abandonar certas coisas. Se alguém tira uma foto sua, sinal de que você precisa examinar a maneira como tem sido visto pelos outros.

FRAÇÃO Sonhar com frações numéricas revela que alguém próximo a você vai ser um incômodo e criar perturbações em sua vida.

FRACASSO Para um amante, um sonho com fracasso às vezes tem significado contrário — é um sonho em que o sonhador sente receio, porém não sofre nenhum dano. Se um homem sonha que fracassa em sua busca pelo casamento, isso significa que ele só precisa de mais controle e energia, pois na verdade já tem o amor e a estima do alvo de sua paixão. O fato de uma jovem sonhar que sua vida será um fracasso denota que na verdade ela não está aproveitando as oportunidades. Para um empresário, é presságio de perda e má administração. Isso deve ser corrigido, ou o fracasso pode se materializar para valer.

FRALDA Sonhar que usa fralda implica que você tem vergonha de algo que fez, ou que vai ser publicamente constrangido por isso. Sonhar que coloca uma fralda em alguém significa que você vai se flagrar protegendo a integridade de outra pessoa.

FRAMBOESA Ver framboesas sugere que você está sob risco por causa de relacionamentos que até parecem interessantes, mas que devem ser evitados. Comer framboesas representa angústia devido às circunstâncias de um acontecimento que tem estimulado muita fofoca.

FRANGO Sonhar que vê uma ninhada de franguinhos sugere muitos campos de preocupação, mas alguns deles lucrativos. Pintos ou frangos significam empreendimentos afortunados, mas que exigirão força física para serem concluídos. Se você vir frangos se empoleirando, os inimigos planejam fazer o mal a você. Comer frango lembra que o egoísmo vai prejudicar seu outrora bom nome. O trabalho e o amor permanecerão precários. | *Ver também* Galinha, Galo, Ave.

FRAQUEZA

FRAQUEZA Sonhar que está fraco sugere um emprego pouco saudável e preocupação mental. Procure fazer alguma mudança por si depois desse sonho.

FRAUDE Sonhar que está fraudando alguém indica que você vai enganar seu empregador para obter ganhos, vai se entregar a prazeres degradantes e vai cair em descrédito. Se você estiver sendo vítima de fraude, no entanto, é porque desafetos vão tentar difamar você na vida desperta, mas não serão bem-sucedidos. Se você estiver acusando alguém no sonho de ter cometido uma fraude, é porque vai ganhar um lugar de alta honraria.

FREIO (DE ARREIO) Ver freios para montarias em sonho implica que você é capaz de dominar e superar qualquer obstáculo que se colocar diante de seu progresso ou felicidade. Se os freios se romperem ou estiverem estragados, você pode se surpreender e fazer concessões aos inimigos.

FREIRA Para um homem com inclinação religiosa, sonhar com freiras prediz que os prazeres materiais vão interferir na espiritualidade. Seria um tanto sábio exercitar o autocontrole. Para uma mulher, sonhar com freiras pressagia sua viuvez ou separação da pessoa amada. Se ela sonha que é uma freira, é porque está descontente com seu ambiente atual. Se ela descarta as vestes da ordenação no sonho, significa que o desejo por prazeres mundanos pode incapacitá-la para seguir seus deveres. Ver uma freira morta representa desespero pela infidelidade de entes queridos; também indica empobrecimento da sorte.

FRENAGEM Sonhar que está freando um veículo motorizado com facilidade significa que você vai ter uma nova oportunidade na vida. Se você não consegue fazer os freios funcionarem, tenha cuidado ao aceitar novas ofertas ou perspectivas.

FRETE Sonhar com cargas sendo manipuladas ou despachadas, ou ver um trem de carga em sonho, sugere melhoria e avanço no trabalho.

FRICASSÊ Sonhar que está comendo fricassê indica muitas tristezas e aborrecimentos. Você provavelmente vai ter problemas com pequenas crises de ciúmes e brigas por ninharias, e sua saúde vai ficar ameaçada pelas preocupações.

FRIEIRA Sonhar que sofre de frieiras é sinal de que você vai se meter em acordos ruins por causa da ansiedade de um amigo ou parceiro. Esse sonho também pressagia seu adoecimento ou um acidente.

FRITURA Fritar qualquer coisa em um sonho significa que seu relacionamento amoroso atual em breve vai se tornar infeliz.

FRONTEIRA, REMATE Sonhar que se está construindo ou instalando uma fronteira em torno de sua casa, escritório ou outro ambiente físico sugere uma necessidade psicológica de limites para evitar que outras pessoas interfiram em sua vida. Se o remate for de rocha ou outro material pesado, é porque na vida real você precisa fortalecer seus limites. Um remate de flores indica que atualmente seus limites são fáceis de se manter, o que significa que as pessoas entendem naturalmente o que você aceita ou não.

FROTA Se você vir uma grande frota de navios navegando velozmente em seus sonhos, espere uma mudança ligeira no mundo dos negócios.

FRUSTRAÇÃO Estar frustrado em um sonho ou acordar frustrado significa a chegada de acontecimentos muito agradáveis e fáceis de aceitar.

FRUTA Sonhar que vê uma fruta amadurecendo em uma árvore com a folhagem visível geralmente prediz um futuro próspero. Frutas verdes representam esforços frustrados ou atitudes precipitadas. Comprar ou vender frutas denota negociações agitadas, mas nada muito lucrativo. Ver ou comer frutas maduras significa sorte e prazer incertos. | *Ver também* frutas específicas.

FRUTAS VERMELHAS Sonhar com frutas vermelhas no ramo, ou que você está comendo algumas, significa que você tem uma boa posição social entre seus iguais. Isso também sinaliza abundância material e boa sorte.

FUBÁ Sonhar com fubá prenuncia a consumação de desejos ardentes. Comer pão de milho em sonho implica que você, involuntariamente, vai colocar obstáculos no caminho de seu próprio avanço.

FUDGE Comer, preparar, comprar ou vender esse doce em sonhos significa não estar valorizando seu relacionamento amoroso atual. Se você não aprender a dar o devido valor ao seu parceiro, corre o risco de acabar sozinho.

FUGA ROMÂNTICA Sonhar que está fugindo com um amante é desfavorável. Para os casados, indica que você está ocupando lugares que não merece; se você não corrigir seus hábitos, sua reputação estará em jogo. Para os solteiros, pressagia decepções no amor e a infidelidade dos homens. Sonhar que seu amante fugiu com outra pessoa denota que na vida desperta ele é infiel. Sonhar com um amigo fugindo com alguém que você desaprova significa que logo você vai saber que ele entrou em um casamento furado.

FUGITIVO Sonhar que é um fugitivo sugere problemas com a família. Sonhar que auxilia um fugitivo significa problemas financeiros inesperados.

FUINHA Ver em seus sonhos uma fuinha empenhada para surrupiar alguma coisa é um alerta para você ter cuidado com as amizades de ex-desafetos, pois eles vão atacar assim que você baixar a guarda. Se você aniquilar uma fuinha em seu sonho, é porque vai ter sucesso na frustração de planos meticulosos para causar sua derrota.

FULIGEM Ver fuligem nos sonhos indica que não vai haver sucesso em sua vida.

FUMAÇA Sonhar com fumaça indica que você vai ficar paralisado pela dúvida e pelo medo. Ser sufocado pela fumaça denota que pessoas perigosas estão ludibriando você com lisonjas.

FUNCIONÁRIO Ver um de seus funcionários em sonho denota perturbação, caso ele esteja exibindo uma postura desagradável ou ofensiva. Mas se o funcionário for gentil e bacana, sua situação na vida desperta não vai ter nada de ruim ou constrangedor.

FUNERAL Ver um funeral no sonho denota um casamento infeliz e descendentes adoentados. Se for o funeral de um desconhecido, refere-se a preocupações inesperadas. Se for de um filho, pressagia saúde entre sua família ou pode sugerir decepções muito graves com um amigo. Sonhar com o funeral de qualquer parente implica em problemas psicológicos ou emocionais e preocupações familiares. Comparecer a um funeral vestido de preto indica viuvez precoce.

FUNGO (MOFO) Ver fungos em qualquer coisa em seu sonho é um alerta em relação a intimidação por parte de colegas de trabalho.

FUNIL Sonhar com um funil significa que em breve você vai ficar confuso em relação a um problema que pensava ter decifrado.

FURACÃO Ouvir o estrondo e ver um furacão vindo em sua direção com sua força terrível prevê que você vai enfrentar muita angústia e ansiedade, lutando para evitar o fracasso e a ruína. Se você estiver em uma casa que está sendo destruída por um furacão e estiver lutando para libertar alguém do desabamento, sua vida vai sofrer uma mudança. Você vai se mudar para um lugar distante e mesmo assim não vai encontrar nenhuma melhoria nos assuntos domésticos ou profissionais. Se você sonha que vê os destroços e a destruição causados por um furacão, problemas vão ficar à espreita, mas no fim vai ser possível se esquivar deles. Ver mortos e feridos devido a um furacão sugere angústia diante dos problemas alheios.

FURÃO Sonhar com esse animal sugere que você tem as habilidades certas para sair de uma situação difícil que está por vir.

FÚRCULA Sonhar com esse ossinho da sorte pressagia um presente inesperado e marca um ótimo momento para assumir riscos.

FÚRIA Ficar furioso nos sonhos, brigar com as pessoas e destruir coisas geralmente significa brigas e mágoas com amigos também na vida desperta. Ver os outras pessoas furiosas é sinal de condições desfavoráveis na carreira e infelicidade na vida social.

FURTO, ROUBO Sonhar que está roubando algo às escondidas, ou que vê outras pessoas roubando, prenuncia azar e perda de caráter. Ser acusado de roubo denota que você vai ser mal interpretado e que vai sofrer com isso, mas vai acabar descobrindo beneses depois. Acusar os outros de roubo denota que você vai tratar alguém com grosseria.

FURÚNCULO Se você sonha com um furúnculo soltando pus e sangue, espere coisas desagradáveis no futuro imediato. A ausência de sinceridade de amigos pode causar grandes transtornos.

FUSÍVEL (OU DISJUNTOR) Trocar ou consertar um fusível ou disjuntor em seu sonho sugere que você vai desperdiçar energia em um projeto incompleto.

FUSO HORÁRIO Estar ciente das mudanças de fuso horário em seu sonho significa que você vai ser inesperadamente solicitado a fazer algo que pode causar um impacto profundo em sua vida.

FUTEBOL Sonhar que está jogando futebol sinaliza ganho financeiro. Sonhar que está assistindo a uma partida é um conselho para observar com quem você faz amizade.

FUTURO Sonhar com o futuro sugere cálculos cuidadosos e é uma recomendação para evitar extravagâncias perniciosas.

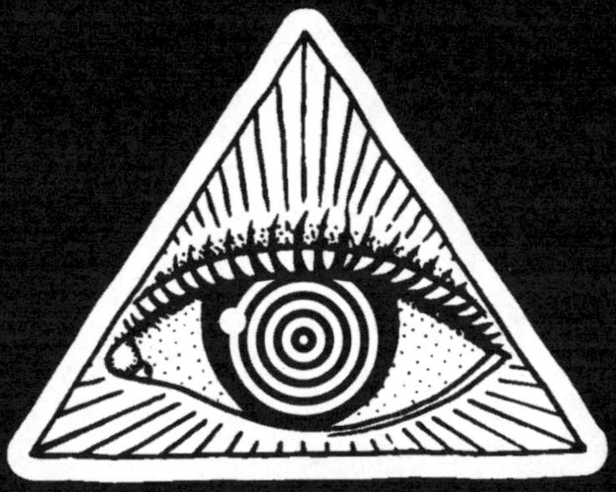

A realidade é uma ilusão ainda maior do que o mundo dos sonhos.

Salvador Dalí

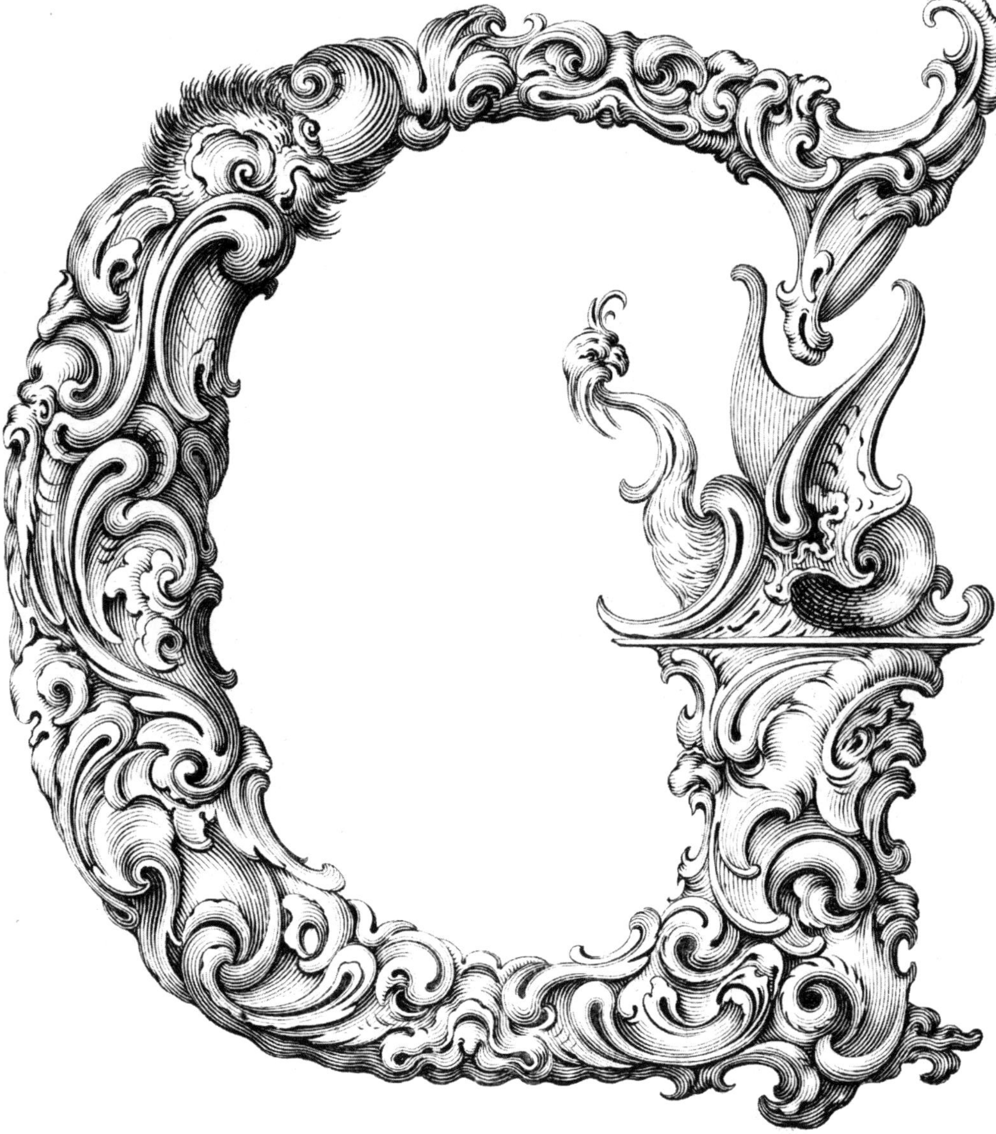
G

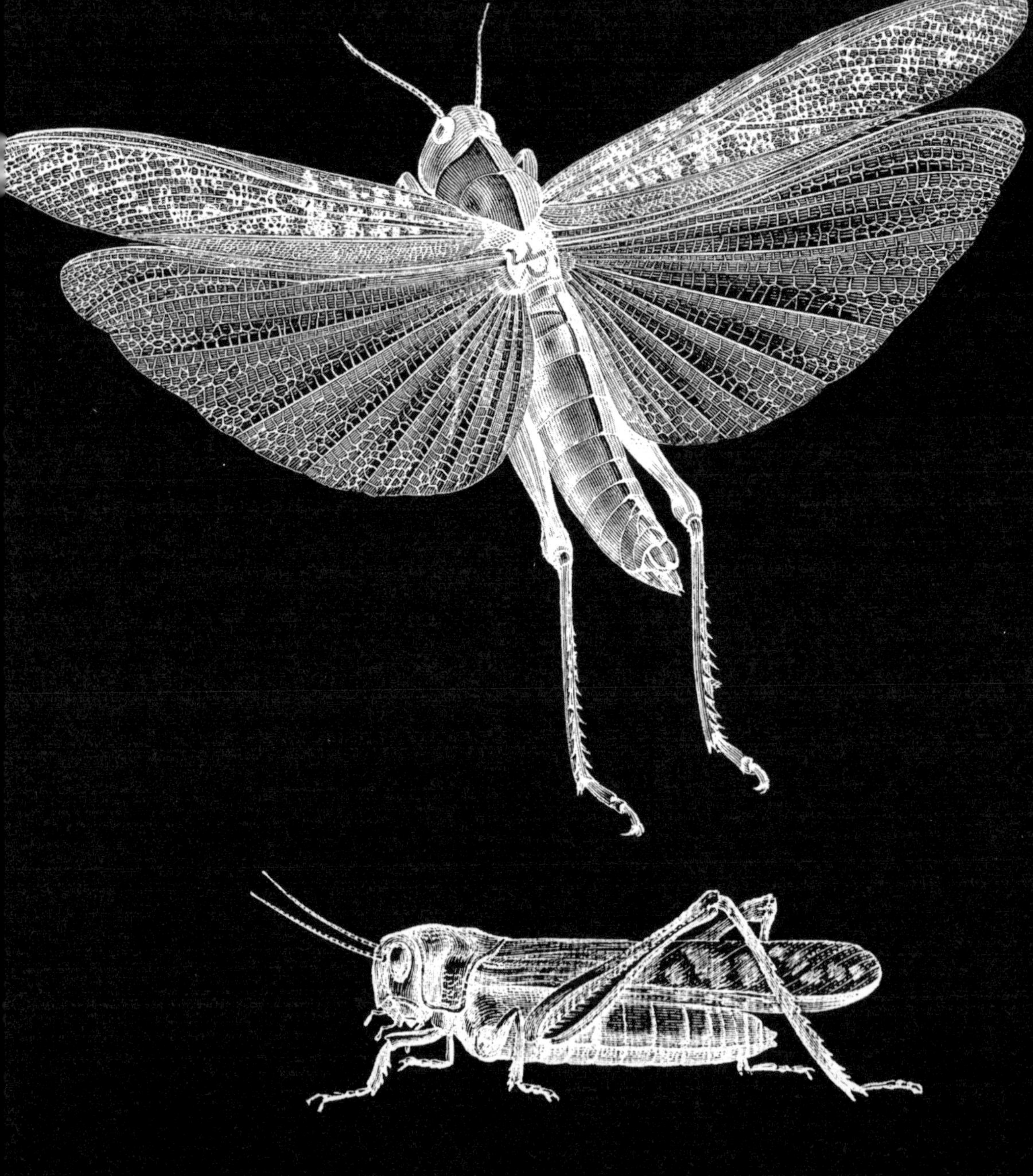

GAGUEIRA

"Grandes sonhos
transformam a realidade."

GADO Ver o gado gordo e bonito pastando contente sobre vegetação verdinha denota prosperidade e felicidade graças a uma companhia amável e afável. Se o gado estiver magro, com pelagem feia e desnutrido, é provável que você passe a vida lutando por causa de energia desperdiçada e da aversão aos detalhes no trabalho. Após esse sonho, corrija seus hábitos. Ver uma boiada estourando significa que você deve exercer poder para manter sua carreira lucrativa. Um rebanho de vacas em ordenha indica que você vai alcançar a riqueza, sendo esta o resultado do trabalho de muitas pessoas. Se você sonha que está ordenhando vacas com úberes cheios, a boa sorte está reservada para você. | *Ver também* Bezerro.

GAFANHOTO Sonhar com gafanhotos sugere que serão encontradas discrepâncias em seu trabalho, e você vai se preocupar e sofrer com isso. Sonhar que ouve gafanhotos é um prognóstico de infortúnio e notável dependência dos outros. Sonhar que vê gafanhotos em verduras sugere que desafetos ameaçam seus interesses. Se você os vir num gramado seco, é porque vai enfrentar problemas de saúde e decepções nos assuntos profissionais.

GAGUEIRA Se você sonha com gagueira, mas não é gago na vida real, é porque vai ser capaz de encontrar as palavras de que necessita para expressar sua opinião quando chegar a hora.

GAIO-AZUL Esse pássaro representa a necessidade de colocar as coisas em perspectiva e de examinar suas prioridades.

GAIO-COMUM Sonhar com esse pássaro prediz visitas agradáveis de amigos e fofocas interessantes. Capturar um gaio denota tarefas agradáveis, embora infrutíferas. Ver um gaio morto sugere infelicidade doméstica e muitas vicissitudes.

GAIOLA Se você vir uma gaiola cheia de pássaros em sonhos, é porque vai ser o feliz ganhador de grandes riquezas e terá muitos filhos lindos e encantadores. Se só houver um pássaro nela, você terá um casamento feliz e financeiramente abundante. Nenhum pássaro na gaiola indica a morte de um membro da família.

GAITA Sonhar com esse instrumento musical, seja tocando ou simplesmente ouvindo, prevê um convite para uma festa.

GAITA DE FOLE Sonhar com uma gaita de fole não é ruim, a menos que a música seja desagradável e o músico esteja vestindo trapos.

GAIVOTA As gaivotas profetizam tratos pacíficos com pessoas mesquinhas. Ver gaivotas mortas sugere separação dos amigos. Sonhar com uma gaivota voando significa estar livre de problemas financeiros. Sonhar com uma gaivota na praia implica num problema financeiro que vai carecer de ajuda para ser resolvido. Ver gaivotas em qualquer lugar que não seja na costa é um alerta para perdas financeiras.

GALÁXIA Sonhar que está viajando para ou por uma galáxia prediz uma viagem inesperada a um lugar distante e exótico.

GALERIA Se você vê uma galeria de arte repleta de obras, é sinal de que novos amigos estão entrando em sua vida. Admirar a paisagem de uma galeria, como de uma varanda ou balcão, sugere um bom resultado para um projeto vigente. Cair de uma galeria é um alerta sobre uma discussão com um amigo ou ente querido.

GALERIA DE ARTE Visitar uma galeria de arte nos sonhos é presságio de um relacionamento infeliz em casa. Você luta para parecer alegre, mas na verdade deseja secretamente estar em outro lugar.

GALERIA DE ESGOTO Ver a água fluindo por uma galeria significa que você vai criar canais para facilitar sua vida e fazer com que ela flua com mais suavidade.

GALGO (CACHORRO) Esse cão de patas longas, se visto em sonhos, simboliza sorte. E se você for o dono dele, significa que verá amigos onde inimigos eram esperados. | *Ver também* Animais.

GALHO Sonhar que está sentado no galho de uma árvore indica que você deve buscar maneiras de tornar sua vida mais segura. Observar um galho balançando ao vento ou em movimento é sinal de que sua segurança é sólida como uma rocha. Se o galho quebrar, sua segurança foi violada.

GALINHA As galinhas indicam agradáveis reuniões familiares com novos membros. | *Ver também* Frango.

GALINHA GARNISÉ Ver essas galinhas anãs em sonho implica que, embora sua sorte seja pequenina, você desfrutará de muito contentamento. Se as galinhas parecerem doentes ou se estiverem expostas a tempestades invernais, é porque seus interesses na vida desperta serão prejudicados.

GALINHEIRO Sonhar com um galinheiro cheio de galinhas prenuncia prosperidade. Já um galinheiro vazio indica problemas financeiros decorrentes de fraude ou ilusão.

GALO Sonhar com um galo prediz muito sucesso e ascensão a uma posição de destaque, porém junto a tudo isto virá a vaidade. Ver galos brigando indica conflitos e rivais. Sonhar que ouve um galo cantando pela manhã é expressivamente bom. Se você for solteiro, é sinal de casamento em breve e uma casa luxuosa. Ouvir um galo cantando à noite significa desespero e motivos para chorar. Se você sonha que vê galos brigando, é porque vai abandonar sua família por causa de contendas e infidelidade. Esse sonho geralmente anuncia alguns acontecimentos inesperados e dolorosos. | *Ver também* Frango.

GALOPE Ver ou montar um cavalo a meio galope em sonho significa que seu ambiente estará repleto de itens bonitos e luxuosos.

GAMÃO Sonhar que está jogando gamão prevê encontros inesperados com estranhos. Se você vencer a partida, significa ganhos na vida. Se perder, assuntos profissionais pendentes vão se revelar um incômodo.

por uma gangue ou por um de seus integrantes é um alerta em relação a problemas financeiros que podem causar constrangimento.

GANHAR UMA BOLADA Sonhar que ganha o prêmio máximo numa aposta ou jogo sugere perda financeira. O tamanho do ganho no sono é proporcional ao tamanho da perda na vida desperta.

GANHOS Quanto maior o ganho, piores serão suas finanças na vida desperta em um futuro próximo. Mas se você foi desonesto para obter o ganho, o sonho pressagia um negócio bem-sucedido na vida real.

GANGUE

GAMBÁ Sonhar com esse animalzinho significa que você está ignorando um problema que precisa ser resolvido. Ver ou cheirar um gambá em um sonho prediz decepção social. Mas não se preocupe: novas oportunidades estão surgindo, e serão muito agradáveis.

GANCHO Ver um gancho nos sonhos sugere que você vai assumir algumas obrigações infelizes.

GANGORRA Sonhar com esse brinquedo de parque infantil sugere que um novo caso amoroso terá vida curta.

GANGRENA Sonhar que vê alguém sofrendo de gangrena prediz a morte de um de seus pais ou de um parente próximo.

GANGUE Sonhar que faz parte de uma gangue significa que você não está assumindo um papel de liderança em seus relacionamentos. Sentir medo de uma gangue ou ser ameaçado por uma sugere que você se encontra em um momento de depressão que só você pode superar. Sonhar que é espancado

GANSO Sonhar que se incomoda com o grasnar de gansos prediz morte em sua família. Vê-los nadando significa que sua sorte está aumentando gradualmente. Vê-los em gramados é garantia de sucesso. Mas se você os vir mortos, é porque vai sofrer perdas e desgosto. Se capturá-los, prenuncia o recebimento de uma herança. Comê-los sugere que seus bens estão sendo disputados. Sonhar com apenas um ganso é um alerta para cuidar de sua saúde e talvez marcar um check-up geral. Se o ganso estiver voando ou nadando, você vai fazer uma viagem inesperada e ter muita felicidade social. | *Ver também* Animais.

GARAGEM O sonho com uma garagem coletiva indica mudanças em seus assuntos profissionais. Se a garagem estiver vazia, o sonho é um aviso de que você está sendo enganado por alguém de sua confiança. Sonhar que estaciona na própria garagem reflete a segurança em questões de trabalho.

GARANHÃO Sonhar com um garanhão prenuncia condições prósperas nas quais você vai ocupar uma função de muita honra. Se você sonha que

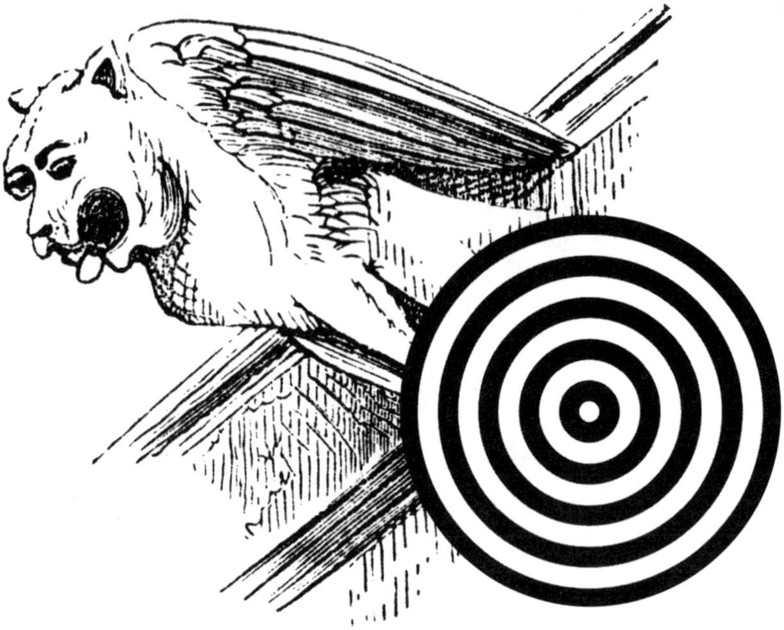

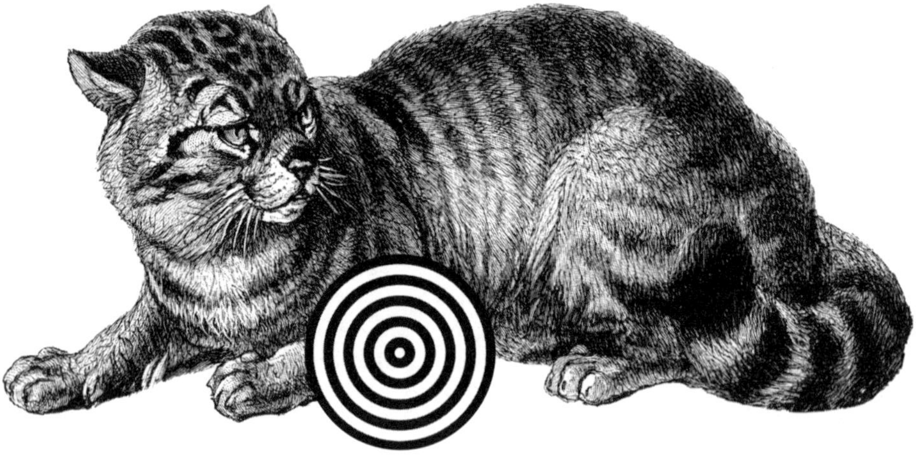

monta um belo garanhão, é porque vai crescer em posição e abundância num ritmo fenomenal; no entanto, seu sucesso vai distorcer sua moralidade e seu senso de justiça.

GARÇA Sonhar com essa ave aquática indica grande sorte chegando.

GARÇOM Sonhar com um garçom significa que você será agradavelmente acolhido por um amigo. Ver um garçom ríspido ou atabalhoado pressagia que pessoas desagradáveis vão se aproveitar de sua hospitalidade.

GARDÊNIA Nos sonhos, a gardênia representa um novo caso amoroso ou o reacender de um caso do passado.

GARFO Sonhar com um garfo sugere que os desafetos estão atuando para tirar você de sua posição.

GARGANTA Sonhar que vê uma garganta bem formada e saudável pressagia uma subida de cargo ou posição. Mas se você sonha que sua garganta está inflamada, é porque vai se enganar ao avaliar um amigo e vai ficar ansioso ante a descoberta que fará.

GARGAREJO Um sonho com gargarejo sugere que mudanças imediatas vão trazer benesses, mesmo que pareçam problemáticas no início.

GÁRGULA A gárgula é um aviso sobre estar sendo bobo e fazendo papel de tolo.

GARRAFA É bom sonhar com garrafas se estiverem cheias de líquido transparente. Significa que você vai superar todos os obstáculos nos assuntos do coração e que terá prosperidade. Se as garrafas estiverem vazias, porém, os problemas tomarão conta; no entanto, você vai ser capaz de se livrar deles usando de estratégia.

GÁS Sonhar com gás implica que você tem acolhido opiniões nocivas sobre terceiros e tem lidado com elas injustamente, e vai sentir remorso por causa disso. Achar que sofreu asfixia por gás em um sonho indica problemas devido ao seu próprio desperdício e negligência. Tentar soprar o gás significa que você, sem querer, vai acolher desafetos que podem destruí-lo. Extinguir o gás em seu sonho significa que você vai estragar sua própria felicidade impiedosamente. Se você usá-lo para criar uma chama, é porque vai encontrar um jeito simples de escapar do azar sufocante.

GÁS NATURAL Sonhar que sente cheiro de gás natural implica em viagens por prazer.

GASOLINA O sonho com gasolina diz que depois de um curto esforço para executar uma tarefa, haverá uma conclusão bem-sucedida.

GASTO Sonhar que está gastando dinheiro é, na verdade, um aviso para ser mais econômico no momento.

GATO Sonhar com um gato, em geral, denota má sorte, a menos que você o mate ou o afaste. Se o gato atacar você, é porque inimigos vão fazer qualquer coisa para prejudicar sua reputação. Mas se você conseguir banir o gato, é porque vai superar grandes obstáculos e terá fama e fortuna. Ouvir o grito ou miado de um gato pressagia que um falso amigo está usando tudo ao seu alcance para lhe fazer mal. Se você sonha que é arranhado por um gato, um desafeto vai conseguir roubar os lucros de um negócio pelo qual você trabalhou arduamente. | *Ver também* Filhote de gato.

GAZE Sonhar que usa vestes de gaze denota sorte incerta.

GEADA Em sonhos, ver a geada em uma manhã sombria simboliza o exílio em um país estranho. Mesmo assim, suas andanças vão terminar em paz. Ver a geada em uma paisagem iluminada pelo sol sugere prazeres constrangedores, os quais você vai ficar feliz em largar num período posterior de sua vida. Sua conduta exemplar vai fazer com que seu círculo esqueça as escapadelas do passado.

GÊISER Sonhar com um gêiser sugere que sua vida vai sofrer algumas reviravoltas, mas no final você vai encontrar a felicidade.

GELADEIRA Ver uma geladeira em seus sonhos pressagia que seu egoísmo vai ofender e magoar alguém que vem tentando ganhar a vida honestamente.

GELATINA Preparar ou comer gelatina fala do fugaz vai e vem da felicidade. É indicativo de muitas interrupções agradáveis em sua rotina. Preparar gelatina prediz um reencontro com amigos.

GELEIA Sonhar com geleia, se pura, denota agradáveis surpresas e viagens. Sonhar que está preparando geleia prenuncia um lar feliz e amigos muito gratos.

GELEIA DE LARANJA Sonhar que come geleia de laranja denota uma enfermidade e muita insatisfação.

GELO O gelo nos sonhos representa muita angústia. Pessoas mal-intencionadas vão tentar prejudicar você naquilo que você faz de melhor. Ver gelo flutuando em um riacho de água límpida indica que sua felicidade vai ser interrompida por amigos mal-humorados e ciumentos. Se você sonha que caminha sobre o gelo, é porque tem arriscado muito do seu conforto e do respeito em troca de alegrias ínfimas. Se você sonha que está fazendo gelo é porque vai encontrar o fracasso devido ao egoísmo e ao excesso de ego. Mastigar gelo pressagia doença. Se você beber água gelada, pode ser sinal de problemas de saúde em decorrência de devassidão. Banhar-se em água gelada significa que prazeres muito esperados serão interrompidos por um imprevisto. | *Ver também* Pingente de gelo.

GELO SECO Manusear gelo seco com luvas é um aviso sobre fraudes entre colegas de trabalho. Sonhar que o manuseia sem luvas significa que você será solicitado a enganar alguém. Esse sonho é um alerta para negar esses pedidos, ou você terminará culpado, e outra pessoa seguirá livre.

GEMADA Sonhar que está preparando ou bebendo gemada é sinal de boa saúde.

GÊMEOS Sonhar que vê gêmeos prenuncia segurança profissional e contentamento fiel e amoroso no lar. Mas se os gêmeos estiverem doentes, aí espere decepção e tristeza.

GEMIDO Gemer em sonhos pressagia uma ruptura financeira que pode ser muito difícil de se corrigir. Sonhar que está ouvindo outra pessoa gemendo indica a mesma coisa — só que neste caso o problema será facilmente sanado. Se você ouve gemidos em seus sonhos, decida rapidamente o que fazer, pois oponentes estão minando seus negócios. Se você está gemendo de medo, é porque vai se flagrar agradavelmente surpreso com uma mudança para melhor nos assuntos profissionais, e pode ser que busque uma visita agradável entre amigos.

GENEALOGIA Sonhar com sua árvore genealógica sugere que você vai se flagrar sobrecarregado pelos cuidados da família, ou que vai encontrar prazer em campos bem diferentes do seu. Se você vir outras pessoas estudando a árvore genealógica delas, é porque pode se ver obrigado a ceder seus direitos a terceiros. Se houver um ramo faltante, você vai ignorar alguns de seus amigos devido às circunstâncias difíceis pelas quais eles estão passando.

GENGIVA Sonhar com gengivas saudáveis sugere que bons relacionamentos são abundantes em sua vida. Mas se elas não estiverem em bom estado, pode haver um problema em seus vínculos.

GÊNIO O gênio prediz a realização inesperada de um grande desejo.

GENITAL Sonhar com órgãos genitais saudáveis, de qualquer gênero, significa uma boa vida amorosa no futuro. Mas se os genitais estiverem doentes ou deformados, o sonho é um alerta de que você vem sendo muito ousado em sua vida sexual. Se alguém expõe os órgãos genitais a você em um sonho, pode ser que você esteja necessitando de aconselhamento sobre sua vida sexual em sua vida desperta.

GENUFLEXÓRIO O genuflexório pressagia a entrega de seu poder e sina a outra pessoa.

GEOGRAFIA Sonhar que estuda geografia sugere que você vai viajar muito e que visitará lugares de renome. | *Ver também* Atlas.

GERÂNIO Essa flor simboliza riqueza inesperada. Cheirá-la só faz aumentar essa fortuna.

GINÁSIO ESPORTIVO Se você sonha que está em um ginásio esportivo, é indicativo de que em um futuro próximo vai passar por uma situação constrangedora.

GINASTA Sonhar com um ginasta sugere que você vai sofrer infortúnios por causa de especulação ou no comércio.

GIRASSOL

GERME Ver, estar atento a ou se preocupar com germes em um sonho significa renovação da energia e da vitalidade.

GESSO Se você sonha que vê paredes totalmente rebocadas com gesso, isso indica que o sucesso vai chegar, porém não será estável. Ser atingido por gesso que caiu do reboco fala de desastres absolutos e exposição pública. Ver gesseiros trabalhando sugere que você vai ter recursos suficientes para superar a pobreza financeira.

GHOUL Sonhar com esse lendário demônio da cultura oriental, conhecido por atacar túmulos e se alimentar de cadáveres, representa decepções futuras.

GIGANTE Sonhar com um gigante aparecendo repentinamente diante de você sugere uma grande luta contra seus desafetos. E se o gigante conseguir interromper sua jornada, você vai ser vencido por seus inimigos. Já se o gigante fugir de você, a prosperidade e a boa saúde estarão em suas mãos.

GIGOLÔ Ver-se como um gigolô é um sonho de boa sorte, mas você vai pagar um preço por isso. Ser acolhido por um gigolô, por outro lado, é sinal de boa sorte sem nenhum tipo de troca atrelada.

GIRAFA Esse animal de pescoço comprido simboliza a necessidade de cuidar de sua vida e não se meter nos assuntos dos outros.

GIRASSOL O girassol representa felicidade e contentamento emocional e mental.

GIRINO Sonhar com girinos indica que a especulação duvidosa vai causar motivos para inquietação no trabalho.

GIRO Sonhar que está girando sugere o envolvimento em um empreendimento que será tudo o que você poderia querer.

GIZ Se você sonha que usa o giz em um quadro, é porque vai ganhar uma homenagem pública. Punhados de giz indicam decepção.

GLACÊ Sonhar com glacê em um doce significa que você não está totalmente ciente de alguma história. Alguém está enfeitando as coisas para lhe poupar.

GLADÍOLO Sonhar com essa flor significa que em breve sua vida social vai estar muito agitada. | *Ver também* Flor, flores específicas.

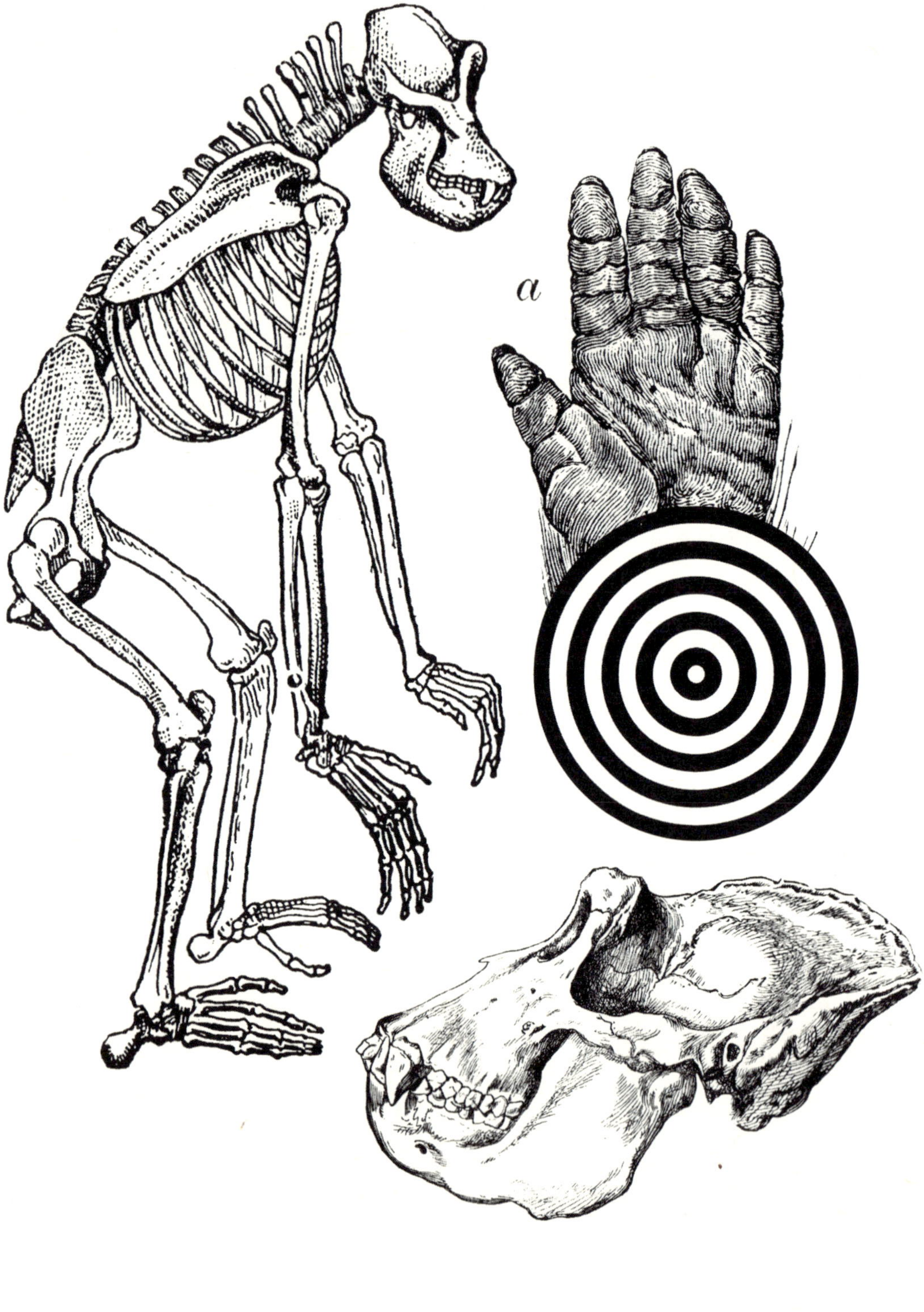
a

GLICÍNIA Essa videira florida simboliza a felicidade e o amor na vida doméstica.

GLOBO Nos sonhos, o globo representa novos interesses e aventuras.

GLÓRIA Sonhar que você vive sob um estado de glória indica muito sucesso material. Ver outras pessoas sob esse estado significa prazer derivado do interesse que os amigos têm em seu bem-estar.

GOL Marcar um gol em um sonho, não importa se é você ou outra pessoa, significa novos amigos e oportunidades chegando.

GOLFE Jogar ou assistir a uma partida de golfe sugere que você se permita sonhar acordado. Se você sonhar com qualquer coisa desagradável relacionada ao golfe, no entanto, é porque vai ser humilhado por uma pessoa grosseira.

GOLFINHO É provável que você fique sujeito a um novo governo. Não é um sonho muito bom.

GOLPE (FÍSICO) Ser golpeado em um sonho fala de boas amizades abundantes em sua vida. Mas se você bater em alguém, fique atento com seus amigos.

GOLPES Sonhar com golpes físicos pressagia um dano a você mesmo. Se você se defender, vai ter uma melhoria no trabalho.

GÔNDOLA Sonhar com um passeio romântico de gôndola significa que você precisa de mudanças em sua vida amorosa. As férias podem ajudar a reacender o romance com seu parceiro.

GONGO Nos sonhos, o som de um gongo representa um alarme falso de doença ou uma perda incômoda.

GORDURA Sonhar que está engordando indica uma mudança feliz em sua vida muito em breve. Ver outras pessoas gordas significa prosperidade. | *Ver também* Corpulência.

GORILA Se no sonho você fica assustado ao ver um gorila, é porque está sendo avisado sobre um doloroso mal-entendido em um relacionamento. Se o gorila estiver tranquilo e amigável, você logo fará novos amigos.

GOTA (ENFERMIDADE) Se você sonha que sofre de gota, é porque certamente vai ficar irritado com a conduta besta de um parente e pode vir a sofrer uma pequena perda financeira por causa dessa mesma pessoa.

GOVERNANTA Sonhar que é uma governanta indica que o trabalho tem ocupado seu tempo, tornando o prazer algo enobrecedor. Contratar uma governanta significa que um relativo conforto pode estar ao seu alcance.

GOVERNO Sonhar que se envolve com o governo prevê um período de incertezas em sua vida.

GRADEADO Sonhar com um gradeado decorado avisa para ter cuidado nos assuntos do coração.

GRALHA Nos sonhos, as gralhas simbolizam problemas de saúde e brigas. Se você capturar uma é porque vai ser mais sagaz do que seus desafetos. Se você matar uma, é porque vai ganhar a posse de um bem disputado.

GRALHA-CALVA Sonhar com essa espécie de gralha denota que, embora seus amigos sejam verdadeiros, eles não vão lhe proporcionar o prazer e a diversão que você tanto almeja, pois suas ideias e gostos vão colidir com a noção que eles têm sobre como a vida deve ser vivida. Uma gralha-calva morta prediz doença ou morte em um futuro imediato.

GRAMA Esse é um sonho muito propício. Promete uma vida feliz aos comerciantes, com rápida acumulação de riquezas; é também prenúncio de fama entre as pessoas literárias e artísticas; e prevê uma viagem segura pelo turbulento mar do amor. Ver uma montanha acidentada para além de uma extensão de gramado verde significa problemas à

GRAMADO

vista. Se ao atravessar o gramado você também passar por lugares secos, espere doença ou constrangimentos na vida profissional. Para ser um sonho perfeito, a grama deve estar livre de obstruções ou manchas. Se você sonha com grama seca, considere todo o inverso das previsões acima.

GRAMADO Sonhar que caminha sobre um gramado bem cuidado indica momentos de alegria e grande prosperidade. Participar de uma festa alegre em um gramado sugere muitos momentos felizes; compromissos profissionais também serão bem-sucedidos.

GRAMÁTICA Sonhar que estuda gramática implica que logo você vai fazer uma escolha sábia entre oportunidades importantes.

GRAMOFONE Sonhar que ouve música em um antiquado gramofone prediz o surgimento de um novo e agradável colega que vai se prestar a lhe proporcionar diversão de bom grado. Se o gramofone estiver quebrado, alguma ocorrência fatídica vai frustrar e estragar quaisquer deleites que estejam sob sua expectativa.

GRAMPO DE CABELO Esse objeto prevê boa sorte em um futuro próximo.

GRANADA Sonhar com granadas anuncia raiva e disputas que podem terminar em ações judiciais. Muitos incidentes desagradáveis podem vir a acontecer após esse sonho.

GRANADA DE MÃO Sonhar que lança uma granada de mão significa que você vai ficar no cerne de um constrangimento social.

GRANIZO Sonhar que está enfrentando uma chuva de granizo é sinal de pouco sucesso em qualquer empreendimento. Se você vir o granizo caindo em meio ao sol e à chuva, é porque vai ser atormentado por preocupações durante um bom tempo, mas não se preocupe: a sorte logo vai sorrir para você. Ouvir granizo batendo no telhado de casa indica situações angustiantes.

GRÃO Sonhar com grãos é muito afortunado, representando riqueza e felicidade.

GRAVAÇÃO Se você sonha que vê algo sendo gravado e consegue ler o registro, é porque em breve vai assinar papéis importantes.

GRAVADOR DE FITA Qualquer referência a um gravador nos sonhos sugere que em breve você vai se flagrar repetindo um pedido antes que ele de fato seja atendido.

GRAVATA Sonhar que tem dificuldade para amarrar uma gravata significa um problema emocional que vale ser investigado — e por fim abandonado.

GRAVIDEZ Sonhar que está grávida sugere que um novo aspecto em sua personalidade está crescendo e se desenvolvendo. Se o bebê estiver doente ou morrendo dentro de você, é porque um projeto no qual você se esforçou muito pode estar desmoronando. Se você estiver grávida na vida real, aí esse sonho não tem significado algum.

GRAVURA Se seu sonho inclui gravuras, você vai se flagrar buscando empreendimentos artísticos jamais esperados.

GRAXA Sonhar com graxa sugere viagens na companhia de estranhos enfadonhos, ainda que educados.

GREGO (IDIOMA) Sonhar que lê em grego indica que suas ideias finalmente vão ser discutidas, aceitas e colocadas em prática. Se você tentar ler grego mas não conseguir, é porque vai encontrar dificuldades técnicas em seu caminho.

GRELHAR Se você sonha que está grelhando alimentos, evite incomodar seus amigos com seus problemas.

GREVE Testemunhar trabalhadores em greve pressagia uma promoção ou avanço na carreira.

GRILHÃO Sonhar com grilhões sugere liberdade e paz de espírito em sua vida pessoal e profissional.

GRILO Ouvir um grilo em sonho indica notícias melancólicas, talvez a morte de um amigo distante. Se você vir grilos, espere uma batalha contra a pobreza.

GRINALDA Sonhar que vê uma grinalda de flores frescas é uma grande oportunidade de enriquecimento. Já uma grinalda murcha prevê doença e amor ferido. Ver uma grinalda nupcial prediz um final feliz para relacionamentos incertos.

GRITO Sonhar com outras pessoas gritando sugere notícias angustiantes. Sonhar que você está gritando é um bom presságio para tudo o que diz respeito a você. Se você sonha que ouve gritos de angústia, é porque vai se envolver em sérios problemas, no entanto, se ficar alerta, vai ser capaz de emergir dessas dificuldades aflitivas com sucesso. Se o grito for de surpresa, você vai receber ajuda de fontes inesperadas. Ouvir os gritos de feras selvagens prediz um acidente grave. Ouvir um pedido de ajuda de parentes ou amigos é um alerta de que esta pessoa está doente ou angustiada.

GROSELHA Sonhar que colhe groselhas é sinal de felicidade depois de problemas e indicativo de perspectivas melhores na vida profissional. Se você estiver comendo groselhas verdes, é porque vai cometer um erro em sua busca por prazer e será catapultado no vórtice do sensacionalismo. A degustação de groselhas verdes certamente representa resultados ruins. O simples ato de ver groselhas em um sonho indica que você vai escapar de um trabalho horroroso.

GROSSERIA Se você está sendo rude com alguém em seu sonho, significa que as pessoas ao seu redor lhe têm sob à mais alta estima. Se alguém estiver fazendo grosserias com você, é porque uma pessoa próxima logo, logo vai arranjar confusão.

GRUA Em sonhos, as gruas simbolizam conflito e obstrução para o sucesso.

GRUTA Ver uma gruta nos sonhos implica em amizades incompletas e inconstantes.

GUARDA-CHUVA Sonhar que carrega um guarda-chuva indica problemas e aborrecimentos chegando. Se você vir outras pessoas com um, pode ser que receba um apelo de caridade. Se você pegar um guarda-chuva emprestado, é porque vai enfrentar um mal-entendido, talvez com um amigo íntimo. Emprestar seu guarda-chuva pressagia mágoa com falsos amigos. Perder um denota problemas com alguém em quem você confia. Se você vir um guarda-chuva quebrado, vai ser mal interpretado e difamado. Se ele estiver com vazamentos, sinal de que você vai ser magoado ou ofendido pela pessoa amada ou por colegas. Carregar um guarda-chuva novo sob uma chuva límpida ou sob o sol anuncia prazer e prosperidade requintados. | *Ver também* Guarda-sol.

GUARDA-FLORESTAL Sonhar com um guarda-florestal uniformizado prevê uma viagem.

GUARDA-LOUÇA Ver um guarda-louça nos sonhos representa prazer e conforto, ou penúria e angústia, dependendo se estiver limpo e cheio, ou vazio e sujo. | *Ver também* Cofre.

GUARDA-ROUPA Sonhar com seu guarda-roupas indica que sua prosperidade vai correr riscos por causa das suas tentativas de parecer mais rico do que é. Se você sonhar que seu guarda-roupa está escasso, é porque vai buscar relacionamentos com estranhos.

GUARDA-SOL Sonhar com um guarda-sol significa segurança emocional. Mas se estiver rasgado, sua segurança não está tão garantida assim. | *Ver também* Guarda-chuva.

GUARDANAPO Esse sonho prenuncia uma festividade na qual você vai marcar uma presença proeminente.

GUARDIÃO A figura do guardião diz que você vai ser tratado com estima por seus amigos.

GUAXINIM

GUAXINIM Sonhar com um guaxinim indica que você está sendo enganado pela aparência amigável de inimigos.

GUEIXA Ser uma gueixa nos sonhos significa que você vai receber uma homenagem por sua integridade. Se você vir uma gueixa, é porque vai precisar provar sua integridade em uma situação complicada.

GUEPARDO Sonhar com esse animal, esteja ele em repouso ou correndo, é um alerta para agir com rapidez nos projetos e assuntos profissionais. Não perca tempo com indecisões!

GUERRA Sonhar com guerra prediz condições infelizes na carreira e muita desordem e conflito na vida doméstica. Se uma jovem sonhar que a pessoa amada vai para a guerra, indica que ela vai ficar sabendo de algo que macula o caráter de seu parceiro. Sonhar que seu país é derrotado numa guerra é sinal de que a nação passará por uma revolução de natureza empresarial e política. O interesse pessoal vai sustentar um golpe de um modo ou de outro. Se você sonha com a vitória numa guerra, é porque na vida desperta haverá atividade vigorosa na vida empresarial, e a rotina doméstica e familiar será harmoniosa.

GUERRA QUÍMICA Assistir a uma guerra química é uma previsão de que seus problemas vão ser resolvidos de forma muito eficiente e não convencional.

GUETO Sonhar com um gueto é um alerta para apertar o cinto e começar a economizar para um período de necessidade.

GUICHÊ Sonhar com guichês indica que seu empenho vai impedir que a ociosidade contamine sua vida com desejos prejudiciais. Guichês vazios e sujos representam compromissos infelizes que trazem grande inquietação mental.

GUILHOTINA A guilhotina é um aviso para tomar cuidado com o que você diz, antes que perca uma amizade valiosa.

GUINGÃO Sonhar que veste, costura, vê ou simplesmente toca esse tipo de tecido prevê que em algum momento de sua vida você vai ter de se desvencilhar do passado para poder prosseguir. | *Ver também* Tecido, tecidos específicos.

GUIRLANDA Sonhar que usa uma guirlanda de flores prediz a vitória em uma situação desafiadora. No entanto, tenha cuidado se ganhar uma guirlanda, pois na vida desperta você pode descobrir que suas amizades são desonestas.

GUISADO Sonhar que serve ou prepara um guisado anuncia a notícia de um nascimento. Sonhar que come guisado indica um encontro surpresa com um velho amigo.

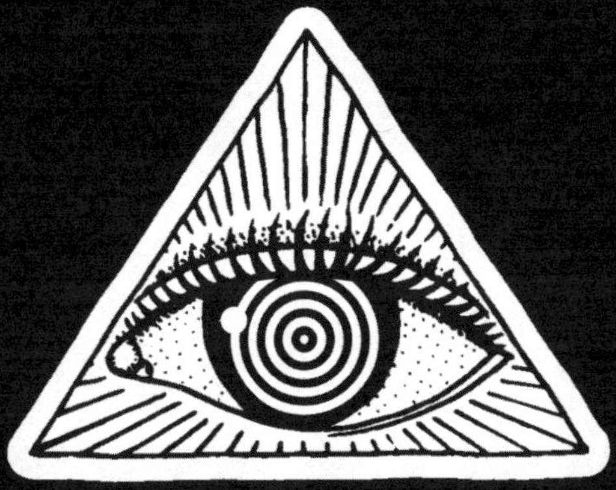

Supero os pesadelos porque tenho sonhos.

Jonas Salk

H

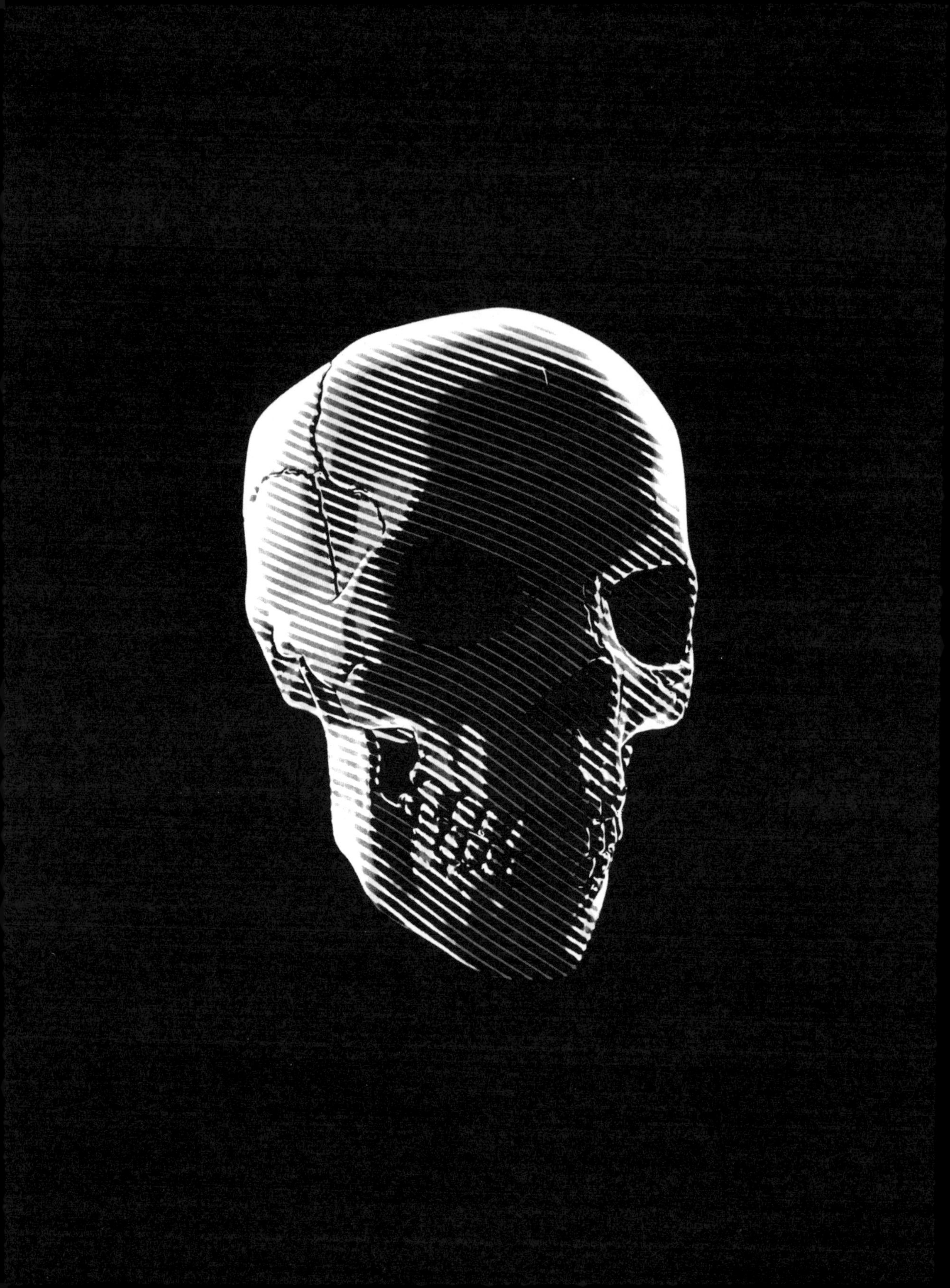

H

"De dia realizei meus sonhos da noite."

HABILIDADE Sonhar que se é dotado da habilidade de realizar uma tarefa ou função — seja ela física, mental ou o que for — sem ter tido nenhum treinamento ou experiência significa que está surgindo na sua vida uma situação a qual você se acha incapaz de enfrentar. Por outro lado, a ausência de habilidades para fazer algo que você sabe ser capaz de resolver muito bem lembra que é hora de reavaliar seus dons e de expandir seus conhecimentos atuais. É sinal de que falta alguma coisa para você conseguir completar suas tarefas e guiar a situação atual a um fim lógico e bem-sucedido.

HÁBITO Se você sonha que tem um mau hábito é porque vai enfrentar um momento social difícil. Sonhar que está usando um hábito de montaria ou religioso é um conselho para ser firme ao romper um relacionamento.

HÁLITO Se no sonho você se aproximar de uma pessoa com hálito puro e agradável, sua conduta será louvável e acordos profissionais bem-sucedidos virão. Mau hálito indica doença e armadilhas na vida desperta.

HALLOWEEN (DIA DAS BRUXAS)
Nos sonhos, essa comemoração tipicamente norte-americana representa o reconhecimento nos assuntos públicos.

HALO Um halo de luz visto ao redor de um objeto significa que você vai ser elogiado por suas realizações.

HAMBÚRGUER Sonhar que come ou prepara um hambúrguer significa que a abundância e a felicidade estão chegando na sua casa.

HAMSTER Sonhar com esse simpático mamífero significa que você está entrando em um período de abundância em sua vida. Se você o vir correndo em sua rodinha na gaiola, indica boa sorte. | *Ver também* Animais.

HANDEBOL Sonhar que assiste a uma partida ou que joga handebol significa que você vai ter competição em seu rumo à ascensão profissional. | *Ver também* Squash (esporte).

HANUKKAH Se você é gentio e sonha que está comemorando a festividade judaica do Hanukkah, é sinal de muitas bênçãos financeiras vindo aí.

HARÉM Sonhar que você mantém um harém indica que você está desperdiçando energia em pequenos prazeres. A vida garante boas premissas caso seus desejos sejam direcionados.

HARPA Ouvir as melodias doces e melancólicas de uma harpa prediz a triste conclusão do que antes parecia um empreendimento interessante e lucrativo. Ver uma harpa quebrada é sinal de doença ou fidelidade destroçada entre amantes. Tocar harpa significa que você confia demais nas pessoas e que precisa ter mais cuidado ao ceder sua confiança e seu amor.

HAXIXE Sonhar que fuma ou compra haxixe é presságio de uma experiência agradável na qual você fará novos amigos em um futuro próximo. Vender haxixe alerta para problemas jurídicos vindouros.

HÉLICE Sonhar com uma hélice funcionando significa uma pronta conclusão para um futuro acordo profissional. Sonhar com uma hélice estagnada ou quebrada é um aviso de que seu descuido ou apatia podem atuar contra você e favorecer outra pessoa.

HELICÓPTERO Se no sonho você está em um helicóptero, ou pilotando um, significa que você vai ter de fazer escolhas em relação à sua carreira.

HÉLIO Sonhar com esse gás é sinal de bons investimentos empresariais futuros.

HELIOTROPO Sonhar que vê esse mineral indica que você será azarado em seus relacionamentos sociais.

HEMATOMA Sonhar com hematomas é um alerta para se ter cuidado com festas. Muita diversão pode causar problemas, e você precisa pegar leve.

HEMORRAGIA Se você ou outra pessoa tiver uma hemorragia em seu sonho, busque relaxar mais na sua vida desperta; não se sobrecarregue.

HEMORROIDA Sonhar com essa dolorosa enfermidade significa que um distúrbio mental em sua vida precisa ser cuidado.

HEPATITE Sonhar com essa doença é um alerta de que você precisa expressar seus verdadeiros sentimentos para uma pessoa querida.

HERA Sonhar que vê hera crescendo em árvores ou casas indica saúde excelente e aumento da prosperidade. Inúmeras alegrias sucedem esse tipo de sonho. Já a hera murcha fala de noivados rompidos e tristeza.

HERA VENENOSA Sonhar com essa planta sugere que um doloroso mal-entendido vai ocorrer com um amigo especial.

HERANÇA Após esse sonho, o reconhecimento dos deveres bem executados e a saúde dos jovens estarão assegurados. Sonhar que herda uma propriedade ou objetos de valor indica que você corre o risco de perder o que já tem, e alerta para as responsabilidades que virão. Agradáveis surpresas também podem se seguir a esse tipo de sonho. Sonhar que recebe uma herança prediz fácil realização dos desejos. | *Ver também* Propriedade.

HÉRNIA Sonhar que você tem uma hérnia indica distúrbios físicos ou problemas desagradáveis. Se você vir os outros com uma hérnia, é porque está sob risco de brigas irreconciliáveis.

indicativo de muitos problemas. Sonhar com uma banheira vazia significa que logo virá um convite para um evento divertido em sua vida.

HIENA Se você vir uma hiena em seus sonhos, vai se deparar com muita decepção e azar, e seus colegas serão muito hostis. Se os amantes têm esse sonho, é sinal de brigas frequentes. Se você sofrer o ataque de uma hiena, sua reputação também vai ser atacada — só que por intrometidos.

HIENA

HERÓI Se você estiver desempenhando o papel de herói em seus sonhos, é porque na vida desperta vai ser criticado por colegas e velhos amigos. Se outra pessoa em seu sonho for o herói, isso prediz uma nova oferta profissional bastante lucrativa.

HEROÍNA Sonhar que você ou terceiros estão usando essa droga é um conselho para pensar seriamente no tipo de pessoa com quem você vem se relacionando. | *Ver também* Drogas.

HÍBRIDO Sonhar com algo híbrido indica transformação e mudança entrando em sua vida.

HIDRANTE Um hidrante expelindo água significa que suas preocupações logo, logo vão desaparecer.

HIDROFOBIA Sonhar que está sofrendo de hidrofobia sugere desafetos e mudanças profissionais. Se você vir outras pessoas com essa doença, seu trabalho será interrompido pela morte ou por um subordinado ingrato.

HIDROMASSAGEM Se você sonha que está numa banheira de hidromassagem e as águas estão límpidas, é sinal de que a felicidade e a prosperidade estão à espera. Se a água estiver turva e suja, é

HIERÓGLIFO Os hieróglifos vistos em sonho sugerem que a indecisão em algum assunto vital pode causar grande angústia e perda financeira. Se você for capaz de lê-los, seu sucesso para superar alguns males logo virá.

HIGIENE Uma higiene pessoal deficiente nos sonhos pressagia ascensão social em breve e a conquista de amigos influentes. Flagrar a falta de higiene de outra pessoa é um aviso contra amigos traidores.

HINO Sonhar que ouve o entoar de hinos denota contentamento no lar e perspectivas medianas nos assuntos profissionais. | *Ver também* Canto (Cantar).

HIPERVENTILAÇÃO Sonhar que você está hiperventilando indica que boa sorte está por vir.

HIPÓCRITA Se você sonha que alguém foi hipócrita com você, é porque na vida desperta falsos amigos vão lhe entregar aos desafetos. Mas se você for o hipócrita, aí é porque na vida desperta você pode se revelar um enganador que será falso com seus amigos.

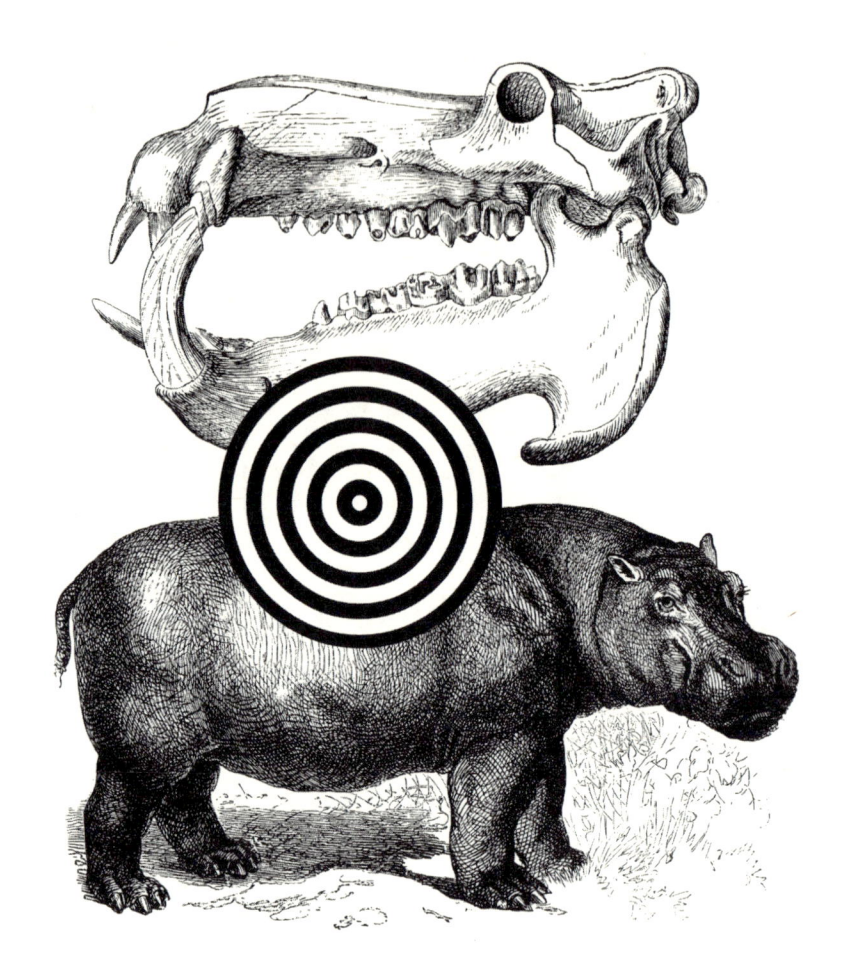

HIPOPÓTAMO

HIPOPÓTAMO Sonhar com esse animal gigantesco pressagia rivalidade e competição no ambiente de trabalho. | *Ver também* Animais.

HIPOTECA Sonhar que hipotecou sua propriedade indica que você está ameaçado por turbulências financeiras que vão trazer constrangimentos. Tomar ou manter uma hipoteca contra terceiros implica numa renda adequada para cumprir suas obrigações. Flagrar-se lendo ou examinando documentações de hipotecas sugere grandes possibilidades de amor ou ganho. Perder um contrato de hipoteca fala de perda e preocupação — isto caso o contrato não seja reencontrado em seu sonho. | *Ver também* Escritura.

HISTÓRIA Se você sonha que escreve uma história, é porque um momento de tristeza está prestes a chegar. Sonhar que lê ou ouve uma história prediz momentos felizes, bem como recreações longas e agradáveis.

HOLOFOTE Sonhar que vê ou que está sob a luz de um holofote é sinal de que seu trabalho árduo será recompensado em breve. Ver o reflexo de holofotes no céu pressagia problemas mundiais, como guerra e conflito.

HOLOGRAMA Ver um holograma em um sonho significa que você não está sendo genuíno consigo e com sua personalidade.

HOMEM Sonhar com um homem, caso ele seja bonito, atraente e atlético, indica que você vai aproveitar muito a vida e terá muitas posses. Se ele for esquisito ou deformado, você vai encarar decepções e muitas confusões.

HOMEM DAS CAVERNAS É um aviso de que você está adotando muitas ideias antiquadas.

HOMEOPATIA Sonhar com essa medicina natural significa que talvez você precise consultar um médico.

HÓQUEI Seja no gelo ou na grama, sonhar com esse esporte é um lembrete de que o sucesso só será alcançado por meio do trabalho árduo.

HORA Sonhar que vê a hora em um relógio ou ouvir um relógio batendo as horas indica que você está indo no rumo certo.

HORIZONTE Se você sonha que o horizonte está longínquo, o sucesso está previsto em sua vida. Sonhar que o horizonte está próximo também significa sucesso à vista, mas pode demorar um pouquinho.

HORÓSCOPO Sonhar que seu horóscopo está sendo feito por um astrólogo prenuncia mudanças profissionais inesperadas e uma longa viagem; provavelmente vai haver contato com gente nova. Se as estrelas estiverem astrologicamente voltadas para você enquanto seu destino está sendo lido, você vai encontrar decepção onde a fortuna e o prazer pareciam esperados.

HORTELÃ Sonhar com hortelã representa entretenimento e situações interessantes. Se você vir os pezinhos crescendo, é porque vai participar de algum prazer que inclui uma pitada de romance. Desfrutar de bebidas com notas de hortelã aponta para o desfrute de encontros com uma pessoa atraente e fascinante.

HÓSPEDE Sonhar que é um hóspede significa que em breve você vai ter um desentendimento em suas amizades. Sonhar que tem hóspedes em casa pressupõe renovação das amizades.

HOSPITAL Se você for o paciente em um hospital, sinal de que uma doença contagiosa pode atingir sua comunidade, mas você vai escapar por um triz. Se você estiver visitando os pacientes do hospital é porque vai ter notícias angustiantes de pessoas distantes. | *Ver também* Enfermaria.

HOSTILIDADE Sonhar com alguém sendo hostil com você significa que em breve você vai ter de admitir um erro. Já se você estiver sendo hostil, é porque precisa tomar cuidado com o que diz e com a maneira como trata os outros.

HOTEL Sonhar que mora em um hotel implica em tranquilidade e lucros. Sonhar que vê um hotel chique prenuncia riqueza e viagens. Se no sonho você for o proprietário do estabelecimento, é porque vai ganhar toda a prosperidade possível na vida. Se você sonha que trabalha em um hotel, é porque poderia conseguir um emprego mais bem remunerado do que o atual.

HULA Sonhar com essa dança havaiana sugere uma aventura romântica exótica em vista.

HUMANITARISMO Sonhar que é um humanitário significa que você vai ser socialmente reconhecido por suas realizações.

HUMILHAÇÃO Sonhar que está sendo humilhado por qualquer coisa que você fez é sinal de que você vai se flagrar numa posição nada invejável diante daqueles de quem mais deseja parecer honrado e justo. As condições financeiras vão decair.

HUMOR Sonhar que perde o bom humor significa perder o apoio de um amigo ou colega. Já ver outras pessoas perdendo a paciência indica que você pode precisar de uma mudança de local ou ambiente pessoal para que as coisas voltem a funcionar.

Esperança é um sonho acordado.

Aristóteles

I

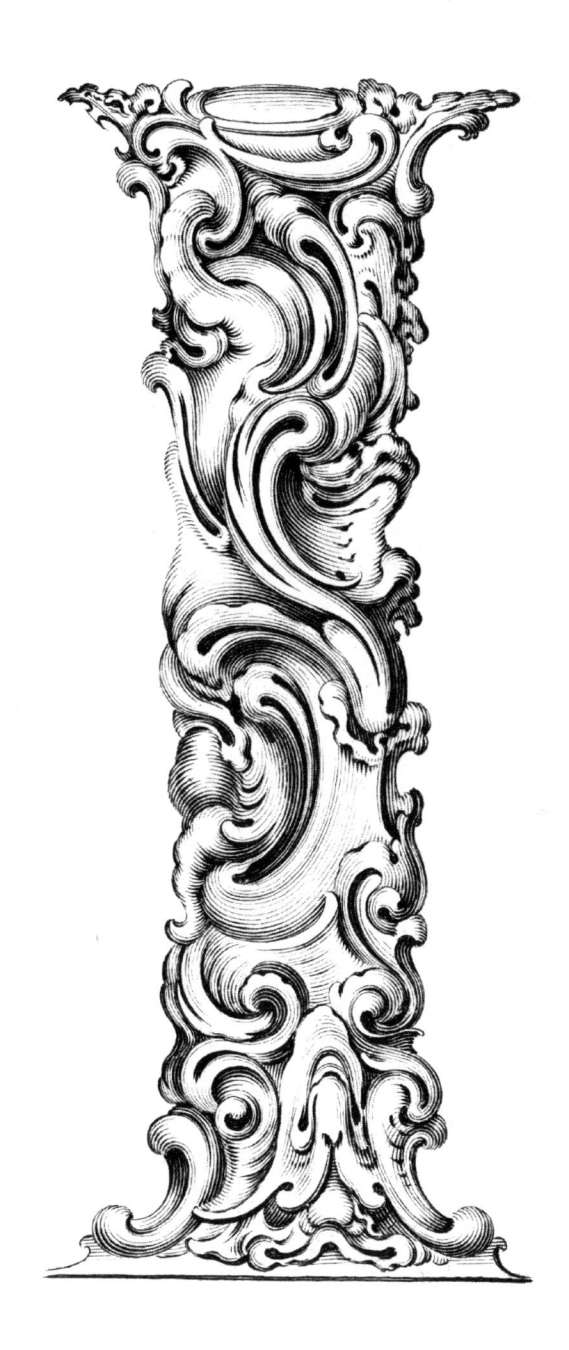

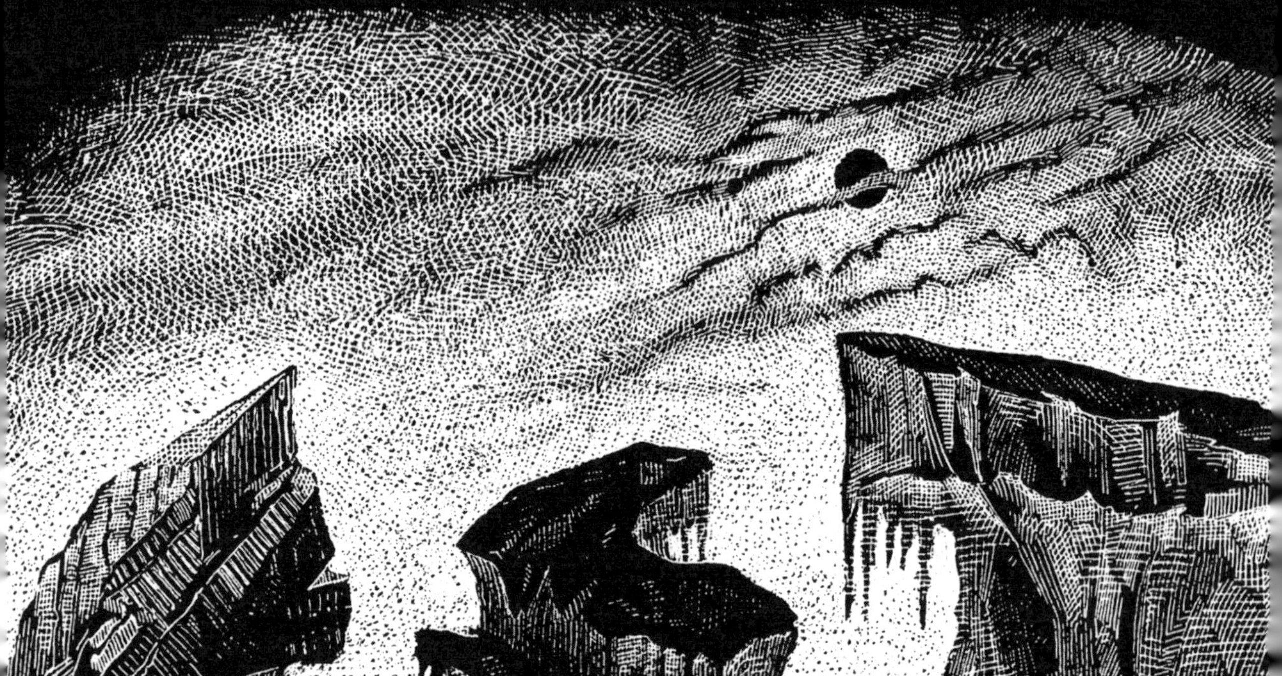

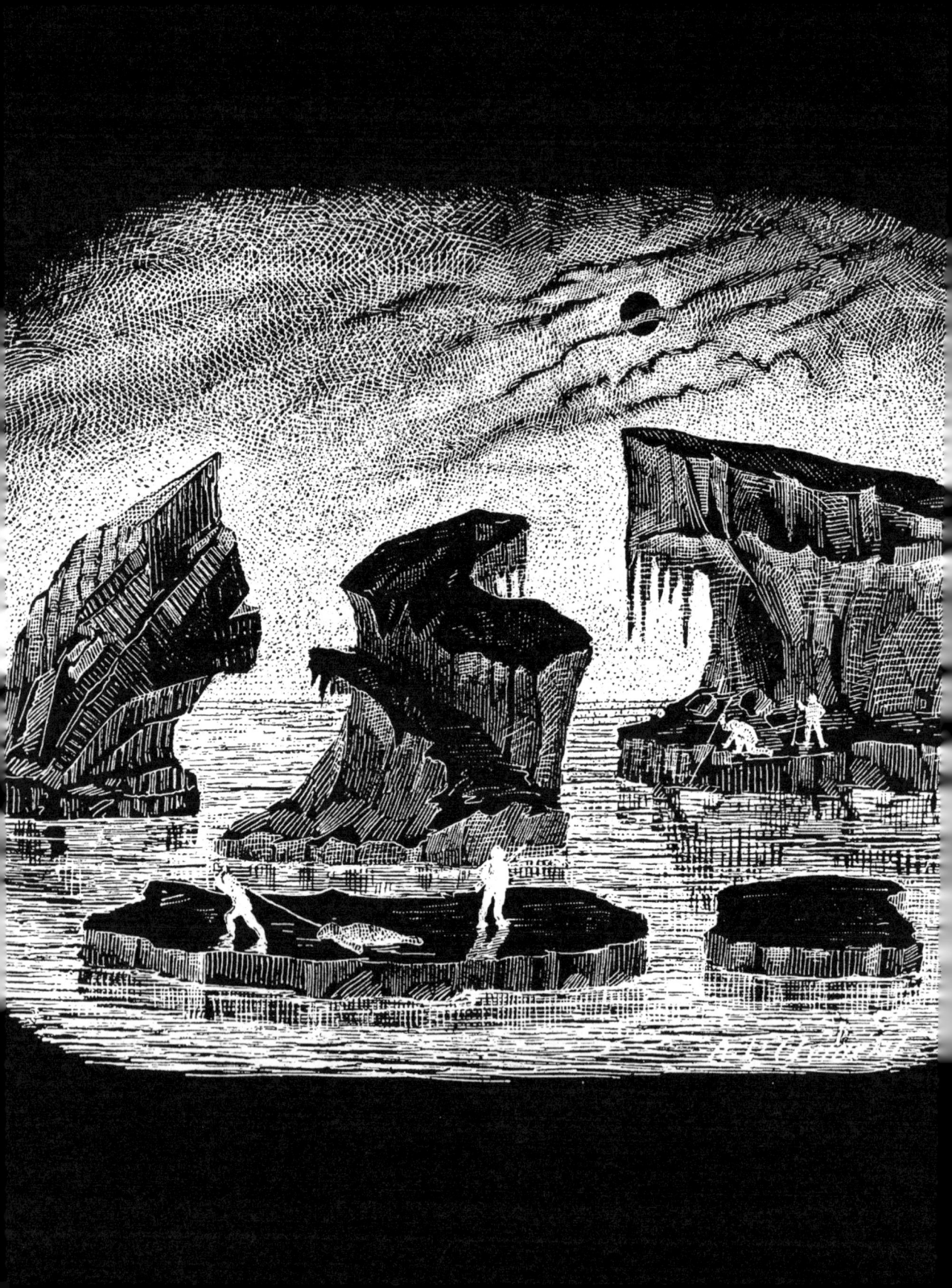

IDEIA

"Meus sonhos são fonte de poder."

IATE Ver um iate nos sonhos denota recreação alegre longe do trabalho e dos problemas. Um iate encalhado representa um noivado ou festividade insatisfatórios.

IBUPROFENO Sonhar com esse analgésico, seja tomando ou administrando a alguém, significa um acontecimento feliz por vir.

ICEBERG Nos sonhos, o iceberg representa obstáculos que devem ser superados para que você passa avançar em sua carreira.

ÍCONE Sonhar com um ícone prediz muitas bênçãos em sua vida.

ICTERÍCIA Sonhar que tem icterícia denota prosperidade após constrangimentos temporários. Se você vir outras pessoas com icterícia, é porque vai ter algumas preocupações devido a pessoas desagradáveis e perspectivas desanimadoras.

IDADE Nos sonhos, a idade representa boa saúde e vitalidade. Sonhar que envelheceu além de sua idade é augúrio de que novas esperanças irão surgir em sua vida. Se for mais jovem, precisa deixar a vaidade de lado.

IDEIA Sonhar que está tendo uma grande ideia prevê frustração, a menos que você consiga se lembrar da ideia ao acordar; nesse caso, esse sonho é indicação de sorte incomum.

IDIOMA, LINGUAGEM

IDIOMA, LINGUAGEM Sonhar que você ouve alguém falando em uma língua estrangeira significa dificuldade para compreender as motivações ou atitudes de outra pessoa. Se alguém estiver usando linguagem chula, você vai se flagrar em uma situação constrangedora provocada por terceiros.

ÍDOLO Se você sonhar que está venerando ídolos, seu progresso rumo à riqueza ou à fama será retardado por questões mesquinhas. Quebrar ídolos significa um forte domínio sobre si. Nada vai ser capaz de deter você em sua ascensão a posições honrosas. Se você vir outras pessoas adorando ídolos, sinal de surgimento de diferenças entre você e amigos queridos. Sonhar que você está denunciando a idolatria sugere que há uma grande distinção reservada para você devido à sua compreensão das inclinações naturais da mente humana.

IDOSO Sonhar que vê um idoso denota muita sorte. Estar com idosos ou se ver como um idoso em seus sonhos, se você ainda não é idoso, significa vida longa e com muitos momentos felizes. | *Ver também* Rostos, Homem, Mulher.

IGLU Sonhar que constrói um iglu ou mora em um sinaliza gastos financeiros inesperados em relação à sua casa.

IGNESCÊNCIA Sonhar que está acendendo algo, como um foguete ou uma bomba, é um alerta para ser bem direto e específico com suas negociações profissionais. Sonhar que outra pessoa está acendendo algo sugere que uma ideia de negócio vai deslanchar muito em breve.

IGREJA Sonhar que vê uma igreja ou outra casa de oração é sinal de decepção com prazeres há muito esperados. | *Ver também* Capela, Sinagoga.

IGUANA Sonhar com esse animal exprime eventos sociais repentinos ou novos amigos interessantes entrando em sua vida.

ILEGALIDADE Fazer algo ilegal em sonhos é prenúncio de boa sorte.

ILHA Sonhar que está em uma ilha com um riacho límpido significa viagens agradáveis e empreendimentos afortunados. Uma ilha árida fala de perda de felicidade e dinheiro por meio da intemperança. Ver uma ilha, de forma geral, denota conforto e circunstâncias tranquilas depois de muito esforço, e preocupação para cumprir as obrigações honrosamente. Se você vir pessoas em uma ilha, espere enfrentar uma batalha para conseguir se destacar em círculos proeminentes.

ILUMINAÇÃO Nos sonhos, a iluminação é um presságio de boa sorte.

ILUSÃO Sonhar com uma ilusão, ou estar ciente de uma ilusão em um sonho, indica que informações valiosas vão ajudar a promover sua carreira ou objetivos pessoais.

ILUSIONISMO Sonhar que está em estado hipnótico ou sob o poder mágico de terceiros é um indício de desastre porque você vai ser enfeitiçado pelos seus desafetos; se no sonho você estiver fazendo ilusionismo para encantar terceiros, é porque na vida desperta vai fazer valer sua força de vontade e vai se impor. Sonhar que assiste a performances hipnóticas e de prestidigitação significa preocupações e perplexidades em relação ao governo, ao trabalho e em casa. Sonhar que realiza truques ilusórios, ou ver outras pessoas fazendo isso, significa que você vai ser colocado numa situação que vai exigir toda a sua energia e poder de planejamento para se livrar dela.

ÍMÃ Sonhar com um ímã avisa que influências malignas podem desviar você de um caminho honrado.

IMAGEM Imagens aparecendo diante de você nos sonhos prenunciam a desilusão e a má vontade de seus pares. Descrever uma imagem sugere que você vai se envolver em um empreendimento não remunerado. Destruir uma imagem significa que você vai ser perdoado por usar de meios enérgicos para fazer valer seus direitos. Sonhar que compra imagens prevê especulações inúteis. Se você sonha que vê uma imagem semelhante a você em uma árvore viva, é sinal de prosperidade e aparente contentamento, mas você vai se decepcionar quando buscar companhia e compreensão de suas ideias e planos. Sonhar que está cercado pelas maiores imagens já criadas pelos Mestres Antigos e pelos pintores modernos denota que você nutre um desejo insaciável e cada vez maior de realização. Comparado ao que você alcançou até o momento, seu sucesso geral vai parecer parco e triste. | *Ver também* Tinta e pintura, Fotografia.

IMPASSE

IMIGRANTE Sonhar que é um imigrante sugere mudanças num futuro breve, seja na carreira ou na sua casa.

IMITAÇÃO Se você sonha que está imitando alguém, tome cuidado com essa pessoa na vida desperta. Mas se você não reconhece a pessoa, tome cuidado com suas amizades de modo geral. Sonhar com imitações significa que as pessoas estão agindo para enganar você.

IMORTALIDADE Sonhar com o elixir da vida indica que novos prazeres e possibilidades surgirão em seu ambiente. Sonhar que você é imortal é um alerta para cuidar de seus problemas de saúde.

IMÓVEIS Sonhar com uma transação imobiliária indica ganhos financeiros.

IMPACIÊNCIA Sonhar que você ou alguém está sendo impaciente é um aviso para não julgar uma pessoa ou situação precipitadamente.

IMPASSE, BLOQUEIO Sonhar com um impasse ou bloqueio por causa de um obstáculo instransponível prevê percalços nos assuntos profissionais.

IMPERADOR Sonhar que vai para o exterior e encontra o imperador de uma nação sugere que você fará uma longa jornada que não vai trazer nem prazer nem muito conhecimento.

IMPERATRIZ Sonhar com uma imperatriz prediz que você vai ser exaltado a altas honrarias, porém seu excesso de orgulho vai resultar em impopularidade.

IMPERIALISMO Sonhar com algo de caráter imperial ou que você é membro da realeza pressupõe avanços na carreira.

IMPÉRIO Sonhar que faz parte de um grande império, seja ele rico ou pobre, pressagia boa sorte financeira.

IMPLANTE Sonhar que tem um implante em seu corpo é sinal de boa saúde, recompensas sociais e ganhos financeiros.

IMPLORAR Flagrar-se implorando em um sonho mostra que a boa sorte e a riqueza estão no horizonte. Dar dinheiro a um pedinte é um conselho para se ter cuidado com a maneira como você vem gastando seu dinheiro. Recusar-se a ajudar aquele que lhe implora significa que você precisa ser mais generoso em sua vida.

IMPORTUNAÇÃO Sonhar que você está importunando alguém sugere a retenção de muito ressentimento; isso precisa ser liberado de maneira saudável. Se você sonha que está sendo importunado, tenha cuidado a quem confia seus segredos.

Anesthetic

IMPOSTO Sonhar que paga seus impostos indica que você vai conseguir destruir as más influências que crescem ao seu redor. Se outros estiverem pagando seus impostos, você vai se ver obrigado a pedir ajuda a amigos. Se você não conseguir quitar seus impostos no sonho, é sinal de infelicidade nos experimentos que você vem fazendo.

IMPOSTO DE RENDA Sonhar que declara ou paga seu imposto de renda implica que em breve você vai auxiliar um amigo com um problema.

IMPOSTOR Sonhar que está sendo enganado por um impostor sugere que um acordo profissional pode fracassar se você não tomar cuidado.

IMPOTÊNCIA Sonhar que está impotente na verdade fala de uma vida amorosa bem-sucedida.

IMPRESSÃO DIGITAL Ver impressões digitais representa um pequeno estresse financeiro. Se você estiver marcado por impressões digitais, ou se outra pessoa estiver, em breve você vai receber a ajuda de um amigo.

IMPRESSORA Ver uma pessoa operando uma impressora em seus sonhos é um aviso de pobreza, caso você negligencie o controle financeiro. Sonhar com uma impressora doméstica implica que você vai alcançar seus objetivos, mas só se trabalhar duro.

INALADOR Se você sonha que precisa usar um inalador, um presente surpresa vai lhe deixar sem fôlego.

INANIÇÃO Em geral, esse sonho é ruim. Sonhar com inanição indica que seu trabalho não terá remuneração e que a doença vai se tornar um flagelo. Se você vir seus desafetos inanes, no entanto, é porque vai ter sucesso em competições com eles.

INAUGURAÇÃO Sonhar com uma inauguração indica que você vai chegar a uma posição mais elevada do que jamais desfrutou.

INCANDESCÊNCIA Ver qualquer coisa brilhando em seu sonho significa mudanças positivas.

INCÊNDIO Ver um incêndio em seu sonho prediz boa sorte e boa saúde.

INCENSO Sonhar com cheiro de incenso ou que está queimando incenso prediz o alívio de fardos. O que quer que esteja incomodando você vai sumir da sua vida.

INCENTIVO Ser incentivado a fazer alguma coisa nos sonhos é a previsão de uma ideia que pode ajudá-lo a progredir no trabalho. Se você estiver incentivando outra pessoa, é sinal de que logo ingressará numa equipe cujas ideias vão render dinheiro.

INCHAÇO Se você sonha que alguém está inchado, a boa sorte surgirá em seu caminho. Mas se você mesmo estiver inchado, então é porque vai receber notícias preocupantes sobre suas finanças. Sonhar que se vê inchado indica que você vai acumular fortuna, mas seu egoísmo vai interferir em seu prazer no usufruto dela. Ver outras pessoas inchadas pressagia que seu avanço na vida vai encontrar obstáculos invejosos.

INCISÃO Sonhar com uma incisão prediz problemas legais, a menos que você seja um cirurgião, aí esse sonho não significa nada em especial.

INCOERÊNCIA Sonhar com incoerência geralmente sugere nervosismo e agitação extremos devido ao estresse causado por eventos instáveis.

INCONSCIÊNCIA Sonhar que está inconsciente é um alerta para fazer um check-up, só para garantir que não haja problemas de saúde que não foram detectados. Sonhar com outra pessoa inconsciente sugere saúde ruim.

INCUBADORA Sonhar com animais, tais como franguinhos e perus, em uma incubadora significa ganho financeiro chegando. Sonhar com um bebê pequeno em uma incubadora prevê gravidez ou nascimento.

INDELICADEZA Sonhar que você está sendo indelicado com outra pessoa pressagia ganho financeiro e reconhecimento social. Sonhar que alguém está sendo indelicado com você significa uma mudança iminente nos relacionamentos ou na carreira.

INDEPENDÊNCIA Sonhar que você é muito independente indica a existência de um rival que pode lhe fazer uma injustiça. Se você sonha que é independente financeiramente, é porque na vida desperta pode não ser um sucesso tão grande como você esperava, mas mesmo assim os bons resultados ainda acontecerão.

INDICAÇÃO Sonhar que você é indicado a algum prêmio ou título sugere um rebaixamento ou dispensa no trabalho. Se outra pessoa for indicada, sinal de promoção ou mudança de carreira — e vai ser para melhor.

INDIFERENÇA Sonhar com indiferença significa companhias agradáveis por muito pouco tempo.

INDIGÊNCIA Estar em estado de miséria em um sonho representa sorte financeira em um futuro próximo. Sonhar que você é pobre implica em acontecimentos desagradáveis. Ver pessoas pobres fala de um apelo à sua generosidade. | *Ver também* Mendigo.

INDIGESTÃO A indigestão representa um ambiente insalubre e sombrio.

ÍNDIGO Ver a cor índigo em um sonho sugere que você vai enganar alguém para surrupiar seus pertences. Ver a água índigo prediz um caso de amor complicado.

INDISTINÇÃO Se em seus sonhos você vê objetos indistintamente, isso pressagia infidelidade em amizades e negociações incertas.

INDULGÊNCIA Sonhar com a indulgência é sinal de que você precisa estar ciente dos gastos frívolos com supérfluos para que possa começar a poupar seu dinheiro.

INDÚSTRIA Sonhar com indústria pesada indica avanço nos negócios ou na carreira.

INFECÇÃO Sonhar com uma infecção representa a perda de uma amizade ou de um emprego.

INFELICIDADE Quanto maior a infelicidade em seu sonho, maior a alegria que virá na vida desperta.

INFERNO Se você sonha que está no inferno é porque vai cair em uma tentação que quase vai causar sua ruína financeira e moral. Ver seus amigos no inferno indica aflição e preocupações onerosas. Você vai ficar sabendo da penúria de um amigo. Sonhar que chora no inferno sugere que seus amigos estão impotentes para libertá-lo das ciladas causadas por desafetos.

INFIDELIDADE Sonhar que está sendo infiel sugere que você cairá na tentação de fazer algo que vai contra seu caráter; seja prudente. Se alguém estiver sendo infiel a você, é porque haverá apoio de amigos e familiares em sua vida. Sonhar que está sendo infiel é um aviso de que você vem fazendo escolhas equivocadas em seus relacionamentos. Sonhar que seus amigos são infiéis implica que eles na verdade estimam você imensamente. Para um amante, sonhar que o parceiro é infiel significa um casamento feliz.

INFLAÇÃO (INTUMESCÊNCIA) Encher algo ou ver algo inflando em um sonho é um aviso para você não se tornar presunçoso.

INFLUÊNCIA Se no sonho você estiver buscando uma posição de prestígio ou a ascensão por meio da influência de outras pessoas, é sinal de que na vida desperta seus desejos não vão se concretizar; mas se você já estiver em uma posição influente, suas perspectivas vão tomar forma. Se você vir amigos numa boa posição social, é indicativo de que seus pares serão amigáveis e você vai se ver livre de aborrecimentos.

INFRAVERMELHO Se você vir algo em infravermelho nos sonhos, indica que uma escolha ligada à carreira será mais lucrativa do que você jamais imaginou.

INGESTÃO Sonhar que está ingerindo qualquer coisa significa que um período de aprendizado chegará muito em breve.

INJÚRIA Sonhar que está recorrendo a injúrias contra alguém é um alerta para explosões de raiva apaixonadas, as quais podem afastar você de pessoas próximas. Se você ouvir outras pessoas injuriando alguém, sinal de que os desafetos estão fechando o cerco contra você. Temos aqui um sonho ruim. Você com certeza vai derramar lágrimas e chorar por causa de uma amizade.

INHAME

INGREDIENTES Sonhar que mistura ingredientes diz que logo você vai incorporar ao seu estilo ideias diferentes e uma nova forma de fazer as coisas.

INGRESSO Sonhar com um ingresso pressagia atrasos. Você vai ter de esperar mais por algo que deseja.

INHAME Esse vegetal alerta para um problema de saúde.

INICIAÇÃO Perceber no sonho que você está iniciando alguma coisa sinaliza um novo começo em um relacionamento.

INIMIGOS Sonhar que vence os inimigos prediz que você vai superar todas as dificuldades profissionais e que vai usufruir de maior prosperidade. Se você estiver sendo difamado por seus inimigos, é porque na vida desperta o fracasso vai ameaçar seu trabalho. Tenha o máximo de cuidado ao lidar com assuntos importantes. Superar seus inimigos de qualquer circunstância significa ganho. Mas se eles vencerem você, vem azar por aí. | Ver também Adversário.

INJEÇÃO Sonhar que está injetando algo em você ou em outra pessoa é um alerta para problemas de saúde futuros.

INQUÉRITO Sonhar com um inquérito prediz amizades desventuradas.

INQUILINO Se você sonha que tem inquilinos, é sinal de que vai sentir o fardo de montes de segredos desagradáveis. Se alguém for embora sem quitar as contas da locação, você vai ter problemas inesperados. Mas se tudo for quitado direitinho, é o prenúncio de benesses e de acúmulo de dinheiro.

INQUISIÇÃO Sonhar com uma inquisição aponta para uma rodada interminável de problemas e decepções. Se você for levado a uma inquisição sob a acusação de ter cometido um ato doloso, é porque na vida desperta não vai ser capaz de se defender de calúnias maliciosas.

INSANIDADE Sonhar que você está insano pressagia resultados desastrosos para alguns trabalhos recém-empreendidos; problemas de saúde também podem trazer mudanças desanimadoras para suas perspectivas. Ver outras pessoas demonstrando insanidade denota contato desagradável com o sofrimento e apelos dos mais necessitados. Depois desse sonho, cuide ao máximo da sua saúde.

INSCRIÇÃO Se você estiver lendo inscrições em túmulos, é porque vai ficar angustiado devido a doenças graves.

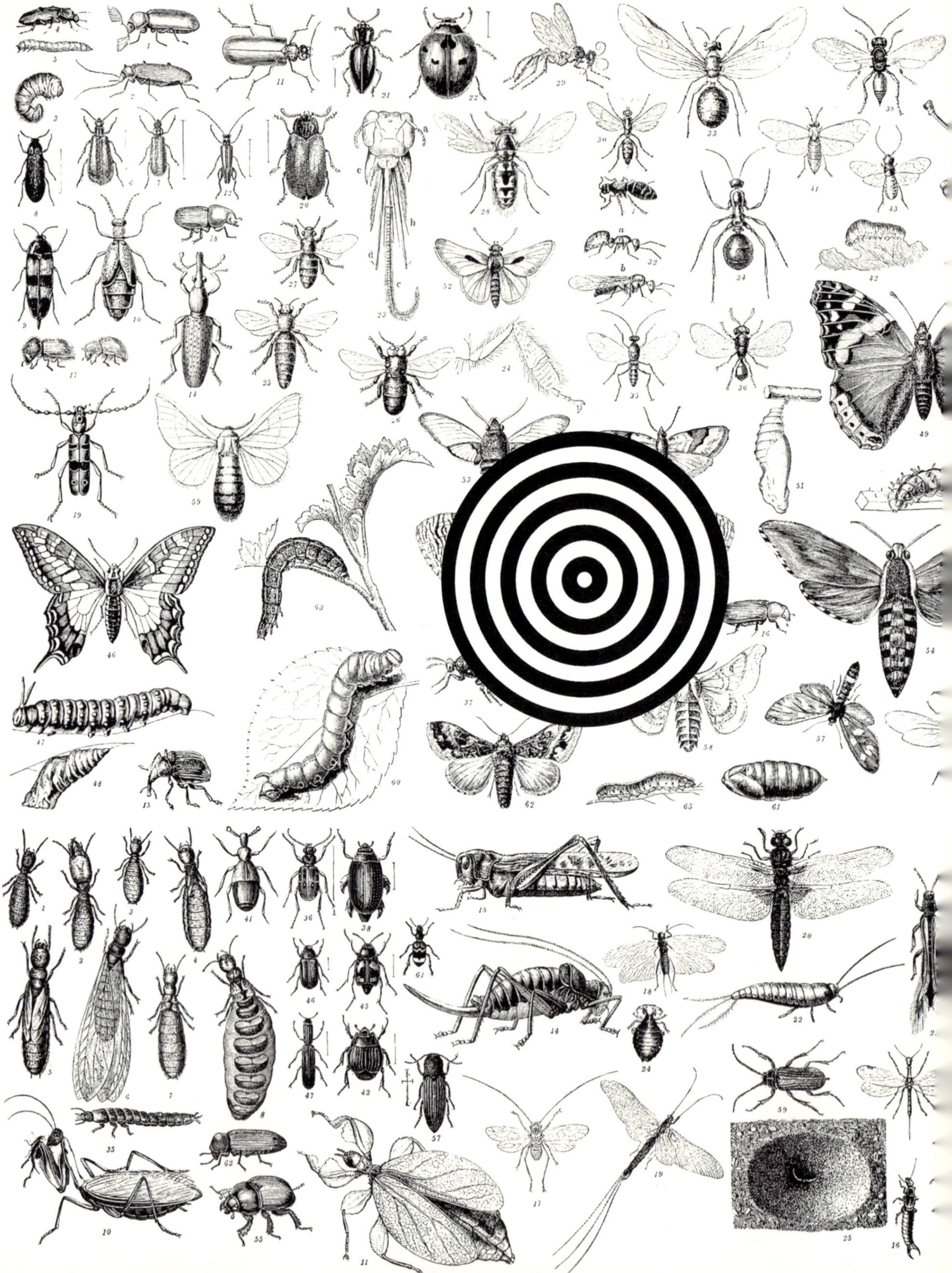

INSETO Sonhar com insetos é um indicativo de que complicações desagradáveis vão surgir em seu cotidiano. Sonhar que mata insetos significa que as dificuldades estão no horizonte, mas serão superadas com facilidade. Sonhar que tem um inseto em seu ouvido sugere notícias desagradáveis que vão afetar seu trabalho ou suas relações familiares. | *Ver também* insetos específicos.

INSÍGNIA Sonhar com insígnias significa que um problema financeiro pode ser maior do que você pensa. Seja diligente e encare que não é tão pequeno quanto parece. Sonhar com uma insígnia fala de forte competição no campo profissional. Sonhar que usa uma insígnia significa que você vai embarcar em um novo e empolgante caso amoroso.

INSISTÊNCIA Insistir para que algo seja feito do seu jeito em seus sonhos significa que em breve você vai ter muitos momentos felizes e divertidos com amigos e familiares. Sonhar com uma pessoa insistindo para você fazer algo do jeito dela sugere uma briga com um amigo ou parente.

INSOLAÇÃO Sonhar com insolação prediz a chegada de uma tempestade que pode causar sua ruína material.

INSPEÇÃO Se você sonha que está supervisionando ou inspecionando um projeto ou pessoas, logo vai pedir ajuda para resolver um problema profissional. Se você sonha que está sendo supervisionado, então é porque é capaz de resolver esse problema sem ajuda externa. Sonhar consigo ou com outra pessoa inspecionando algo prenuncia a necessidade de tomar cuidado com o que diz aos outros; você pode ser mal interpretado e causar problemas.

INSPEÇÃO DE FRONTEIRA Sonhar que foi parado em uma inspeção de fronteira aponta tranquilidade e conforto na vida. Passar pela fronteira sem maiores problemas é um alerta para verificar as motivações por trás de suas ações na vida desperta.

INSTRUÇÕES Quando você está seguindo instruções em um sonho, é porque um acontecimento feliz com amigos e familiares vai ocorrer em breve. Dar instruções indica avanço na carreira. Sonhar que está pedindo instruções é um lembrete para ter cautela com suas habilidades ao volante. Se você sonha que está dando orientações, é porque vai encontrar uma solução fácil para um problema que está por vir.

INSTRUMENTAÇÃO CIRÚRGICA Ver instrumentos cirúrgicos nos sonhos pressagia sua insatisfação com o comportamento indiscreto de um amigo para com você.

INSTRUMENTO Sonhar com instrumentação cirúrgica é prenúncio de brigas familiares. Sonhar com qualquer outro tipo de instrumento, inclusive musical, sugere união familiar.

INSTRUMENTO MUSICAL Ver instrumentos musicais fala de prazeres muito esperados. Se os instrumentos estiverem quebrados, o prazer será prejudicado por uma companhia incompatível.

INSTRUTOR DE DANÇA Sonhar com um instrutor de dança é um alerta de que você está negligenciando assuntos importantes para perseguir frivolidades.

INSULTO Receber ou proferir insultos em sonho é sinal de lealdade entre seus amigos e colegas de trabalho.

INTEMPERÂNCIA Se você sonha que está sendo excessivo no uso de seu intelecto, é porque na vida desperta vai buscar conhecimentos frívolos, tirando pouco proveito da situação e causando mágoa e desprazer aos seus amigos. Se você for intemperante no amor ou em outras paixões, vai encontrar doenças ou perderá bens e a estima.

INTERCESSÃO Interceder por alguém em sonho mostra que você vai obter ajuda quando mais necessitar.

INTERIORES Mudar o interior de qualquer estrutura significa que sua vida está boa, mas fazer mudanças agora pode não ser bom.

INTERNAÇÃO Sonhar consigo internado em qualquer instituição, seja para tratamento físico ou mental, sugere boa saúde e clareza mental.

INTERNET Sonhar que está tentando se conectar à Internet e não consegue indica que você está tendo problemas para transmitir suas ideias em um projeto no trabalho. Mas se conseguir se conectar, é sinal de que esse mesmo projeto vai correr tranquilamente.

INTÉRPRETE Sonhar com um intérprete sugere que seus negócios muitas vezes não dão lucro.

INTERRUPTOR Sonhar com um interruptor prediz mudanças e infortúnios; pode ser que você se desanime diante de assuntos importantes. Um interruptor quebrado indica desgraça e problemas.

INTERURBANO Sonhar que faz um interurbano é previsão de viagem se aproximando. Receber um telefonema interurbano indica uma visita inesperada de um velho amigo ou conhecido.

INTERVENÇÃO CIRÚRGICA Sonhar que realiza uma intervenção cirúrgica sugere uma mudança em seu estilo de vida. Sonhar que observa uma intervenção cirúrgica significa notícias inesperadas. Mas se você for médico ou estiver planejando passar por uma cirurgia em um futuro próximo, então esse sonho não significa nada.

INTESTINO Sonhar que vê intestinos significa que você está prestes a ser confrontado por uma calamidade que vai arrancar um amigo de sua vida. Ver os próprios intestinos sugere situações muito sérias se fechando ao seu redor; há a ameaça de enfermidades que afetam seu cotidiano e a convivência com as pessoas. Uma perda provável, com muito desagrado, também é apontada nesse tipo de sonho.

INTIMAÇÃO Sonhar que cumpre ou recebe uma intimação pressupõe problemas jurídicos na vida desperta.

INTOXICAÇÃO Sonhar com a intoxicação indica que você tem cultivado o desejo por prazeres ilícitos. | *Ver também* Embriaguez.

INUNDAÇÃO Sonhar que vê cidades ou campos submersos em águas escuras e fervilhantes denota grande infortúnio e perda de vidas por causa de alguma calamidade. Ver pessoas varridas por uma inundação pressagia luto e desespero, que por sua vez vão tornar a vida sombria e improdutiva. Ver uma grande área inundada com água limpa sugere lucro e tranquilidade após lutas aparentemente perdidas. Sonhar com enchentes destruindo vastas paisagens e arrastando você com os escombros lamacentos denota doença, perda nas questões profissionais e uma situação muito infeliz e instável no casamento. | *Ver também* Água.

INVALIDEZ Sonhar com inválidos é sinal de que há pessoas desagradáveis interferindo em seus objetivos. Se você sonha que é um inválido, pode ser ameaçado por circunstâncias desagradáveis.

INVASÃO Sonhar que está sofrendo uma invasão adverte para a perda de bens pessoais. Mas se você estiver participando da invasão, é porque vai ter um pequeno ganho financeiro de forma muito incomum.

INVEJA Em um sonho, quando você inveja alguém por algo que essa pessoa possui merecidamente, isso sugere que, na vida desperta, algo vai ser tirado de você. Sonhar que sente inveja dos outros indica que você vai fazer amigos calorosos por meio de sua deferência altruísta ante os desejos alheios. Se você sonha que é invejado, vai sofrer alguns inconvenientes de amigos ansiosos demais para agradar.

INVENÇÃO Flagrar-se inventando algo em um sonho significa que em breve você vai mudar de casa. Sonhar que está admirando a invenção de outra pessoa é um aviso para manter sua vida exatamente como está; não faça nenhuma mudança agora.

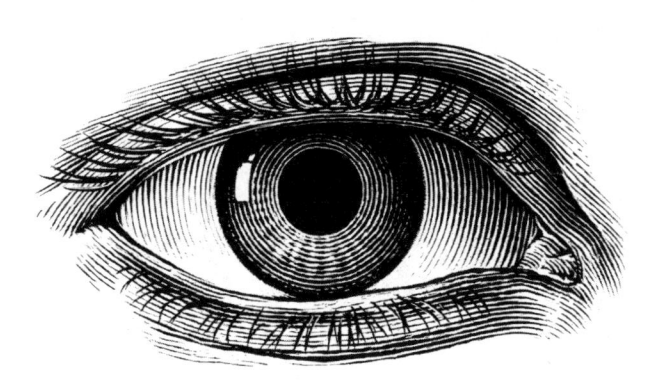

INVENCIBILIDADE Sentir-se invencível em sonho é um alerta para problemas de saúde que não devem ser ignorados.

INVENTOR Sonhar com um inventor diz que em breve você vai conseguir um trabalho único, que vai lhe trazer mérito. Se você sonha que está inventando alguma coisa, ou que está interessado em uma invenção, você vai aspirar à fortuna e terá sucesso em seus projetos.

INVERNO Sonhar com o inverno é um prognóstico de problemas de saúde e perspectivas financeiras sombrias. Depois desse sonho, seus esforços vão render resultados pouco satisfatórios.

INVESTIMENTO Investir seu dinheiro em um sonho significa um revés financeiro. Já investir o dinheiro de outra pessoa é sinal de ganho financeiro.

INVISIBILIDADE Estar invisível em um sonho significa que não vão levar a sério as mudanças que você deseja fazer em sua vida. Saber que tem outra pessoa invisível no sonho significa que você deve dar atenção a conselhos que podem ajudar a mudar algum aspecto de sua vida para melhor.

IODELEI Sonhar com esse canto típico dos alpícolas sugere boa sorte nos negócios e com os amigos.

IOGA Sonhar com ioga prediz avanço espiritual e paz de espírito.

IOGURTE Nos sonhos, esse alimento representa boa saúde e prosperidade.

IRIDESCÊNCIA Sonhar com algo iridescente prediz felicidade e contentamento entrando em sua vida.

ÍRIS Essa flor representa felicidade e prosperidade.

IRMÃOS Sonhar com irmãos implica em harmonia familiar. Se você sonha que tem irmãos quando não os tem na vida desperta, o sonho indica o surgimento de novas amizades.

IRREGULARIDADE Sonhar com formas assimétricas implica que você vai encontrar uma solução para um problema de um jeito um tanto incomum.

ISOPOR Sonhar com isopor sugere que algumas coisas que você pensava serem verdadeiras não são: são falsas ou ilusórias.

ISQUEIRO Sonhar que usa um isqueiro para o bem sugere que a iluminação espiritual está adentrando sua vida. Sonhar que incendeia algo usando o isqueiro revela que a desonestidade e o logro fazem parte de sua vida pessoal.

ITINERÁRIO Sonhar que está montando um itinerário indica que logo você vai colocar sua vida em ordem. Sonhar que lê o itinerário feito por outra pessoa mostra que você vai ter de ser mais organizado para atingir seus objetivos.

De sonhar ninguém se cansa.

Fernando Pessoa

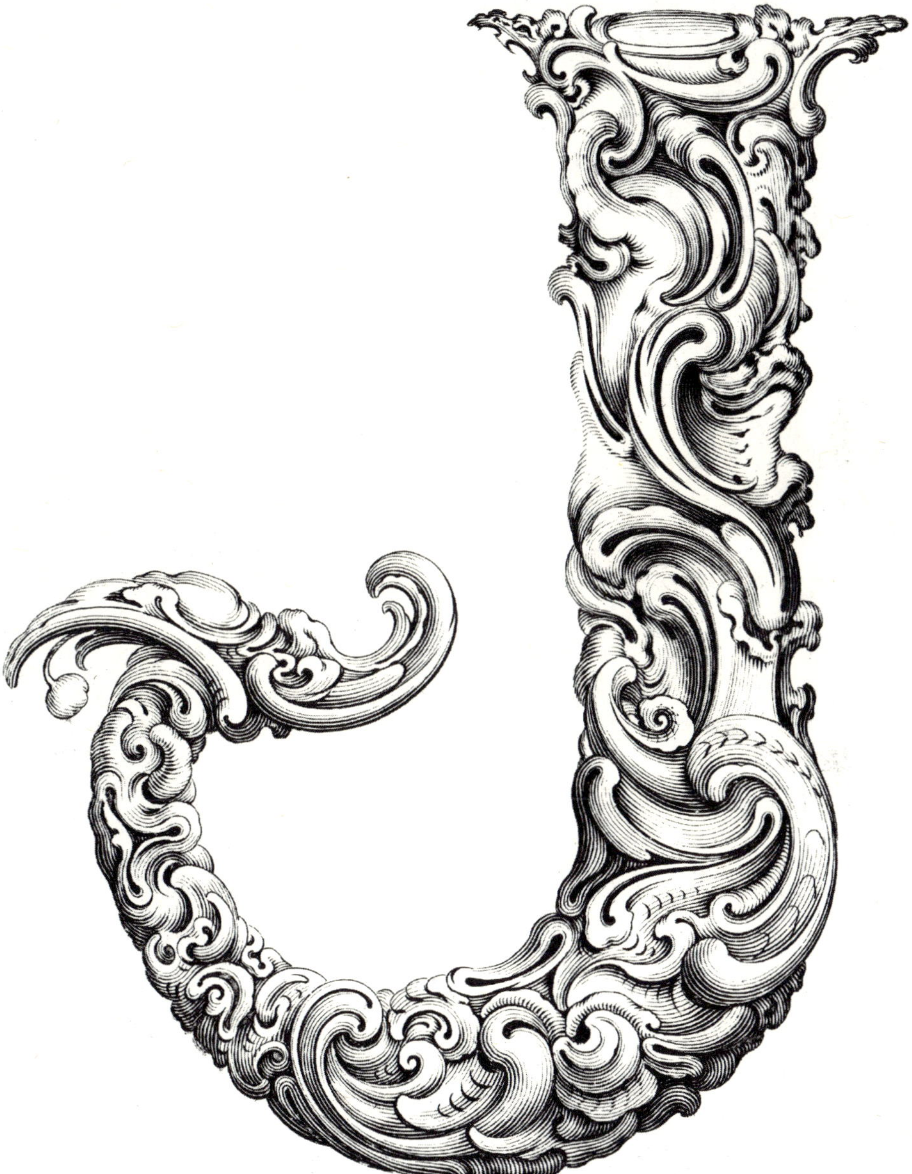

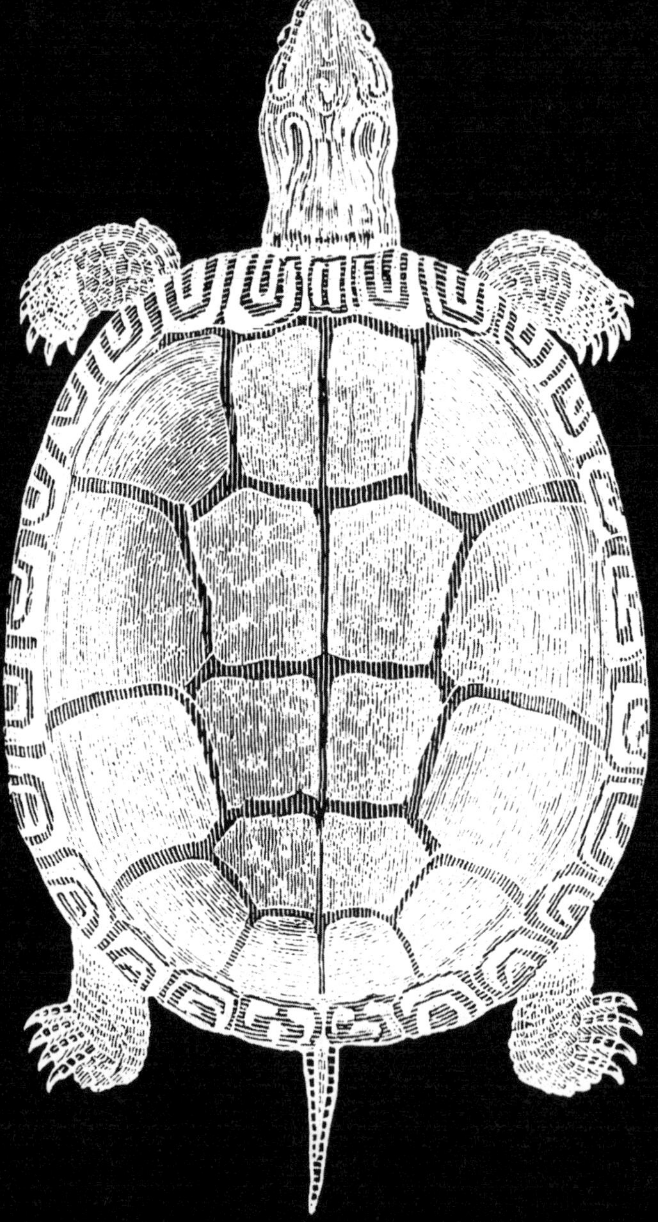

J

JANEIRO

> "Em cada sonho sempre existe algo especial."

JABUTI Sonhar com esse réptil lento implica em segurança em sua casa e progresso constante na vida profissional.

JACARÉ Sonhar com um jacaré, a menos que você o mate, é desfavorável para todas as pessoas que aparecerem no sonho. É um sonho de alerta.

JACINTO Se você sonha que vê ou colhe jacintos, é porque está prestes a passar por uma dolorosa separação de um amigo, mas que vai acabar resultando em algo bom para você.

JADE Essa pedra preciosa representa prosperidade e proteção social.

JAGUAR Nos sonhos, esse animal diz que você vai ter agilidade e flexibilidade para realizar uma tarefa física que não tinha certeza se conseguiria.

JALAPEÑO Sonhar que come essa pequena pimenta sem sentir sua ardência é um aviso de que é preciso ter cuidado com o que você diz: suas palavras podem voltar para lhe assombrar. Mas se você sente sua boca queimar, implica em muito sucesso em negociações profissionais.

JANEIRO Esse mês representa novos inícios. Se no sonho você aguarda o mês de janeiro, é sinal de que precisa revisar suas metas para não ser pego de surpresa.

JANELA Ver janelas em seus sonhos é um augúrio da infeliz culminação de esperanças outrora brilhantes. Você verá o desmoronar de seu desejo mais sincero. Esforços infrutíferos serão sua sina. Ver janelas fechadas é uma representação da deserção. Se estiverem quebradas, você será perseguido por suspeitas de deslealdade daqueles que ama. Sentar-se à uma janela indica que você será vítima de uma insensatez. Entrar em uma casa pela janela é um alerta de que você será flagrado usando de meios desonrosos para um propósito aparentemente honrado. Escapar por uma janela indica problemas cujas resoluções vão deixar você profundamente atribulado. Se você olhar por uma janela e vislumbrar objetos estranhos, é porque vai falhar na vocação que escolheu e perderá o respeito pelo qual arriscou muita saúde e satisfação.

JANGADA Sonhar com uma jangada denota que você irá a novas localidades para se envolver em empreendimentos que vão se provar bem-sucedidos. Sonhar que navega em uma jangada sugere viagens incertas. Se você chegar ao seu destino, certamente terá boa sorte. Se a jangada quebrar, ou qualquer contratempo acontecer, você (ou um amigo) sofrerá um acidente, ou uma doença terá consequências infelizes.

JANTAR Se no sonho você está jantando sozinho, é porque muitas vezes vai ter motivos para pensar seriamente nas necessidades da vida. Se você for um dos muitos convidados de um jantar, é porque vai desfrutar da hospitalidade daqueles capazes de lhe oferecer muitas cortesias.

JARDIM Sonhar com um jardim repleto de sempre-vivas e flores é sinal de grande tranquilidade e conforto. Já vegetais em uma horta sugerem tristeza ou calúnia e perda de sorte.

JARDIM DE INFÂNCIA Sonhar com o jardim de infância significa boa sorte e prosperidade a caminho.

JARRO Se você sonha com jarros cheios de líquido transparente, seu bem-estar é importante para mais gente além de você. Muitos amigos verdadeiros vão aparecer para lhe trazer alegria e lucro. Mas se os jarros estiverem vazios, sua conduta vai afastar você dos amigos e da sua posição social. Jarros quebrados indicam doença e fracasso no emprego. Se você estiver bebendo vinho em um jarro, sinal de que vai ter uma saúde robusta e encontrará prazer em todos os círculos. Visões otimistas serão sua marca registrada. Se você tomar um gole de uma jarra e não sentir um gosto bom, a decepção e a repulsa vão suceder as expectativas otimistas.

JASMIM Essa flor ou o cheiro dela prediz sucesso no romance e nos assuntos pessoais.

JASMINEIRO Nos sonhos, o jasmineiro implica que você está se aproximando de um prazer requintado, mas que vai se revelar passageiro.

JASPE Essa variedade do quartzo é um presságio de felicidade, juntamente a sucesso e amor.

JATO Sonhar que voa nesse meio de transporte indica uma viagem próxima e inesperada. Assistir a um jato voando é um conselho para você se preparar para um visitante inesperado. Ver um jato se acidentando pressagia prosperidade financeira.

JAULA Ver animais selvagens enjaulados é sinal de que você vai triunfar sobre seus desafetos e infortúnios. Se você estiver na gaiola com eles, podem ocorrer acidentes angustiantes durante uma viagem.

JAVALI Se no sonho um javali persegue você, é porque uma decepção o aguarda na vida desperta. Se você matar o bicho, vai ter um ganho correspondente em sua vida.

JAZZ Sonhar que ouve ou toca esse tipo de música avisa que você está vivendo além de suas possibilidades e que vai ter de cuidar melhor do seu dinheiro.

JEANS Usar jeans novos nos sonhos significa pequenas dificuldades logo superadas. Sonhar com jeans desgastados é sinal de conforto e momentos tranquilos pela frente.

JESUS Sonhar com Jesus denota fortaleza e consolo durante uma adversidade que vai surgir em sua vida. Se você sonha que conversa, ora, toca ou é tocado por Jesus, então será abençoado de forma inimaginável: todos os seus sonhos vão se tornar realidade.

JET SKI Sonhar com motos aquáticas representa uma jornada de autodescoberta. Em breve você vai identificar aspectos de sua vida inconsciente. Esse sonho também pode sugerir que logo você vai embarcar em uma aventura ou relacionamento sexual.

JOGO DA VELHA Sonhar com essa brincadeira prediz a chegada de notícias inesperadas.

JOGOS DE AZAR Sonhar que está jogando e ganhando sugere parcerias fracas e prazer à custa dos outros. Se você perder, é sinal de que sua conduta infame vai representar a ruína de alguém de seu convívio.

JOIAS Sonhar com joias quebradas denota grande decepção na conquista de seus desejos mais acalentados.

JOELHO

JIBOIA Ver essa cobra em sonho é indício de uma época tempestuosa e cheia de azar. Uma desilusão virá a seguir. Matar uma jiboia em sonho, entretanto, é bom.

JIPE Sonhar com esse veículo prevê uma discussão com um familiar ou amigo.

JOANETE Se você sonha ter um joanete, é porque estará firme no próximo desafio. Se o joanete estiver dolorido, indica o possível aborto de um projeto ou evento.

JOANINHA Esse inseto representa sucesso e felicidade.

JOELHO Sonhar com joelhos indica sua preocupação com o apoio que você vem recebendo das pessoas que lhe cercam. Sentimentos de inadequação e questões de poder ou controle também estão em jogo. Talvez você esteja lidando com mais do que consegue controlar.

JOGATINA Sonhar com jogos em geral sugere boa sorte, sucesso e amor.

JOIO Sonhar com joio sugere um empreendimento vazio e infrutífero, e problemas de saúde que levarão a muita ansiedade.

JÓQUEI Sonhar com um jóquei sugere que você vai ganhar um presente de uma fonte inesperada. Ver um jóquei caindo do cavalo significa que desconhecidos vão solicitar sua ajuda.

JORNAL IMPRESSO Sonhar com um jornal sugere que vão detectar uma fraude no seu trabalho, a qual vai afetar sua reputação. Se você estiver imprimindo um jornal, vai ter a oportunidade de realizar viagens ao exterior e fazer amigos. Se você estiver tentando ler um jornal no seu sonho, mas não conseguir, é porque vai fracassar em um empreendimento duvidoso.

JOYSTICK Sonhar com um joystick ou qualquer tipo de controle de vídeo game significa que talvez você não detenha o controle que imaginava sobre algum fator em sua vida. É hora de pedir ajuda.

JUBILEU Sonhar com um jubileu sugere sua participação em muitos empreendimentos prazerosos. Um jubileu religioso fala de ambientes íntimos, porém confortáveis.

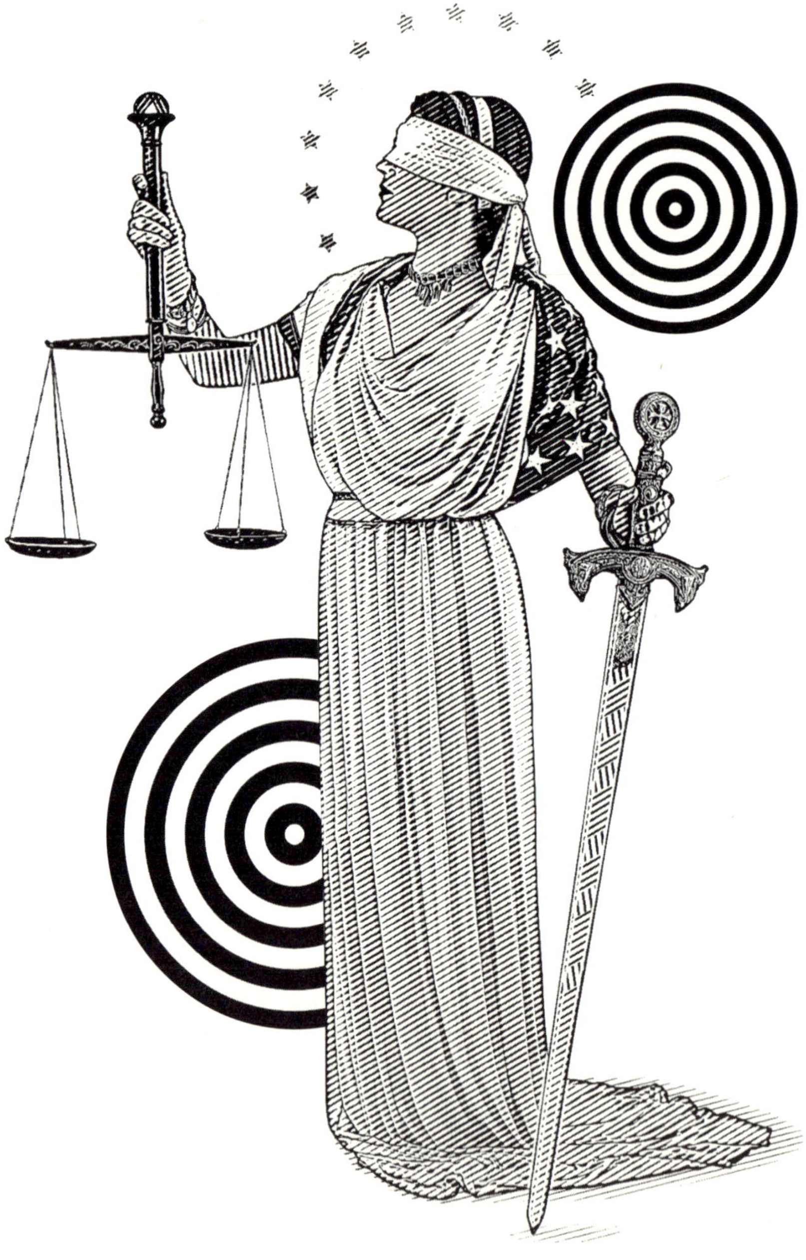

JÚBILO Sonhar estar em júbilo por qualquer acontecimento denota harmonia entre amigos.

JUDAS Se você sonha com esse discípulo caído, cuidado com as novas amizades.

JUIZ Sonhar que comparece diante de um juiz fala de disputas na vida desperta que serão resolvidas por meios judiciais. Relações profissionais ou um divórcio podem tomar proporções gigantescas. Caso você seja o vencedor da causa no sonho, indica uma conclusão bem-sucedida no processo; mas se perder, então você deve buscar consertar uma injustiça no cotidiano. Sonhar que está sendo julgado diz que você vai ser submetido a algum teste em sua vida desperta. Você está buscando aceitação para seguir em frente. | *Ver também* Júri, Lei, Processo jurídico, Magistrado.

JUIZ DE PAZ Esse sonho prediz divórcio ou separação em um relacionamento.

JUÍZO FINAL Sonhar com o dia do juízo final prediz que você vai concluir um trabalho bem planejado, mas somente se no sonho você parecer resignado e tiver esperanças de escapar da punição. Mas se sua postura for de resistência diante do fim derradeiro, então seu trabalho será um fracasso.

JUKEBOX A jukebox representa um evento social feliz.

JULGAMENTO Sonhar que está sendo julgado é um alerta para ter cuidado com qualquer novidade nos negócios.

JULHO Se você sonhar com esse mês, é sinal de que pode estar deprimido ou ter uma perspectiva sombria, mas não se preocupe: você vai se reerguer; e aí vai ter um prazer inimaginável e boa sorte.

JUMENTO, ASNO Ver um jumento em um sonho implica que você terá muitos aborrecimentos e atrasos antes de receber notícias ou mercadorias. Ver jumentos carregando fardos indica que, com paciência e trabalho, você terá sucesso em seus esforços nas viagens e no amor. Se um jumento o persegue e você tem medo dele, é sinal de que você vai ser vítima de um escândalo. Se você estiver sobre um jumento contra sua vontade, brigas desnecessárias podem surgir. | *Ver também* Burro.

JUNCO Ver junco crescendo em sonho sugere avançar favoravelmente rumo ao seu objetivo. Vê-lo cortado denota fracasso absoluto em todos os empreendimentos.

JUNHO Sonhar com esse mês prenuncia ganhos inusitados em todos os empreendimentos.

JURAMENTO Se você faz um juramento em seus sonhos, prepare-se para divergências e altercações ao acordar.

JÚRI Sonhar que você faz parte de um júri denota insatisfação com sua vida; você vai tentar mudar as coisas no sentido material. Também pode significar que você tende a se inclinar para o que os outros pensam de você em vez de confiar no próprio senso de identidade. Se você for inocentado de uma acusação por um júri, é sinal de sucesso e progresso nas negociações profissionais; mas se você for condenado, é porque vai ser assediado e dominado por más influências. | *Ver também* Juiz, Lei, Magistrado.

JUROS (FINANÇAS) Sonhar que deve pagar juros sobre algum dinheiro devido é um alerta para segurar seus gastos. Já receber juros pressagia mudança nas finanças, e pode ser muito fortuito.

JUSTIÇA Sonhar que exige justiça de uma pessoa indica que na vida desperta você está ameaçado de constrangimento devido a declarações falsas de alguém ansioso por sua queda. Se no sonho alguém estiver exigindo justiça de você, é porque na vida desperta você vai descobrir que sua conduta e reputação estão sendo atacadas, e vai ser bem difícil refutar as acusações de forma satisfatória.

JUVENTUDE Sonhar com os jovens é prenúncio de reconciliação nas desavenças familiares e de um período propício para o planejamento de novos empreendimentos. Sonhar que você é jovem outra vez sugere grandes esforços para recuperar as oportunidades perdidas, no entanto, a empreitada não vai dar certo.

Liberdade é uma palavra que o sonho humano alimenta.

Cecília Meireles

K

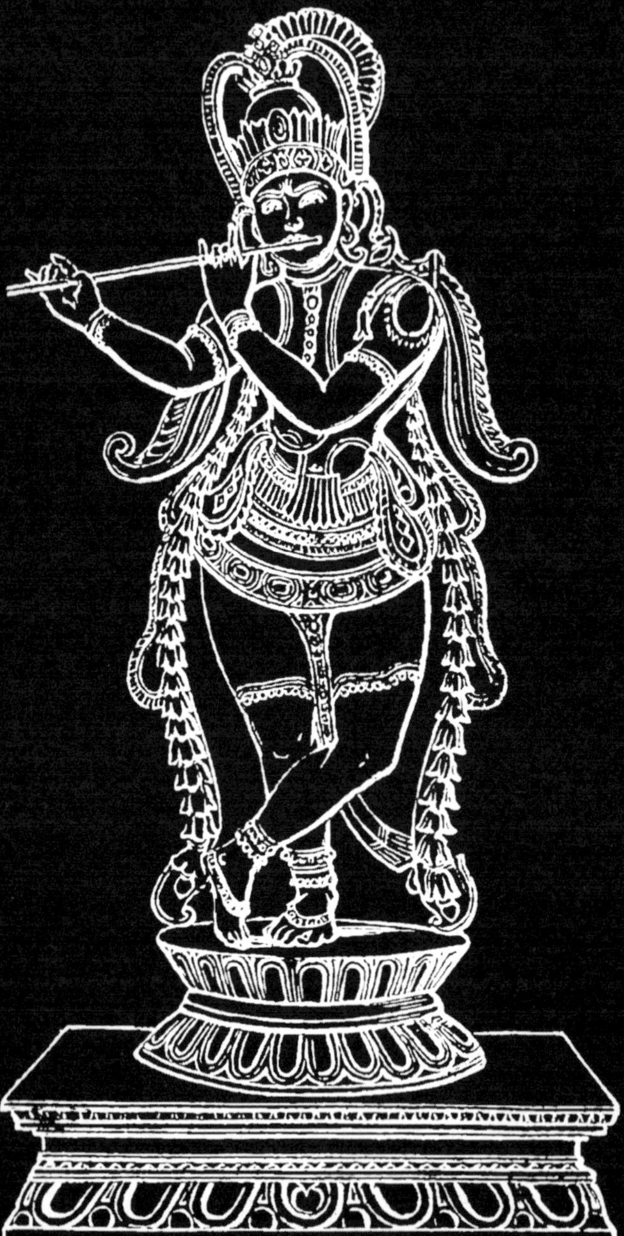

KUNG FU

"Ainda temos muito tempo para sonhar."

KARAOKÊ Sonhar com karaokê prenuncia um convite chegando. Também pode ser um alerta de que você está sendo confiante demais; cuidado com seu orgulho.

KAZOO Tocar ou ouvir esse instrumento musical prenuncia um acontecimento social feliz.

KETCHUP Sonhar com ketchup é um alerta para resistir ao desejo de encobrir um problema em potencial.

KILT Sonhar com esse traje escocês indica uma viagem inesperada.

KKK (KU KLUX KLAN) Sonhar que faz parte ou assiste à atuação desse grupo supremacista sugere constrangimento social no futuro.

KRISHNA Nos sonhos, essa suprema personalidade hindu sugere que sua maior alegria é a busca pelo conhecimento espiritual, e que você tem cultivado uma postura filosófica em relação à vida e ao sofrimento.

KUNG FU Sonhar com essa arte marcial prediz discussão ou desentendimento com um amigo íntimo.

Sonhadores, eles nunca aprendem.

"Daydreaming", Radiohead

L

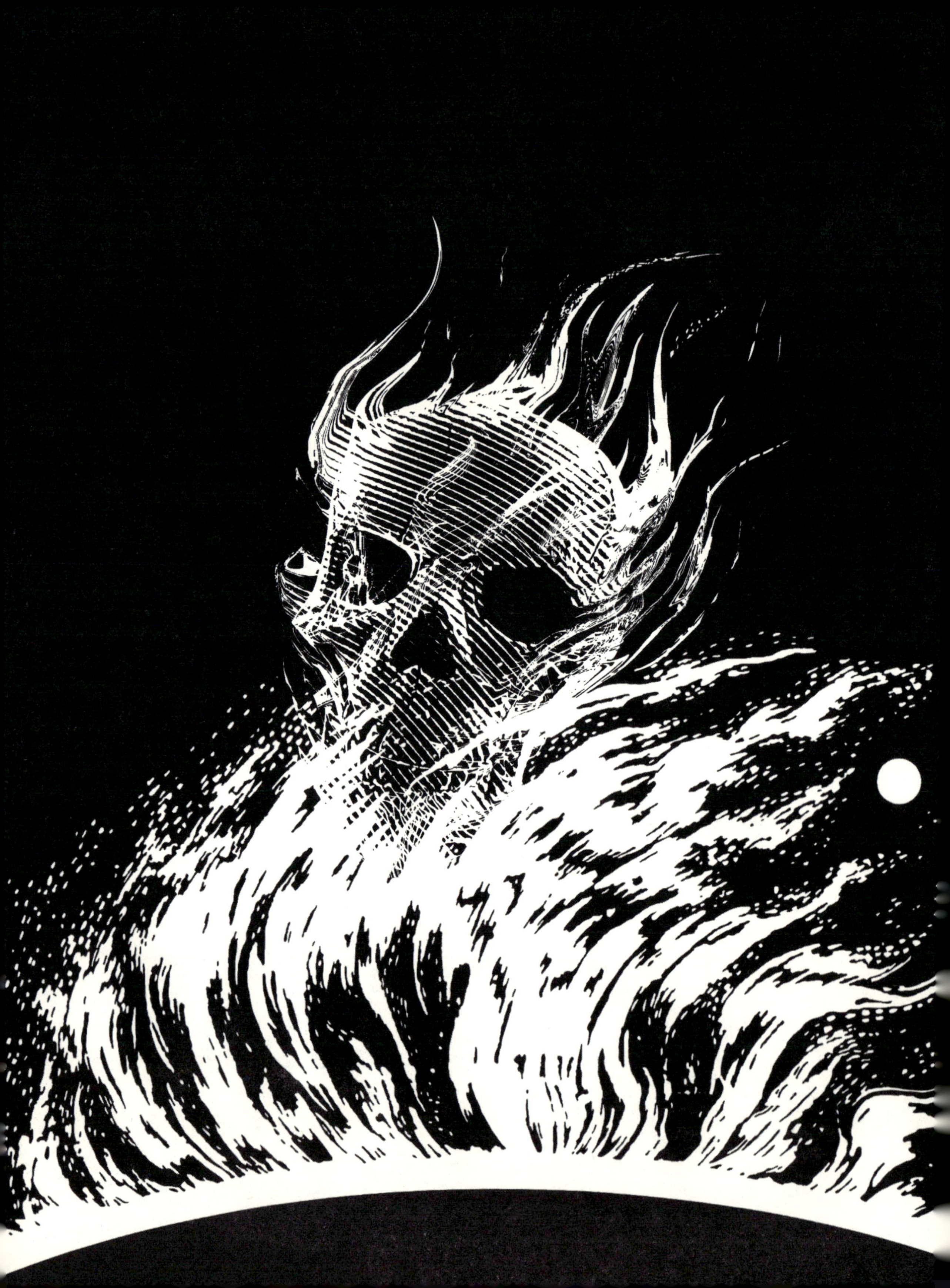

LABIRINTO

"Os sonhos desenham nossos desejos."

LÃ Sonhar com lã é sinal de oportunidades prósperas para expandir seus interesses. Ver lã suja prediz que você vai buscar emprego junto àqueles que repudiam seus princípios.

LABAREDA Ver em sonho uma labareda, seja ela grande ou pequena, indica que você deve ficar alerta em um relacionamento. Se você for engolido por uma labareda e não sentir medo, é porque seus relacionamentos são fortes e confiáveis.

LÁBIO Sonhar com lábios feios ou disformes simboliza encontros desagradáveis, decisões precipitadas e mau humor no casamento. Já lábios fartos, doces e rosados representam harmonia e riqueza. Lábios finos sinalizam o domínio dos assuntos mais complexos. Lábios doloridos ou inchados sugerem privações e desejos doentios.

LÁBIO LEPORINO Se você sonha que tem lábio leporino, é um alerta: tome cuidado ao decidir se deve ou não compartilhar segredos com amigos. Sonhar que vê outra pessoa com lábio leporino prenuncia uma nova amizade chegando.

LABIRINTO Se você sonha com um labirinto, é porque vai se flagrar enredado em situações profissionais intrincadas e desconcertantes. Sonhar que está em um labirinto escuro anuncia doenças e problemas transitórios, mas nem por isso menos angustiantes.

LABORATÓRIO

Um labirinto feito de madeira e vinhas verdejantes denota uma felicidade inesperada oriunda de algo que parecia ser motivo de desespero. Sonhar com uma rede ou labirinto de ferrovias fala de viagens longas e entediantes. Você vai conhecer pessoas interessantes, mas não vai ter sucesso financeiro nessas jornadas. Sonhar que consegue encontrar a saída de um labirinto sugere que suas preocupações serão poucas. No entanto, se você estiver perdido e assustado, pode ser que tenha de mudar o jeito como aborda os problemas que o incomodam na vida desperta.

LABORATÓRIO Sonhar que está em um laboratório denota grandes energias desperdiçadas em empreendimentos infrutíferos, sendo que você poderia se sair melhor se adotasse esforços mais práticos. Se no sonho você é um alquimista, então é porque está tentando acolher projetos interessantes e de longo alcance, mas infelizmente não vai atingir o auge de sua ambição.

LABUTA Sonhar que observa animais domésticos labutando sob fardos pesados indica que você vai ser próspero, mas talvez injusto para com alguém que trabalha para você. Ver homens labutando significa trabalho lucrativo e saúde robusta. Ver a si mesmo trabalhando arduamente implica numa perspectiva favorável para qualquer novo empreendimento e colheitas abundantes caso você seja do ramo da agricultura.

LACA Sonhar que laqueia uma superfície indica que logo, logo você vai amarrar as pontas soltas de um assunto pessoal ou profissional, e vai ser benéfico.

LAÇO Amarrar um laço significa que em breve você vai amarrar as pontas soltas de um assunto pessoal. Sonhar com um laço é um presságio feliz para o amor e para assuntos de família. Mas se você ficar enroscado ou for enlaçado, significa que vai sofrer um constrangimento.

LACTENTE Ver uma criança mamando denota contentamento e condições favoráveis para o sucesso. | *Ver também* Amamentação.

LADO, LATERAL Sonhar que vê apenas a lateral de um objeto sugere que alguém vai encarar suas propostas honestas com indiferença. Se você sonha que sente uma dor na lateral do corpo, os aborrecimentos do dia a dia vão testar sua paciência.

LADRÃO Sonhar que você é um ladrão e que está sendo perseguido pela polícia é um sinal de reveses nos negócios, e suas relações sociais serão desagradáveis. Se você perseguir ou capturar um ladrão, é porque vai vencer seus inimigos. | *Ver também* Furto, Roubo.

LADRÃO DE LOJAS Sonhar que você é um ladrão que surrupia artigos de lojas implica na chegada de um presente. Ver alguém furtando de lojas em seu sonho indica uma perda por roubo.

LADRILHO Sonhar com ladrilhos quebrados alerta para riscos desnecessários nos negócios. Ladrilhos inteiros anunciam boas especulações que vão virar a seu favor.

LAGARTA Ver uma lagarta em sonho é sinal de pessoas hipócritas em seu futuro imediato; cuidado com as aparências enganosas. Você pode sofrer uma perda no amor ou na vida profissional.

LAGARTO Sonhar com lagartos prediz ataques de desafetos. Se você matar um lagarto, é porque vai recuperar sua reputação ou prosperidade perdidas; mas se o bicho fugir, você vai se deparar com aborrecimentos e aflições no amor e no trabalho.

LAGO Lagos, em geral, significam estado de espírito, mas boa parte da interpretação desse sonho se dá pela limpidez da água. Água limpa é o melhor presságio, água suja, o pior. Sonhar que está em um barco em um lago calmo e sereno indica paz e felicidade chegando. Se o lago estiver tempestuoso, você vai se deparar com uma perturbação emocional e uma possível perda. Um lago sujo indica entrada em um período no qual você vai ser testado por circunstâncias além de seu controle.

LAGO DE PEIXES Sonhar com um laguinho de peixes lamacento denota doença por devassidão. Ver um local límpido e bem abastecido de peixes pressagia empreendimentos lucrativos e grandes prazeres.

LAGOA Sonhar com uma lagoa significa que você vai ser arrastado para um redemoinho de dúvidas e confusão depois de recorrer aos seus conhecimentos de forma deturpada. Ver uma lagoa tranquila e límpida nos sonhos indica que sua vida está bem e que não há motivo imediato para preocupação. Mas se estiver lamacenta ou agitada, sinal de brigas domésticas. | *Ver também* Poça, Água.

LAGOSTA Sonhar que vê lagostas sugere grandes benesses e riquezas. Se você comê-las, corre o risco de se contagiar por estar andando muito livremente com pessoas hedonistas. Se as lagostas forem transformadas em salada, é porque o sucesso não vai modificar sua natureza generosa, mas você vai aproveitar ao máximo suas ideias de prazer. Se você sonha que pede uma lagosta em um restaurante, é porque vai alcançar posições de destaque e comandar muitos subordinados.

LAGOSTIM Depois de sonhar com esse crustáceo, seu coração certamente vai ser tomado pela decepção. Esse sonho também mostra que você vai estar em sua melhor forma em um projeto futuro.

LÁGRIMA Sonhar que está chorando indica que uma aflição vai surgir em breve. Se você vir outras pessoas derramando lágrimas, é porque sua tristeza vai afetar a felicidade de outras pessoas.

LAMA Sonhar que caminha na lama denota motivos para perder a confiança nas amizades, além de perdas e distúrbios nos círculos familiares. Se você vir outras pessoas andando na lama, é porque vai ficar sabendo de uma fofoca horrorosa sobre um amigo ou funcionário. Se você vir lama em suas roupas, sua reputação está sendo atacada; raspá-la significa que você vai escapar da calúnia dos desafetos.

LAMBER Sonhar que é lambido por um animal significa que um amigo vai pedir um conselho muito em breve, e você deve oferecer esse conselho de boa vontade. Se você sonha que é lambido por alguém, ou que está se lambendo, ou que está lambendo alguém ou alguma coisa, espere satisfação na superação das dificuldades.

LAGOA

LAMENTAÇÃO Sonhar que lamenta amargamente a perda de amigos ou bens significa muitas lutas e angústias; porém alegria e ganho pessoal vão brotar depois. Lamentar a perda de parentes denota doença ou decepção, mas isso vai aumentar a harmonia entre seus pares, resultando em melhores perspectivas.

LAMENTO Um lamento chegando a seus ouvidos no meio de um sonho traz notícias terríveis referentes a desastres e infortúnios. | *Ver também* Choramingo.

LÂMINA Sonhar que está afiando uma lâmina alerta para se ter cuidado com sua língua afiada ao dar conselhos.

LAMPARINA Ver lamparinas cheias de óleo denota atividade comercial que vai render resultados gratificantes. Lamparinas vazias representam depressão e desânimo. Ver lamparinas acesas indica aumento merecido na prosperidade e bem-aventurança doméstica. Se elas estiverem embaçadas, você

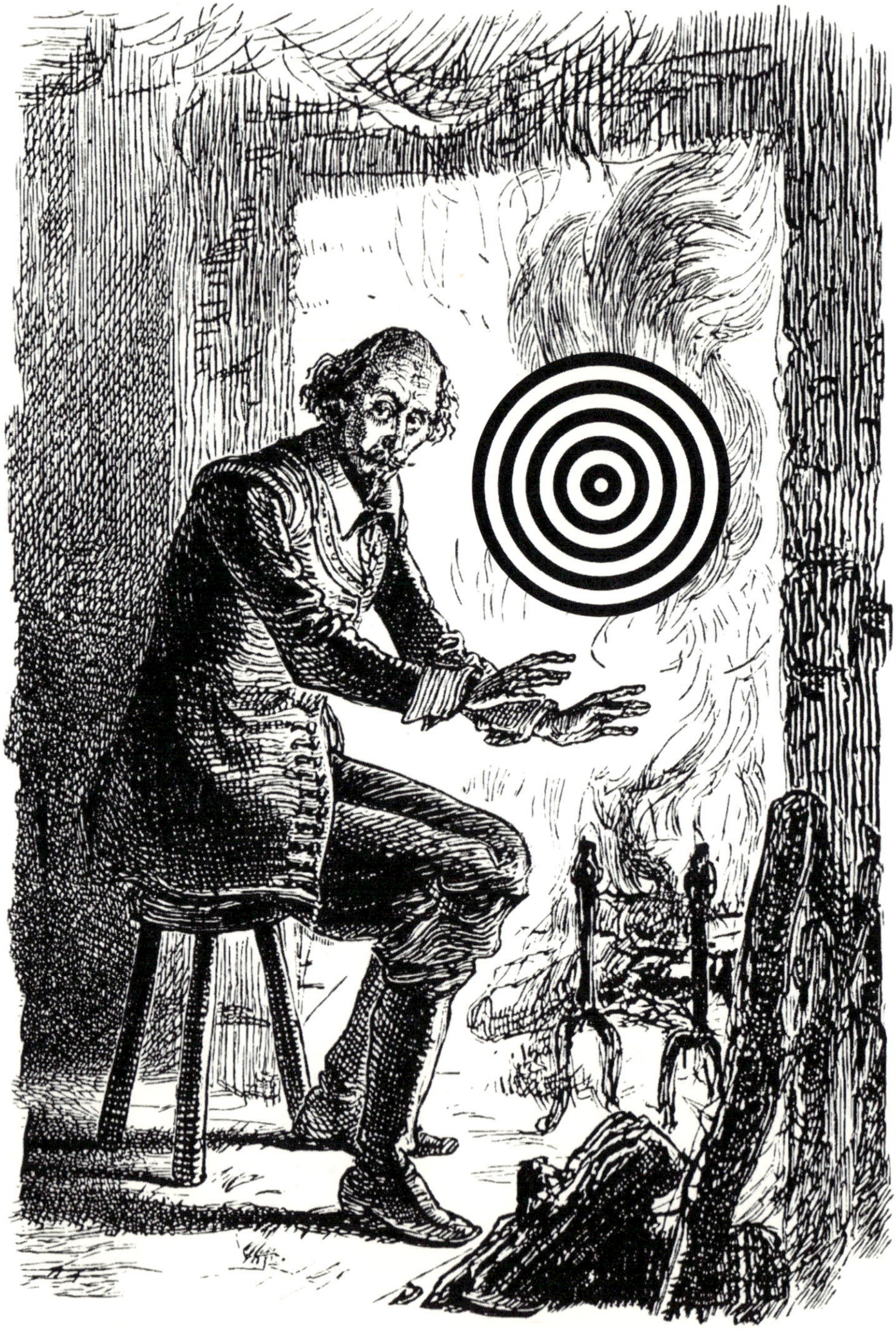

vai se deparar com ciúme, inveja e desconfiança para combater, mas vai localizar o responsável por isso, e no final o assunto vai acabar bem. Derrubar uma lamparina significa que seus planos e esperanças vão se transformar abruptamente em fracasso. Se uma lamparina explodir, velhos amigos vão se juntar aos seus desafetos para prejudicar seus interesses. Lamparinas quebradas prenunciam a morte de parentes ou amigos. Acender uma lamparina a óleo sugere que em breve você vai fazer uma mudança que vai resultar em lucro. Carregar uma lamparina pressagia que você será independente e autossustentável, preferindo suas convicções às alheias. Se a chama da lamparina se apagar, você terá um fim infeliz.

LAMPARINA A GÁS Nos sonhos, uma lamparina representa o progresso e um ambiente agradável. Se você vir uma explodindo ou deixando de funcionar, o sonho significa angústia.

LAMPIÃO Sonhar que vê um lampião iluminando a escuridão significa fartura inesperada. Mas se de repente você perder o lampião de vista, seu sucesso vai ganhar um rumo desfavorável. Carregar um lampião em seus sonhos indica que sua benevolência vai lhe trazer muitos amigos. Se ele se apagar, você não vai conseguir o destaque que deseja. Se você tropeçar e quebrá-lo, vai buscar ajudar os outros, mas ao fazê-lo, perderá sua boa posição ou vai se decepcionar com algum empreendimento. Limpar um lampião significa que grandes possibilidades estão abertas para você. Perder um significa problemas profissionais e inquietação em casa. Se você comprar um lampião, então é indício de sorte nos acordos profissionais.

LAMPREIA Sonhar com esse peixe indica que é hora de limpar seu ambiente.

LANÇA Sonhar que usa uma lança, ou ver uma sendo usada, prediz a eliminação de obstáculos de seus caminhos pessoais e profissionais, e uma felicidade renovada.

LANÇAMENTO (DE BOLA) Sonhar que lança uma bola pressagia a chegada de boas notícias.

LANCETA Sonhar com uma lanceta indica rivais terríveis e experiências prejudiciais. Ser ferido por uma lanceta significa que um erro de julgamento vai lhe trazer aborrecimento. Quebrar uma lanceta significa que pretensas impossibilidades serão superadas e seus desejos serão concretizados.

LANCHONETE Se você sonha que come em uma lanchonete, é porque deve se atentar ao modo como tem se alimentado na vida desperta.

LANTEJOULA Sonhar com lantejoulas representa uma agradável surpresa em uma situação social.

LANTERNA Usar uma lanterna ou ver seu feixe em sonho implica que você logo fará amigos.

LANTERNA DE ABÓBORA Sonhar com essa figura do Halloween ou esculpir uma abóbora prenuncia um mistério em sua vida que logo será resolvido.

LÁPIDE Sonhar com uma lápide prediz gravidez ou nascimento. Sonhar que vê seu nome nela é sinal de muita alegria em uma festa em família.

LÁPIS Nos sonhos, os lápis simbolizam ocupações favoráveis.

LAR Sonhar que visita sua antiga morada sugere que você vai ter boas notícias pelas quais se alegrar. | *Ver também* Moradia.

LARANJA (COR) Ver a cor laranja em sonho indica expansão de buscas espirituais, nutrição pessoal e momentos felizes.

LARANJA (FRUTA) Ver ou comer laranjas representa saúde e um ambiente próspero.

LARANJA KINKAN Nos sonhos, essa laranjinha simboliza sorte e prosperidade.

LAREIRA A lareira representa uma vida familiar feliz. Se você sonha que está cozinhando em uma lareira aberta, é porque vai cultivar bem suas amizades.

LARINGITE Sonhar que tem laringite é um alerta de que talvez seja preciso manter suas opiniões em segredo. Sonhar com outra pessoa sofrendo de laringite significa que em breve você vai receber bons conselhos, e é recomendável segui-los.

LARVA Sonhar com larvas de mosca prediz dificuldades no horizonte, podendo ser em sua vida pessoal ou profissional — mas você vai superá-las facilmente e encontrar muita sorte e felicidade.

LASANHA Sonhar que prepara ou come lasanha prenuncia ganho financeiro sólido ou avanço na carreira.

LAVA Ver a lava fluindo de um vulcão significa um momento empolgante em sua vida social.

LAVA-LOUÇAS Sonhar que está comprando, vendendo, enchendo ou esvaziando uma lava-louças prenuncia tempos felizes pela frente.

LAVAGEM Sonhar que lava alguma coisa é um alerta para cuidar de sua vida. Se você der ouvidos a esse aviso, seus relacionamentos ficarão numa boa. Sonhar que está se lavando significa que você se orgulha dos inúmeros vínculos que mantém. | *Ver também* Banho, Pia.

LASANHA

LASER Se seu sonho inclui um laser, você logo vai identificar um problema e encontrar uma solução para ele.

LATA, ENLATADOS Sonhar com enlatados ou que vê latas é um lembrete para economizar mais dinheiro.

LATÃO Sonhar com essa liga metálica indica que você vai se desenvolver rapidamente em sua profissão.

LÁTEX Sonhar com esse material emborrachado significa que em breve você vai encobrir um erro — só que esse erro vai ser descoberto mesmo assim.

LATICÍNIOS Sonhar com laticínios significa que você vai cultivar uma atividade extra muito prazerosos. Sonhar com uma fazenda de laticínios significa que tem dinheiro chegando.

LATIM Sonhar que estuda esse idioma denota sucesso e clareza em seus esforços para sustentar sua opinião sobre assuntos de interesse vital para o bem-estar público.

LAVAGEM DE ROUPA Sonhar que está lavando roupas sugere batalhas, mas com a vitória definitiva na conquista da prosperidade. Se as roupas forem lavadas satisfatoriamente, seus esforços vão lhe trazer felicidade total. Do contrário, toda essa prosperidade não vai lhe proporcionar prazer algum.

LAVANDERIA Sonhar que lava suas roupas em uma lavanderia prenuncia momentos felizes e festividades.

LAXANTE Sonhar que toma laxante significa que um trabalho que você tem de fazer — e que pode parecer complicado — vai trazer benefícios surpreendentes.

LEÃO Sonhar com um leão sugere que uma grande força guia você. Se você conseguir subjugar o bicho, é porque vai sair vitorioso em qualquer batalha. Mas se, ao contrário, acabar dominado por ele, é porque vai acabar se abrindo a ataques de desafetos (que vão levar a melhor). Ver leões enjaulados mostra que seu sucesso depende da sua habilidade de enfrentar a oposição. Ver alguém controlando um leão, seja dentro ou fora da jaula, implica em grande poder mental e sucesso no trabalho. Sonhar com leões jovens sugere novos empreendimentos, e que trarão sucesso, se devidamente administrados. O rugido de um leão significa um avanço inesperado. Se você vir um leão rondando, mostrando os dentes ao rosnar, é porque há ameaça de derrota em sua ascensão ao poder. Sonhar com a pele de um leão sugere ascensão à prosperidade e à felicidade. Montar um leão fala de coragem e persistência na superação das dificuldades.

LEBRE Se no seu sonho você vir uma lebre escapando de sua tentativa de captura, é porque na vida desperta você vai perder algo valioso de uma forma um tanto misteriosa. Mas se você conseguir pegar a lebre, é sinal de que vai sair vencedor de uma competição. Se uma lebre for seu animal de estimação, é porque seu parceiro vai ser uma pessoa metódica, porém pouco inteligente. Uma lebre morta indica a morte de algum amigo; a existência vai ser algo banal, prosaica. Ver lebres perseguidas por cães sugere problemas e brigas entre seus amigos, e você vai tentar reestabelecer as relações. Se você sonha que atira em uma lebre, é porque na vida desperta vai ser obrigado a adotar medidas violentas para manter seus bens. | Ver também Coelho.

LEGISLATURA Sonhar que você é membro de uma legislatura sugere que você é vaidoso em relação a seus bens, e que vai tratar os membros de sua família com rispidez. Não vai acontecer nenhum avanço genuíno em sua vida.

LEI, PROCESSO JURÍDICO Sonhar está metido em um processo é um alerta sobre desafetos que têm envenenado a opinião pública contra você. Se você sabe que o processo é desonesto de sua parte, é porque vai tentar destituir outros de suas posições para obter progresso. | Ver também Juiz, Júri.

LEILÃO Sonhar com um leilão, de modo geral, é algo bom. Se você ouve o leiloeiro, isso significa perspectivas brilhantes e tratamento justo em empreendimentos comerciais. Sonhar que está comprando em um leilão significa boa sorte.

LEITÃO Sonhar que vê leitões gordos e de aparência forte é um presságio de mudanças bruscas na vida profissional e nas negociações seguras. Leitões magros predizem situações frustrantes e problemas com empregados e filhos. Ver uma leitoa e uma ninhada de leitõezinhos prediz safras abundantes para o fazendeiro e avanços profissionais para pessoas de outros ramos. Ouvir leitões guinchando denota notícias desagradáveis de amigos distantes e prenuncia decepção, morte ou falha em atingir os lucros que você esperava em acordos de grande importância. Sonhar que alimenta seus leitões sugere crescimento nos seus bens pessoais. Se você sonha que está lidando com leitões, é porque vai acumular propriedades consideráveis, porém vai ter de trabalhar muito para isso.

LEITE Leite de vaca significa boa saúde; leite de cabra, avanços profissionais. Para um fazendeiro, sonhar que bebe leite denota colheita abundante e prazer no lar; para um viajante, prevê uma viagem feliz. Ver leite em grandes quantidades significa riquezas e saúde. Sonhar que comercializa leite sugere um bom aumento na prosperidade. Doar leite mostra que você será benevolente além da conta. Derramar leite significa que você vai vivenciar pequenas perdas e infelicidade temporária nas mãos de amigos. Sonhar com leite estragado implica na chegada de problemas um tanto mesquinhos. Se o leite estiver azedo, você vai ficar incomodado diante da angústia de amigos. Sonhar que tenta beber leite mas não consegue, significa que você corre o risco de perder algo de valor ou a amizade de uma pessoa muito estimada. Sonhar com leite quente pressagia muitas batalhas, mas o resultado será a conquista de riquezas e desejos. Sonhar que toma banho de leite denota o prazer e a companhia de amigos.

LEITELHO Qualquer sonho com leitelho denota tristeza.

LEITURA Estar absorto na leitura durante um sonho prediz que você vai se destacar em um trabalho que parece difícil. Ver outras pessoas lendo revela que seus amigos serão gentis e terão boa vontade para com você. Se você estiver fazendo ou discutindo uma leitura, é porque vai cultivar sua habilidade literária. Uma leitura indistinta ou incoerente implica em preocupações e decepções.

LEITURA LABIAL Se você sonha que está lendo os lábios de alguém ou que estão lendo os seus, é porque vai ser mal interpretado em uma questão profissional vigente. Seja claro ao se expressar.

LEME Se você sonha com um leme, em breve vai fazer uma viagem agradável a locais estrangeiros e fará novas amizades. Já um leme quebrado pressagia decepção e doença.

LENÇO Nos sonhos, os lenços representam flertes e casos amorosos. Perder um lenço sugere um noivado rompido, mas não vai ser sua culpa. Ver lenços rasgados prediz que as brigas entre amantes chegarão a tal ponto que a reconciliação vai ser improvável, senão impossível. Lenços sujos sugerem que você será corrompido por relações indiscriminadas.

LENÇO DE PAPEL Sonhar com lenços de papel significa que a ajuda para uma questão profissional está chegando.

LENÇOL Sonhar com lençóis limpos e bem dobrados é presságio de ganhos financeiros. Mas se estiverem sujos ou bagunçados, o sonho sugere uma perda financeira.

LENHA Sonhar que você vende ou compra lenha indica o ganho de dotes por meio de uma batalha determinada.

LENTE Sonhar com qualquer tipo de lente é um aviso para manter os olhos abertos a fim de evitar problemas nos relacionamentos.

LENTE BIFOCAL Sonhar que usa ou vê alguém usando esse tipo de lente sugere que você é capaz de ver os dois lados de uma questão.

LENTES DE CONTATO Perder uma lente de contato em sonho é uma recomendação para abrir os olhos para possíveis logros. Tirar as lentes ou colocá-las nos olhos significa que você vai enxergar com mais clareza os problemas no trabalho ou em um relacionamento. Ajudar outra pessoa a colocar as lentes prevê que você vai ser convocado a ajudar alguém a acabar com os dramas na vida dessa pessoa.

LENTILHA Nos sonhos, as lentilhas representam brigas e ambientes pouco saudáveis.

LEOPARDO Sonhar que sofre um ataque de leopardo sugere que, embora o futuro pareça bom, vão surgir muitas dificuldades devido à confiança perdida. Matar um leopardo fala de vitória na carreira. Ver um leopardo enjaulado implica que os desafetos vão acuar você, mas você sairá ileso. Ver leopardos em seu habitat e tentando fugir de você indica constrangimentos no trabalho e no amor — mas, com esforços persistentes, você vai superar as dificuldades. Sonhar com pele de leopardo indica que seus interesses vão correr perigo por causa de uma pessoa desonesta que vai ganhar sua estima.

LEPRA Sonhar que está infectado por essa doença prediz também uma doença na vida desperta, que não apenas vai causar perdas financeiras, como também vai incitar o repúdio alheio. Esse sonho também pode significar que você não está usando todo seu potencial; se você continuar nesse rumo, as coisas vão dar errado. Se em seu sonho você vir outras pessoas sendo afligidas pela lepra, é porque as perspectivas serão desanimadoras e o amor vai se transformar em indiferença.

LESÃO Sonhar que está sofrendo uma lesão significa uma ocorrência que vai trazer mágoa e irritação. | *Ver também* Ferimento.

LETRA DE MÚSICA Sonhar que lê a letra de uma música enquanto canta significa um momento feliz chegando. Sonhar que está escrevendo uma letra prediz um acontecimento alegre e inesperado.

LEVANTAMENTO Sonhar que ergue ou é erguido por alguém prediz felicidade e ganho pessoal.

LEVAR ALGUÉM DE CAVALINHO Se você sonha que deixa alguém subir nas suas costas para brincar, é porque você vai ter a ajuda de um amigo ou colega de trabalho em um futuro negócio ou assunto pessoal. Sonhar que monta nas costas de alguém significa que você vai ter de resolver um problema sozinho.

LIBÉLULA Representa ganho monetário — embora possa ser apenas passageiro.

LIBERDADE Sentir-se livre em sonho revela que você está feliz e contente com seu parceiro. Desejar liberdade sugere que logo você vai se separar.

LIBRA (UNIDADE DE MASSA) Sonhar que está pesando algo em libras pressagia ganho financeiro.

LIBRA ESTERLINA Sonhar com esse dinheiro pressagia presentes monetários inesperados. Se uma moeda de libra estiver bonita e reluzente, procure uma nova e convidativa amizade. Se estiver fosca, você precisa avaliar suas amizades para ver quem não se encaixa mais.

LICITAÇÃO Se você estiver dando um lance em um objeto, como em um leilão, por exemplo, pode ser que lhe faltem fundos para comprar algo num futuro próximo.

LIGA METÁLICA Sonhar com uma liga metálica é sinônimo de complicações profissionais.

LILÁS Sonhar com essa flor perfumada prediz uma amizade rompida que vai trazer muita dor de cabeça, mas que vai acabar se revelando uma bênção disfarçada.

LIMÃO TAITI Sonhar que chupa ou come limão taiti indica uma doença contínua e problemas espinhosos.

LIMÃO-SICILIANO Sonhar que vê limões-sicilianos nas árvores entre ricas folhagens denota ciúme de algum objeto amado, mas suas próprias demonstrações vão convencer sobre o absurdo desse ciúme. Comer limões prediz humilhação e decepções; também pode sugerir a necessidade de limpeza e cura. Limões verdes indicam doença. Sonhar que está espremendo um limão sugere a necessidade de ser mais econômico. Ver limões murchos implica em divórcio ou separação.

LIMBO Sonhar que chega ao limbo prevê que você vai ser capaz de superar as dificuldades nos assuntos profissionais.

LIMIAR, SOLEIRA Sonhar em carregar algo para além de um limiar prediz um novo relacionamento. Sonhar que está sendo carregado para além de um limiar prediz um anúncio de gravidez ou nascimento.

LIMONADA Se você bebe limonada em um sonho, é porque vai fazer de tudo para agradar aos outros à própria custa.

LIMPEZA Se não conseguir limpar algo no sonho, é porque tem alguém mentindo para você. Sonhar que deixa um lugar impecavelmente limpo significa que você está sendo tratado com honestidade.

LIMPEZA A SECO Sonhar que leva roupas para uma lavanderia a seco significa que logo você vai "limpar" relacionamentos que já terminaram. Pegar itens na lavanderia sugere o surgimento de novas amizades.

LIMUSINE Sonhar que está sendo conduzido numa limusine prenuncia um presente inesperado em dinheiro. Se você for o motorista, é um alerta para possíveis perdas financeiras.

LINCE Ver um lince nos sonhos é um alerta de que os inimigos estão minando seu trabalho e atrapalhando sua vida doméstica.

LINGERIE Espere um novo interesse amoroso ou o rejuvenescimento de um romance atual. Se a lingerie estiver rasgada ou amarrotada, é porque vai ser enganado por um amigo que considerava atencioso e honesto.

LÍNGUA Sonhar que vê a própria língua sugere que você vai ser encarado com desagrado por seus conhecidos. Se você vir a língua de outra pessoa, um escândalo pode difamar você. Sonhar que sua língua está com algum tipo de doença ou irritação significa que sua falta de cuidado ao falar vai trazer problemas.

LINGUAGEM DE SINAIS Se você não conhece a língua de sinais em sua vida desperta mas consegue compreendê-la e se comunicar com ela em seu sonho, é um sinal de iluminação espiritual e clareza mental.

LINGUIÇA Sonhar que prepara linguiça denota sucesso em muitos empreendimentos. Comê-la sugere que você terá um lar humilde, porém confortável.

LINHA Sonhar com linha indica que sua sorte está ao final de um caminho intrincado. Se você vir a linha cortada, sofrerá perdas devido à traição de amigos. | *Ver também* Carretel, Retrós.

LINHO Ver linho em um sonho é presságio de prosperidade e prazer. Se uma pessoa aparecer para você usando roupas de linho, sinal de boas novas na forma de uma herança. Já se você estiver usando linho limpo e de boa qualidade, sua sorte e o mais pleno gozo da vida estão garantidos; já se o tecido estiver sujo, vai haver tristeza e azar aqui e ali, misturados aos bons aspectos de sua vida. Sonhar com linho sendo fiado prediz que você será dado a hábitos laboriosos e parcimoniosos.

LIQUIDAÇÃO Se você é empresário e sonha que está liquidando seu estoque e patrimônio, então é um conselho para buscar um ganho financeiro sólido com seu negócio. Se no sonho você estiver comprando itens de uma liquidação, isso indica a perda de um item importante em sua vida. Sonhar com uma liquidação sugere um aumento nos bens materiais por meio de um presente ou herança valiosa. Se você estiver vendendo algo em uma liquidação, espere um aumento de sua riqueza geral.

assuntos difíceis, e o significado oculto dos textos acadêmicos, fala de homenagens um tanto merecidas. Ver crianças estudando com seus livros é sinal de harmonia e boa conduta dos jovens ao seu redor. Sonhar com livros antigos é um aviso para evitar o mal em qualquer forma.

LIVRO

LIRA Sonhar que ouve música de uma lira sugere prazeres inocentes e companheirismo agradável. Tudo vai correr bem na vida profissional.

LÍRIO Sonhar com essa flor significa que você está buscando atingir um nível de pureza em sua vida desperta. Isso poderia acontecer por meio do abandono, ou da morte, de determinados aspectos de sua vida que vão auxiliar na purificação e no renascimento.

LISTA Fazer uma lista nos sonhos é um alerta para inserir mais organização em sua vida. Receber uma lista sugere que em breve você vai ajudar um amigo.

LISTA DE ESPERA Sonhar com uma lista de espera significa que um projeto será executado de forma mais tranquila e rápida do que você esperava.

LIVRARIA Visitar uma livraria significa ganho de muito conhecimento e de um interesse inesperado.

LIVRO Sonhar que está estudando com um livro sugere atividades agradáveis, mérito e riquezas. Para um escritor, sonhar com uma obra indo para a impressão é um sonho de cautela; na vida desperta, haverá muitos problemas antes que a obra de fato chegue ao público. Sonhar que você está dedicando muito estudo e tempo para aprender

LIVRO-RAZÃO Se você sonha que guarda um livro-razão, é porque vai se deparar com situações decepcionantes e confusões para combater. Se você sonha que está fazendo lançamentos errados em um livro-razão, vai enfrentar pequenas disputas e sofrerá uma perda sutil. Se no sonho você estiver colocando um livro-razão em um cofre, é sinal de que vai conseguir proteger seus direitos em circunstâncias adversas. Um livro-razão extraviado sugere que você vai perder influência devido à negligência dos deveres. Se você sonha que seu livro-razão é destruído pelo fogo, então vai sofrer por causa da negligência de amigos. Se a contabilidade apresentar saldo negativo, má gestão e perdas estão implícitas; mas se os saldos estiverem positivos, sua carreira vai melhorar.

LIXA Sonhar com uma lixa significa irritação envolvendo parentes e amigos íntimos.

LIXÃO Sonhar com um depósito de lixo significa que você será solicitado a ajudar alguém a se livrar de um problema.

LIXAR MÓVEIS Lixar móveis para retirar o verniz sugere a renovação de um contrato profissional.

LIXO Sonhar que caminha em meio ao lixo prenuncia a dúvida e o fracasso onde a promessa de sucesso antes brilhava. Ver montes de lixo representa intenções de escândalo social.

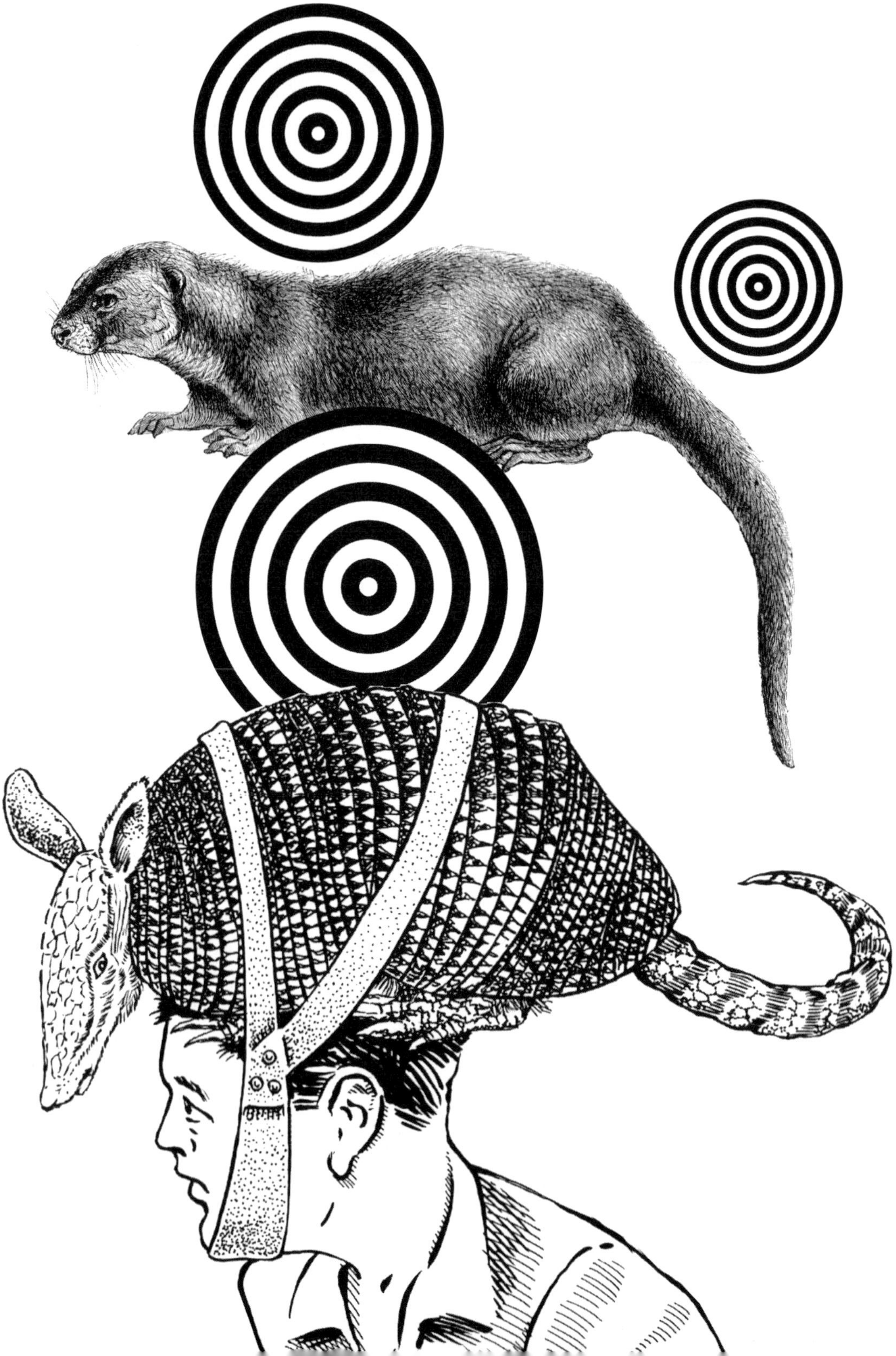

LOBO Sonhar com um lobo implica que você tem uma pessoa furtiva a seu serviço, a qual também vai trair seus segredos. Matar um lobo indica que você vai derrotar desafetos ardilosos que estão tentando ofuscar sua vida com descrédito. Ouvir o uivo de um lobo revela a você uma aliança secreta para derrotá-lo em uma competição honesta.

LOCAÇÃO Sonhar que assina um contrato de locação significa que em breve você vai tomar a decisão de mudar de casa.

LOCOMOTIVA Sonhar com uma locomotiva funcionando e em alta velocidade implica em um rápido aumento da prosperidade, ou talvez uma viagem ao exterior. Se a locomotiva estiver desativada, sinal de muitos aborrecimentos interferindo no trabalho, e as viagens muito esperadas serão deixadas de lado por falta de recursos. Ver uma locomotiva demolida significa grande angústia e perda de propriedade. Receber uma locomotiva trazendo notícias de natureza estrangeira: o trabalho vai ter mudanças que vão render sucesso para todos os envolvidos. Se você ouvir o apito ou a buzina de uma locomotiva, é porque vai ficar satisfeito e surpreso com a aparição de um amigo há muito sumido ou com uma oferta inesperada que trará benefícios.

LOGRO Se você engana outra pessoa em seu sonho, vão mentir e enganar você na vida desperta. Se você é a pessoa que está sendo enganada, então é porque a verdade está sendo esfregada na sua cara.

LOJA Sonhar com uma loja prevê que toda vez que você estiver tentando progredir, vai se deparar com um plano de amigos ardilosos e invejosos. | *Ver também* Armazém.

LOJA DE PORCELANA Comprar porcelana em um sonho sugere problemas tanto na vida profissional quanto pessoal. Mas se alguém comprar para você, vislumbre prosperidade e felicidade. | *Ver também* Louça.

LONTRA Ver lontras certamente traz felicidade e boa sorte ao acordar.

LOSANGO Sonhar com losangos representa sucesso nas pequenas coisas.

LOTERIA Se você sonha que está muito interessado em jogar na loteria, é porque na vida desperta vai se envolver em um empreendimento sem valor, que por sua vez vai incitar uma empreitada pouco favorável. Se você tirar a sorte grande no sonho, é porque na vida real vai ganhar em uma especulação — que por sua vez vai gerar muito perplexidade, mas também muita ansiedade. Ver outras pessoas ganhando na loteria sugere convivência e divertimento com muitos amigos. Se você não ganhar nada na loteria onírica, é porque vai ser vítima de golpistas na vida real.

LOUÇA Uma louça bonita e limpa indica que você vai cuidar da casa de maneira organizada e econômica. Se você sonha que está em uma loja de louças, preste atenção aos detalhes de seu trabalho. Uma loja desarrumada e com prateleiras vazias implica em perdas.

LOUÇA DE BISCUIT Sonhar com louça de biscuit alerta sobre as dificuldades que se aproximam em um relacionamento importante.

LOUREIRO Sonhos com árvores de louro geralmente são bons para todos. Um prazer frondoso o aguarda, prometendo muitas diversões. Você vai colher muito conhecimento durante essa pausa da labuta.

LOURO Sonhar com louro traz sucesso e fama. Você vai adquirir bens e novos amores. As empresas também serão agraciadas por ganhos.

LSD Nos sonhos, essa droga alucinógena indica que você precisa de um choque de realidade; em sua vida desperta, você não está enxergando determinadas coisas sob a perspectiva adequada.

LUA Sonhar que vê a lua é um prenúncio de sucesso no amor e na carreira. Uma lua de aparência estranha ou de forma alterada denota um romance complicado, infelicidades domésticas e empreendimentos decepcionantes de caráter comercial. Um eclipse lunar indica que algum tipo de contágio destruirá sua comunidade. A lua nova fala de aumento da riqueza e parceiros agradáveis no casamento. | *Ver também* Eclipse, Sol.

LUA DE MEL Estar em lua de mel ou ver outra pessoa em lua de mel indica decepções no amor ou nos relacionamentos pessoais.

LUBRIFICAÇÃO Lubrificar qualquer coisa nos sonhos significa a conclusão de um projeto com facilidade.

LUCRO Sonhar com lucros é presságio de sucesso no futuro imediato. | *Ver também* Ganhos.

LUGAR NENHUM Sonhar que está indo a lugar nenhum indica que em breve você irá muito longe em sua vida pessoal e profissional.

LUNETA Sonhar que olha através de uma luneta sugere mudanças em breve, todas em sua desvantagem. Ver uma luneta quebrada ou defeituosa indica conflitos e perda de amigos.

LUPA Olhar através de uma lupa nos sonhos fala do fracasso na realização do trabalho de maneira satisfatória.

LÚPULO Nos sonhos, o lúpulo representa parcimônia, energia e o poder de compreender e dominar quase todas as propostas profissionais. Esse é um sonho favorável para todas as camadas sociais, para amantes e para comerciantes.

LUSTRE Sonhar com um lustre indica que um sucesso inesperado vai possibilitar que você desfrute facilmente do prazer e do luxo. Um lustre quebrado ou mal-cuidado aponta que a especulação infeliz vai reduzir sua fortuna aparentemente substancial. Ver as luzes de um lustre se apagando prediz que a doença e a angústia vão nublar um futuro promissor.

LUTA Sonhar que luta com alguém ou alguma coisa é um aviso de que o azar está no horizonte. Não aposte em jogos de azar. Ver lutadores significa boa sorte.

LUTA DE BOXE Assistir a uma luta de boxe nos sonhos sugere que o controle de seus negócios vai lhe trazer problemas.

LUTO Sonhar que está de luto é presságio de má sorte e infelicidade. Se os outros estiverem enlutados, influências perturbadoras entre seus amigos podem causar insatisfação e perda inesperadas; para os amantes, esse sonho prenuncia mal-entendidos e provável separação. Sonhar que está de luto pela perda de um filho adverte que seus planos serão frustrados rapidamente; onde você espera sucesso, encontrará fracasso. O luto pela perda de parentes ou amigos significa decepção com planos bem elaborados e pressagia uma perspectiva ruim.

LUVA Sonhar que usa luvas novas sugere que você será cauteloso e econômico ao lidar com as pessoas, mas sem ser mercenário. Você vai enfrentar processos judiciais ou problemas profissionais, porém, no fim, o resultado vai ser satisfatório. Usar luvas velhas ou rasgadas indica que você será traído e que vai sofrer perdas. Se você sonha que perde suas luvas, é sinal de que vai ser abandonado e vai ter de se sustentar. Encontrar um par de luvas denota um casamento ou um novo caso amoroso. Se você tirar as luvas, é sinal de pouco sucesso nos negócios ou no amor.

LUXO Sonhar que está cercado de luxo indica muita riqueza, porém o desperdício e a autoindulgência vão comer parte de sua renda.

LUZ Se você sonha com a luz, o sucesso é certo em sua vida. Se a luz estiver estranha ou se apagar, você vai ficar desagradavelmente surpreso quando um empreendimento não der em nada. Sonhar com uma luz fraca indica sucesso parcial.

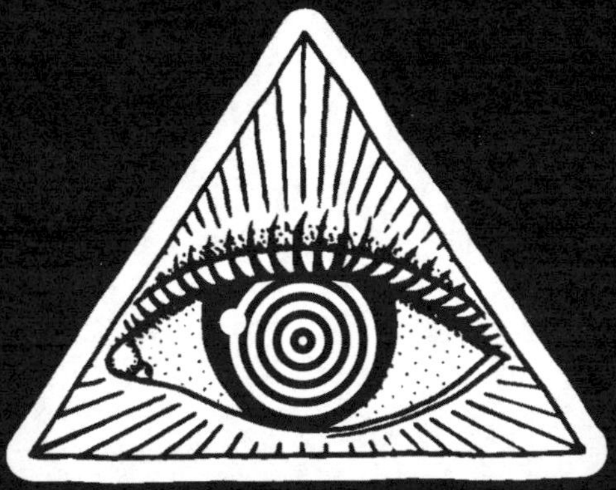

Os sonhos foram e foram.

Conceição Evaristo

M

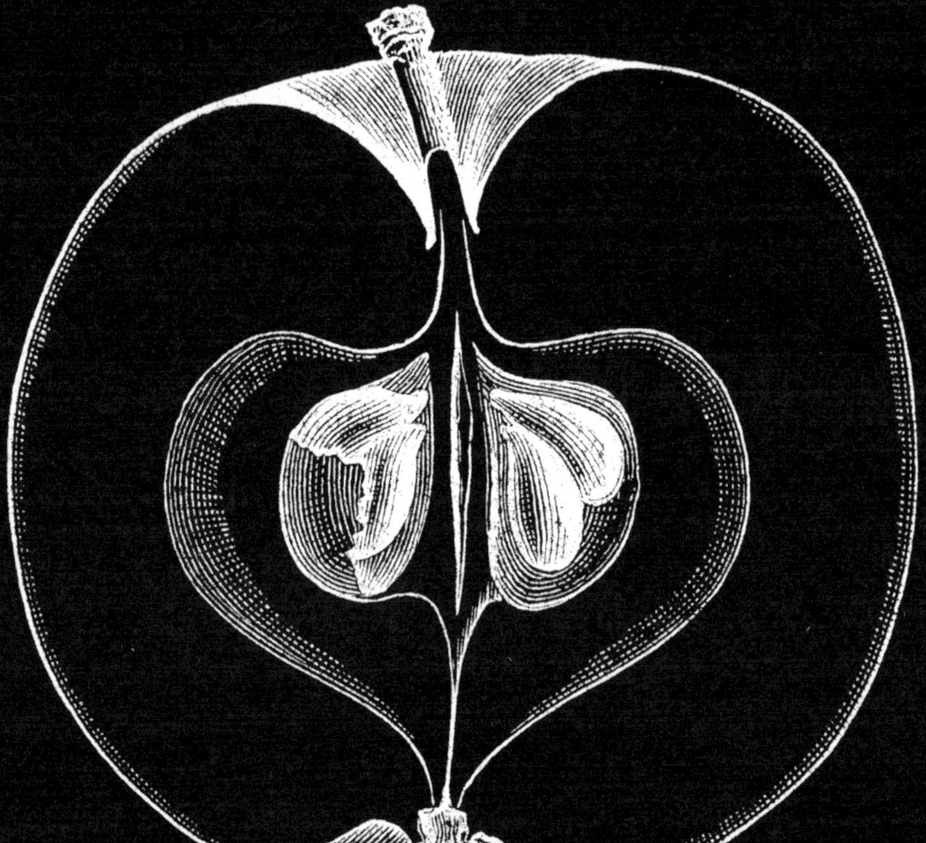

M

MAÇANETA

"Sonhar é predizer a vida."

MAÇÃ Esse é um sonho muito bom. Ver maçãs vermelhas em árvores com folhagem verdejante é extremamente favorável.

MACACÃO Sonhar que usa esse tipo de roupa é um aviso de que aquelas pessoas em quem você confia são, de certa forma, uma ilusão; você deve descobrir a verdade.

MACACO Sonhar com um macaco indica que pessoas fraudulentas vão bajular você só para defender os interesses delas. Ver um macaco morto significa que seus piores desafetos logo vão sair de cena.

MACACO DE CARRO Sonhar com essa ferramenta marca uma mudança inesperada em um problema. As condições vão melhorar.

MACADAME Sonhar que você vê ou transita por uma estrada de macadame significa viagens agradáveis, que trarão muitos benefícios. Para os jovens, esse sonho sugere aspirações nobres.

MAÇANETA Ver maçanetas em sonho indica mudança de situação. Você precisa aprender a controlar as coisas.

MACARRÃO Nos sonhos, comer macarrão representa abundância. Ver macarrão em grandes quantidades significa que você vai economizar grana depois de apertar muito o cinto.

MACHADINHA Uma machadinha, vista em um sonho, implica que um desperdício desenfreado vai expor você aos planos de pessoas invejosas. Se ela estiver enferrujada ou quebrada, você vai sofrer por causa de pessoas teimosas.

MACHADO Ver um machado aponta que qualquer prazer em sua vida vai depender de seu esforço e energia. Ver outra pessoa usando um machado indica amigos animados, cuja presença é um prazer e torna sua vida boa. Um machado quebrado ou enferrujado sugere doença e perda de dinheiro e propriedades.

MACIS Sonhar que usa esse tempero extraído da noz-moscada pressagia ganho financeiro.

MAÇONARIA Se você sonha que vê uma reunião da Ordem dos Maçons, em trajes completos, é porque existem outros além de você que devem ser protegidos das dificuldades da vida.

MACONHA Se você é fumante de maconha em sua vida desperta, esse sonho não tem nenhum significado especial. Mas se você não for usuário, então sugere que uma de suas atitudes vai lhe colocar em descrédito. | *Ver também* Baseado (cigarro de maconha).

MADEIRA Sonhar com madeira sugere que seus empreendimentos comerciais serão sólidos num futuro bem próximo. | *Ver também* espécies individuais de árvores madeireiras.

MADEIRA CRUA Sonhar com madeira crua sugere muitas tarefas complicadas, mas pouca remuneração ou prazer. Ver pilhas de madeira crua queimando indica lucro de uma fonte inesperada. Sonhar que está serrando madeira crua denota transações imprudentes e infelicidade.

MADEIRA DE LEI Ver madeira de lei em seus sonhos é presságio de momentos prósperos e ambientes pacíficos. Se a madeira parecer morta, espere grandes decepções. | *Ver também* Floresta.

MADEIRA DE PINHO Sonhar com o cheiro de madeira de pinho indica estabilidade mental e paz de espírito.

MADONNA (RELIGIÃO) Sonhar com a mãe de Cristo significa a chegada de muitas bênçãos.

MADRESSILVA Ver ou colher madressilvas implica que você vai ser satisfatoriamente próspero, e que seu casamento será especialmente feliz.

MADRINHA DE CASAMENTO Sonhar com madrinhas de casamento, podendo ser você ou outras pessoas, significa dificuldades em sua vida amorosa.

MADUREZA Sonhar com frutas ou vegetais maduros representa prosperidade. Mas se estiver podre de maduro significa problemas financeiros.

MÃE Ver sua mãe em um sonho, tal como ela é na vida desperta, significa resultados agradáveis para qualquer empreendimento. Se você conversar com ela, é porque logo vai ter boas notícias em relação a assuntos que têm gerado ansiedade. Para uma mulher, sonhar com sua mãe significa deveres agradáveis e harmonia. Ver sua mãe emaciada ou morta pressagia tristeza. Ouvir sua mãe chamando indica que você tem negligenciado seus deveres e que vem seguindo o rumo errado na carreira. Ouvi-la chorar como se estivesse com dor pressagia que você vai ser acometido por uma doença ou alguma aflição. | *Ver também* Pais.

MÆSTRO Sonhar que é um maestro prevê ganho financeiro em um futuro próximo.

MÁGICA Sonhar que realiza qualquer coisa por meio de mágica indica surpresas agradáveis. Ver outras pessoas no sonho praticando magia sugere mudanças lucrativas.

MÁGICO Sonhar com um mágico pressagia experiências desagradáveis obstruindo sua busca por riqueza e felicidade.

MAGISTRADO Sonhar com um magistrado sugere que você vai ser assediado por ameaças de ações judiciais e perdas na carreira. | *Ver também* Juiz, Júri.

MAGNETITA Se você sonha com esse mineral naturalmente imantado, é porque vai encontrar oportunidades favoráveis para seu avanço material.

MAGO Sonhar com um mago sugere que você terá uma família numerosa, o que por sua vez também vai causar muitos transtornos e desgosto. Para os jovens, esse sonho implica em perdas e fim de relacionamentos.

MALABARISMO Sonhar com alguém fazendo malabarismo significa que você está se colocando em uma situação perigosa. Se é você quem está fazendo malabarismo, é sinal de que precisa achar uma forma de dividir suas cargas profissionais.

MALHA DE REDE Sonhar que está enredado na malha de uma rede, ou algo semelhante, denota que os desafetos vão perturbar você em um momento de aparente prosperidade.

MALHETE Se você sonha com esse pequeno martelo, é porque vai ser oprimido por uma busca infrutífera, porém agradável. Usar um malhete sugere que você está sendo intrometido com seus amigos.

MAGO

MAGREZA Sonhar que você é dolorosamente magro pressagia um problema de saúde emocional que vai exigir atenção. Sonhar que vê pessoas extremamente magras indica que um problema de saúde preocupante por fim irá embora.

MAIO Sonhar com esse mês representa momentos prósperos e também prazer para os jovens. Sonhar que as condições climáticas de maio não estão boas sugere que a tristeza e a decepção repentinas podem prejudicar o prazer.

MAIONESE Sonhar com esse molho representa prosperidade no horizonte.

MAL Estar envolvido em uma atmosfera maligna ou ver espíritos malignos nos sonhos prevê obstáculos atrapalhando seus objetivos.

MALA Sonhar com malas indica uma viagem chegando.

MALÍCIA Sonhar que sente malícia em relação a alguém sugere que você guarde sua opinião sobre seus amigos, pois podem surgir conflitos. Procure controlar sua paixão. Se você sonha com pessoas usando você maliciosamente, é porque um desafeto disfarçado de amigo está agindo para trazer prejuízo.

MALTE Sonhar com malte representa uma vida agradável e riquezas que vão fazer você avançar de posição. Sonhar que toma bebidas maltadas denota interesse por algo arriscado, mas que vai valer a pena mesmo assim.

MAMILO Sonhar que suga um mamilo para se nutrir sugere que você deve ter cuidado com as finanças pessoais. Sonhar com um bebê ou criança sugando um mamilo significa estar livre de preocupações. Se você sonha que olha os mamilos de alguém ou que alguém olha os seus, espere felicidade em sua vida pessoal.

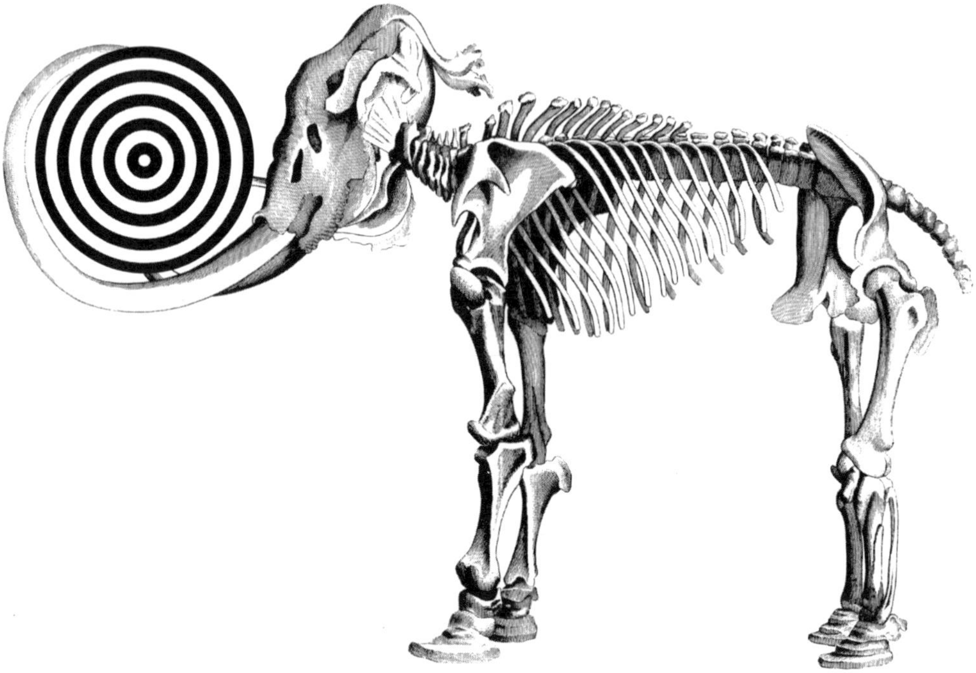

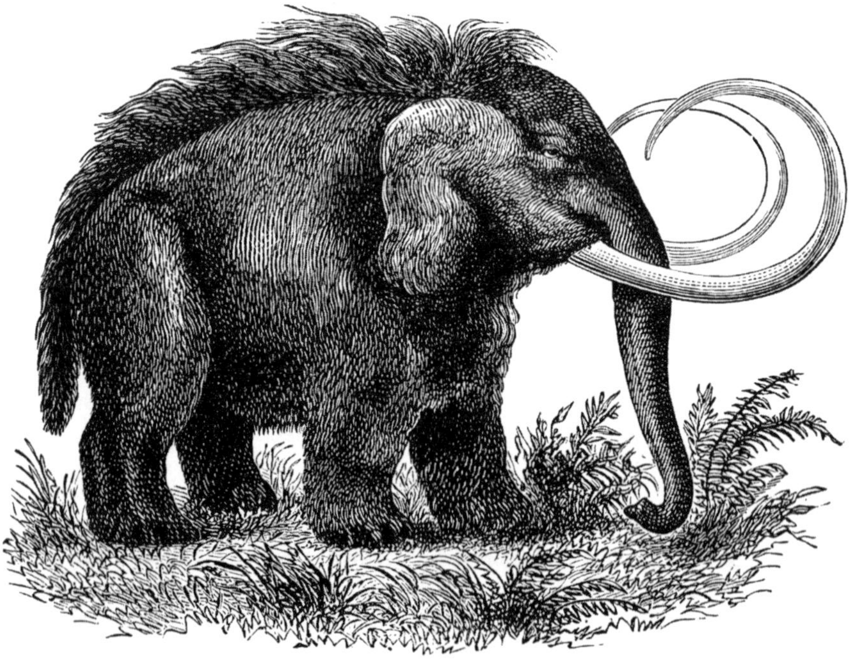

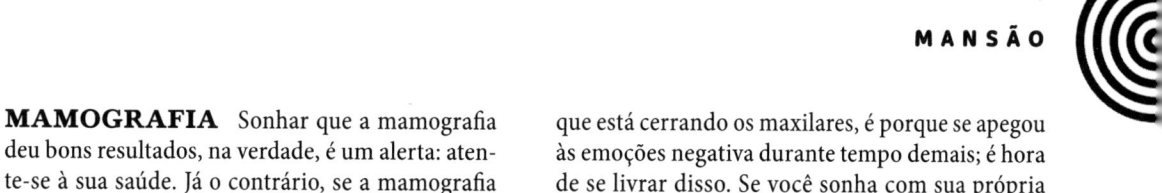

MAMOGRAFIA Sonhar que a mamografia deu bons resultados, na verdade, é um alerta: atente-se à sua saúde. Já o contrário, se a mamografia indicar algum problema, é sinal de que na vida desperta sua saúde está bem.

MAMUTE Sonhar com esse mamífero extinto implica que algo de seu passado pode voltar para assombrar sua vida.

MANÁ Sonhar com o maná espiritual sugere bênçãos inesperadas e ganho financeiro.

MANCHA Sonhar que vê manchas em você ou em outra pessoa significa que suas amizades são puras e inocentes. Ver manchas em qualquer coisa em seus sonhos, prenuncia novas oportunidades nos negócios ou em assuntos pessoais.

MANCHAS NA PELE Sonhar que vê manchas na pele é um indício de que você precisa ser mais claro em sua comunicação e atitudes.

MANCHETE Sonhar com seu nome em uma manchete prevê constrangimento social. Se o nome for de outra pessoa, aí o constrangimento social irá para ela.

MANDADO Sonhar que expediram um mandado contra você indica envolvimento em um trabalho importante que vai trazer muita inquietação quanto ao seu resultado e lucratividade. Se você vir um mandado sendo entregue a outra pessoa, é porque na vida desperta suas ações podem levar a brigas ou mal-entendidos fatais. Você provavelmente vai se indignar com a libertinagem de um amigo.

MANDAMENTO Sonhar que está sendo ordenado com mandamentos sugere que você pode ser imprudentemente influenciado por pessoas mais incisivas do que você. Ler ou ouvir a leitura dos Dez Mandamentos é sinal de bênçãos.

MANDÍBULA Sonhar que vê mandíbulas brutas e deformadas denota divergências; pode ser que role um clima pesado entre amigos. Se você sonha que está cerrando os maxilares, é porque se apegou às emoções negativa durante tempo demais; é hora de se livrar disso. Se você sonha com sua própria mandíbula, talvez precise desenvolver mais força de caráter para resolver um problema. Flagrar-se nas mandíbulas de um animal ou monstro sugere que um julgamento precipitado pode lhe custar caro no final.

MANDIOCA Essa raiz representa conforto espiritual e material na vida desperta.

MANGA (VESTUÁRIO) Sonhar que usa mangas curtas sugere uma pequena decepção em sua vida pessoal. Mangas compridas predizem reconhecimento social.

MANGUEIRA (OBJETO) Sonhar com uma mangueira ligada é sinal de aventura no ar. Se você usa uma mangueira de incêndio, é indício da chegada de novos relacionamentos amorosos empolgantes e satisfação sexual. Ver um irrigador em um gramado fala da vinda de novos amigos e eventos sociais.

MANHÃ Ver o amanhecer nítido em seus sonhos prenuncia a aproximação da sorte e do prazer. Uma manhã nublada diz que assuntos importantes vão dominar a cena.

MANICÔMIO Sonhar com um manicômio denota doença e acordos infelizes que não poderão ser superados sem uma enorme batalha mental.

MANICURE Ter as unhas feitas em sonho é um alerta de que você precisa conservar seus recursos; pode acontecer algo inesperado e que vai exigir dinheiro.

MANOBRISTA Se você sonha que tem um manobrista, é sugestão de reconhecimento social ou comunitário. Sonhar que é um manobrista implica numa possível perda de emprego.

MANSÃO Sonhar que está em uma mansão indica que em breve você vai ficar rico. Ver uma mansão à distância prediz avanço.

MANTEIGA   Sonhar que consome manteiga fresca é sinal de boa saúde e planos bem executados; isto vai lhe trazer posses, riqueza e conhecimento. Comer manteiga rançosa denota competência adquirida por meio do trabalho manual. Vender manteiga representa um pequeno ganho.

MANTEIGA DE AMENDOIM   Sonhar com manteiga de amendoim sugere que você lamenta por algo que fez e que anseia confessar.

MANTILHA   Sonhar que vê esse modelo de véu denota um empreendimento imprudente que vai levar a uma situação desfavorável.

MANTIMENTOS   Sonhar com mantimentos, desde que frescos e limpos, é sinal de tranquilidade e conforto.

MANUSCRITO   Sonhar que está escrevendo um manuscrito sugere ganho financeiro e notoriedade num futuro bem próximo. Se você estiver lendo o manuscrito de outra pessoa, implica em uma pequena perda financeira, mas nada que não possa ser superado. Sonhar com um manuscrito inacabado sinaliza decepção. Se você sonha que teve seu manuscrito rejeitado pelos editores, é porque vai se sentir sem esperanças por um tempo, mas por fim seus desejos vão se concretizar. Se você perder seus manuscritos, sinal de decepção na vida desperta. Se o vir queimando, é porque algum trabalho de sua autoria vai trazer lucro e muita aclamação.

MÃO   Se você vir belas mãos nos sonhos é porque vai desfrutar de grande distinção e vai ascender rapidamente em sua profissão; porém, mãos feias e deformadas apontam para decepções e pobreza. Ver sangue nas mãos denota alienação e censura injusta por parte de membros de sua família. Se sua mão estiver ferida, alguma outra pessoa vai ser mais bem-sucedida em algo que você queria muito. Uma mão destacada aponta uma vida solitária; as pessoas não vão conseguir compreender seus sentimentos e pontos de vista. Se você queimar as mãos é porque vai ultrapassar os limites da razão em sua busca desenfreada por riqueza e fama, e vai sair perdendo. Ver suas mãos cobertas de pelos sugere que você não vai se tornar um membro sólido ou líder de seu círculo social. Ver suas mãos aumentadas implica em avanço rápido. Mas se estiverem menores do que deveriam, então espere o inverso. Ver suas mãos sujas indica que você será invejoso e injusto. Lavar as mãos é indicativo de participação em alguma festividade alegre. Sonhar que suas mãos estão atadas é uma pista de que você vai se meter em dificuldades. Se conseguir soltá-las, sinal de que na vida real você vai obrigar os outros a se submeterem aos seus ditames. | *Ver também* Dedos.

MÃOS PELUDAS   Sonhar que suas mãos estão cobertas de pelos, como se você fosse um bicho, significa que você vai criar intriga contra pessoas inocentes. Desafetos astutos estão agindo para brecar seus planos.

MAPA   Sonhar com um mapa, ou analisar um, sugere que você vai contemplar uma mudança na carreira. Haverá algumas situações decepcionantes, mas também muito lucro depois dessa mudança. Sonhar que procura um mapa significa que um descontentamento repentino com tudo o que cerca você vai trazer inspiração com uma energia renovada e, assim, suas circunstâncias vão melhorar.

MÁQUINA DE ESCREVER   Sonhar com uma máquina de escrever significa um passo adiante em sua carreira. Mas se ela apresentar problemas, talvez você precise superar alguns obstáculos para crescer profissionalmente.

MÁQUINA DE REFRIGERANTE   Sonhar com uma máquina de refrigerante denota prazer e lucro depois de muitas experiências exasperantes. Se no sonho você presentear outras pessoas com máquinas de refrigerantes e outras bebidas geladas deliciosas, é porque vai ser recompensado por seus esforços, embora as perspectivas pareçam repletas de contradições.

MAQUINÁRIO   Sonhar com máquinas sugere que você vai empreender num projeto que trará grande ansiedade, mas que finalmente resultará em algo de bom. Se você vir máquinas antigas, é porque vai vencer os desafios ao mesmo tempo em que age para construir sua prosperidade. Flagrar-se preso num maquinário indica perda na carreira; muita infelicidade se seguirá. Esse sonho geralmente precede perdas em acordos ruins.

MAQUINISTA Sonhar que se vê como condutor de um trem significa que você vai desfrutar de uma viagem terrestre segura num futuro próximo. Se o condutor do trem recebe seu dinheiro da passagem é porque você encontrou uma ótima pechincha de viagem.

MARCA-PASSO Nos sonhos, o marca-passo representa a renovação de um antigo relacionamento amoroso.

MARCENEIRO Se você sonha que vê um marceneiro, é porque será confrontado pela preocupação com um trabalho aparentemente agradável.

MARCHA Sonhar que está marchando ao som de música indica que você tem ambições de se tornar um soldado ou funcionário público; mas pense bem antes de tomar uma decisão.

MARCHA

MAR Sonhar que ouve o suspiro solitário do mar sugere que você está entrando em um momento triste. Os sonhos com o mar prenunciam desejos não realizados; embora você possa desfrutar do prazer físico, por dentro você anseia por algo que a carne é incapaz de satisfazer. | *Ver também* Oceano, Onda.

MARATONA Sonhar que está em uma maratona é sinônimo de saúde e bem-estar. Assistir a uma maratona prenuncia idas e vindas num caso amoroso.

MARCA Se você sonha com algum tipo de marca — pode ser marca de nascença, marca registrada ou qualquer coisa assim —, é porque novos amigos interessantes estão chegando em sua vida.

MARCA DE MORDIDA Uma marca de mordida, seja de um inseto, animal ou humano, é um aviso de que alguém deseja o seu mal. Também implica no desejo de desfazer um trabalho que já não tem mais como desfazer. É provável que você sofra perdas por causa de algum inimigo.

MARÇO Sonhar com esse mês prenuncia retornos decepcionantes nos negócios.

MARCO MILIÁRIO Sonhar que vê ou ultrapassa um marco miliário prevê que você vai ser tomado por uma série medos na carreira ou no amor. Se você vir um marco miliário caído, é porque alguns incidentes podem perturbar sua vida.

MARDI GRAS Sonhar com essa festividade típica de New Orleans sugere momentos felizes com a família e amigos — mas tudo isso vai ter um custo, podendo ser mental, físico ou financeiro.

MARÉ Sonhar com a maré alta significa novas oportunidades. A maré cheia sugere um aumento nos recursos financeiros. Já maré baixa indica que você deve realizar uma mudança em algum aspecto de sua vida. Uma maré subindo e descendo significa o fim de um problema.

MARÉ ALTA A maré alta nos sonhos é indicativo de um progresso profissional favorável.

MAREMOTO Sonhar com um maremoto livre de detritos prenuncia uma carreira incrível e uma mudança pessoal muito benéfica. Se a água estiver suja e trazendo lixo consigo, é um aviso sobre tempos difíceis pela frente.

MARFIM Sonhar com marfim favorece a prosperidade do sonhador. Ver enormes pedaços de marfim sendo carregados denota sucesso financeiro e prazeres plenos.

MARGARIDA Sonhar com um buquê de margaridas implica tristeza, mas se você sonha que está em um campo com essas lindas flores desabrochando, o sol brilhando e pássaros cantando, é porque a felicidade, a saúde e a prosperidade vão te guiar pelas mais belas vias da vida desperta.

MARGARINA Sonhar com margarina diz que talvez você precise repensar um plano ou projeto doméstico.

MARGARITA Sonhar com esse drink avisa para ter cuidado com a vontade de abusar no consumo de alguma coisa.

MARIA-CHIQUINHA (CABELO) Sonhar que usa esse penteado significa que depois de um momento difícil, você finalmente vai se ver livre de preocupações. Se você sonha que ajuda outra pessoa a fazer o penteado, é porque em breve vai auxiliar alguém na vida desperta a encontrar uma solução para um problema pessoal.

MARIDO Se você sonha que seu marido está abandonando você, e não dá para entender o motivo, é porque na vida desperta vai haver mágoa entre vocês, porém com uma reconciliação inesperada a seguir. Se ele estiver maltratando ou repreendendo você por infidelidade, é porque na vida real ele vai lhe reservar sua consideração e confiança, porém haverá outras preocupações vigentes; é um alerta para você demonstrar mais discrição ao receber a atenção dos homens. Se seu marido estiver morto no sonho, a decepção e a tristeza se farão presentes. Vê-lo pálido e abatido sugere que você vai sentir o peso de uma doença, e alguns membros da família vão oferecer assistência por um tempo. Se você o vir contente e bonito, sua casa será tomada de felicidade e você terá perspectivas brilhantes. Se ele estiver doente, sinal de que ele pode ser grosseiro ou infiel. Se você sonha que ele está apaixonado por outra pessoa, ele logo vai se cansar do ambiente atual e buscará prazer em outro lugar. Apaixonar-se pelo marido de outra pessoa em seus sonhos indica que você não é feliz no casamento ou que não é feliz na vida de solteirice, mas as perspectivas de felicidade são duvidosas. Se você vir seu marido se afastando de você e, à medida que se afasta ele parecer fisicamente maior, o ambiente desarmonioso vai impedir o equilíbrio. Mas se for possível evitar conclusões desagradáveis, a harmonia será restabelecida. O fato de uma mulher sonhar que vê seu cônjuge em uma posição comprometedora indica que ela vai ter problemas devido à indiscrição de amigos. Se ela sonhar que ele morre enquanto está com outra mulher, há o risco de se separar do marido ou de perder bens na vida desperta. Situações desfavoráveis geralmente se seguem a este sonho, embora frequentemente haja um exagero nos infortúnios.

MARINHA Sonhar com a Marinha denota lutas vitoriosas contra obstáculos assustadores, e a promessa de viagens e passeios a lazer. Se no sonho você estiver assustado ou desconcertado com alguma coisa, é porque vai se deparar com alguns obstáculos esquisitos antes de alcançar seus objetivos.

MARINHEIRO Sonhar que está na presença de marinheiros representa longas e emocionantes viagens. Sonhar que você é um marinheiro implica em uma longa viagem a países longínquos. Vai ser tudo muito prazeroso.

MARIPOSA Ver uma mariposa em um sonho indica que pequenas preocupações vão levar você a assinar contratos de forma precipitada, e no fim eles vão se revelar insatisfatórios. As discussões de natureza doméstica também são previstas aqui.

MARIPOSA BRANCA Sonhar com uma mariposa branca pressagia uma enfermidade inevitável, embora você fique tentado a acusar a si ou a algum delito pela causa da queixa.

MARISCO Sonhar com mariscos fala de relações com uma pessoa obstinada, porém honesta. Se você comê-los, é porque vai desfrutar da prosperidade de outra pessoa.

MARMELO Sonhar com marmelada sugere que você está aborrecido com um amigo e com os segredos que ele guarda. Sonhar que come marmelo fresco é um alerta para ser mais responsável com suas finanças.

MÁRMORE Sonhar com uma pedreira de mármore sugere que sua vida vai ser tomada de sucesso financeiro, porém seu ambiente social será desprovido de afeto. Se você sonha que está polindo mármore, é porque vai receber uma boa herança. Se você vir mármore quebrado, cairá em desgraça entre seus pares.

MARQUISE Ver seu nome em uma marquise significa que a honra e a notoriedade estão em seu futuro.

MARRETA Sonhar com uma marreta indica que você vai receber um tratamento cruel de amigos por causa de sua saúde precária. Esse sonho também pode sinalizar desordem doméstica.

MARROCOS Ver esse país em seus sonhos sugere que você vai receber uma ajuda substancial de fontes inesperadas. Seu amor será recompensado pela fidelidade.

MARROM Nos sonhos, qualquer tom de marrom simboliza estabilidade e segurança em sua vida, e conexão com o planeta e com a natureza.

MARSHMALLOW Sonhar com esse doce esponjoso significa momentos felizes por vir.

MARTE Sonhar com esse planeta é um alerta: cuidado para não ser tão temperamental e propenso a discussões.

MARTELO Se você vê um martelo, é porque terá alguns obstáculos desanimadores a superar para estabelecer sua prosperidade.

MARTINI Esse drink simboliza seu desejo de se entregar ao luxo.

MÁRTIR Sonhar com mártires sugere falsas amizades, infelicidade doméstica e perdas nas áreas que mais preocupam você. Sonhar que você é um mártir significa separação dos amigos; os desafetos vão tentar lhe caluniar.

MASCAR CHICLETE Mascar chiclete em um sonho alerta para que você não revele demais sobre sua vida a novos amigos.

MÁSCARA Sonhar que usa máscara denota problemas temporários, pois sua conduta para com uma pessoa amada e seus esforços para ajudá-la serão mal interpretados. Ainda assim, esse mal-entendido temporário vai trazer lucro. Ver outras pessoas usando máscaras sugere que você vai ter de lutar contra a falsidade e a inveja. Simplesmente ver uma máscara nos sonhos é um aviso de que alguém pode ser infiel a você.

MASCARADO Sonhar que é um mascarado sugere que você vai se entregar a prazeres fúteis e prejudiciais, negligenciando o trabalho e os deveres domésticos.

MASCATE Se você for um mascate nos sonhos, é sinal de ganho financeiro — só que por meio desonestidade; tome cuidado!

MASCOTE Sonhar com um mascote significa mudanças repentinas — mas que serão benéficas para seus clientes em potencial.

MASMORRA Sonhar que está em uma masmorra prediz lutas com questões essenciais da vida — mas se encará-las com sabedoria, você vai se libertar dos obstáculos e dos planos dos desafetos. Ver uma masmorra iluminada pressagia ameaças de confusão, aquelas sobre as quais seu bom senso sempre alerta.

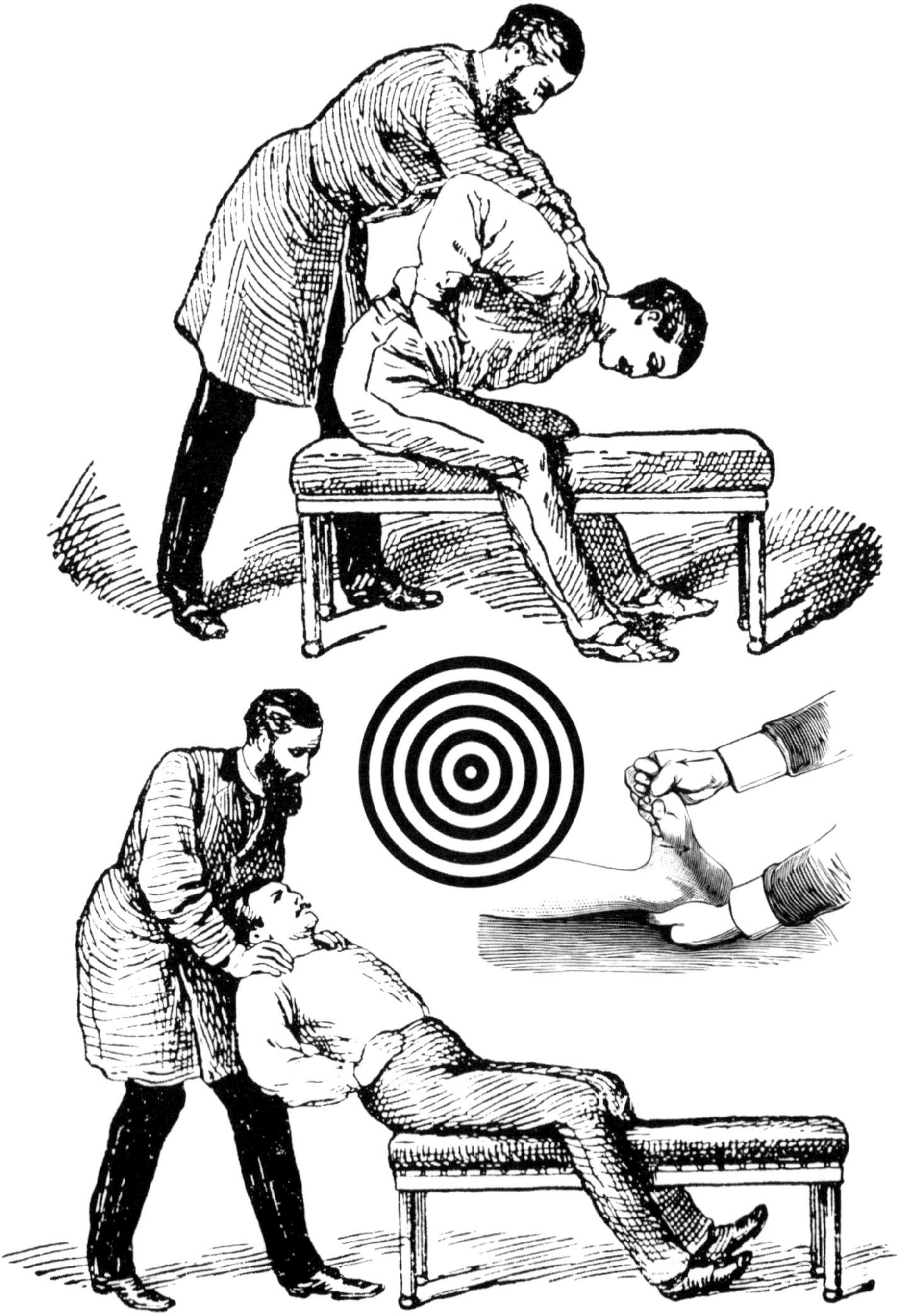

MASSA Sonhar que está preparando qualquer tipo de massa significa que algo que você tem tentado realizar ainda não foi concluído.

MASSA DE TORTA Sonhar com massa de torta sugere que você tem curtido momentos sensuais e gratificantes. | *Ver também* Torta.

MASSAGEM Sonhar que recebe uma massagem sugere que você desconfia das motivações de um amigo. Já fazer uma massagem em alguém significa boas notícias se aproximando.

MASTECTOMIA Sonhar que passa por uma mastectomia anuncia um novo amor ou uma gravidez.

MASTIGAÇÃO Sonhar que você mastiga e engole é um bom sinal, e significa que a vida estará tranquila em relação aos próximos acontecimentos e projetos. Ter problemas de mastigação significa que, em breve, talvez você precise buscar ajuda profissional em alguma área de sua vida.

MASTRO Sonhar que vê mastros de navios denota viagens longas e agradáveis, com novas amizades e aquisição de bens. Ver mastros de navios naufragados implica em mudanças repentinas que vão obrigar a uma renúncia de prazeres muito esperados. Se um marinheiro sonha com um mastro, é porque em breve vai fazer uma viagem repleta de acontecimentos.

MASTURBAÇÃO Sonhar que está se masturbando indica certo nível de frustração em sua vida desperta. Essa frustração provavelmente está ligada a um relacionamento, mas não necessariamente ao sexo.

MATA-BORRÃO Sonhar que usa papel mata-borrão significa que você pode ser levado a revelar segredos que envolvam um amigo. Ver papel mata-borrão usado denota desentendimentos contínuos em casa ou entre amigos.

MATANÇA Sonhar que mata agressivamente um homem indefeso é prognóstico de tristeza e fracasso. Se você matar alguém em autodefesa ou matar um animal feroz que o estiver atacando, aí denota vitória e crescimento profissional. | *Ver também* Homicídio, Assassinato, Carnificina.

MATEMÁTICA Sonhar que resolve problemas de matemática significa que em breve você analisar sua vida. Você pode fazer algumas mudanças ou concluir que está tudo satisfatório.

MATINÊ Sonhar que vai a uma matinê diz que um projeto no qual você tem trabalhado vai ser concluído antes do esperado.

MATZÁ Sonhar com esse pão sem fermento implica que algo de bom que você fez por alguém será retribuído.

MAU COMPORTAMENTO Sonhar que está se comportando mal pressagia festividades alegres em um futuro próximo. Sonhar que vê os outros se comportando mal é um aviso para você se certificar de que sua conduta tem sido séria o suficiente.

MAUS-TRATOS Sonhar que você é maltratado significa que, na verdade, é muito amado e reverenciado por seu grupo de colegas. Já maltratar outra pessoa em um sonho significa que você vai perder uma amizade muito estimada.

MAUSOLÉU Sonhar com um mausoléu indica que um amigo importante vai ter problemas, vai adoecer ou mesmo vir a falecer. Flagrar-se dentro de um mausoléu indica que você vai ficar doente.

MECÂNICO Sonhar com um mecânico fala de mudanças na sua moradia e de mais atividade no trabalho. Um aumento salarial geralmente sucede esse sonho.

MEDALHA Sonhar com medalhas denota honras conquistadas pela diligência e assiduidade. Perder uma medalha sugere infortúnio devido à infidelidade alheia.

MEDALHÃO Nos sonhos, o medalhão simboliza um relacionamento amoroso de longa data.

MEDIÇÃO Medir qualquer coisa em sonho significa que logo, logo você vai reavaliar os rumos da sua vida.

MÉDICO É um sonho muito auspicioso, que denota boa saúde e prosperidade geral, caso você encontre um médico socialmente, pois não vai estar gastando seu dinheiro em troca dos serviços dele. Já sonhar que contrata os serviços de um médico significa uma doença desanimadora e desavenças entre os membros de uma família. Sonhar que um médico faz uma incisão em sua pele sem a presença de sangue pressagia que você vai ser atormentado e ferido por alguém muito mau, que pode estar obrigando você a pagar suas dívidas. Se o médico fizer um corte e houver sangue, você vai ser o perdedor em alguma transação. Sonhar com um médico aponta a necessidade de cura, seja ela espiritual, física, emocional ou mental. Sonhar que você é médico diz que você tem o poder de curar. Sonhar que se casa com um médico significa que você está sendo enganado na vida desperta.

MÉDIUM Sonhar com um médium significa boa sorte e momentos felizes. Sonhar que você é um médium sugere possível necessidade de ajuda financeira para resolver um problema. Sonhar que consulta um médium significa que seus instintos sobre um assunto pessoal ou comercial estão corretos, e isto vai ajudar na conquista de seus objetivos. Sonhar que você é um médium e capaz de prever o futuro sugere uma busca pelos conselhos de alguém sobre uma negociação futura ou um assunto pessoal.

MEDO Sonhar que sente medo, pelo motivo que for, sugere que seus acordos não serão tão bem-sucedidos quanto você espera. Ver os outros com medo significa que um amigo será dissuadido de ajudar você devido às próprias dificuldades. Sentir medo de prosseguir com um assunto ou viagem implica que na vida desperta você vai encontrar problemas em sua casa e que seus empreendimentos não serão bem-sucedidos.

MEGAFONE Sonhar que usa um megafone para amplificar sua voz significa que você vai ter de ser bem minucioso e transparente ao dar orientações em um futuro projeto profissional ou em um assunto particular. Ouvir outra pessoa usando um megafone em um sonho é um alerta para dar mais atenção àqueles ao seu redor.

MEGERA Se no seu sonho aparece uma megera, você vai ter muito trabalho para manter um amigo animado, e pode não estar apto para as experiências da existência cotidiana.

MEIA-IRMÃ Sonhar com uma meia-irmã denota uma inquietação e um aborrecimento inevitável desabando em cima de você.

MEIA-LUVA Sonhar com aquelas luvas que deixam os dedinhos de fora significa que em breve você vai ter um novo amor em sua vida. Se você perder seu par de luvas, é porque em breve vai haver uma ruptura em um relacionamento. Mas se você encontrar suas luvas, o relacionamento será restaurado.

MEIA-PORTA Ver esse modelo de porta no sonho significa que você vai ter várias maneiras de resolver um problema e que vai se sentir protegido por isso. | *Ver também* Porta.

MEIAS SETE OITAVOS Sonhar com meias longas denota que seu prazer virá de companhias devassas. | *Ver também* Tricô.

MEL Se você sonha que vê mel é porque vai ser dono de uma riqueza considerável. O mel coado representa riqueza e tranquilidade, mas ainda assim haverá certa tendência em buscar a satisfação dos desejos materiais no ilícito. Sonhar que degusta mel é sinônimo de riqueza e amor. Para os amantes, pressagia uma rápida corrida às alegrias matrimoniais.

MELAÇO Sonhar com melaço é sinal de que alguém vai lhe oferecer uma hospitalidade repleta de gentileza e, com isso, você vai viver momentos agradáveis e surpresas felizes. Comer melaço sugere que você vai se desanimar e se decepcionar no amor. Ver que uma roupa está manchada de melaço significa que você vai viver romances complicados e provavelmente terá prejuízos profissionais.

MELANCIA Sonhar com essa fruta em suas videiras alerta contra um envolvimento amoroso casual que pode terminar em mágoa. Se a melancia aparecer de qualquer outra forma, sinal de viagem inesperada chegando.

MELANCOLIA Sonhar com a melancolia revela que você está entrando em um período de grande conforto e paz. Sonhar que sente melancolia diante de qualquer acontecimento implica em decepção com o que você pensava ser um empreendimento favorável. Sonhar que vê outras pessoas melancólicas fala de interrupções desagradáveis nos relacionamentos. Para os amantes, é sinal de separação. Estar rodeado por situações melancólicas em um sonho é um alerta sobre aborrecimento e perda que se aproximam rapidamente. | *Ver também* Desespero.

MELÃO Sonhar com melões fala de esperança e uma surpreendente reviravolta em relação a um objetivo um tanto acalentado.

MEMORANDO Sonhar que está redigindo um memorando indica que você vai se envolver num negócio desvantajoso, e que isso vai render muitas preocupações. Ver outras pessoas redigindo memorandos significa que alguém vai perturbar você com pedidos de ajuda excessivos. A perda de um memorando sugere uma ligeira perda nas questões comerciais. Mas se você encontrar um memorando, é porque vai assumir novas funções que vão proporcionar muito prazer aos outros.

MEMORIAL Sonhar com um memorial significa que você vai demonstrar paciência e bondade quando problemas ou doenças ameaçarem seus parentes.

MEMORIZAÇÃO Memorizar algo nos sonhos e conseguir reter a informação ao acordar significa que você vai avançar em seus estudos ou conhecimento. Mas se você se esquecer do que memorizou, é porque precisa expandir sua mente para permitir a entrada de ideias diferentes.

MELODIA

MELÃO CANTALUPO Se você sonha com um campo de melões cantalupo, é porque seus assuntos de trabalho vão correr bem. Se você sonha que segura um único melão: amor, paz e felicidade estão entrando em sua vida. Comer melão é um alerta sobre o falso amor.

MELODIA Sonhar com uma melodia agradável representa grande prosperidade. Mas se for desagradável, espere discórdia nas relações pessoais ou comerciais.

MEMORABILIA Sonhar com objetos que trazem boas lembranças, podendo ser estes de qualquer tipo, significa que você tem uma obsessão pelo passado que precisa abandonar.

MENDICANTE Sonhar com mendicantes significa que seus planos vão sofrer interferências desagradáveis.

MENDIGO Sonhar com um mendigo velho e decrépito é indício de má administração e, a menos que você seja uma pessoa econômica, pode significar a perda de uma propriedade.

MENINA Sonhar que vê uma menina de aparência saudável fala de perspectivas agradáveis e alegria doméstica. Mas se ela estiver magrinha e pálida, é sinal de doença na família.

MENINO Se você sonha com um menino, a boa sorte está chegando no futuro próximo.

MENOPAUSA Se uma mulher sonha estar passando pela menopausa, mas isso não estiver ocorrendo em sua vida desperta, ela pode estar enfrentando um problema de saúde que necessita de atenção médica.

MENORÁ Sonhar com este castiçal utilizado no feriado judaico do Hanukkah implica em bênçãos futuras.

MENTIR Sonhar que você está mentindo para escapar de uma punição prediz que na vida desperta você vai agir de forma desonrosa com uma pessoa inocente. Mentir para proteger um amigo de um castigo imerecido sugere que você vai receber muitas críticas injustas por sua conduta, mas vai conseguir ficar acima delas e se destacar. Ouvir os outros mentindo significa que estão armando para você.

MENTIR

MENSAGEIRO Se você sonha que leva uma boa notícia, então em breve terá uma grata surpresa por meio de comunicação escrita, podendo ser uma carta ou e-mail. Se a mensagem que você está transmitindo for triste ou ruim, é porque você vai se decepcionar com contratos ou questões jurídicas. Se você sonha que está recebendo uma mensagem feliz, espere relacionamentos também felizes num futuro próximo. Mas se for algo triste, sinal de decepção com um relacionamento que lhe é caro.

MENSAGEM Sonhar que recebe uma mensagem sugere mudanças na carreira. Se você estiver enviando uma mensagem, é porque vai ser colocado em situações desagradáveis.

MENSAGEM DE TEXTO Sonhar que envia ou recebe mensagens de texto em seu celular significa que logo, logo chegarão notícias de um velho amigo ou conhecido.

MENTA Sonhar com essa erva, seja seu sabor ou seu preparo, significa melhorias em sua saúde.

MENTE ABERTA Sonhar que tem a mente aberta a respeito de determinado assunto prevê que você vai ser obrigado a confrontar seu normalmente estreito modo de pensar.

MENTIRAS Se você sonha que está contando uma mentira, pode esperar problemas em suas amizades. Se outra pessoa estiver mentindo, é porque você vai receber ajuda de fontes inesperadas.

MENTIROSO Se você acredita que as pessoas estão sendo mentirosas em seu sonho, você pode perder a fé em algum projeto que impulsionou com urgência. Ser chamado de mentiroso significa que você vai passar por aborrecimentos por causa de pessoas fraudulentas.

MERCADO Sonhar que está em um mercado denota economia e muito atividade em todas as profissões. Um mercado vazio indica depressão e melancolia. Vegetais ou carnes em decomposição sugerem perdas profissionais.

MERCADO DE AÇÕES Sonhar com um ganho no mercado de ações significa que você precisa cuidar do seu dinheiro. Mas se você tiver uma perda, espere boa sorte com suas finanças.

MERCADO FINANCEIRO Sonhar que está abrindo uma conta no mercado financeiro indica, na verdade, perda de dinheiro. Já sonhar que você se retira do mercado financeiro indica o oposto: você vai ter ganhos.

MERCADO PARALELO Flagrar-se comprando algo num mercado ilegal é um aviso para examinar a autenticidade de suas compras futuras.

MERCÚRIO Sonhar com essa substância química é indicativo de mudanças infelizes devido à opressão constante dos desafetos.

MERGULHO Sonhar que mergulha em águas límpidas significa um fim favorável para algum tipo de constrangimento. Mas se estiverem lamacentas, você vai ficar ansioso com o rumo que assuntos particulares parecem estar tomando. Ver os outros mergulhando fala de companhias agradáveis. Para os amantes, sonhar com mergulho é a consumação de sonhos felizes e de um amor apaixonado.

MESA Sonhar que arruma a mesa para uma refeição prediz uniões felizes e circunstâncias prósperas. Ver mesas vazias significa pobreza ou desacordos. Limpar a mesa indica que o prazer logo vai assumir a forma de problemas e indiferenças. Comer a uma mesa sem toalha indica que você vai ser independente e que a prosperidade ou a conduta de outras pessoas não serão uma influência mais. Uma toalha de mesa suja significa que a briga vai suceder o prazer. Uma mesa quebrada implica sorte em declínio. Ver alguém de pé ou sentado sobre uma mesa prediz que, para realizar seus desejos, você vai ser culpado de indiscrições.

MESQUINHARIA Se você sonha com alguém sendo mesquinho, sinal de que as coisas irão muito bem em sua vida financeira.

MESSIAS Sonhar com um messias ou profeta prediz bênçãos e felicidade.

MESTRE Sonhar que você tem um mestre é indício de sua própria incapacidade de comandar os outros; você trabalha melhor sob a liderança de uma pessoa obstinada. Mas se você for um mestre e estiver comandando muitas pessoas, é porque vai revelar excelente capacidade de julgamento nos aspectos mais delicados da vida, ocupando altos cargos e conquistando muitas riquezas.

MESTRE DE CERIMÔNIAS Sonhar que é o mestre de cerimônias de um evento significa que em breve você vai ser reconhecido por seus colegas de trabalho ou amigos devido a um projeto no qual vem trabalhando.

METAL Sonhar com metal fundido significa que os obstáculos vão parecer impossíveis de superar — mas na verdade eles são facilmente solucionáveis. Comprar metal nos sonhos é presságio de sorte. Vender metal indica progresso, mas somente se houver trabalho árduo. | *Ver também* metais específicos.

METAL LAMINADO Ver folhas de metal laminado em sonho denota que você tem dado atenção aos conselhos alheios, e está tendo resultados infelizes. Caminhar sobre uma placa de metal significa compromissos desagradáveis.

METAMORFOSE Sonhar que vê qualquer coisa se metamorfoseando sugere mudanças repentinas em sua vida, para o bem ou para o mal, isso vai depender se o sonho foi bom ou assustador.

METEORO Sonhar com um meteoro cruzando os céus indica uma sorte inesperada. Sonhar com um meteorito caindo na Terra é ainda melhor: essa sorte será ainda maior do que você imaginou.

MÉTODO LAMAZE Sonhar com esse método de respiração e preparação para o parto sem estar grávida na vida desperta é sinal de que logo você vai achar um jeito de esquecer seus problemas e relaxar. Mas se você estiver grávida, aí esse sonho não significa nada.

METRÔ Sonhar com o metrô sugere pequenas decepções ou contratempos; mas não desanime, tudo vai ser resolvido.

MEXILHÃO Sonhar com mexilhões denota pouco dinheiro, mas contentamento e prazer doméstico.

MIÇANGAS Esse sonho prenuncia a atenção daqueles que ocupam posições elevadas. Contar miçangas pressagia alegria e contentamento. Montar um cordão implica que você vai receber benesses de gente com dinheiro.

Frucht mit Spelzen.

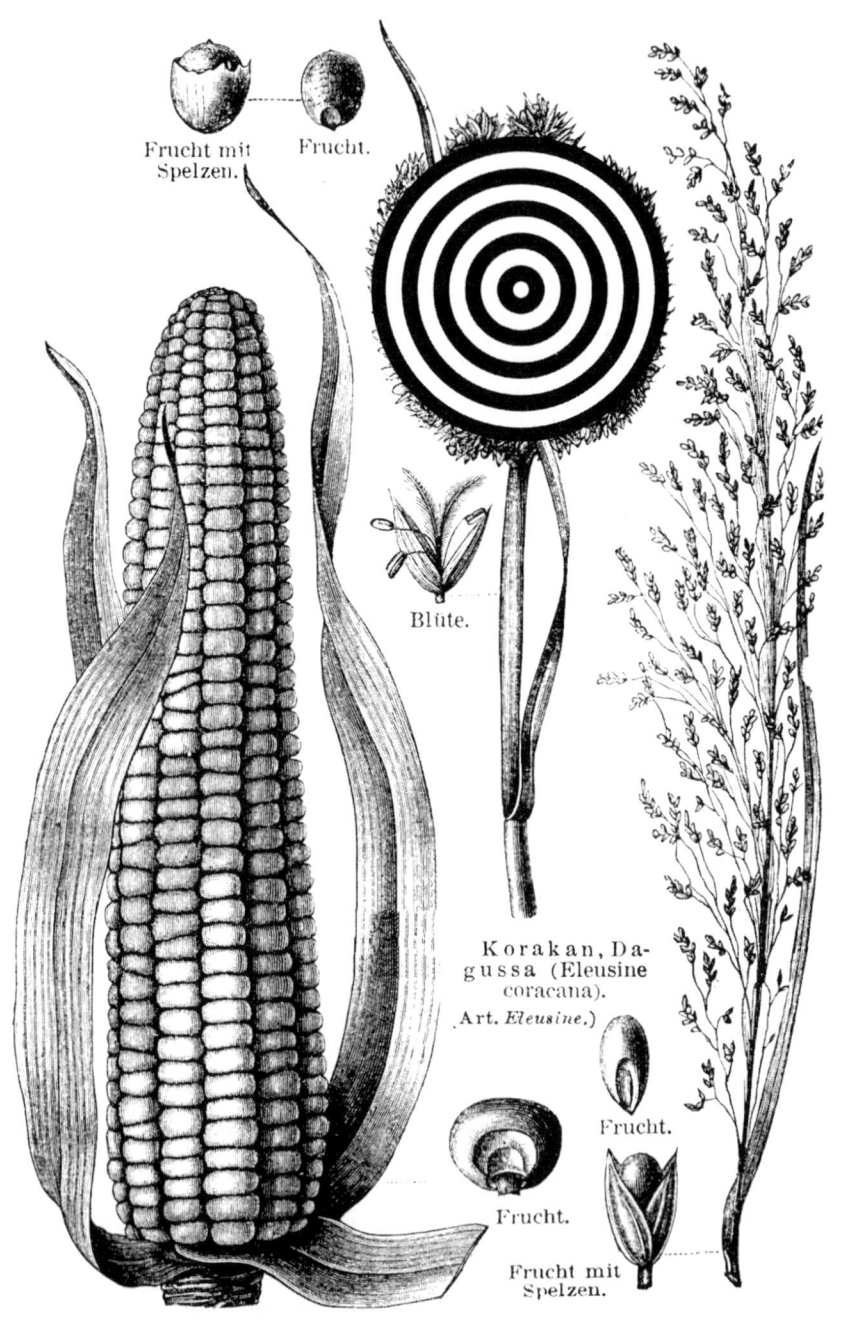

Frucht.

Blüte.

Korakan, Dagussa (Eleusine coracana).
(Art. *Eleusine*.)

Frucht.

Frucht.

Frucht mit Spelzen.

7. Mais (Zea Mays).

9. Tef (Eragrostis abessinica).
(Art. *Eragrostis*.)

MICOSE Se você sonha que tem micose na pele, é porque na vida desperta vai ter uma doença leve e algumas dificuldades exasperantes num futuro próximo. Se você vir micose em outras pessoas, vai ser um tanto assediado para fazer caridade.

MICROCHIP Sonhar com esse semicondutor de circuitos elétricos significa que logo, logo você vai ter uma ideia brilhante para um projeto que vai trazer muita notoriedade.

MICROCIRURGIA Sonhar com uma microcirurgia é um alerta de que você pode não estar prestando atenção aos detalhes de um projeto, ou mesmo em sua vida, e isso pode lhe custar financeiramente. Se você estiver realizando a cirurgia no sonho, é porque sua atenção a um projeto lhe renderá muito mais ganhos do que aqueles inicialmente imaginados. Sonhar que você está passando por uma microcirurgia sugere boa saúde em um futuro próximo.

MICROFILME Ver a si mesmo ou a outra pessoa analisando algo em microfilme é um aviso para prestar muita atenção aos detalhes em um projeto residencial ou comercial.

MICROFONE Sonhar que está usando um microfone sugere que seus conselhos e opiniões serão ouvidos em alto e bom som. Já sonhar com outra pessoa usando um significa que você vai ter de ser firme em seus conselhos e opiniões caso deseje ser ouvido.

MICROSCÓPIO Sonhar com um microscópio implica que você vai vivenciar falhas ou retornos muito baixos em seus empreendimentos.

MICTÓRIO Esse sonho sugere que o tumulto irá predominar em sua casa.

MILHARAL Sonhar que passa por um milharal verde e frondoso, ver espigas cheias e penduradas pesadamente, remete a imensa riqueza, felicidade e amizade verdadeira. Você terá boas safras, boa colheita e harmonia no lar. Milho novo num campo recém-arado representa a chegada do sucesso. Milho maduro é sinal de fama e riqueza. Ver o milho no paiol significa que seus maiores desejos serão realizados. Milho debulhado denota riqueza e prosperidade irrestrita. Comer milho-verde sugere harmonia entre amigos. | *Ver também* Campo.

MILHO Se você sonha que descasca espigas de milho, terá sucesso e prazer. Ver outras pessoas colhendo milho sugere prosperidade junto a amigos ou parentes.

MILIONÁRIO Sonhar que você é milionário prenuncia lucro nos negócios. Sonhar que encontra um milionário é um alerta para ter cuidado com novas amizades.

MILITAR Sonhar com os militares prenuncia paz de espírito.

MINA Sonhar que está em uma mina denota fracasso. Ser dono de uma mina, no entanto, fala de riqueza futura.

MINA DE CARVÃO, MINERADORA Sonhar que está em uma mina de carvão e ver mineiros revela que o mal mostrará seu poder e levará você à ruína. Se você sonha que detém ações de uma mineradora na bolsa, no entanto, isso denota seu investimento seguro em algum negócio.

MINERAÇÃO Ver mineração em seus sonhos significa que um desafeto está louco para acabar com você, trazendo à tona imoralidades passadas de sua vida. Se no sonho você permanecer perto da mina, é provável que ocorram viagens desagradáveis. Se você sonha que está numa caça por minas, é porque vai se envolver em buscas inúteis.

MINERAL Se você sonha com minerais, sua visão atual pouco promissora sobre o andamento das coisas vai se tornar mais clara.

MINGAU DE AVEIA Sonhar que come mingau de aveia significa desfrutar de uma prosperidade conquistada merecidamente.

MINHOCA Sonhar com minhoca implica em opressão por intrigas baixas de pessoas de má reputação. Usar minhocas como isca para peixes prediz que, por meio de sua engenhosidade, você vai se aproveitar de seus desafetos. Ver ou tocar nesse anelídeo em sonho significa que você vai ser enriquecido com novos aprendizados em um futuro muito próximo.

MINIATURA Sonhar com coisas em miniatura significa que uma surpresa ou acontecimento muitíssimo importante está a caminho.

MINIMIZAÇÃO Flagrar-se minimizando qualquer coisa em um sonho é um alerta para prestar atenção especial aos assuntos de sua carreira.

MINISTRO (RELIGIÃO) Sonhar com um ministro religioso indica aumento de status e melhoria nas condições de vida. | Ver também Pregador, Padre.

MINIVAN Se você sonha com esse modelo de carro, mas não tem um na vida real, é porque em breve vai ter de auxiliar colegas de trabalho na conclusão de um projeto deles.

MINORIA Sonhar que está em minoria significa que em breve você vai participar de um encontro com familiares e amigos para uma ocasião alegre.

MINUETO Sonhar que vê pessoas dançando um minueto significa uma convivência agradável com companhias bacanas. Se você mesmo estiver dançando, é previsão de boa sorte e alegrias domésticas.

MINUTO Sonhar que está assistindo aos minutos de um relógio significa que você vai ter mais tempo para o prazer e para a felicidade.

MIOPIA Sonhar que você é míope significa fracasso constrangedor e visitas inesperadas de pessoas indesejáveis.

MIRANTE Sonhar com um mirante, não importa o clima, fala de segurança em sua vida.

MIRRA Ver a mirra nos sonhos indica que seus investimentos serão satisfatórios.

MISSA Sonhar que está participando de uma missa católica prediz boa sorte e bênçãos em um futuro próximo.

MISSÃO Partir em missão em seus sonhos indica bons relacionamentos e acordo mútuo no círculo familiar.

MISSIONÁRIO Sonhar que é um missionário implica que um projeto de longo prazo vai fracassar.

MISTÉRIO Se você se surpreender com um acontecimento misterioso em seu sonho, é porque estranhos vão lhe assediar com seus problemas e pedir sua ajuda. Esse sonho também é um alerta sobre deveres negligenciados, pelos quais você sente muita aversão. Você vai acabar tendo complicações desagradáveis no trabalho.

MISTICISMO Se o seu sonho parece místico e cheio de fantasia, é presságio de felicidade e prosperidade.

MISTURA Sonhar com a mistura ou combinação de ingredientes diferentes é um aviso para olhar para os problemas de sua vida um de cada vez, e não misturados, para assim evitar uma sobrecarga emocional. Sonhar que mistura qualquer coisa, significa que em breve você vai incorporar ideias diferentes à sua rotina para fazer um projeto avançar mais depressa.

MITO Sonhar com personagens míticos ou reviver um mito antigo indica que a bajulação vai ajudar em um relacionamento ou transação comercial. Não hesite em distribuí-la sempre que puder.

MOBILETE Sonhar que pilota ou que está de carona nessa mini motocicleta representa uma viagem de curta distância que ocorrerá em breve.

MOÇA DE RECADOS Se uma jovem sonha que está agindo como moça de recados, é provável que ela se embrenhe em uma travessura boba.

MOCASSIM Sonhar com esse modelo de sapato indica que você vai atingir um nível de iluminação espiritual por meio da palavra escrita.

MOCHILA DE ALPINISTA Ver esse modelo de mochila enquanto sonha indica que você vai encontrar seu maior prazer longe dos amigos.

MODA Sonhar que se preocupa com a moda ou com o que você veste significa que em breve você vai rever seus conceitos sobre suas amigas e concluir se elas são ou não leais a você.

MOEDOR DE CAFÉ Ver um moedor de café em seus sonhos indica a aproximação de um perigo grave; você vai precisar de toda a sua energia e atenção para evitar consequências possivelmente desastrosas.

MOFO Sonhar com mofo em qualquer coisa indica que a sua vida está estagnada e sem perspectivas. Revitalize seus objetivos e sonhos!

MOGNO Sonhar com este tipo de madeira implica em herança ou ganho financeiro inesperado.

MOINHO

MODELO Sonhar com um modelo sugere que seus assuntos sociais vão esgotar seus recursos; brigas e arrependimentos virão a seguir.

MODEM Sonhar que compra ou vende um modem significa ganho financeiro. Sonhar que está conectando um modem ao computador sugere que você será solicitado a aprender algo novo para progredir na carreira.

MOEDA Sonhar que está contando moedas significa que você vai enfrentar perdas financeiras. Perdê-las sugere ganho financeiro. Moedas de ouro denotam grande prosperidade. Moedas de 25 centavos significam que você vai se surpreender com um presente inesperado. Moedas de 1 centavo falam de buscas insatisfatórias. As transações profissionais serão sofridas; amantes e amigos vão reclamar da ausência de afeto. Sonhar que perde essas moedas significa pequenos atrasos e fracassos. Mas se você encontrá-las, as perspectivas vão virar a seu favor. Contar várias moedinhas de baixo valor sugere que você é profissional e econômico.

MOINHO Sonhar com um moinho indica economia e empreendimentos afortunados. Um moinho dilapidado, porém, fala de doença e infortúnio.

MOINHO DE VENTO Ver um moinho de vento operando em seus sonhos é um presságio de fortuna abundante e grande contentamento. Ver um moinho quebrado significa adversidades chegando sem aviso prévio.

MOIRAS, AS Sonhar com essas três irmãs da mitologia grega, prediz desacordos e infelicidade.

MOISÉS Ver o bíblico Moisés nos sonhos representa ganho pessoal e casamento.

MOITA Sonhar com moitas saudáveis significa paz de espírito e prosperidade. Se elas estiverem morrendo ou com aspecto doente, sugere dificuldades nas relações comerciais.

MOLAR Sonhar que você está tendo um dente molar arrancado é um alerta para ter cuidado com o que diz, pois você será mal interpretado. Ter um molar implantado significa que você será solicitado a contribuir com seus conselhos para resolver um problema.

MOLDURA Sonhar que está enquadrando algo ou ver algo emoldurado indica sucesso em projetos futuros.

MOLEIRO Ver um moleiro nos sonhos significa que seu ambiente ficará mais esperançoso.

MOLÉSTIA Sonhar com uma moléstia é sinal de problemas e de uma doença real em sua família. A discórdia certamente se fará presente também. Sonhar com a própria doença é um alerta para ser extraordinariamente cauteloso para com a sua pessoa. Ver algum familiar pálido e doente prediz um evento inesperado quebrando a harmonia de seu lar.

pressagia algum tipo de constrangimento social muito em breve. Cuidado com o que você anda fazendo para chamar a atenção.

MONOTRILHO Sonhar que anda de monotrilho indica uma viagem, seja profissional ou de lazer. Sonhar que vê um monotrilho passar é um aviso para cancelar uma viagem.

MONSTRO Sonhar que é perseguido por um monstro diz que a tristeza e o infortúnio vão ocupar lugares de destaque em seu futuro imediato. Já matar um monstro prediz que você vai vencer seus desafetos e alçar posições de destaque.

MONTAGEM Sonhar que está montando algo fisicamente é sinal de que as peças para solucionar um problema logo vão se juntar em sua vida.

MONSTRO

MOLHO Sonhar que está comendo molho pressagia saúde debilitada e transações profissionais decepcionantes.

MONARCA Sonhar que é visitado por um monarca ou participar de um encontro que o coloca em contato com um pressagia grande sucesso social. Se você for o monarca, é indício de uma inesperada troca de emprego.

MONGE Sonhar que vê um monge, ou ser um monge, significa uma mudança em sua vida — e que a princípio você talvez não veja como uma bênção, mas que vai se revelar positiva.

MONOGRAMA Sonhar com suas iniciais em qualquer objeto prenuncia reconhecimento empresarial. Sonhar com as iniciais de outra pessoa

MONTANHA Se você estiver subindo por uma montanha em seu sonho e o caminho for agradável e verdejante, é sinal de alcance rápido da riqueza e de boa posição social. Se a montanha estiver acidentada e você não conseguir chegar ao topo, aguarde reveses em sua vida — vai ser preciso esforço para superar todas as fraquezas de sua natureza. Se você acordar bem quando estiver em um ponto perigoso da subida, fique tranquilo: você verá que as coisas tomarem um rumo positivo exatamente quando parecerem mais sombrias.

MONTÍCULO Montículos de terra em torno de túmulos predizem um anúncio de gravidez ou nascimento. Mas fazer um montinho de terra, argila ou algo parecido significa que você vai ampliar sua casa ou residência.

MONUMENTO Sonhar que constrói um monumento para alguém ou algo sugere constrangimento social. Sonhar que você visita um monumento em qualquer país indica a chegada de um convite para comparecer a um evento social importante.

MORADIA Sonhar que não consegue encontrar sua moradia significa que você pode perder totalmente a fé na integridade alheia. Se no sonho você estiver sem moradia, é porque vai ser desventurado em seus negócios e perderá devido à especulação. Sonhar com mudança de moradia significa que você vai empreender numa jornada repentina. | *Ver também* Lar.

MORANGO Sonhar com morangos é favorável ao desenvolvimento e ao prazer. Você vai adquirir um objeto há muito desejado. Comer morangos fala de um amor correspondido. Manuseá-los e cuidar deles implica em colheita abundante e felicidade.

MORCEGO Se no sonho você sente medo dessas criaturas aladas é porque precisa ser discreto sobre seus assuntos pessoais. Se você não sente medo algum, então é sinal de oportunidade de ganho financeiro na vida profissional.

MORDAÇA Ser amordaçado ou amordaçar uma pessoa ou bicho em seu sonho sugere que em breve você vai ser solicitado a ajudar a encobrir uma mentira.

MORDISCAR Sonhar que está mordiscando qualquer coisa implica em perda de dinheiro ou de bens pessoais.

MORFINA Sonhar que você ou outras pessoas estão tomando morfina sugere a necessidade de tomar uma decisão sobre uma mudança em seus relacionamentos.

MORRER Sonhar com a morte implica que você está enfrentando grandes mudanças em sua vida em diversos aspectos. | *Ver também* Morte.

MORTALHA Sonhar que vê uma mortalha sugere tristeza e infortúnio. Se você erguer a mortalha de um cadáver, é porque em breve vai lamentar pela morte de alguém que ama.

MORTE Sonhar com a própria morte significa a libertação de preocupações. Sonhar com a morte de outra pessoa pressagia, muitas vezes, a notícia de um nascimento. | *Ver também* Cadáver, Espectro, Fantasma.

MORTO Sonhar com os mortos é sinal de renascimento e recomeços.

MOSAICO Sonhar com essa obra de arte significa que em breve você vai entrar em contato com um amigo há muito sumido. Sonhar que faz mosaicos sugere que logo, logo você vai encaixar as peças em sua vida — e isso trará benefícios de longo prazo.

MOSCA (CENTRO DO ALVO) Sonhar que acerta um alvo na mosca significa que notícias importantes estão chegando. Sonhar com outra pessoa acertando na mosca é um conselho para reexaminar seu relacionamento com essa pessoa; pode ser que não seja exatamente alguém confiável.

MOSCAS Em sonhos, as moscas representam moléstias e doenças contagiosas. E também mostram que há inimigos ao seu redor.

MOSQUITO Ver mosquitos nos sonhos indica esforços em vão para permanecer invencível aos ataques astutos de rivais secretos. Sua paciência e prosperidade vão sofrer um golpe por causa de pessoas ardilosas. Mas se você matar os mosquitos, vai acabar superando os obstáculos e desfrutando da fortuna e da felicidade doméstica.

MOSSA Amassar um veículo significa que você pode ser alvo de um roubo, se não tomar cuidado. Consertar o amassado representa a solução fácil de um problema que parecia imenso.

MOSTARDA (PLANTA) Ver a mostarda crescendo verdinha prediz sucesso, alegria e uma dose de riqueza. Comer sementes de mostarda e sentir o ardor na boca indica que você vai se arrepender amargamente de alguma atitude precipitada.

MOSTEIRO Sonhar com um mosteiro é presságio de insatisfação com o ambiente atual. Em breve você vai buscar um novo espaço. Sonhar que visita um mosteiro significa a chegada de bênçãos. Sonhar que você mora em um mosteiro indica que as bênçãos serão maiores do que você possa imaginar.

MOSTRADOR Se você sonha com um mostrador no relógio e não consegue lê-lo, é porque está perdendo tempo na vida desperta. Mas se consegue ler, significa que você tem mais controle sobre sua vida do que imaginava.

MOTIM Sonhar com motins prediz situações decepcionantes. Se você vir um amigo ser morto em um motim, é porque vai ter azar em todos os empreendimentos; e também vai se deparar com a angústia devido à morte ou doença grave de alguém.

MOTOCICLETA Sonhar que anda de moto significa viajar, mas para não muito longe. Sonhar está na garupa de uma moto sugere novas amizades.

MOTOR Sonhar com um motor sugere que você vai encontrar grandes dificuldades e jornadas, mas que vai ter muitos amigos para apoiá-lo. Motores desativados representam infortúnio e perda de parentes.

MÓVEIS Sonhar com móveis quebrados indica problemas amorosos; móveis bonitos, felicidade futura. Sonhar que compra móveis indica uma mudança inesperada da qual você pode não gostar. Vender móveis sugere um pequeno problema financeiro no futuro.

MOVIMENTO INTESTINAL Nos sonhos, evacuar ou ver alguém evacuando representa grande prosperidade ou boa sorte.

MP3 PLAYER Sonhar que usa um MP3 player significa que você vai criar lembranças agradáveis que vão durar a vida toda.

MUCO Nos sonhos, o muco representa boa saúde. Se for seu, também indica ganho financeiro.

MUDANÇA Sonhar que se muda de empresa ou de casa indica que você logo vai encontrar a paz e a felicidade onde mora ou trabalha, mas sem ter que fazer nenhuma mudança na vida real.

MUDEZ Se você estiver tentando se comunicar com uma pessoa muda em seus sonhos, é porque desafios incomuns em sua vida vão trazer preparo para posições mais elevadas. Sonhar que você é mudo pressagia calamidades e perseguições injustas. Sonhar que é mudo indica sua incapacidade de persuadir os outros ao seu modo de pensar, e de usá-los para seu proveito por meio de sua loquacidade. Para o mudo, denota falsos amigos.

MULA Se você sonha que vê ou monta uma mula, é porque está empenhado em atividades que vão trazer muita ansiedade. Se você chegar ao seu destino sem interrupções, no entanto, as recompensas virão. Levar um coice de mula indica decepção no amor e no casamento. Ver uma mula morta pressagia relacionamentos rompidos e declínio social. | *Ver também* Burro.

MULHER Sonhar com uma mulher conhecida é um sinal de que você vai passar por um momento de transições em sua vida. Discutir com uma mulher em sonho prediz que você será enganado.

MULTIDÃO Sonhar com uma multidão de pessoas bem-vestidas em um evento sugere boas relações com amigos; mas se ocorrer qualquer coisa no sonho que prejudique o prazer dos presentes, aí é sinal de angústia e perda de amizade; a infelicidade será encontrada onde você esperava lucro e interações agradáveis. Também pode significar insatisfação com o governo e discórdia na família. Ver uma multidão em uma igreja indica que você pode se deixar afetar por uma morte, ou que pode surgir algum

MÚSICA CLÁSSICA

evento levemente desagradável. Ver uma multidão na rua indica transações excepcionalmente velozes e um ar geral de prosperidade. Se você sonha que tenta ser ouvido no meio da multidão, é porque vai colocar seus interesses à frente daqueles de terceiros.

MULTIPLICAÇÃO Sonhar que faz essa operação matemática é um alerta para não gastar o dinheiro que você não tem. Sonhar que ensina ou aprende a multiplicar significa ganho financeiro.

MÚMIA Sonhar com uma múmia significa que em breve você vai ajudar alguém a encontrar uma solução para um problema. Se você se vir como uma múmia, é porque está envolvido em um problema que não é seu — e deveria cair fora já.

MUNIÇÃO Sonhar com munição prenuncia o empreendimento em algum trabalho que promete uma conclusão frutífera. Sonhar que ficou sem munição denota lutas e esforços em vão.

MURCHO Ver algo murcho significa más notícias no horizonte.

MURTA Ver a murta florescendo em um sonho significa que seus desejos serão satisfeitos e que você vai ser dominado pelo prazer.

MÚSCULO Se você sonha que vê seus músculos bem desenvolvidos, é porque vai ter encontros esquisitos com desafetos, mas vai ser bem-sucedido ao superar os planos maldosos deles — e por fim terá muita prosperidade. Se, em vez disso, seus músculos estiverem atrofiados, prediz incapacidade de alçar o sucesso.

MUSEU Sonhar com um museu implica que você vai passar por muitas e variadas aventuras na busca pelo que parece ser seu lugar de direito. O conhecimento que você adquirir vai proporcionar melhor posição do que se você tivesse seguido o curso normal de aprendizado. Mas se o museu não for um lugar bacana, você vai ter muitos motivos para se irritar.

MUSGO Sonhar com musgo seco e desbotado significa desencanto. Se estiver verdinho e macio, sinaliza felicidade romântica.

MÚSICA Sonhar que ouve música harmoniosa anuncia prazer e prosperidade. Música dissonante pressagia problemas com crianças indisciplinadas e infelicidade no ambiente doméstico.

MÚSICA CLÁSSICA Indica tempos felizes pela frente.

Cada partícula de sonho é evidência.

Dionne Brand

N

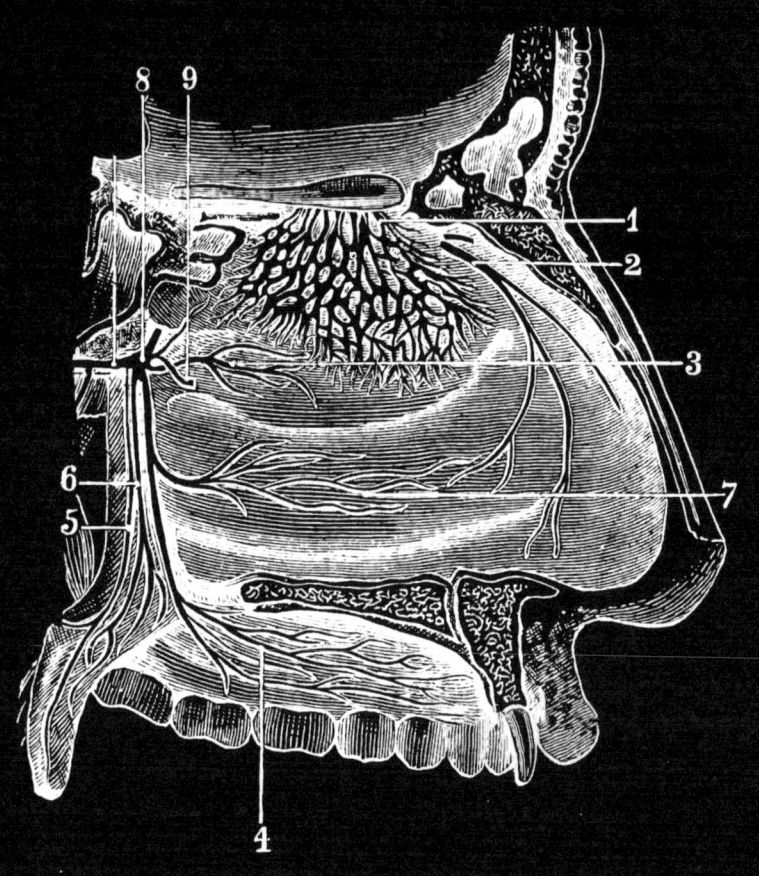

Distribution of Nerves over interior of Nostrils, outer wall.

1, Branches of nerves of smell—olfactory nerve. 2, Nerves of common sensation to the nostril. 4, 5, 6, Nerves to the palate springing from a ganglion at 3. 7, 8, 9, Branches from one of the palate nerves to nostrils.

N

"A felicidade é murmurada nos sonhos."

NABO Ver nabos crescendo indica que suas perspectivas vão ficar mais animadas e que você vai ficar muito empolgado com seu sucesso. Comê-los é sinal de saúde frágil na vida desperta. Arrancá-los do chão prediz a melhoria das oportunidades e da sorte. Comer folhas de nabo é sinal de amarga decepção. A semente de nabo prediz o avanço.

NADADEIRAS Se você sonha que seu corpo tem nadadeiras como as de um peixe, significa mudança de casa em breve. Se você tocar uma nadadeira com a sua, é porque alguém vai pedir para morar com você.

NADAR PELADO Sonhar que você ou outras pessoas estão nadando nus implica na libertação de suas preocupações e problemas.

NÁDEGAS Se você sonha com nádegas, prepare-se para bons momentos.

NÁILON Sonhar com náilon significa que as coisas em sua vida nem sempre são o que parecem; elas pedem um olhar mais atento.

NAMORADO(A) Sonhar que está enviando cartões de dia dos namorados prevê que você vai perder oportunidades de enriquecimento pessoal.

NARIZ Ver o próprio nariz em um sonho indica força de caráter e consciência de sua capacidade de realizar qualquer empreendimento que você queira. Se seu nariz estiver menor do que o natural, pode ser sinal de problemas no campo profissional. Pelinhos crescendo no nariz indicam empreendimentos extraordinários que serão concretizados devido à pura força de caráter ou vontade. Um nariz sangrando é profecia de azar.

NASA Sonhar com a NASA implica que seus objetivos são altos demais; procure ser mais fundamentado e realista.

NATAÇÃO Sonhar que está nadando é um presságio de sucesso se você não achar desconfortável. Se você afundar, muita insatisfação vai surgir na vida desperta. Nadar debaixo d'água prevê batalhas e ansiedade. | *Ver também* Mergulho.

NATIMORTO Sonhar com um bebê natimorto denota que um incidente angustiante vai chegar ao seu conhecimento.

NATIVIDADE Sonhar com a Natividade representa muitas bênçãos.

NAUFRÁGIO Se você vir um naufrágio nos sonhos, deve temer a escassez financeira ou a falência repentina nos negócios.

NÁUFRAGO Sonhar com um náufrago indica que você vai precisar ficar um pouco sozinho no futuro.

NÁUSEA Sonhar que sente náuseas significa que sua integridade pode ser desafiada por amigos ou colegas não confiáveis.

NAVALHA Sonhar com uma navalha pressagia divergências e litígios. Cortar-se com uma denota que você vai ter azar em um negócio que está prestes a concretizar. Brigar usando uma navalha indica uma carreira decepcionante; alguém vai assediar você quase além do limite. Uma navalha quebrada ou enferrujada fala de um sofrimento inevitável.

NAVEGAÇÃO Sonhar que estuda navegação significa que você vai viajar muito em breve. Se você for um navegador, os problemas da vida vão parecer bem complicados. Sonhar que navega em águas calmas pressupõe fácil acesso às alegrias e à imunidade da pobreza ou a qualquer coisa ligada à tristeza. Navegar em uma pequena embarcação revela que seus desejos não serão maiores do que seu poder de realizá-los. | *Ver também* Oceano, Mar.

NAVIO Sonhar com navios prediz honra e subida inesperada a posições acima de seu estilo de vida. Ficar sabendo de um naufrágio pressagia uma reviravolta desastrosa. Perder a vida em um, sugere que você vai ter de lidar com uma situação extremamente difícil em sua vida ou ligada à sua dignidade. Se no sonho você vir um navio atravessando uma tempestade, é porque vai ser desafortunado nas transações comerciais e será desafiado a encontrar um jeito de encobrir algo do público, já que seu sócio vai ameaçar você de traição. Se vir outros navios naufragados, é porque vai tentar resgatar um amigo da desgraça e da insolvência, mas será em vão. | *Ver também* Barco, Convés.

NAVIO DE GUERRA Sonhar com um navio de guerra indica longas jornadas e separação do país e dos amigos; pode-se esperar também conflitos nos assuntos políticos.

NEBLINA Sonhar que viaja em meio a uma névoa densa sugere problemas e preocupações profissionais. Sair do nevoeiro pressagia uma viagem cansativa, porém lucrativa.

NECESSIDADE Sonhar que está passando necessidade sugere que você vai negociar imprudentemente, e notícias angustiantes de amigos distantes vão deixar você muito triste. Ver outras pessoas passando necessidade prediz que acontecimentos infelizes vão afetar você e outras pessoas. Sonhar que está passando necessidade sugere que, infelizmente, você tem ignorado as realidades da vida e perseguido a loucura até sua fortaleza de tristeza e adversidade. Se sua necessidade for satisfeita no sonho, é porque você vai suportar heroicamente um infortúnio à espreita, e vai ver as nuvens da tristeza se dissipando. Aliviar a necessidade significa que você será estimado por sua bondade abnegada, mas não sentirá prazer em fazer o bem.

NECROMANTE Sonhar com um necromante e suas artes sugere que você está sendo ameaçado por conhecidos que vão influenciar você a fazer o mal.

NECROTÉRIO Sonhar que vai a um necrotério em busca de alguém anuncia a chocante notícia da morte de um parente ou amigo. Se você vir muitos cadáveres lá, é porque muita tristeza e problemas virão.

NERD Sonhar que você é um nerd prevê novos conhecimentos ou evolução no trabalho. Se outra pessoa no seu sonho for o nerd, tome cuidado com sua postura arrogante.

NEUROCIRURGIA Sonhar que passa por esse tipo de cirurgia diz para ficar atento a uma possível depressão. Sonhar que está sendo feita em outra pessoa é indicativo de felicidade.

NEVASCA

NÉCTAR Sonhar com uma abelha ou beija-flor se alimentando de néctar é sinal de prosperidade e bem-estar financeiro.

NECTARINA Essa fruta representa boa sorte.

NEGAÇÃO Estar em um estado de negação enquanto sonha significa que você está levando suas responsabilidades muito a sério e que precisa de mais leveza.

NEGLIGÊNCIA Descobrir que está negligenciando algo que deveria ter sido visto sugere que você precisa ficar de olho em seus pertences. Ser negligenciado em um sonho prenuncia reconhecimento social.

NEGOCIAÇÃO Sonhar que está negociando alguma coisa significa sucesso justo em seu empreendimento. Se você fracassar na negociação, problemas e aborrecimentos vão tomar conta em sua vida desperta.

NÉON Sonhar com qualquer coisa iluminada em néon sugere soluções nítidas e exatas para seus problemas.

NEVASCA Se você sonha com uma tempestade de neve, é porque está sendo cegado pela ilusão.

NEVE A neve nos sonhos representa suas inibições e emoções reprimidas, que precisam ser expressas. Você também pode estar se sentindo negligenciado. Flagrar-se em uma tempestade de neve denota tristeza e decepção por não conseguir desfrutar de um prazer muito esperado. Se você comer neve, é porque não vai conseguir realizar seus ideais. Ver a neve suja prediz humilhação. Se você vir neve derretendo, significa que seus medos vão se transformar em alegria. Ver grandes flocos de neve brancos caindo indica um recomeço. Ver montanhas cobertas de neve à distância avisa que seus anseios e ambições não trarão nenhum avanço digno. Ver o sol brilhando em paisagens com neve prediz que você vai conquistar uma prosperidade um tanto adversa e que vai ganhar poder. Sonhar com uma bola de neve implica que você terá de lutar contra situações desonrosas; se o seu julgamento não estiver bem fundamentado, sinal de derrota. Se você sonha que está preso ou perdido por causa da neve, uma onda de azar vai se abater sobre sua vida.

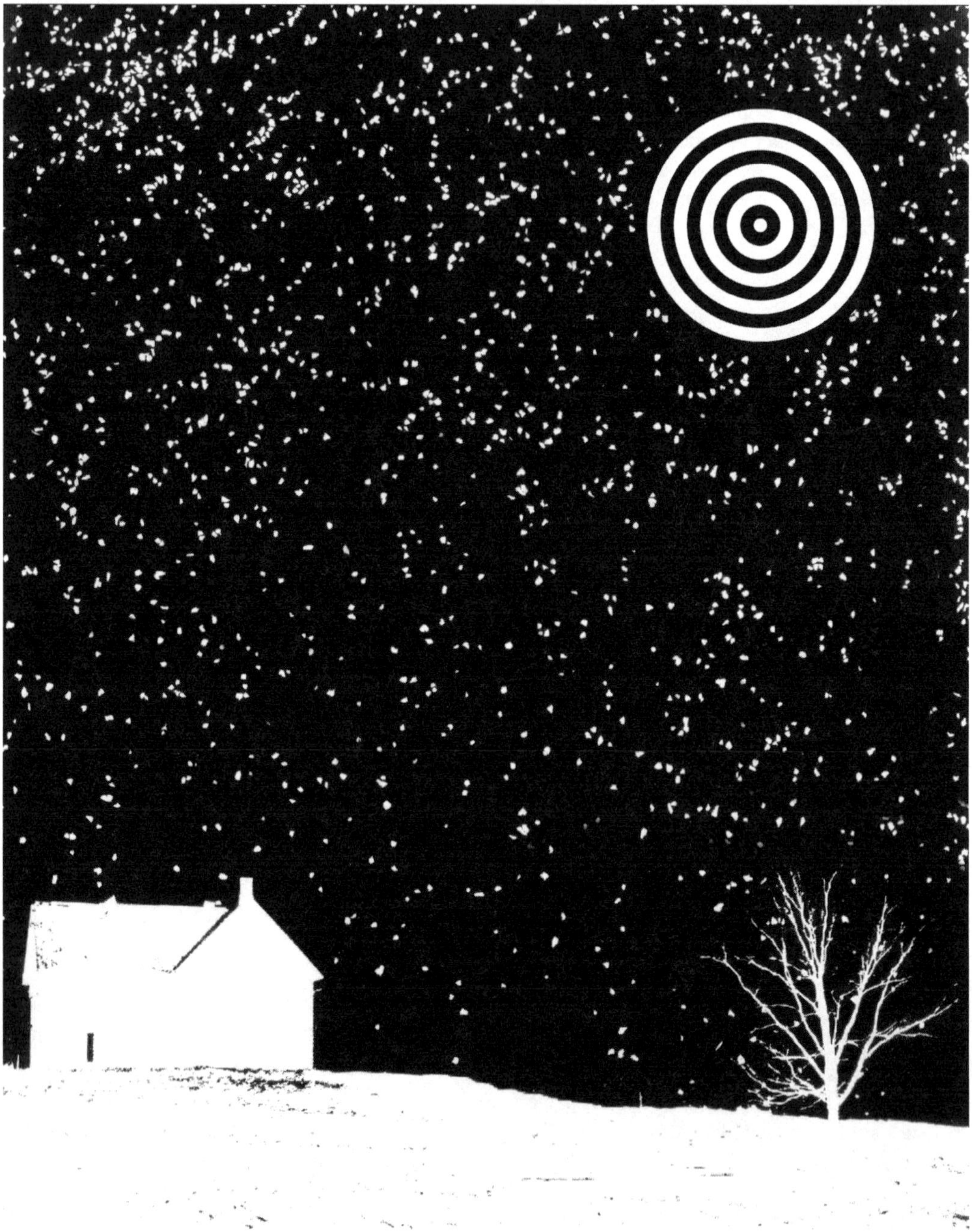

NÉVOA Sonhar que você está envolto em névoa denota futuro incerto e infelicidade doméstica. Se a névoa se dissipar, seus problemas serão de curta duração. Se você vir os outros envoltos em névoa, é porque vai lucrar com seus infortúnios.

NEW AGE (MOVIMENTO) Sonhar que tem interesse ou pratica os conceitos New Age sugere a adoção de novas crenças espirituais.

NEWSLETTER Sonhar que escreve ou edita uma newsletter prevê boas notícias para sua família.

NINFA Ver ninfas se banhando em águas límpidas implica que os desejos apaixonados vão encontrar uma realização extática. As festividades vão proporcionar deleite. Ver ninfas fora de seu habitat denota decepção com o mundo. Se você as vir tomando banho, vai encontrar prazer e benesses na companhia de outras pessoas.

NINHADA Ver uma ave com sua ninhada denota acúmulo de riquezas.

NINHOS DE PÁSSAROS Sonhar que vê ninhos de pássaros sugere que você vai nutrir interesse por um empreendimento que vai se provar lucrativo. Ver um ninho vazio denota tristeza no trabalho ou tristeza pela ausência de um amigo. Se houver ovos no ninho, bons resultados seguirão todos os relacionamentos. Se os filhotes estiverem no ninho, espere viagens bem-sucedidas e acordos satisfatórios. Se os ninhos estiverem solitários e desertos, entretanto, sua insensatez vai lhe causar ansiedade. Sonhar com um ninho cheio de ovos quebrados ou estragados pressagia decepção e fracasso.

NÓ Sonhar que vê nós, denota muita preocupação com as coisas mais insignificantes. Dar um nó revela uma natureza independente.

NÓ CORREDIÇO Sonhar com um nó corrediço em volta de seu pescoço significa boa sorte e prosperidade. Se o nó estiver em volta do pescoço de outra pessoa, é porque você deve resolver um problema de autoestima.

NOBREZA Sonhar que se associa à nobreza sugere que suas aspirações não são da natureza certa; você prefere exibição e prazer ao desenvolvimento mental.

NOCAUTE Sonhar que nocauteia alguém ou que é nocauteado implica em progredir rumo a um objetivo muito desejado em sua profissão ou vida pessoal.

NÓDOA Ver uma nódoa em suas mãos ou roupas em sonho prediz problemas com questões menores. Ver uma nódoa nas roupas de outras pessoas, ou em sua pele, prediz que alguém vai trair você.

NOGUEIRA-AMARGA Sonhar com essa árvore madeireira pressagia muito trabalho e muito sucesso.

NOITE Se no sonho você se flagrar envolto por uma noite escura, pode esperar dificuldades incomuns no trabalho. Se a noite parece estar desaparecendo, é porque os percalços da vida vão melhorar. | *Ver também* Escuridão.

NOIVA O fato de uma jovem sonhar que é uma noiva prediz que em breve ela vai receber uma herança que vai agradá-la muito — isto se no sonho ela estiver feliz em fazer os preparativos do enxoval. Se não estiver, é sinal de que vai sofrer decepções. Sonhar que você beija uma noiva indica uma reconciliação feliz entre amigos. Ver uma noiva beijando outras pessoas sugere muitos amigos e prazeres para você; e se ela tiver tomado a iniciativa de beijá-lo, você terá saúde e descobrirá que a pessoa que você ama vai herdar uma fortuna inesperada. Beijar uma noiva e descobrir que ela está abatida e doente indica que você vai ficar descontente com seu sucesso e com as atitudes de seus amigos. Se uma noiva sonha que é indiferente ao marido, é indicativo de muitas circunstâncias infelizes. | *Ver também* Casamento, Cerimônia de casamento.

NOIVADO Se você está num noivado no sonho, mesmo que não conheça a pessoa na vida real, tome cuidado com o divórcio ou o rompimento de um relacionamento. Sonhar que está sendo maritalmente prometido ou que está noivo é uma previsão de que

NOIVO

um relacionamento vai se romper. Mas se você sonha com o rompimento de um noivado, é, na verdade, uma previsão de casamento.

NOIVO Sonhar com um noivo, seja ele você ou outra pessoa, é indício de atrasos em seus planos para um futuro próximo. Sonhar especificamente que você é o noivo significa um rompimento temporário de um relacionamento.

NOME Sonhar que não consegue se lembrar do seu nome ou do nome de outra pessoa fala de um acordo profissional questionável que você deve investigar antes de assinar qualquer papel. Sonhar que alguém chama você pelo nome errado implica em dificuldades pessoais que serão resolvidas logo, logo.

NOODLE (MACARRÃO) Sonhar com noodles denota progresso em um plano almejado.

NORA Sonhar com sua nora indica que um acontecimento incomum vai aumentar sua felicidade ou seu descontentamento. A diferença depende se ela está sendo gentil ou irracional no sonho.

NORTE Sonhar com essa direção ou viajar para o norte significa que você está no rumo certo em sua vida.

NOTA PROMISSÓRIA Se você sonha que entrega uma nota promissória a alguém, é porque uma quantia de dinheiro inesperada pode entrar em sua vida. Sonhar que tem de pagar uma nota promissória sugere que você pode vir a sofrer uma perda financeira porque não se certificou de que um item era de valor.

NOTÍCIA Ouvir boas novas em um sonho indica que você vai ter sorte nas questões profissionais e que vai ter colegas bacanas; mas se as notícias forem ruins, aí vai ser o contrário.

NOTICIÁRIO Sonhar que está fazendo um noticiário sugere que em breve você vai revelar segredos que deveria ter guardado. Assistir ao noticiário diz que você pode vir a tomar conhecimento de um segredo de um amigo que preferiria não saber.

NOVEMBRO Sonhar com esse mês é presságio de uma temporada de sucesso mediano em todos os assuntos.

NOVENA Sonhar que recita novenas prevê muitas bênçãos que virão exatamente no formato que você tem pedido.

NOVO TESTAMENTO Sonhar com esse livro sagrado significa muitas bênçãos.

NOVOCAÍNA Sonhar com esse analgésico prevê uma solução repentina para um problema que você achava ser insolúvel.

NOZ Sonhar que colhe nozes é um presságio de empreendimentos de sucesso e muito êxito no amor. Se você sonha que está comendo nozes, é porque a prosperidade vai ajudar na satisfação de seus desejos.

NOZ-MOSCADA Nos sonhos, essa especiaria simboliza prosperidade e viagens agradáveis.

NOZ-PECÃ Se você sonha que está comendo essa apetitosa noz, é porque vai ver um de seus planos mais almejados se concretizando; um fracasso aparente será fonte propícia de ganho. Ver pecãs crescendo entre as folhas significa uma existência longa e pacífica. Mas se a noz-pecã estiver estragada, espere fracassos no trabalho ou no amor. Se as nozes estiverem difíceis de quebrar e a fruta for muito pequena, é porque seu sucesso virá depois de muitos problemas e despesas, porém a recompensa será comparativamente escassa.

NOZES Sonhar com nozes é um presságio de alegria e benesses abundantes. Sonhar com uma noz estava estragada indica que suas expectativas vão terminar em amargura e em um fracasso doloroso.

NU Sonhar que está nu é indício de que você vai sofrer uma vergonha em um futuro próximo. Também pode se referir a expor algum engano que esteja ocorrendo em sua vida.

NUDEZ Sonhar que você está nu significa sorte financeira e evolução em suas circunstâncias pessoais. Se você vir outras pessoas nuas, é porque vai descobrir um engano entre amigos. Sonhar que tenta esconder desesperadamente a nudez denota que você vai ser socialmente reconhecido por uma boa ação.

NÚMERO Sonhar com números indica que situações instáveis no campo profissional vão lhe causar mal-estar e insatisfação.

NÚPCIAS Se uma mulher sonha com suas núpcias, é porque em breve vai entrar em novos relacionamentos que vão proporcionar distinção, prazer e harmonia. | *Ver também* Matrimônio, Cerimônia de casamento.

NUTRÓLOGO Se você sonha que é um nutrólogo, é porque precisa se alimentar de forma mais saudável na vida desperta.

NUVENS Sonhar com nuvens escuras e pesadas fala de infortúnio e má gestão. Se estiver chovendo, espere problemas e doenças. Se você vir nuvens límpidas e reluzentes, com o sol brilhando através delas, é porque vai encontrar o sucesso depois de muito esforço. Ver nuvens e estrelas sugere alegria e pequenos avanços.

O ser humano é um gênio quando está sonhando.

Akira Kurosawa

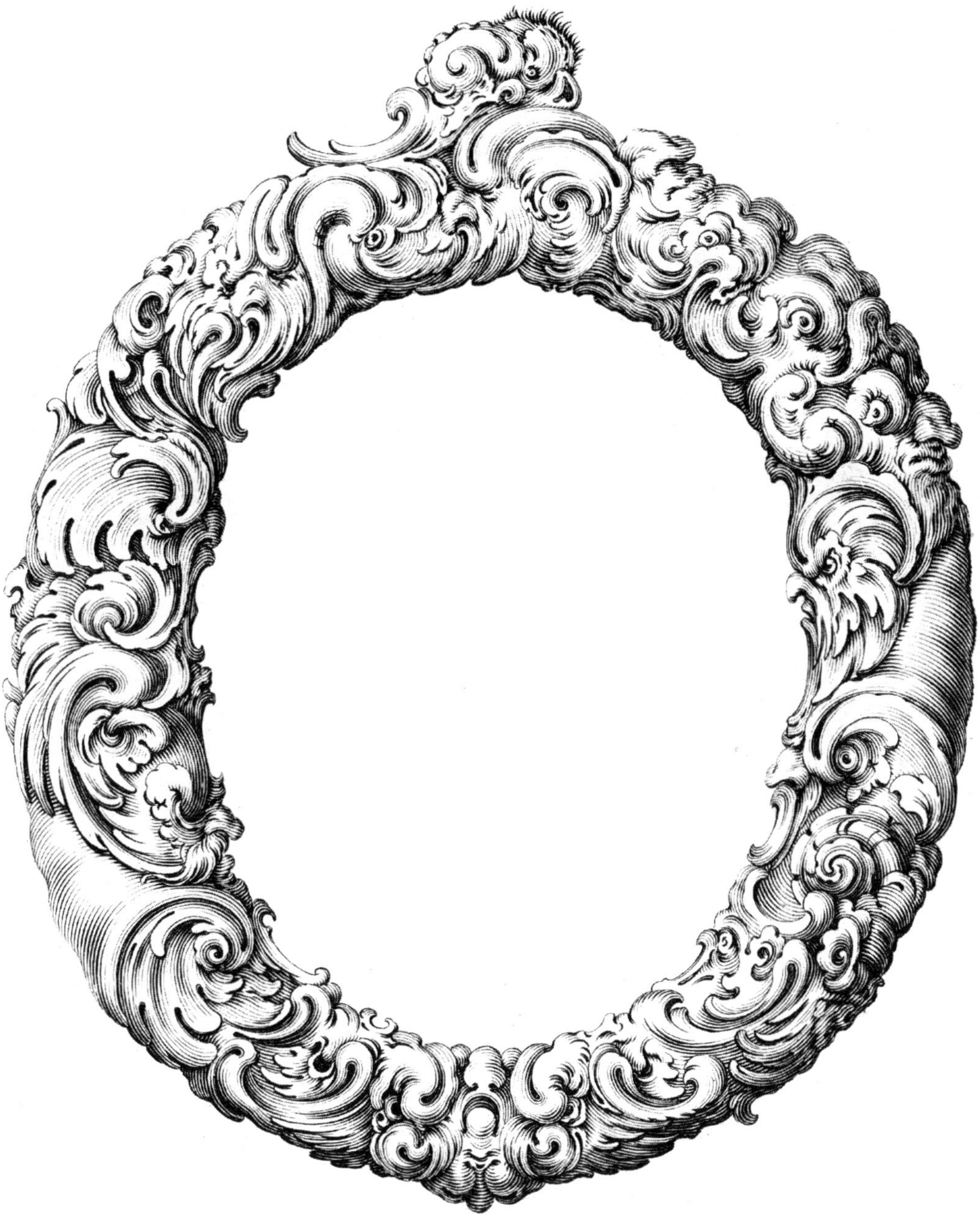

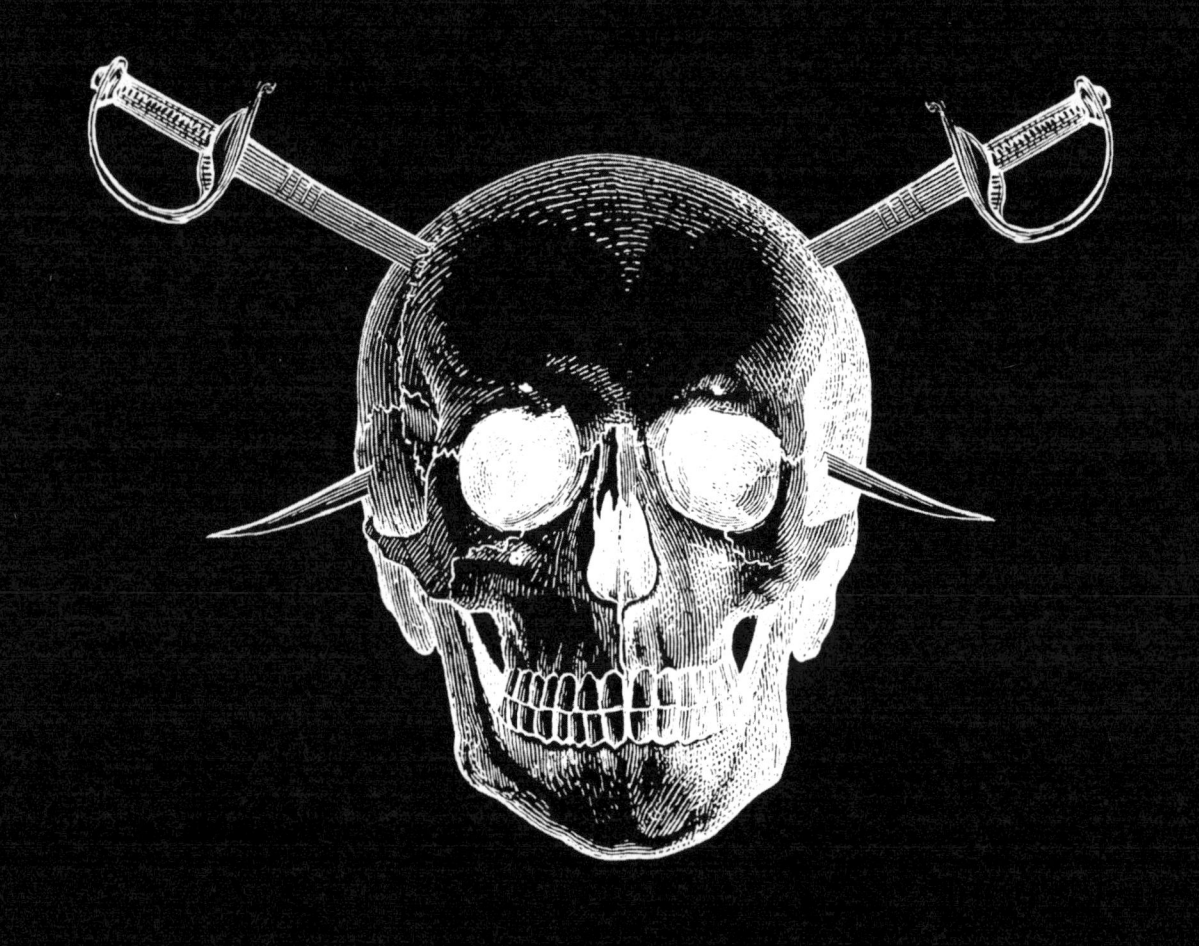

OBJEÇÃO

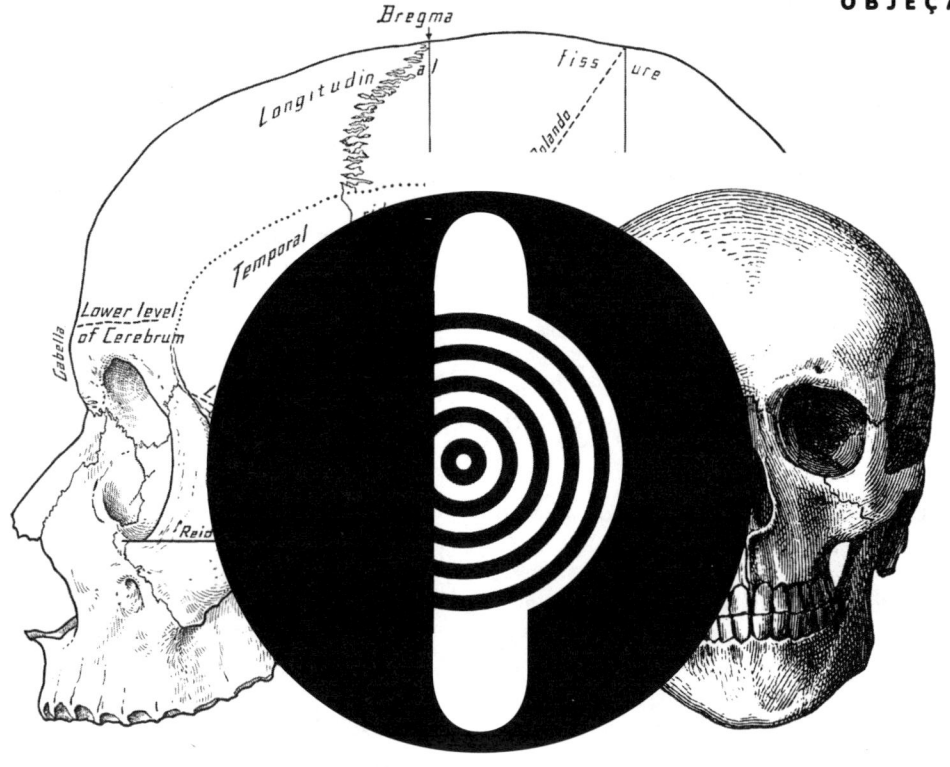

"Tenho a sorte de sonhar em companhia."

OÁSIS Sonhar com um oásis representa uma nova e emocionante aventura preste a começar em sua vida.

OBEDIÊNCIA Sonhar que é obediente a outra pessoa sugere um período agradável e sem grandes intercorrências. Se os outros estiverem lhe obedecendo, você vai comandar sua sorte e será muito estimado.

OBELISCO Nos sonhos, um obelisco imponente é o precursor de notícias melancólicas.

OBESIDADE Sonhar que você está obeso ou ver outra pessoa obesa e encarar isso de maneira satisfatória sugere estabilidade financeira em sua vida. Porém sonhar que está infeliz com sua gordura ou que acha a gordura de outra pessoa algo ruim é um alerta sobre gastos futuros e possíveis problemas financeiros.

OBITUÁRIO Sonhar que redige um obituário prevê que deveres desagradáveis serão impostos a você. Se você estiver lendo um, sinal de notícias de natureza perturbadora chegando.

OBJEÇÃO Fazer objeções a algo nos sonhos significa o contrário: logo você vai estar de acordo com os outros sobre algum assunto pessoal ou profissional.

OBRA-PRIMA Sonhar que admira uma obra-prima prenuncia uma surpresa ou um presente inesperado. Sonhar que cria uma obra-prima pressagia uma mudança em sua vida pessoal, e vai ser feita por você mesmo.

OBRIGAÇÃO Sonhar que se compromete a alguma coisa indica que você vai se estressar e se preocupar com as reclamações impensadas das outras pessoas. Já se alguém estiver assumindo algum tipo de obrigação para com você, é porque na vida desperta você vai conquistar a estima de conhecidos e amigos.

OBSCENIDADE Sonhar que algo é obsceno prenuncia grande beleza e conforto em sua vida.

OBSERVATÓRIO Sonhar que vê os céus e belas paisagens de um observatório sugere rápido crescimento a posições de destaque e cargos de confiança. Se uma jovem tiver esse sonho, significa a realização de grandes alegrias terrenas. Se o céu estiver nublado, no entanto, seus objetivos não vão se realizar.

OBSTÁCULO Se você sonha com alguém saltando obstáculos, é hora de avaliar seu comportamento pessoal. Pode ser que você esteja passando uma falsa impressão a seu respeito.

OBSTRUÇÃO Sonhar que há uma obstrução em seu corpo significa que você terá uma epifania ou descoberta espiritual.

OCEANO Sonhar com um oceano calmo, esteja você navegando nele ou não, é sempre propício. Se você estiver em mar aberto e ouvindo as ondas é presságio de problemas e brigas na vida profissional, e de períodos de tempestade no ambiente doméstico. Se você sonhar que estiver na costa vendo as ondas batendo, é porque pode escapar por um triz de sofrer uma lesão. Sonhar que vê o oceano raso a ponto de enxergar o fundo ou de conseguir caminhar por ele significa prosperidade e prazer. | *Ver também* Mar, Onda.

OCIOSIDADE Se você sonha que está ocioso, é porque não vai conseguir concluir seus projetos. Se você vir seus amigos ociosos, logo vai ficar sabendo de algum problema que está afetando a vida deles.

OCRE Em sonhos, esse mineral ou cor simboliza bênçãos espirituais e iluminação.

OCTÓGONO Sonhar com qualquer coisa com oito lados significa que você vai ter muitas opções na carreira e na vida pessoal, todas boas.

ÓCULOS Sonhar que vê ou que usa óculos indica que você será afligido por amizades desagradáveis das quais vai se esforçar — em vão — para se livrar.

ÓCULOS DE PROTEÇÃO Sonhar com óculos de proteção é um alerta sobre pessoas de reputação ruim que vão tentar persuadir você a lhes emprestar dinheiro.

ÓCULOS ESCUROS Se os óculos de sol estiverem em destaque em um sonho, é porque você está se escondendo de algo que já não oferece apoio emocional.

OCULTISMO, MISTICISMO Sonhar com ocultismo ou misticismo significa que você vai ficar sabendo de um segredo que trará grande vantagem para você.

OCULTISTA Se você sonha que ouve os ensinamentos de um ocultista, é sinal de que vai se esforçar para orientar os outros a um plano superior de justiça e tolerância. Se você aceitar os pontos de vista do ocultista, é porque na vida desperta vai se deparar com deleites genuínos ao manter sua mente e caráter acima das frivolidades e prazeres materiais.

ÓDIO Sonhar que odeia alguém sugere que, se não tomar cuidado, você inadvertidamente vai magoar essa pessoa na vida desperta; ou que uma ação maldosa trará perdas profissionais e preocupação. Se no sonho você estiver sendo odiado injustamente, é porque vai encontrar amigos sinceros e prestativos, e suas amizades vão ser muito agradáveis. Caso contrário, o sonho pressagia doença.

OFENSIVIDADE Sonhar que está sendo afrontado denota que vão detectar erros em sua conduta que por sua vez vão causar raiva quando você for tentar se justificar. Se você afronta os outros, é previsão de muitas batalhas antes de atingir seus objetivos.

OFERENDA Receber ou fazer uma oferenda em sonhos indica que você vai ser adulador e hipócrita, a menos que cultive uma visão mais nobre sobre seus deveres.

OLHAR

OFICIAL DE JUSTIÇA Sonhar com um oficial de justiça implica que seus objetivos podem ser ambiciosos demais para serem alcançados.

OFICINA Ver oficinas nos sonhos implica que você vai usar de esquemas extraordinários para minar seus desafetos.

OFTALMOLOGISTA Sonhar que consulta um oftalmologista significa que você está sendo muito preguiçoso, e que vai ser questionado por isso.

OGRO Se você sonha com um ogro, tome cuidado com os prazeres hedonistas.

OLEIRO Sonhar com o trabalhador das olarias denota empregabilidade constante e resultados satisfatórios.

ÓLEO Sonhar com a unção com óleo prediz acontecimentos nos quais você será a força motriz em especial.

ÓLEO DE LINHAÇA Ver óleo de linhaça indica que sua extravagância impetuosa vai ser contida pela gentil interferência de um amigo.

ÓLEO DE RÍCINO Sonhar com óleo de rícino aponta que você vai descobrir que uma de suas amizades é falsa e que esse amigo está mesmo lhe traindo. Você logo cortará esse vínculo.

OLHAR Sonhar que está olhando ao redor ou olhando atentamente para um objeto indica que você vai ter de agir ativamente para esclarecer um assunto pessoal.

OLHO Sonhar que vê um olho é um alerta de que desafetos estão buscando a menor oportunidade para prejudicar seu trabalho. Sonhar com olhos castanhos denota engano e falsidade; olhos azuis, fraqueza na execução de suas intenções; olhos cinzentos, apego pela lisonja. Sonhar que está perdendo um olho, ou que seus olhos estão irritados, pressagia problemas.

OLMO Sonhar com essa árvore sugere um crescimento contínuo na vida pessoal.

OMBRO Ver seus ombros em sonho representa sua capacidade de cuidar de suas responsabilidades. Sonhar que vê ombros nus pressagia mudanças felizes que vão fazer com que você veja o mundo de uma maneira completamente diferente.

OMELETE Nos sonhos, essa comida representa boa sorte e ganho financeiro.

ONDA Sonhar com ondas significa turbulência, caso elas estejam lamacentas ou irregulares. Ondas límpidas indicam uma coisa boa chegando.

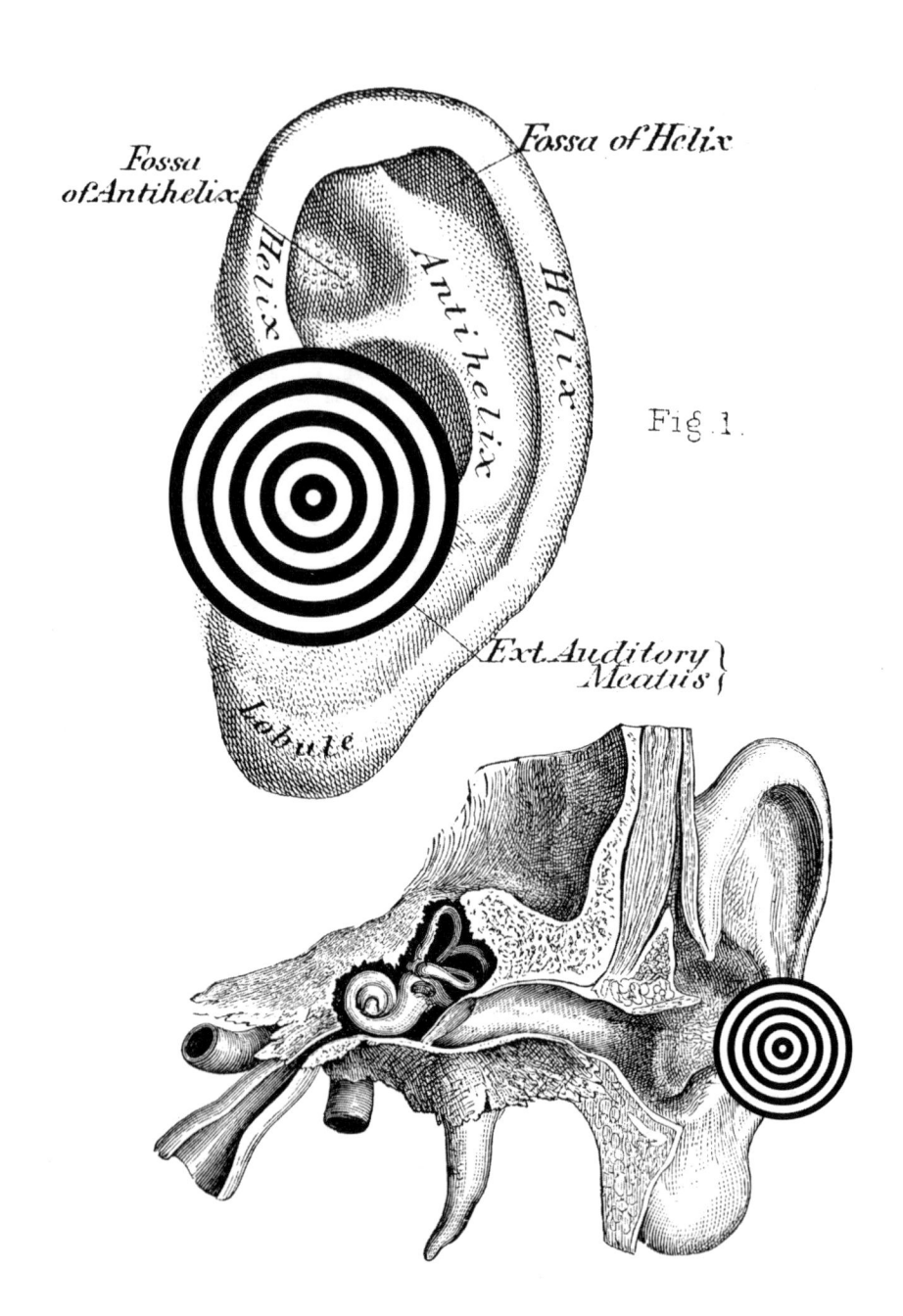

Fossa of Antihelix
Fossa of Helix
Helix
Helix
Antihelix

Fig. 1.

Ext. Auditory Meatus

Lobule

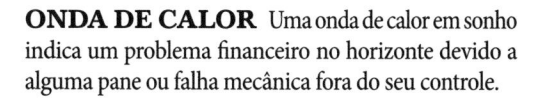

ONDA DE CALOR Uma onda de calor em sonho indica um problema financeiro no horizonte devido a alguma pane ou falha mecânica fora do seu controle.

ÔNIBUS Sonhar com um ônibus significa que você está seguindo os desejos do seu coração e de fato vai conseguir o que deseja. No entanto, esperar por um ônibus significa que um contratempo o aguarda. Um acidente envolvendo um ônibus é sinal de preocupação financeira.

ÔNIX Sonhar que usa essa pedra semipreciosa como adorno sinaliza que em breve você vai conseguir se livrar de uma situação negativa em sua vida. Sonhar que dá uma ônix a alguém é presságio de boa sorte.

OPALA Sonhar com opalas indica a entrada em um período de extrema sorte.

ÓPERA Sonhar que assiste a uma ópera diz que você vai ser entretido por amigos bacanas e vai achar sua vida favorável de modo geral.

OPERADOR DE CAIXA Ver um operador de caixa em sonho significa que outras pessoas vão reivindicar o que é seu. Se você estiver devendo a alguém, é porque na vida desperta vai ser traiçoeiro ao lidar com alguém rico.

ÓPIO Sonhar com ópio indica que estranhos vão usar de meios astutos e sedutores para estragar suas chances de melhorar de vida.

OPOSTO Sonhar que você é o oposto do que normalmente é na vida desperta implica numa busca por equilíbrio espiritual, mental ou emocional.

ORAÇÃO Sonhar que está orando é prenúncio de paz de espírito e felicidade na vida. Ouvir outras pessoas orando sugere amizades leais e duradouras.

ORÁCULO Sonhar com esse canal de sabedoria indica que você vai adquirir conhecimento ou que vai ser secretamente informado de algo muito benéfico.

ORADOR Estar sob o encanto da eloquência de um orador em sonho denota que você vai dar ouvidos à voz da lisonja, o que o levará à ruína, pois você será persuadido a oferecer ajuda a pessoas indignas. Sonhar que é um orador significa que vão se esquecer de você ao conceder uma promoção ou avanço na carreira.

ORANGOTANGO Sonhar com um orangotango é um aviso de que tem alguém usando da sua influência para promover planos egoístas.

ÓRBITA Sonhar com planetas ou satélites em órbita sugere que você vai ter de analisar bastante um problema antes de encontrar uma solução para ele.

ORDEM SECRETA Juntar-se a algum tipo de ordem secreta em sonhos aponta para uma visão de amizade egoísta e ardilosa.

ORDENHA Se você sonha que está ordenhando uma vaca e o líquido flui em abundância, é porque grandes oportunidades lhe serão negadas, mas mesmo assim o resultado será favorável.

ORELHA Se você sonha que vê orelhas, uma pessoa malvada e criativa está vigiando suas conversas para prejudicá-lo.

ÓRFÃO Sonhar com órfãos significa que a angústia alheia vai despertar sua empatia; sacrificar seu prazer vai lhe trazer alegria. Se os órfãos forem seus parentes, sinal de que novos deveres devem surgir em sua vida, causando o afastamento de amigos.

ORGANISTA Sonhar com um organista sugere que um amigo vai lhe causar muitos transtornos por causa de uma atitude precipitada.

ORGANIZAÇÃO SEM FINS LUCRATIVOS Sonhar que é dono de uma organização sem fins lucrativos é presságio de ganho financeiro. Sonhar que trabalha em uma dessas organizações indica perda financeira iminente.

ORGANIZANDO Organizar as coisas no sonho, seja física ou psicologicamente, indica que as coisas para você estão entrando em ordem — ou precisam entrar.

ÓRGÃO Ouvir o ressoar de um órgão significa amizades duradouras e prosperidade estabelecida. Se você sonha que toca uma música harmoniosa em um órgão, é porque vai ter sorte em sua busca pelo conforto mundano, e vai obter muita distinção social. Ouvir cânticos lúgubres acompanhados por um órgão indica que você vai ter de lidar com uma tarefa enfadonha, e fala de provável perda de amigos ou de cargos.

ORGASMO Ter um orgasmo em sonho indica segurança financeira e relacionamentos pessoais positivos.

ORGIA Sonhar com essa festividade sexual significa que você precisa começar a fazer as coisas com moderação.

ORGULHO Se você sonha que está tomado de orgulho, é porque em breve sua integridade será desafiada. Sonhar que os outros estão sendo orgulhosos sugere um avanço em sua carreira.

ORIFÍCIO Nos sonhos, qualquer abertura corporal significa boa saúde e prosperidade.

ORIGAMI Sonhar com a arte de dobrar papel significa sorte e prosperidade em sua vida.

ORNITORRINCO Nos sonhos, esse animal aquático representa a frivolidade e a diversão em sua vida social.

ORQUESTRA Sonhar que pertence a uma orquestra ou que toca em uma prenuncia uma diversão agradável. Se você estiver ouvindo a música de uma orquestra, sinal de que será muito querido entre as pessoas, e as benesses sorrirão para você.

ORQUÍDEA Sonhar com orquídeas é um conselho para conter seus hábitos extravagantes e exóticos.

ORVALHO Sentir as gotas do orvalho prediz que você vai ser infectado por alguma febre ou doença maligna; mas se você vir orvalho brilhando sobre a grama à luz do sol, é porque grandes honras e riquezas estão prestes a chegar. Se você for solteiro, um casamento luxuoso vai acontecer logo, logo.

OSSO Ver seu osso exposto sob a carne avisa que você pode vir a ser enredado pela traição. Uma pilha de ossos significa perda de finanças.

OSTRA Abrir ostras em sonho sugere que você perdeu sua convicção e que corre o risco de ser enganado por alguém em quem confia. Comer ostras é presságio de boa sorte nos casos amorosos. Mas se sua principal preocupação estiver ligada ao trabalho, esse sonho sugere que você vai ter de ser mais assertivo se quiser ter sucesso.

OTOMANA Se nos sonhos você se encontra suntuosamente reclinado nesse modelo de sofá, é sinal de que em breve será necessário parar e repensar sua situação, permitindo aproveitar o repouso proporcionado pelo silêncio. | Ver também Sofá.

OURIÇO Sonhar com esse animalzinho significa que talvez você tenha de fazer uma escolha que vai de encontro àquilo em que acredita.

OURO Se você manuseia ouro em um sonho, vai ter um sucesso incomum em todos os empreendimentos. Encontrar ouro indica que suas habilidades superiores vão colocá-lo facilmente à frente na corrida por homenagens e riquezas. Mas se você perder seu ouro, também vai perder a maior oportunidade de sua vida por negligência. Sonhar que encontra um veio de ouro prediz que uma reputação incômoda vai ser imposta a você. Se você sonha que quer trabalhar em uma mina de ouro, é porque na vida desperta vai se empenhar em usurpar os direitos de terceiros, e deve tomar cuidado com escândalos domésticos. Sonhar com a cor dourado indica boa sorte e riqueza, assim como lealdade entre amigos.

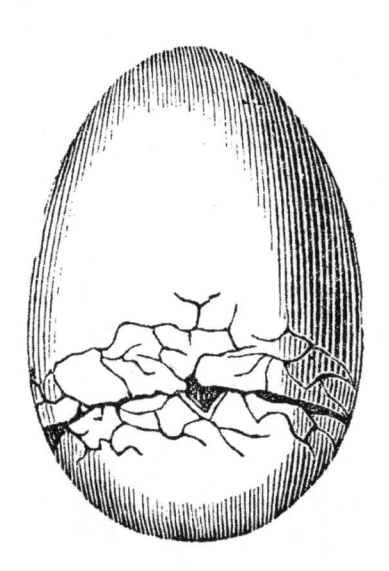

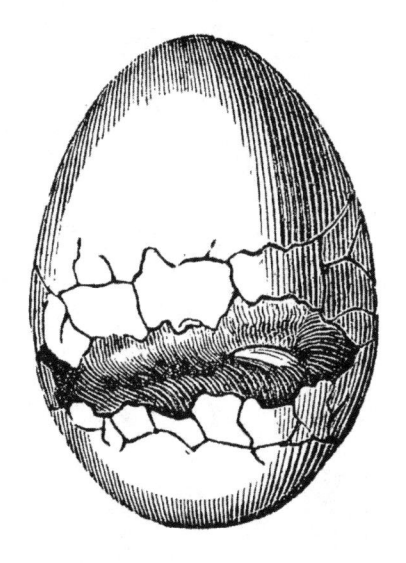

OUTONO Essa estação representa obtenção de bens por meio de herança ou litígio.

OUTUBRO Sonhar com esse mês prenuncia um sucesso gratificante em seus empreendimentos. Você também vai conhecer pessoas que virão a se tornar amizades duradouras.

OVAÇÃO Receber uma ovação de pé é um alerta para não se atrasar em um projeto profissional importante. Sonhar que ovaciona alguém pressagia reconhecimento na carreira.

OVELHA Sonhar que tosa ovelhas prediz uma temporada de empreendimentos lucrativos. Se você sonha com rebanhos, haverá muita alegria à medida que você prosperar. Ver ovelhas magricelas e com aspecto doente significa que você vai se desesperar devido ao fracasso de algum plano que prometia retornos valiosos. | *Ver também* Cordeiro, Carneiro.

OVNI Sonhar com um objeto voador não identificado sugere uma profunda mudança espiritual chegando.

OVO Sonhar que encontra um ninho com ovos denota riqueza de caráter, felicidade e muitos filhos entre os casados. Comer ovos implica em perturbações incomuns ameaçando seu lar. Se você vir ovos quebrados, mas eles estiverem frescos, a sorte está pronta para abençoá-lo com suas mais belas dádivas. Um espírito elevado e grande consideração pela justeza farão de você uma pessoa amada por todos. Sonhar com ovos podres sugere perda de propriedade e degradação. Uma caixa inteira de ovos podres, entretanto, sinaliza envolvimento em especulações lucrativas. Sonhar que jogam ovos em você pressagia obtenção de riquezas de origem duvidosa. Ver ovos de pássaros significa legados de relações distantes ou ganhos com um aumento inesperado dos produtos básicos de consumo.

OVULAÇÃO Falar sobre o assunto ou saber que você está ovulando em um sonho indica uma doença grave, mas que pode ser perfeitamente tratada com ajuda médica.

OXICOCO (CRANBERRY) Sonhar com essa frutinha pressagia reunião de familiares e amigos para uma festa.

O louco é um sonhador acordado.

Freud

P

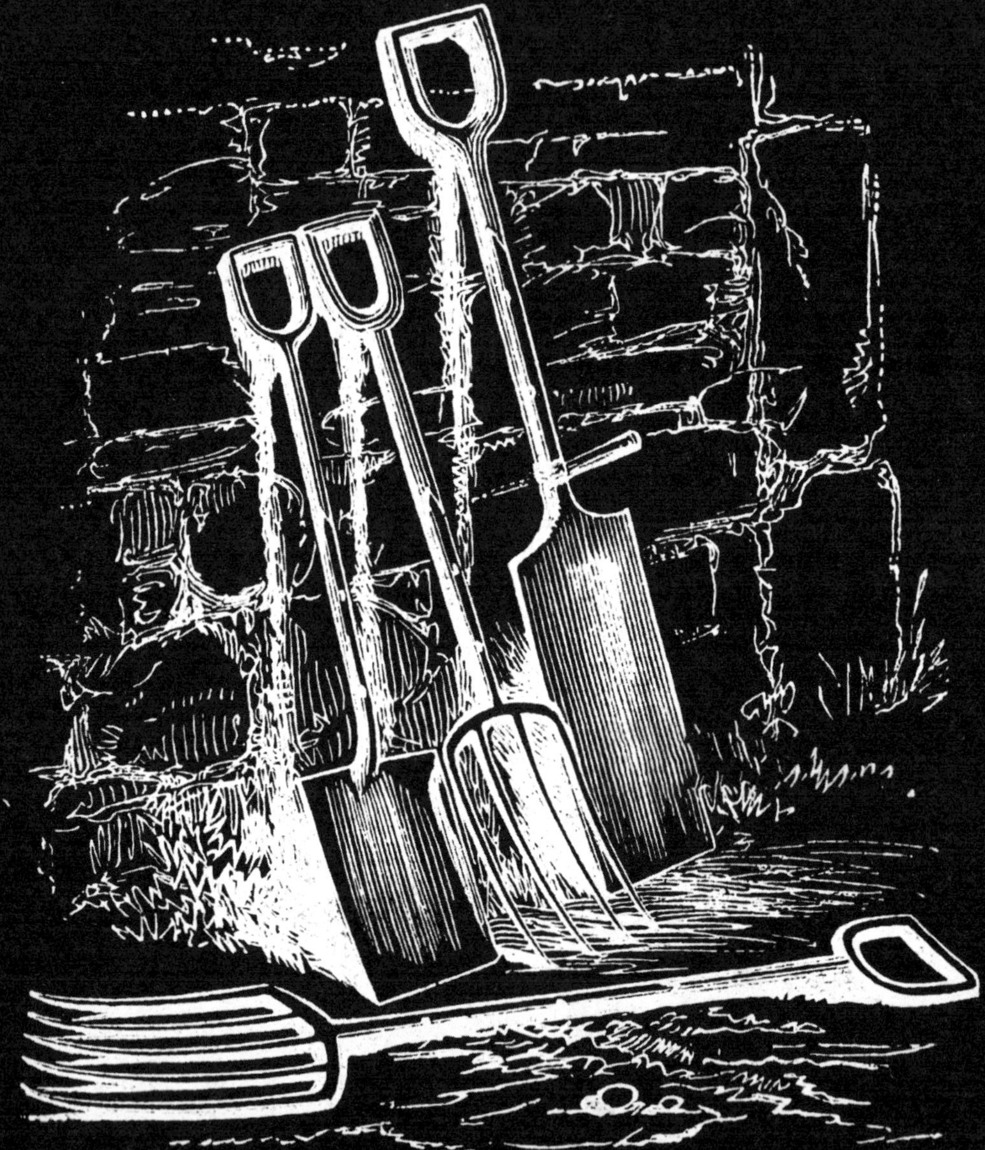

P

"A esperança é um sonho vivo."

PÁ Ver uma pá nos sonhos fala de tarefas laboriosas, porém agradáveis. Uma pá velha ou quebrada implica em esperanças frustradas.

PÁ DE BICO Sonhar com esse modelo de pá indica que você tem um trabalho pendente um tanto chato.

PACIENTE AMBULATORIAL Ser um paciente ambulatorial recebendo ajuda médica prediz o desfecho feliz de um problema de saúde.

PACOTE Se você sonha que está carregando um pacote, é porque está assumindo a responsabilidade por um problema que não é seu; é melhor se afastar. Se você sonha que recebe um pacote embrulhado, é porque um presente ou convite inesperado está chegando. Se você sonha que carrega um pacote, cuidado com as críticas.

PADARIA Sonhar com uma padaria indica que você deve ser cauteloso caso esteja realizando mudanças em sua carreira.

PADDLE (ESPORTE) Sonhar que quebra ou perde um paddle pressagia notícias moderadamente ruins. Sonhar que usa um paddle significa que você vai superar facilmente um problema de saúde. | *Ver também* Remo.

PADRE O sonho com um padre é um augúrio de doença, indicando a necessidade de conselho ou orientação espiritual em sua vida. | *Ver também* Ministro (religião), Pregador religioso.

PADRINHO DE CASAMENTO Se você é do gênero masculino e sonha que é o padrinho de casamento de alguém, é porque a felicidade e o amor da família e dos amigos estão chegando. Se você é do gênero feminino, seu sonho prenuncia segurança.

PAGAMENTO Sonhar que está pagando uma conta é presságio de segurança financeira em um futuro próximo. Sonhar que está sendo pago ou que tem de pagar outra pessoa prevê um ganho monetário inesperado.

PAGAMENTO NO ATO DA ENTREGA Sonhar que uma entrega recebia por você precisa ser paga no ato prediz uma despesa inesperada.

PAGÃO Sonhar que é um pagão fala de um despertar espiritual.

PÁGINA Ver uma página nos sonhos indica que você vai constituir uma união precipitada com alguém que não se adapta ao seu estilo. Você não vai conseguir controlar seus impulsos românticos.

PAGODE (TEMPLO PAGÃO) Ver um pagode nos sonhos significa que em breve você vai fazer uma viagem há muito desejada.

PAI Sonhar com seu pai significa que você vai se meter em um problema em breve, e que vai precisar de um conselho sábio caso queira resolvê-lo. Se seu pai estiver morto, o sonho sugere que seu trabalho está afetando você negativamente; vai ser preciso cuidado ao conduzi-lo. | *Ver também* Pais.

PAI-NOSSO Sonhar que recita o Pai-Nosso revela que você está ameaçado por desafetos furtivos, e que vai precisar do apoio de amigos para superar as dificuldades. Ouvir outras pessoas recitando essa oração é um alerta sobre um amigo em perigo.

PAINTBALL Sonhar com esse esporte significa que você tem a chance de realizar algo grandioso. No entanto, também é um alerta para agir com cuidado para não ser pego de surpresa por colegas de trabalho. Se você estiver perseguindo alguém num jogo de paintball, é sinal de avidez por desafios. Já ser perseguido indica medos ocultos.

PAIS Ver seus pais alegres em seu sonho sugere harmonia e amizades agradáveis. Se eles já tiverem morrido na vida desperta, é uma mensagem de amor e ternura e, às vezes, um aviso. Tome cuidado em suas negociações. Se você vir seus pais em sonho enquanto eles estiverem vivos na vida real, e eles estiverem na sua casa e felizes, o sonho prenuncia mudanças agradáveis para você. Sonhar que vê seus pais saudáveis e contentes implica que você está em boa forma; seu trabalho e interesses amorosos vão florescer. | *Ver também* Pai, Mãe.

PAÍS Sonhar que está em um país lindo e abundante sugere a chegada de bons momentos. A riqueza vai se acumular, e você vai reinar em qualquer campo ou empreendimento. Se o país estiver árido e pobre, aí você vai presenciar e ficar sabendo de pessoas passando maus bocados. Fome e doença se farão presentes.

PALÁCIO Sonhar que está passeando por um palácio e notar sua suntuosidade significa que suas perspectivas estão ficando cada vez mais interessantes. Você vai assumir uma seriedade renovada.

PALAVRÃO Sonhar com palavrões denota algumas obstruções desagradáveis no campo profissional. Se você estiver xingando diante de sua família, logo haverá desentendimentos devido à sua conduta desleal.

PALCO Sonhar que está no palco de um teatro e que está confortável com isso significa que sua escolha de carreira é boa; tente progredir ao máximo. Mas se você estiver desconfortável, sugere uma possível perda do emprego, mas que por fim vai colocar você no rumo de uma carreira nova e empolgante.

PALHA, FENO Se você sonha com palha ou feno, sua vida está ameaçada pelo vazio. Ver pilhas de palha queimando pressagia momentos prósperos. Dar feno ao rebanho prediz que você fará provisões fracas para aqueles que dependem de você.

PALIÇADA Sonhar com paliçadas indica que você vai alterar planos bem estabelecidos para agradar a estranhos, só que vai acabar prejudicando os próprios interesses.

PALITO DE DENTE Sonhar com palitos de dente indica que pequenas ansiedades vão causar incômodos — mas apenas se você lhes der atenção. Se você usa um palito de dente no sonho, é porque vai prejudicar um amigo.

PALLET Sonhar com pallets de madeira pressagia uma inquietação temporária com seus casos amorosos.

PALMA Sonhar que olha para a própria palma em sonho indica que você não precisa ir muito longe para encontrar o que precisa para ter sucesso: está tudo na palma da sua mão.

PALMEIRA Nos sonhos, as palmeiras simbolizam situações de esperança e felicidade de alto nível.

PANFLETO Se você sonha que está lendo um panfleto, é porque está prestes a embarcar em um novo curso para acrescentar à sua carreira. Distribuir panfletos sugere perda de emprego. Sonhar que distribui panfletos pressagia litígios e possíveis ações judiciais. Se você sonha que está imprimindo panfletos, então vai receber notícias desfavoráveis.

PÂNICO Se você sonha que está em pânico, é porque vai encontrar muita paz de espírito e tranquilidade, tanto para você quanto para sua família. Sonhar com outras pessoas em pânico enquanto você permanece tranquilo significa a necessidade de lidar com um problema familiar do qual você gostaria de ficar alheio.

PANDA

PANÇA Sonhar com alguém com uma barrigona denota riqueza e total ausência de requinte. Uma pança enrugada indica doença e reveses.

PANDA Sonhar com um desses ursos adoráveis diz que, se você deixar as preocupações de lado, seus problemas irão embora — mas talvez isso exija bastante comprometimento.

PANDEIRO Sonhar com um pandeiro prevê que você vai encontrar alegria em um evento inusitado.

PANELA Se você sonhar com uma panela, é porque vai ser incomodado por acontecimentos sem importância. Ver uma panela quebrada ou enferrujada indica grande decepção.

PANELA DE FERRO Cozinhar com essa panela significa diversão chegando para você, seus amigos e sua família.

PANORAMA Sonhar com um panorama prevê que você vai trocar de emprego ou de residência. Refreie seu desejo de trocar de ambiente e de amigos.

PANQUECA Sonhar que come panquecas significa que você vai ter muito sucesso em todos os empreendimentos realizados neste momento. Suas afeições estão bem direcionadas; pode ser que uma casa seja legada a você. Cozinhar panquecas em um sonho sugere que você é econômico e parcimonioso em seu lar.

PANTANAL Sonhar que está em regiões de charco indica que você vai descobrir muitos aspectos de sua personalidade em um futuro breve.

PÂNTANO Andar por lugares pantanosos em sonhos prediz que você vai ser alvo de circunstâncias adversas. Seu patrimônio será incerto e você vai sofrer grandes decepções em questões amorosas. | *Ver também* Charco.

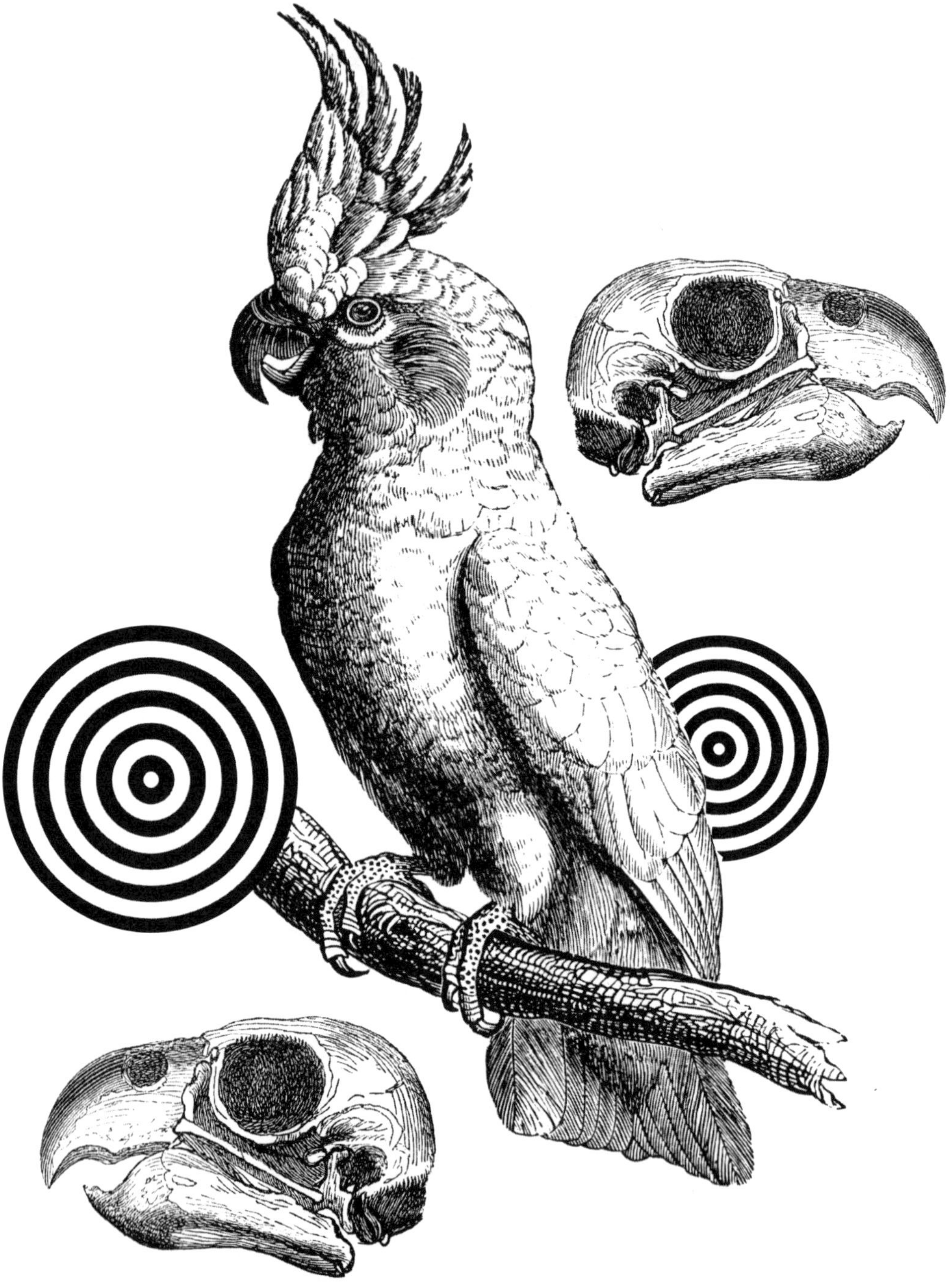

PANTERA Ver uma pantera e sentir medo denota que acordos amorosos ou profissionais podem vir a ser cancelados inesperadamente devido a influências adversas que têm atuado contra você. Mas se você matar ou dominar o animal, é porque terá alegria e sucesso em seus empreendimentos. Se a simples presença de uma pantera no sonho for uma ameaça, sinal de decepção nos negócios. É provável que outras pessoas descumpram as promessas que fizeram a você. Se você ouvir o rugido de uma pantera e sentir medo ou pavor, espere notícias desfavoráveis em relação a lucros, ou ganhos reduzidos, bem como discórdia social; se você não sentir medo no sonho, as notícias não serão tão ruins assim. Como acontece no caso de todos os felinos, ver uma pantera em um sonho é um aviso, a menos que você a mate.

PANTOMIMA Sonhar que vê uma pantomima indica que seus amigos vão enganar você. Se você estiver participando de pantomimas, é porque vai ter motivos para atacar.

PANTUFA Sonhar com pantufas avisa que você pode ser um tanto lento quando se trata de seus sonhos atuais; você precisa se estabelecer antes de prosseguir. Esse sonho também pode sugerir que você necessita de descanso.

PÃO Sonhar com pão é bom, sinal de que sua vida, tanto pessoal quanto profissional, está no caminho certo. Se você sonha que está comendo um pãozinho ou preparando um, espere andar em círculos antes de encontrar uma solução para um problema — mas será encontrada, não se preocupe. Sonhar que divide o pão com os outros indica que você tem um meio de subsistência garantido em sua vida. | *Ver também* Confeitaria, Casca de pão.

PÃO DE CENTEIO Ver ou comer pão de centeio num sonho sugere um lar alegre e bem provido.

PÃO DE FÔRMA Este sonho simboliza frugalidade. Pães partidos trazem descontentamento e brigas entre os amantes. Ver os pães se multiplicando prognostica muito sucesso; os amantes vão ficar felizes com os parceiros escolhidos.

PÃO PITA Sonhar que prepara ou come pão pita sugere um bom fluxo de caixa.

PAPA Qualquer sonho em que você vê o papa representa sua orientação espiritual, suas crenças e seu eu. É sempre um bom presságio.

PAPA-FIGO Sonhar com esse pássaro é previsão de lucro com a venda de um imóvel ou outro bem.

PAPADA Se você vê imensas papadas em seus sonhos, um amigo ou parente vai lhe contar uma mentira.

PAPAGAIO Ouvir papagaios tagarelando em seus sonhos significa frivolidade e fofoca ociosa entre seus amigos. Ver papagaios em repouso denota uma interrupção pacífica nas brigas familiares. Se você estiver tentando ensinar algo a um papagaio, é porque vai ter problemas em seus assuntos particulares. Um papagaio morto prediz a perda de amigos.

PAPEL Sonhar com papel ou tecido encerado é um alerta de que você vai se deparar com frieza e traição.

PAPEL DE PAREDE Esse sonho representa que alguém está encobrindo uma verdade e mentindo para você.

PAPEL PEGA-MOSCA Sonhar com papel pega-mosca representa problemas de saúde e amizades interrompidas.

PAPELÃO Sonhar com papelão é um aviso para ter cuidado com a perda de força física. Pode ser indício de um possível problema de saúde.

PAPELARIA Sonhar com artigos de papelaria pressagia um aumento na prosperidade.

PAPOULA As papoulas representam uma temporada de prazeres sedutores e acordos profissionais lisonjeiros, mas todos com bases instáveis. Se você inalar o odor de uma papoula no sonho, é porque na vida desperta vai ser vítima de persuasões e adulações engenhosas.

PÁPRICA Sonhar com essa especiaria é um aviso para não gastar demais em um futuro muito próximo.

PAQUERA Se você sonha que é cortejado, significa que decepções se seguirão a falsas esperanças e prazeres fugazes. Para um homem, sonhar que corteja alguém implica que ele não é digno de companhia.

PAR IDEAL Para uma jovem, sonhar que encontra seu par ideal prediz uma temporada de prazer e contentamento ininterruptos. O homem solteiro que sonha que encontra seu par ideal logo vai vivenciar uma mudança favorável no campo pessoal.

PARA-LAMA Sonhar que o para-lama do seu carro caiu significa que um momento de alegria está chegando. Ver um para-lama danificado indica uma época feliz, mas com um pequeno problema associado a ela. Sonhar que substitui o para-lama do seu carro anuncia férias inesperadas.

PARA-RAIOS Ver um para-raios em sonho sugere que você vai enfrentar a ameaça de destruição de um trabalho estimado. Se um raio atingir o para-raios, sinal de que um acidente ou notícia repentina podem trazer tristeza para você. Se em seu sonho você deseja construir um para-raios, tome cuidado ao iniciar um novo empreendimento, pois provavelmente vai haver muita decepção. Ver um para-raios derrubado significa que você vai mudar seus planos, e com isso promover sua influência. Ver muitos para-raios indica uma grande quantidade de infortúnios.

PARÁBOLA Sonhar com parábolas denota que você estará indeciso quanto ao melhor caminho a seguir ao lidar com uma complicação profissional.

PARAFUSO Sonhar com parafusos significa obstáculos descomunais que vão impedir seu progresso. Se os parafusos estiverem velhos ou quebrados, suas expectativas serão eclipsadas devido a falhas. Sonhar que vê parafusos fala de tarefas tediosas e de companhias rabugentas. Também é um alerta para ser econômico e meticuloso.

PARAÍSO Sonhar que você está no paraíso implica que amigos leais estão dispostos a ajudá-lo. Sonhar que viajou para encontrar o paraíso, mas flagrar-se perdido, sugere que você vai se enfiar em empreendimentos que parecem viáveis e promissores, mas que no fim serão apenas decepcionantes e problemáticos.

PARAÍSO (TEOLOGIA) Sonhar com o Paraíso prediz uma mudança colossal que vai se revelar uma bênção, muito embora no início você não vá pensar assim.

PARALISAÇÃO Sonhar com uma paralisação sugere que você espera resultados impossíveis de algum empreendimento.

PARALISIA FÍSICA A paralisia em um sonho pode ser uma pista de seu estado emocional. Talvez você esteja se sentindo paralisado sobre o que fazer em relação a algum dilema em sua vida. Também pode ser uma indicação do seu estágio de sono. O sono REM muitas vezes torna a pessoa incapaz de se mexer, como se estivesse paralisada.

PARALISIA PSICOLÓGICA Sonhar que está sofrendo de paralisia psicológica indica que você tem tomado más decisões profissionais. Ver um amigo tomado pela paralisia indica incerteza quanto à fidelidade dele; pode ser também que uma doença acometa sua casa.

PARAMÉDICO Ser um paramédico em um sonho pressagia que você vai receber boas notícias de saúde.

PARAQUEDAS Sonhar com um paraquedas que se abre facilmente significa uma vida amorosa feliz. Sonhar que tem problemas para abri-lo sugere que você vai ser decepcionado por um interesse amoroso ou um amigo íntimo.

PARCERIA Sonhar que forma uma parceria denota incerteza financeira. Dissolver uma parceria desagradável sugere que as coisas vão se encaixar de acordo com seus desejos; no entanto, se a parceria foi agradável, o sonho implica em notícias inquietantes e reviravoltas ruins.

PARDAL Sonhar com pardais significa que você estará cercado de amor e conforto, e que isso vai proporcionar popularidade. Ver pardais doentes ou feridos indica tristeza.

PAREDE, MURO Sonhar que uma parede ou muro está obstruindo seu progresso sugere vitórias importantes na carreira. Se você conseguir pular por cima do muro, é porque na vida desperta vai superar obstáculos e conquistar seus desejos. Se você conseguir forçar uma brecha em uma parede ou muro, vai ter sucesso na realização de seus desejos devido à sua pura tenacidade e senso de propósito. Se você demolir a estrutura, é porque vai derrubar seus inimigos. Construir uma parede ou muro prenuncia que seus planos serão elaborados com cuidado, e sua prosperidade vai se solidificar de tal forma que vai ser possível evitar o fracasso e se manter afastado de desafetos astuciosos.

PARQUE Sonhar que passeia por um parque bem cuidado significa lazer prazeroso. Se você estiver com a pessoa amada, sinal de um casamento confortável e feliz. Parques malcuidados, desprovidos de grama ou de folhagens verdes alertam para reveses inesperados.

PARQUÍMETRO Sonhar que está colocando dinheiro em um parquímetro significa que logo vai lhe sobrar dinheiro para economizar. Se você sonha que leva uma multa porque acabou seu tempo para estacionar, é porque na vida desperta pode haver uma despesa inesperada muito em breve; sendo assim, certifique-se de economizar para se preparar para esse momento.

PARTEIRA Ver uma parteira nos sonhos significa uma doença lamentável e uma escapada da morte por um triz.

PARTIDA

PARENTE Sonhar com qualquer parente da sua família prevê o livramento de preocupações. Sonhar com o parente de outra pessoa diz que em breve você vai buscar ajuda para um problema.

PARENTES POR AFINIDADE Sonhar com seus sogros, noras, genros ou cunhados prediz harmonia familiar. Sonhar que está ocupando essa posição de parente por afinidade significa um problema familiar no horizonte.

PÁRIA Ser um pária nos sonhos significa que você é amado e estimado por amigos e colegas. Sonhar com um pária denota dificuldades pessoais e um azar distinto nos assuntos profissionais.

PARÓDIA Cantar ou ouvir paródias engraçadas em sonhos indica que você vai ter muito prazer por um tempo, mas que as dificuldades vão dominar.

PARTIDA Sonhar que aguarda a partida do seu meio de transporte significa que você vai perder tempo em assuntos triviais. Assistir à partida de alguém sugere que você vai conseguir terminar um projeto com tempo de sobra.

PARTO Sonhar que dá à luz prevê circunstâncias afortunadas e o parto seguro de um lindo bebê. Se uma mulher casada sonha que está dando à luz um filho, é sinal de que na vida desperta vai ter grande alegria e uma herança substancial.

PASSAGEIRO Sonhar que vê passageiros chegando com suas bagagens denota melhorias em seu entorno. Se eles estiverem indo embora, você vai perder a oportunidade de conseguir um bem desejado. Se você for um dos passageiros e estiver saindo de casa, vai haver insatisfação com sua situação atual e você vai querer mudá-la.

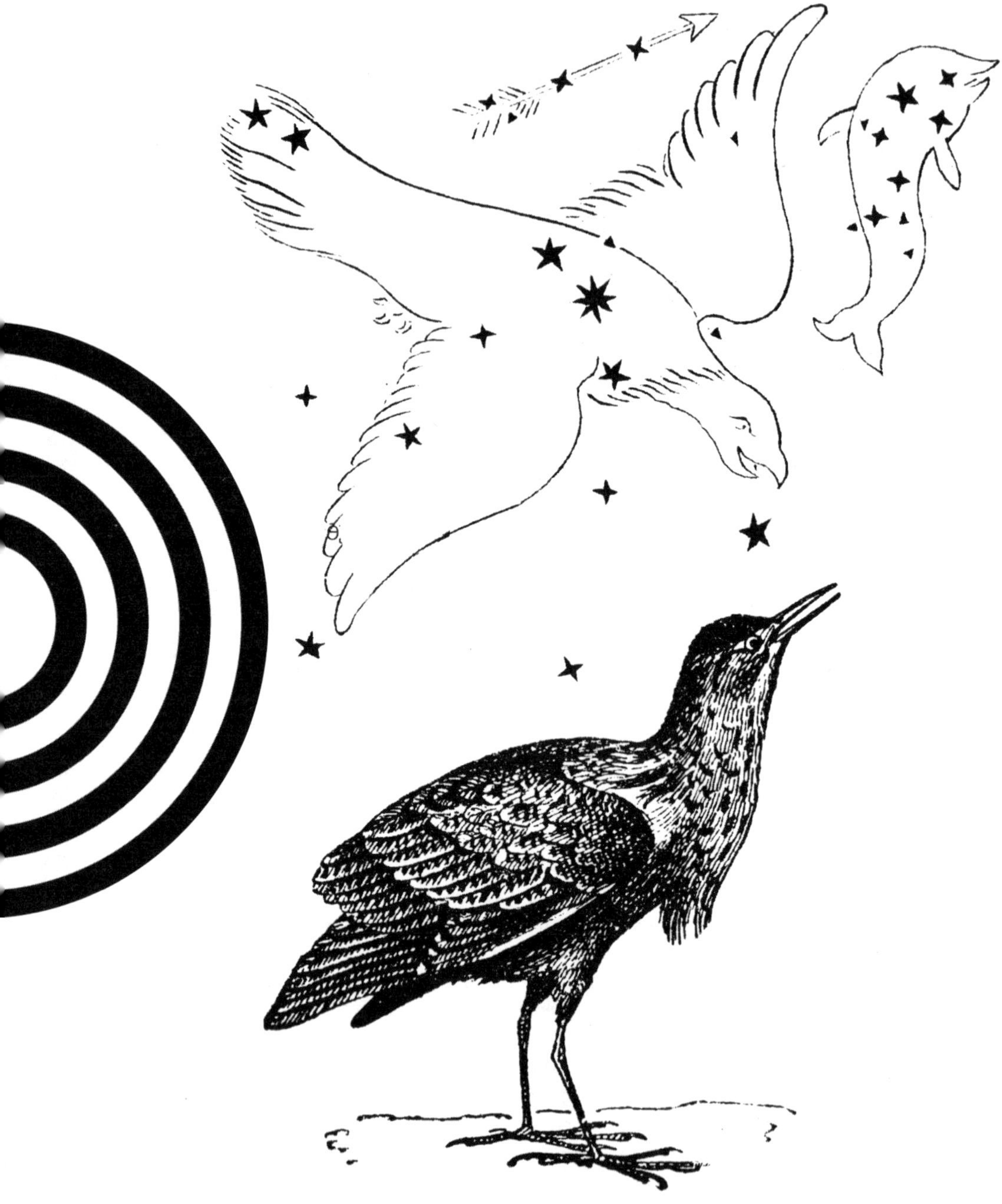

PASSAGEM SUBTERRÂNEA Se você sonha com uma passagem subterrânea, é porque pode se deparar com um obstáculo em sua vida pessoal que vai trazer bastante dor, mas você vai conseguir superá-lo.

PASSAPORTE Sonhar que obtém ou usa um passaporte significa uma viagem chegando. Se você sonha que está com o passaporte de outra pessoa, os planos de viagem serão adiados ou cancelados.

PASSAR A FERRO Sonhar que está passando a ferro denota conforto doméstico e vida profissional organizada.

PASSARELA Sonhar que cruza uma passarela ou tronco acima de um riacho de águas límpidas denota um emprego aprazível e lucro. Se a água estiver turva e lamacenta, indica perda e incômodo temporário. Cair de uma passarela em água limpa sugere uma viuvez curta que terminará em um casamento agradável; mas se a água estiver suja, suas perspectivas serão sombrias. | *Ver também* Ponte.

PASSARELA DE MODA Sonhar que desfila por uma passarela pressagia reconhecimento social de natureza positiva. Assistir a outras pessoas desfilando numa passarela indica uma viagem chegando.

PÁSSARO É favorável sonhar com pássaros de bela plumagem. Pássaros voando significam prosperidade. É indicativo de que todas as circundantes desagradáveis vão desaparecer antes dessa potencial onda de coisas boas. Capturar pássaros também indica boa sorte. | *Ver também* Cardeal; outros pássaros específicos, Ave.

PASSATEMPO Sonhar com um passatempo implica em mudanças incômodas surgindo em sua vida, mas que no final das contas serão irrelevantes.

PASSEIO Sonhar com passeio sugere que você vai se envolver em atividades enérgicas e lucrativas. Ver os outros passeando despreocupadamente significa que você vai se deparar com rivais na busca por seus objetivos.

PASTA DE DOCUMENTOS Sonhar com uma pasta velha e gasta significa muito sucesso na vida profissional. Sonhar com uma pasta novinha pede atenção a mudanças imprevistas e indesejadas no trabalho.

PASTO Nos sonhos, as pastagens verdes simbolizam felicidade e prosperidade; já pastagens murchas e secas, más notícias. Sonhar com pastagens recém-aradas sugere que logo, logo você vai atingir uma meta que estabeleceu para si. Se também houver animais no pasto, pesquise o significa desses animais individualmente neste guia.

PASTOR DE REBANHOS Sonhar com pastores observando seus rebanhos pressagia colheitas abundantes e relações agradáveis para os fazendeiros, e também muito prazer e lucro para quem está em outros ramos. Ver pastores ociosos prediz doença e luto.

PATA (ANATOMIA ANIMAL) Sonhar com a pata de um animal é um alerta de que alguns de seus amigos são desonestos e desleais.

PATENTE Sonhar que registra uma patente avisa para ter cuidado e meticulosidade em qualquer tarefa que você assumir. Se você não conseguir garantir a patente, vai fracassar em alguma tarefa devido à sua falta de habilidade.

PATINAÇÃO NO GELO Sonhar que está patinando no gelo significa que você está sob risco de perder o emprego ou algo de valor. Se o gelo se romper, amigos indignos vão lhe dar conselhos. Ver outras pessoas patinando sugere que pessoas ruins vão associar seu nome a um escândalo, juntamente a alguém que admira você. Ver patins de gelo denota discórdia entre seus pares.

PATINS Ver pessoas jovens de patins é sinal de que você vai ter boa saúde e se empolgar com o prazer de contribuir para os outros.

PATO Sonhar que vê patos selvagens em um riacho límpido significa viagens felizes, talvez pelo mar. Patos brancos em uma fazenda indicam frugalidade e boa colheita. Caçar patos fala em mudança no emprego e execução de planos. Vê-los abatidos a tiros revela que desafetos estão se intrometendo em seus assuntos particulares. Patos voadores predizem um futuro brilhante. Isso também denota casamento e filhos em uma nova casa.

PAU-BRASIL Sonhar com essas árvores em seu estado natural sugere um ganho monumental em sua carreira ou vida pessoal. Sonhar que está trabalhando com essa madeira, cortando a árvore, por exemplo, é um presságio de boas mudanças em sua vida pessoal ou profissional.

PAVÃO Os pavões são um bom presságio, sinalizando prestígio, sucesso e contentamento no relacionamento e na carreira. No entanto, ao aparecer nos sonhos eles também podem apontar um problema de vaidade e falso amor-próprio. Ouvir seus piados ao mesmo tempo em que você admira sua plumagem orgulhosamente aberta indica que alguém pode lhe causar desconforto e mal-estar.

PAVIMENTO Sonhar com um pavimento novo ou liso significa períodos tranquilos pela frente. Já um pavimento irregular ou quebrado indica ciúme entre você e um amigo.

PAVIO Sonhar que acende pavios de velas denota que um evento agradável vai colocar você em contato com amigos há muito sumidos. Apagar as velas indica períodos decepcionantes; uma enfermidade vai impedir as tão ansiadas oportunidades de encontrar amigos importantes.

PAVOR Sonhar que está apavorado com qualquer coisa remete a preocupações temporárias e passageiras. Sonhar que teme uma pessoa, acontecimento, situação ou objeto significa que você está concedendo poder demais a alguém ou a algo.

PAZ Se você sonha com a paz mundial, é porque vai encontrar felicidade e contentamento por meio do aprendizado espiritual.

PÉ-DE-MEIA Se você falar sobre sua reserva financeira em um sonho, ou ouvir outra pessoa falando no assunto, é porque pode vir a ter um ganho de dinheiro inesperado. Sonhar que discute o pé-de-meia de outra pessoa é um alerta para ter cuidado com os gastos.

PEÇA TEATRAL Sonhar que assiste a uma peça teatral significa reencontros agradáveis com amigos distantes. Se você ficar entediado com a apresentação, é porque na vida real vai ser obrigado a aceitar um companheiro incompatível em algum entretenimento ou caso secreto. Escrever uma peça teatral pressagia mergulhos em aflições e dívidas, só para você por fim se livrar delas quase que por obra de um milagre.

PECHINCHA Sonhar que encontra uma pechincha sugere boa sorte. Sonhar que está pechinchando avisa que algo de valor pode ser tirado de você.

PEDALAR Sonhar que pedala qualquer coisa, como uma bicicleta, significa que você vai receber uma grande recompensa pelo trabalho árduo.

PEDESTAL Sonhar que coloca algo em um pedestal sugere que um conhecimento espiritual superior está chegando por meio da inspiração. Se você sonha que tira algo de um pedestal, é porque vai ter a oportunidade de olhar para o seu eu espiritual e fazer mudanças em prol de sua paz de espírito.

PEDICURE Sonhar que tem os pés cuidados na pedicure significa que em breve você vai encontrar descanso do trabalho árduo. Se você estiver fazendo o trabalho de pedicure, é porque vai ter de ajudar alguém que ama a atingir um objetivo.

PEDIDO Sonhar que é alvo de algum tipo de pedido para a caridade sugere que na vida real você vai se flagrar em situações constrangedoras, mas que no fim vai conseguir restaurar totalmente seu nome por meio da simples persistência. Se o pedido for injusto, você vai se tornar um líder em sua profissão. | *Ver também* Caridade.

PEDIDO DE CASAMENTO Sonhar que faz ou recebe um pedido de casamento prevê grande popularidade entre seus amigos e colegas.

PEDIDO DE DESCULPAS Pedir desculpas, ou ser desculpado, é um sonho de perdão. É indício de que você vai ser perdoado ou vai perdoar o mal que lhe fizeram.

PEDRA-UME Ver pedra-ume em um sonho é o presságio da frustração de planos bem traçados. Provar pedra-ume sugere um remorso secreto sobre algum mal que você fez a um inocente.

PEDRAS PRECIOSAS Sonhar com pedras preciosas denota prazer e riqueza. Usá-las traz status e ambições satisfeitas. Se vir outras pessoas usando-as, é porque você ou um amigo vão ocupar lugares

PEDRA

PEDRA Ver pedras em seus sonhos prenuncia inúmeras perplexidades e fracassos. Caminhar entre rochas ou pedras prediz que um caminho irregular e acidentado será seu por pelo menos um tempo. Se você atirar uma pedra, é porque vai ter motivos para advertir uma pessoa. Se você jogar uma pedra ou seixo em uma pessoa beligerante, indica que um mal que você teme não vai acontecer devido a sua atenção incansável aos princípios corretos. | *Ver também* Rocha.

PEDRA DA LUA Sonhar com essa joia semipreciosa sugere que em breve você vai atrair o amor ou deter a capacidade de manter a calma durante um período conturbado no relacionamento.

PEDRA DE AMOLAR Sonhar com uma pedra de amolar prenuncia preocupações intensas; preste muita atenção à sua vida pessoal se quiser evitar dificuldades. É provável que você seja obrigado a fazer uma viagem desconfortável. Virar uma pedra de amolar em seu sonho profetiza uma vida de energia e esforços bem direcionados, que trará recompensas maravilhosas. Se você estiver usando a pedra para afiar ferramentas, é porque vai ser abençoado com um parceiro de vida bacana. Sonhar que é um vendedor de pedras de amolar representa ganhos pequenos, porém honestos.

de destaque. Sonhar com roupas ornadas com pedras preciosas indica uma rara boa sorte: herança ou especulação vão aumentar seu status. Se você herdar pedras preciosas em sonho, é porque sua prosperidade vai alcançar um patamar incomum, mas ainda assim não será inteiramente satisfatório. Sonhar que está dando pedras preciosas a alguém é um alerta de que alguma situação vital está ameaçando você. Encontrar pedras preciosas denota um avanço rápido e brilhante em assuntos vantajosos. Se você doar pedras preciosas, é porque vai fazer mal a si inconscientemente. Se comprá-las, vai ter muito sucesso em situações importantes, especialmente aquelas que dizem respeito ao coração.

PEDREGULHO Encontrar em sonho um pedregulho que pode ser deslocado ou facilmente contornado sugere que seus problemas são quase intransponíveis. Já encontrar um pedregulho que você não consegue mover ou contornar facilmente significa que seus problemas atuais serão superados com facilidade.

PEDREIRA Sonhar que está em uma pedreira e ver os operários ocupados sugere que você vai avançar por meio do trabalho árduo. Uma pedreira ociosa significa fracasso, decepção e, frequentemente, morte.

PEDREIRO Sonhar que vê um pedreiro exercendo seu ofício denota uma evolução em sua situação atual; espere uma atmosfera social mais agradável. Ver pedreiros trabalhando em sonho prediz decepção. Sonhar que você é pedreiro pressagia que seu trabalho vai ser infrutífero e que seus colegas serão entediantes e incompatíveis.

PEGA-RABUDA Sonhar com essa ave denota insatisfação e brigas. Depois desse sonho, fique de olho na sua conduta, e cuidado com o que fala.

PEGADA Ver as pegadas de uma mulher em seu sonho é sinal de sucesso em novas oportunidades. Já pegadas de um homem alertam para ter cuidado com as mudanças que você vem fazendo em sua vida neste momento. E as pegadas de uma criança anunciam o fim das preocupações com uma situação ou problema. Ver as próprias pegadas significa muito sucesso a caminho.

PEGADINHA Sonhar que está pregando uma peça em alguém sugere sucesso em um acordo profissional. Se você sonha que alguém prega uma peça em você e acha engraçado, é porque pode acontecer um problema com um amigo ou colega de trabalho. Já se a pegadinha não tiver graça nenhuma, espere decepção em sua vida pessoal.

PEITO, TÓRAX Sonhar com alguém com o peito nu significa que você vai estar livre para desfrutar das coisas boas da vida.

PEIXARIA Visitar uma peixaria em sonho traz competência e prazer. Já ver peixes estragados no mercado indica que a tristeza pode vir disfarçada de felicidade.

PEIXE Sonhar que vê peixes em riachos de águas límpidas pressagia que você será favorecido pelos ricos e poderosos. Peixes mortos significam perda de riqueza e poder devido a alguma calamidade. Sonhar que pesca um bagre sugere que você vai ser constrangido pelas maldades de seus desafetos, mas sua sorte e presença de espírito vão lhe garantir a superação. Patinhar pela água, pegando peixes, pressagia que você vai obter riqueza por meio de sua habilidade e iniciativa. Sonhar com pesca denota energia e economia; mas se você não conseguir pegar nenhum peixe, seus esforços para atingir honra e riqueza serão inúteis. Comer peixe fala de apegos calorosos e duradouros.

PEIXINHO DOURADO Sonhar com esse peixe é um presságio de muitas aventuras agradáveis e bem-sucedidas.

PELE Sonhar com uma pele limpa e bonita implica em felicidade na vida familiar e doméstica. Sonhar com uma pele machucada ou cheia de espinhas sugere problemas na vida amorosa. A pele descascando representa um período de infelicidade e o fim de um relacionamento que por fim vai abrir as portas para um novo amor.

PELE (DE ANIMAL) Sonhar que negocia peles denota prosperidade e interesses diversificados. Usar casaco de pele significa sua ânsia por segurança para evitar a necessidade e a pobreza. Ver peles refinadas implica em homenagens e riquezas. Se uma jovem sonha que está usando peles caras, é porque vai se casar com um homem culto.

PELICANO Sonhar com um pelicano fala de uma mistura de decepções e sucessos. Se você sonha que captura um pelicano, é porque vai superar autoridades decepcionantes. Matar um pelicano indica que você vai anular cruelmente os direitos alheios. Se você os vir voando, é porque vai sentir a ameaça de mudanças que vão causar insegurança.

PELOS PÚBICOS Sonhar com esse tipo de pelagem corporal é anúncio de gravidez ou parto.

PENA (PLUMA) Sonhar que vê penas ou plumas caindo ao seu redor significa que seus fardos na vida serão leves e facilmente suportáveis. Ver penas de águia indica que suas aspirações serão conquistadas; mas ver penas de galinha é sinal de pequenos aborrecimentos. Sonhar que compra ou vende penas de ganso ou de pato fala de frugalidade e sorte.

PENALIDADE Sonhar com a imposição de penalidades prediz deveres que causam irritação e incitam a rebeldia. Pagar uma multa depois de uma penalidade denota doença e perda financeira. Se você conseguir escapar do pagamento, no entanto, será vencedor em alguma disputa.

PÊNDULO Sonhar com pêndulos garante que uma mudança repentina nos planos ou na rotina vai ser para melhor.

PENEIRA Sonhar com uma peneira sugere que em breve você vai realizar uma transação chata, provavelmente resultando em perda. Se a trama da peneira for fina demais, você vai ter a chance de reverter uma decisão desfavorável. Se for grande demais, você vai acabar perdendo algo que adquiriu recentemente.

PÊNIS Não importa com que tipo de pênis você sonhe, sempre será o presságio de uma gravidez ou nascimento para acontecer.

PENITENCIÁRIA Sonhar com uma penitenciária sugere que os relacionamentos vindouros vão lhe trazer perda. Ser um prisioneiro em uma penitenciária significa descontentamento no lar e fracasso no trabalho. Se você conseguir fugir, é porque vai superar os obstáculos.

PENSÃO (HOSPEDAGEM) Sonhar com uma pensão prediz que você vai sofrer por causa de confusão e desordem, e provavelmente vai se mudar de casa.

PENTEADEIRA Ver uma penteadeira ou fuçar nas gavetas de uma penteadeira em sonho sugere que você vai ter decepções. Ver uma penteadeira organizada tem a ver com amigos agradáveis e entretenimento.

PENTEAR OS CABELOS Sonhar que penteia os cabelos sugere doença ou morte de um amigo ou parente. Danos à amizade e perda de propriedades também são uma possibilidade. | *Ver também* Cabelo.

PEÔNIA Nos sonhos, essas flores representam preocupação e ansiedade.

PEPINO Esse sonho representa fartura, denotando saúde e prosperidade.

PEPITA Sonhar com pepitas de metais preciosos indica que uma oportunidade que está surgindo vai afetar sua situação ou arredores positivamente.

PERA Sonhar que come peras denota fertilidade e prosperidade. Admirar o fruto sugere que a sorte terá um aspecto mais promissor do que antes. Colher peras implica que surpresas agradáveis vão suplantar rapidamente a decepção. Se você sonha que está fazendo conservas de peras, é porque aceita as reversões filosoficamente. Cozê-las denota amizade e amor insípidos.

PERCA (PEIXE) Sonhar com esse peixe colorido significa que a sorte está chegando para você.

PERCEVEJOS Vistos nos sonhos, eles indicam doença e infelicidade contínuas.

PERDA Perder ou colocar algo no lugar errado mostra que você vai ter de superar um obstáculo em um assunto pessoal. Perder algo de grande valor significa que esse obstáculo vai ser tão grande que você vai precisar de ajuda.

PERDIDO Sonhar que você está perdido é um alerta para se desiludir da crença de que a sorte virá em seu auxílio. Seus empreendimentos estão sob ameaça de fracasso, a menos que você seja meticuloso na administração deles. | *Ver também* Caminho, Estrada.

PERDIZ Ver essa ave em seu sonho fala de condições favoráveis para a aquisição de bens. Se você laçar algum, significa que vai ter sorte ao atender às suas expectativas. Matá-los indica sucesso; comê-los, o gozo de honras merecidas. Se você vir perdizes voando, é porque um futuro promissor o aguarda.

PEREGRINO Sonhar com peregrinos prevê uma longa viagem, abandonando o lar e seus objetos mais estimados pela crença equivocada de que isso deve ser feito para o bem de seus entes queridos. Sonhar que você é um peregrino pressagia batalhas contra a pobreza e companhias desagradáveis.

PERFIL Sonhar que está redigindo um perfil sobre si mesmo sugere que logo você vai fazer um exame de consciência e se culpar por algo que fez. Se você sonha que está lendo o perfil de outra pessoa, então significa que seus amigos são honestos e leais. Sonhar que vê uma pessoa de perfil pressagia um problema com um amigo ou parente.

PERFUME Sonhar que inala perfume é um presságio de acontecimentos felizes. Se você passa perfume em si e em suas roupas, implica que você vai buscar (e conseguir) adulação. Intoxicar-se com perfume indica que excessos na diversão vão anuviar o pensamento. Derramar perfume denota a perda de algo que lhe dá prazer. Quebrar um frasco de perfume prediz que seus desejos e vontades mais almejados vão terminar desastrosamente, mesmo que a promessa seja de final feliz. Sonhar que está destilando perfume significa que seus empregos e relacionamentos serão do tipo mais agradável.

PERFURAÇÃO Perfurar qualquer coisa em sonhos prenuncia mudanças na casa ou na carreira. Sonhar que observa outra pessoa perfurando algo é sinal de que mudanças não são adequadas neste momento. Sonhar que perfura objetos é um aviso para observar a perda de tempo com questões triviais.

PERGAMINHO Se nos sonhos você citar ou manusear qualquer tipo de pergaminho, é porque na vida desperta vai sofrer ameaça de perdas. É provável que elas venham na forma de um processo judicial.

PERIGO Sonhar que se encontra em uma situação perigosa onde a morte parece iminente indica que na vida desperta você vai emergir da obscuridade para a distinção e a honraria; mas se você não conseguir escapar do perigo, e se morrer ou for ferido em sonho, é porque vai ter problemas profissionais e será perturbado em casa e por terceiros. Se você está apaixonado, ou se busca o amor, suas perspectivas vão ficar bem sombrias.

PERÍODO MEDIEVAL Sonhar que você está no período medieval é um aviso sobre sua tendência a ter a mente fechada; você precisa expandir seu pensamento.

PERJÚRIO Se você sonha que comete perjúrio, está sendo avisado de que alguns acordos em sua vida não serão honestos; tome cuidado. Sonhar que os outros cometem perjúrio sugere que uma injustiça cometida contra você logo será corrigida.

PERMUTA Se você está fazendo alguma permuta em sonho, é um alerta de que você vai comprar gato por lebre ou que uma negociação não vai ser justa para você.

PERNAS Se você sonha que está admirando as pernas de alguém, então é porque na vida desperta você admira qualidades nessa pessoa — e que cairiam muito bem caso você as adotasse para si. Ver pernas deformadas fala de sua incapacidade para se virar sozinho. Uma perna ferida prenuncia perdas. Sonhar que você usa perna de pau indica que você vai se humilhar diante de seus amigos. Se houver ulcerações nas pernas, é porque na vida desperta você já está esgotando sua capacidade de ajudar outras pessoas financeiramente. Sonhar que você tem três ou mais pernas sugere que você vislumbra uma quantidade de empreendimentos muito maior do que sua capacidade de lucrar com eles. Se você não consegue usar suas pernas, é presságio de pobreza. Ter uma perna amputada sugere a perda de amigos valiosos. A atmosfera doméstica vai tornar a vida insuportável. Sonhar que uma de suas pernas está mais curta do que a outra sugere desequilíbrio em algum aspecto da vida.

PERNAS DE PAU Sonhar que anda sobre pernas de pau indica que seu destino não está seguro. Se você cair ou sentir as pernas de pau quebrando, é porque vai ser enfiado em um constrangimento ao confiar seus negócios aos cuidados de outras pessoas.

PERNICIOSIDADE Sonhar que algo é nocivo ou que você inala vapores tóxicos pressagia bem-estar físico.

PÉROLA Nos sonhos, as pérolas simbolizam bons negócios e situações de natureza social.

PERPLEXIDADE Ficar perplexo com uma situação em sonho significa que você vai encontrar a luz para um acontecimento incômodo. Se você estiver tentando desconcertar alguém em seu sonho, é porque vai criar confusão em um acontecimento vindouro na vida desperta.

PERSEGUIÇÃO Sonhar que está sendo perseguido sugere uma vida confortável com novos amigos e familiares.

PERSONIFICAÇÃO Sonhar que você se passa por alguém significa que você não está sendo muito sincero sobre um problema atual em sua vida. Já se você for personificado por alguém em seu sonho, é porque vão surgir novas amizades bem interessantes.

PERTURBAÇÕES Em sonho, perturbar alguém diz que as pessoas estão falando pelas suas costas. Estar perturbado em um sonho é sinal de boas amizades.

PERU (ANIMAL) Sonhar que vê perus significa ganhos abundantes nos negócios. Vê-los temperados no mercado denota melhorias em seus negócios. Vê-los doentes ou mortos indica que circunstâncias financeiramente difíceis vão ferir seu orgulho. Sonhar que come peru anuncia que uma ocasião alegre se aproxima. Se você sonhar com perus voando, espere uma rápida transição da obscuridade para a proeminência. Atirar neles, como numa caçada, é sinal de que você vai acumular riquezas inescrupulosamente.

PERUCA Sonhar que usa peruca indica uma mudança desfavorável. Se você perder uma peruca, é porque vai incorrer no escárnio e no desprezo dos desafetos. Ver outras pessoas usando peruca é sinal de traição enredando você.

PÉS Sonhar que vê seus próprios pés pressagia desespero. Você vai ser dominado pela vontade e temperamento alheios. Ver os pés de outra pessoa indica que você vai assegurar seus direitos de uma forma pacífica, porém determinada, e que vai conquistar para si um lugar acima dos estilos de vida mais mundanos. Sonhar que lava seus pés significa você vai permitir que os outros se aproveitem de você. Sonhar que seus pés estão doendo é prenúncio de problemas de caráter humilhante, que geralmente se apresentam como brigas de família. Se você vir que seus pés estão inchados e vermelhos, é porque vai fazer uma mudança repentina em sua vida profissional ao se separar de sua família.

PÉS DESCALÇOS Sonhar com pés descalços significa superar as dificuldades para poder alcançar seus objetivos; também sugere boa sorte iminente.

PESADELO Sonhar que está sofrendo com pesadelos denota disputas e fracasso nos assuntos profissionais.

PESAGEM Sonhar que está se pesando indica que você está se aproximando de um período próspero. Se você se empenhar com determinação para o sucesso, vai colher todos os frutos de seu trabalho. Se você sonha que está pesando outras pessoas, é porque vai conseguir subordinar os desejos delas aos seus interesses.

PESCA (COM ANZOL) Sonhar com pesca é bom. Mas se você não conseguir pegar nenhum peixe, é sinal de que as coisas irão mal para você. | *Ver também* Peixe.

PESCADOR Se você sonha com um pescador é porque está se aproximando de uma época de prosperidade jamais vista.

PESCOÇO Sonhar que vê o próprio pescoço prenuncia dinheiro chegando. Se você quebra o pescoço, deve prestar atenção às perdas e aos problemas financeiros.

PESPONTO Sonhar com pespontos significa que você vai esclarecer um assunto pessoal, e isso lhe trará felicidade.

PESQUISA Pesquisar algo, mas não saber o que está procurando implica que você pode estar perdendo tempo em uma atividade ou relacionamento sem sentido. Se você tiver noção do que está procurando, mas não conseguir encontrar, é porque um relacionamento que agora parece bom vai terminar em breve. Encontrar o que você procura prevê um novo relacionamento feliz e agradável.

PESQUISA DE OPINIÃO Sonhar com uma pesquisa de opinião é um alerta de que você pode perder algo se não tomar cuidado.

PÊSSEGO Sonhar que vê ou saboreia pêssegos indica momentos prazerosos pela frente. Vê-los em árvores com folhagem sugere que você vai conquistar algum cargo ou coisa desejada depois de muito esforço — e de arriscar seu dinheiro e sua saúde. Pêssegos secos são um aviso de que os desafetos podem surrupiar algo de você. | *Ver também* Pomar.

PESTILÊNCIA Se você sonha que está preocupado com uma praga ou pestilência de qualquer natureza, é porque elementos incômodos vão prevalecer em seu futuro imediato. Ver outras pessoas com essa preocupação indica que você vai se aborrecer com o desenrolar desagradável de alguma história.

PÉTALA Sonhar com pétalas caindo indica o fim próximo de uma amizade ou relacionamento.

PETRÓLEO Grandes quantidades de petróleo prognosticam excessos no prazer. Para um homem, sonhar que negocia petróleo denota um romance malsucedido, pois ele espera concessões incomuns.

PETÚNIA Nos sonhos, essa flor representa prazeres sociais, novos passatempos ou planos de férias.

PHD Sonhar que recebe esse título acadêmico significa um avanço em sua carreira. Entregá-lo a outra pessoa sugere uma possível perda de emprego.

PIA Sonhar com uma pia significa que você vai encontrar novos interesses que proporcionam muitas diversão aos outros. Lavar o rosto e as mãos numa

PÍLULA, COMPRIMIDO

cuba de água limpa, prediz que você logo vai consumar um romance e vai se conectar intimamente a alguém que já despertava seu interesse, antes mesmo de a paixão se consumar. Se a cuba estiver suja ou quebrada, você se arrependerá de um relacionamento proibido que vai lhe proporcionar pouco prazer e magoar outras pessoas.

PIADA Sonhar que está rindo de uma piada fala de um desentendimento com um amigo. Sonhar que conta uma piada engraçada implica em sucesso profissional no futuro. Contar piadas sujas ou ofensivas significa grandes lucros.

PIANO Nos sonhos, um piano representa uma ocasião alegre.

PIÃO (BRINQUEDO) Sonhar com um pião significa que você pode vir a se envolver em dificuldades frívolas, especialmente por causa de amizades indiscriminadas. Ver um pião girando fala do desperdício de seus recursos em prazeres infantis.

PIEDADE Sonhar que sente dó de alguém é prenúncio de discussões e frustração com amigos e familiares. Sonhar que alguém sente dó de você indica boa sorte, assim como qualquer sonho no qual você sinta dó de si mesmo.

PÍER Caminhar ou sentar-se em um píer nos sonhos é um aviso de que você está sendo preguiçoso demais em seus assuntos pessoais e profissionais. Se você estiver pescando em um píer, no entanto, é porque vai ganhar um presente surpresa.

PÍFARO Sonhar que ouve essa flauta transversal prevê um chamado inesperado para defender sua honra ou a de alguém próximo a você. Se você sonha que está tocando pífaro, não importa o que digam de você, sua reputação sempre vai permanecer intacta.

PIJAMA Sonhar que alguém está de pijama (podendo ser você ou outra pessoa) prenuncia paz de espírito aos familiares.

PIEDADE

PICA-PAU Sonhar com esse pássaro barulhento é um aviso para ter cuidado com sua língua e comportamento porque você pode acabar ficando inclinado a discussões.

PICADA Sentir que um inseto pica você em um sonho é um presságio de más notícias e infelicidade.

PICARETA Sonhar com uma picareta sugere que um inimigo implacável está agindo para derrubar você socialmente. Uma picareta quebrada presagia desastre em relação a todos os seus interesses.

PICLES Sonhar com picles diz que suas buscas serão todas infrutíferas, se você não souber recorrer à força e ao bom senso.

PILAR Sonhar com o pilar de um alpendre sugere um convite inesperado para um evento social que vai trazer muitas felicidades.

PILHA Sonhar que está trocando as pilhas de algum aparelho sugere renovar a amizade com alguém do seu passado.

PILOTO Sonhar que você é um piloto sugere um novo rumo no trabalho ou na vida pessoal.

PÍLULA, COMPRIMIDO Sonhar que toma pílulas ou comprimidos indica que você vai ter responsabilidades para cuidar, mas que trarão muito conforto e alegria. Dar comprimidos a

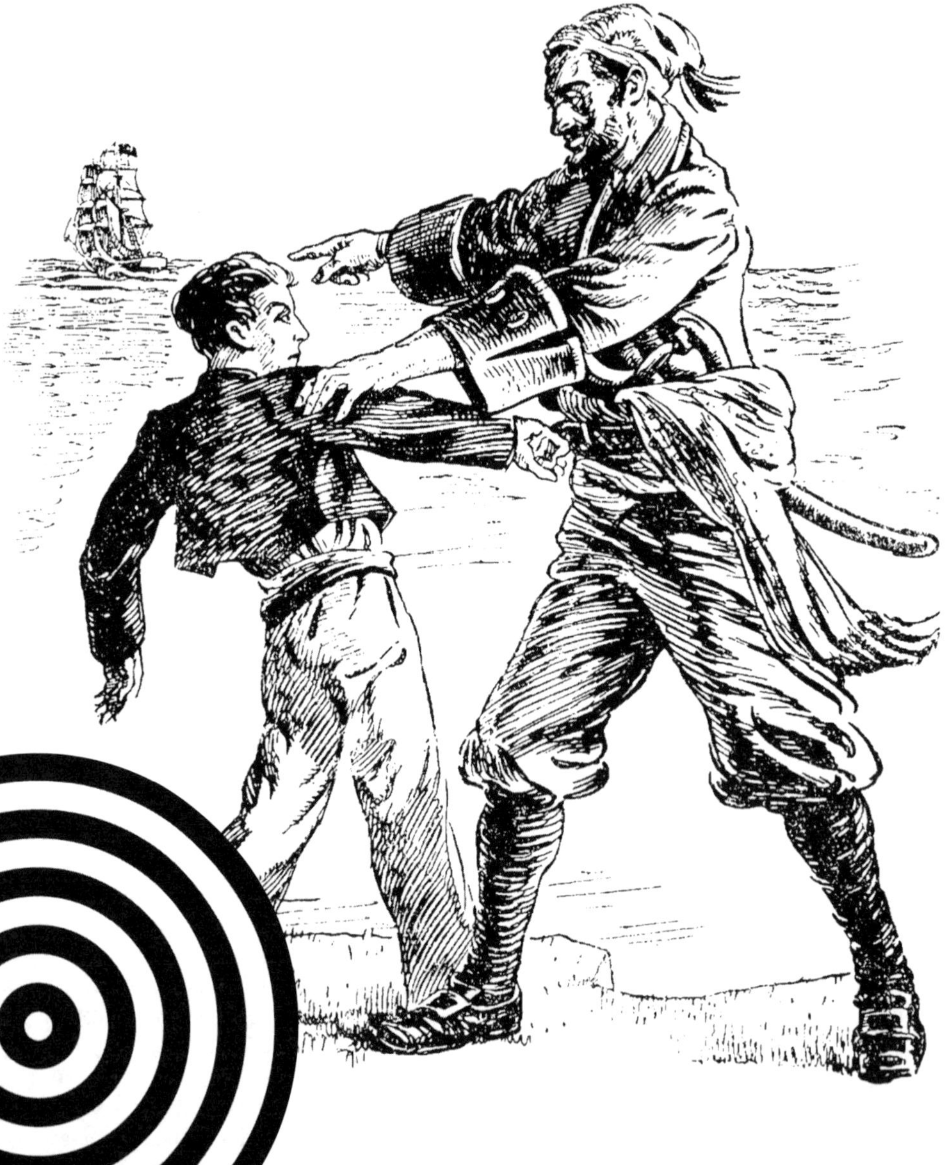

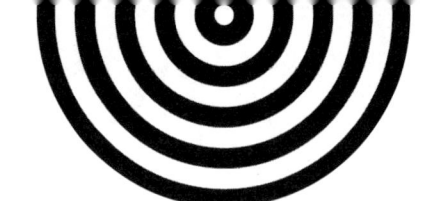

outras pessoas significa que você vai ser criticado por um comportamento desagradável. | *Ver também* Cápsula.

PIMENTA Se você sonha com pimenta queimando sua língua, é porque vai sofrer devido ao seu apreço pela fofoca. Ver pimenta vermelha sendo cultivada pressagia um parceiro frugal e independente no casamento. Ver pilhas de vagens de pimenta vermelha significa que você vai assegurar seus direitos agressivamente. Moer pimenta-do-reino pressagia que você vai ser vítima das artimanhas de homens ou mulheres engenhosos. Ver pimenta-do-reino em um moedor sobre uma mesa pressagia severas críticas ou brigas.

PINBALL Se você sonha que está jogando pinball, é hora de tomar mais de um caminho para solucionar um problema ou concluir um projeto vigente.

PINÇA Ver uma pinça em um sonho pressagia situações desconfortáveis que trazem muita chateação. Seus amigos podem abusar de você.

PINÇAS DE AÇÚCAR Sonhar com pinças de pegar torrões de açúcar pressagia notícias desagradáveis de malfeitos.

PINCEL Ver montes de pincéis prediz uma linha de trabalho variada, ao mesmo tempo agradável e bem remunerada.

PING-PONG Se você sonha que não consegue vencer uma partida frustrante de tênis de mesa, é porque vai ter forte concorrência profissional; fique alerta.

PINGENTE DE GELO Ver pingentes de gelo caindo de árvores significa que algum infortúnio ou problema muito específico logo vai sumir. Ver pingentes de gelo nos beirais das casas sugere tristeza e necessidade de conforto. Problemas de saúde também podem ser esperados. Ver pingentes de gelo em uma cerca denota sofrimento físico e mental. Se você os vir apenas pendurados nas árvores (sem cair), as esperanças já desanimadoras vão se tornar ainda mais sombrias; pingentes de gelo nas sempre-vivas diz que um futuro brilhante será nublado pela sombra de méritos duvidosos. | *Ver também* Gelo.

PINGUIM Sonhar com essa ave é um lembrete de que, com paciência, seus problemas logo irão embora.

PINHA Nos sonhos, as pinhas representam a notícia inesperada de um nascimento.

PINHEIRO Ver um pinheiro nos sonhos pressagia o sucesso em qualquer empreendimento.

PINTA, VERRUGA Ver pintas ou verrugas em uma pessoa nos sonhos representa doença e brigas.

PINTASSILGO Ver um pintassilgo voando em seus sonhos significa um grande evento chegando. Mas se o passarinho estiver doente ou morto, é um aviso de que você vai sofrer por causa da loucura alheia.

PINTURA A ÓLEO Se você está pintando a óleo em um sonho, é porque na vida desperta vai criar algo que lhe dará prazer. Se você sonha que está admirando uma pintura a óleo, seus amigos vão lhe dar as costas em um momento de necessidade.

PIO Sonhar que ouve pio de franguinhos ou pássaros pressagia um anúncio de gravidez ou nascimento.

PIOLHO Um sonho com piolhos fala de muitas preocupações e angústias na vida desperta. Frequentemente, implica em enfermidades agressivas. Ver piolhos em rebanhos prediz fome e perdas; um desafeto também pode vir a causar incômodo e aborrecimento. Ter piolhos em seu corpo indica que você vai se comportar de maneira desagradável com seus conhecidos. Sonhar que pega piolhos prediz doença; você também pode vir a cultivar a morbidez.

PIPA Sonhar que empina pipa denota grande demonstração de riqueza ou exibição profissional, mas na verdade toda essa pompa é pouco sólida ou genuína. Ver uma pipa caindo indica decepção e fracasso. Se você sonha que está construindo uma pipa, é porque vai especular muito com pouco, e vai tentar conquistar a pessoa amada com informações deturpadas. Ver crianças empinando pipas denota ocupações leves e agradáveis. Se a pipa sair de seu campo de visão, grandes esperanças e aspirações vão se transformar em decepção e perda.

PIPOCA Sonhar com essa guloseima sugere abundância de amizade, diversão e amor.

PIQUENIQUE Sonhar que comparece a um piquenique é sinônimo de sucesso e diversão genuína. Os sonhos com piqueniques significam felicidade pura para os jovens. Já sonhar com tempestades ou outros elementos que interfiram em um piquenique implica no deslocamento temporário do lucro e do prazer no amor ou na carreira.

PIRÂMIDE Sonhar com pirâmides indica muitas mudanças por vir. Se você escalá-las, é porque passará por uma longa jornada antes de encontrar a satisfação de seus desejos. Sonhar que está estudando o mistério das pirâmides indica que você vai desenvolver um amor pelos mistérios da natureza e assim vai ser tornar uma pessoa instruída e culta.

PIRATA Sonhar com piratas sugere que você vai ficar exposto aos planos mal-intencionados de falsos amigos. Se você for o pirata, sua posição social vai cair.

PIRULITO Sonhar com esse doce diz que você vai necessitar de paciência para concluir um projeto — e felizmente vai descobrir que é bastante paciente.

PISCADELA Sonhar com alguém piscando para você é um aviso para cuidar de sua reputação.

PISCAR O ato de piscar em um sonho normalmente indica que seus instintos estão nítidos. Piscar incessantemente implica que você precisa reexaminar seu jeito de pensar.

PISCINA Sonhar com uma piscina prenuncia diversão social, mas desde que a água esteja límpida. Se a piscina estiver vazia ou a água estiver suja, é sinal de que meter-se em jogos de azar só vai servir para causar prejuízos financeiros.

PISO Sonhar que limpa ou melhora a aparência de um piso é sinônimo de sucesso financeiro. Sentar ou deitar no piso significa boa sorte.

PISTA DE CORRIDA Nos sonhos, a pista de corrida representa ganho financeiro.

PISTA DE PATINAÇÃO Sonhar com uma pista de patinação no gelo fala de eventos sociais agradáveis chegando. Uma pista de patinação de rodas indica um problema iminente com um amigo desonesto.

PISTACHE Nos sonhos, essa castanha simboliza ganho financeiro.

PISTOLA Ver uma pistola em um sonho geralmente denota azar. Se você tiver uma, é porque vai cultivar uma personalidade baixa e ardilosa. Se no sonho você ficar sabendo de alguém que levou um tiro de pistola, é porque na vida desperta vai saber de um plano para arruinar seus interesses. Sonhar que atira com a própria pistola significa que você vai sentir inveja de alguma pessoa inocente, e que vai passar dos limites para vingar um erro imaginário.

PÍTON Sonhar com esse tipo de cobra é um alerta para a existência de amigos e colegas desonestos e maledicentes.

PIXEL Sonhar com pixels em uma tela de televisão ou de computador sugere que alguns elementos de sua vida estão se unindo para sua felicidade e bem-estar. Se houver um pixel faltando, no entanto, é porque você precisa descobrir o que está faltando em sua vida desperta e tentar compensar isso.

PIZZA Sonhar com pizza significa sorte e ganhos em sua vida, principalmente financeiramente.

PLACA Sonhar com uma placa, especificamente uma placa de trânsito, pressagia uma oportunidade para fazer uma mudança importante.

PLACA (VEÍCULOS) Se você sonha com uma placa de carro e é capaz de discernir os números e as letras, jogue-os na loteria.

PLACA DE AVISO Sonhar com placa contendo um aviso significa que você finalmente concretizará vontades há muito desejadas e que suas ambições estão se tornando realidade.

PLACAR DE PONTOS Sonhar com um placar de pontos é um alerta contra o ciúme ao seu redor.

PLACEBO Se você sonha que toma um remédio sabendo que é um placebo, mas mesmo assim se convence de que tem eficácia, é porque uma descoberta inesperada vai ajudar na solução de um problema em sua vida pessoal ou profissional.

PLACENTA Sonhar com placenta significa gravidez iminente ou anúncio de nascimento — a menos que você esteja grávida na vida desperta, aí esse sonho não significa nada.

PLANTA Sonhar com plantas saudáveis significa boa sorte. Já plantas murchas sugerem decepção. Sonhar que replanta, rega ou aduba as plantas fala de uma vida familiar confortável.

PLANTA CARNÍVORA Ver uma planta carnívora em sonho é um alerta sobre planos maliciosos contra você. Se estiver cheia de moscas, pequenos constrangimentos vão impedir outros maiores.

PLANTAÇÃO Nos sonhos, as plantações representam ganho financeiro e sucesso material.

PLAQUINHA DE IDENTIFICAÇÃO Sonhar que uma mesa tem uma plaquinha de identificação para indicar sua reserva sugere notícias e surpresas inesperadas, todas boas.

POLENTA

PLAINA Se você sonha que vê marceneiros usando plainas, é porque as coisas vão progredir suavemente em seus empreendimentos.

PLANADOR Sonhar que voa em um planador prevê uma proposta de trabalho chegando. Certifique-se de tomar conhecimento de todos os fatos antes de agir.

PLANETA Sonhar com um planeta pressagia uma viagem desconfortável e um trabalho deprimente.

PLANÍCIE Sonhar que cruza uma planície com gramado belo e verde implica que você vai ficar em boa situação; mas se a planície for árida ou a grama estiver morta, espere desconforto e solidão.

PLANO ASTRAL Os sonhos com o plano astral significam que seus esforços e planos culminarão em sucesso e distinção mundanos. Um espectro ou imagem de seu eu astral significa que você atingiu um nível espiritual superior.

PLÁSTICO Sonhar com plástico fala de amizades que acrescentam à sua vida.

PLATAFORMA Sonhar que está em uma plataforma sugere uma ascensão em seu status social ou profissional.

PLATAFORMA DE LANÇAMENTO Se você sonha que vê ou está em uma plataforma de lançamento, é hora de reavaliar seus objetivos; eles podem estar muito além do seu alcance.

PLATEIA Sonhar que está atordoado diante de uma plateia indica que, quando precisar das palavras certas, você poderá recorrer a elas. Se você sonha que está diante de uma plateia que não está prestando atenção em você, então precisa se reafirmar um pouco mais em determinados aspectos de sua vida. Sonhar que recebe adoração eterna de uma plateia é um aviso para ser mais humilde.

PLATINA Se você sonha com esse metal precioso, é porque em breve vai conquistar algo que pensava estar fora de alcance.

PLUMAGEM Se você sonha com plumagem e acha agradável, bons relacionamentos amorosos estão por vir. Mas se a plumagem causar algum tipo de irritação ou incômodo, espere um relacionamento ou casamento desfeito.

PNEU Sonhar que troca um pneu significa que você necessita de mais descanso. Comprar um pneu prevê uma solução para um problema. Um pneu estourado significa problemas com um amigo ciumento. Se você perder o pneu, é um alerta de que precisa de mais autocontrole.

PNEUMONIA Sonhar com essa doença prediz problemas de saúde. É hora de fazer um check-up.

PÓ Ver pó em seus sonhos revela que você tem lidado com pessoas inescrupulosas. Fique de olho e você vai conseguir identificá-las.

POBREZA Sonhar que você ou seus amigos são pobres significa preocupação e perda. | *Ver também* Indigência.

POÇA Flagrar-se pisando em poças de água limpa em um sonho denota aborrecimento, mas alguma benesse redentora no futuro. Se a água estiver lamacenta, espere uma boa dose de eventos desagradáveis em sua vida. Molhar os pés depois de pisar em poças prediz que seu prazer vai se reverter em prejuízo depois.

POÇO Sonhar que você está preso em um poço sugere sucumbência às adversidades devido a energias mal-conduzidas. Você vai permitir que elementos estranhos direcionem seu rumo. Cair em um poço significa que você vai ser dominado por um desespero avassalador. Um poço que desaba é premissa de ter seus planos destruídos pelos planos dos desafetos. Se você vir um poço vazio, sua sorte será roubada, caso você permita que estranhos compartilhem de sua confiança. Ver um poço com uma bomba d'água indica oportunidades para promover seus clientes em potencial. Se você sonha com um poço artesiano, recursos esplêndidos levarão aos reinos do conhecimento e do prazer. Tirar água de um poço pressagia a realização de desejos ardentes; mas se a água estiver impura, é sinal de coisas desagradáveis no caminho. | *Ver também* Abismo.

POÇO DOS DESEJOS Sonhar com um poço dos desejos indica que a ajuda de amigos vai estar presente quando for necessário.

PODCAST Sonhar com um podcast significa a capacidade de aprender algo novo — e que você jamais pensou ser capaz de absorver.

PODER Sonhar com poder em qualquer forma representa sucesso.

PODRIDÃO Ver a podridão ou deterioração de um vegetal ou outro alimento sugere uma colheita frutífera ou resultado positivo para alguma coisa em sua vida.

POEIRA Sonhar que está coberto de poeira sugere que você será levemente prejudicado nos negócios devido a falhas de terceiros. Mas se você se livrar da poeira com sagacidade, vai conseguir reverter a perda.

POESIA Sonhar com poesia representa a chegada de um novo amigo interessante e incomum.

POETA Sonhar com um poeta diz que em breve vão lhe pedir um empréstimo monetário.

POLAINA Sonhar com polainas, estando em uso ou não, pressagia divertimento e rivalidade saudáveis.

POLCA Nos sonhos, essa dança representa ocupações agradáveis. | *Ver também* Dança.

POLE DANCE Sonhar que você dança na barra de pole dance prediz aventuras empolgantes e exóticas chegando em sua vida.

POLEGAR Sonhar que vê um polegar sugere que você é um dos favoritos em seu círculo. Se você estiver sofrendo de dor no polegar, é porque vai ter perdas nos negócios e seus pares vão se mostrar um tanto desagradáveis. Sonhar que não tem polegar implica em solidão. Se seus polegares parecerem anormalmente pequenos, você vai ter prazer por um tempo; se estiverem anormalmente grandes, seu sucesso vai chegar rápida e brilhantemente. Um polegar sujo indica satisfação de desejos promíscuos. Se seu polegar tiver uma unha muito comprida, você ficará sujeito a seguir para o mau caminho por buscar prazeres estranhos.

POLEIRO Se nos sonhos você subir em um poleiro, sinal de aumento ou promoção chegando. Sonhar com um pássaro no poleiro prenuncia uma boa notícia relacionada a uma mudança em sua vida.

PÓLEN Sonhar com pólen sugere ganho financeiro. Sofrer alergia ao pólen em seu sonho é uma advertência em relação a gastos desnecessários que podem levar a prejuízo financeiro.

POLENTA Sonhar que come ou prepara esse creme de fubá prevê que alguém de seu passado vai entrar em contato em breve.

POLICHINELO Sonhar que faz polichinelos sugere que a ociosidade e os passatempos triviais vão ocupar seus pensamentos, alienando planos sérios e sustentáveis.

POLÍCIA Sonhar que a polícia tenta prender você por um crime não cometido prediz que você vai superar seus rivais. Mas se a prisão for justa, é porque na vida desperta haverá uma temporada de infortúnios. Ver a polícia enquanto você está em liberdade condicional indica desenvolvimentos preocupantes em alguns assuntos pessoais. | *Ver também* Xerife.

POLIGAMIA Sonhar com polígamos, ou que você é polígamo, é um aviso sobre desconfiança e suspeitas em um caso de amor atual.

POLIMENTO Se você sonha que está polindo qualquer objeto, é porque grandes conquistas vão colocar você numa posição invejável.

POLIOMIELITE Sonhar com essa doença indica boa saúde mental.

POLÍTICO Sonhar com um político sugere companhias desagradáveis e perda de tempo e de renda. Se você se envolver em disputas políticas, é porque amigos vão demonstrar mal-estar e vivenciar mal-entendidos em relação a você.

POLO (ESPORTE) Sonhar com esse esporte pressagia crescimento da riqueza material.

POLO NORTE Sonhar que está no Polo Norte é um aviso de que você atingiu o nível mais alto em seu trabalho; talvez seja hora de mudar de empresa para poder progredir.

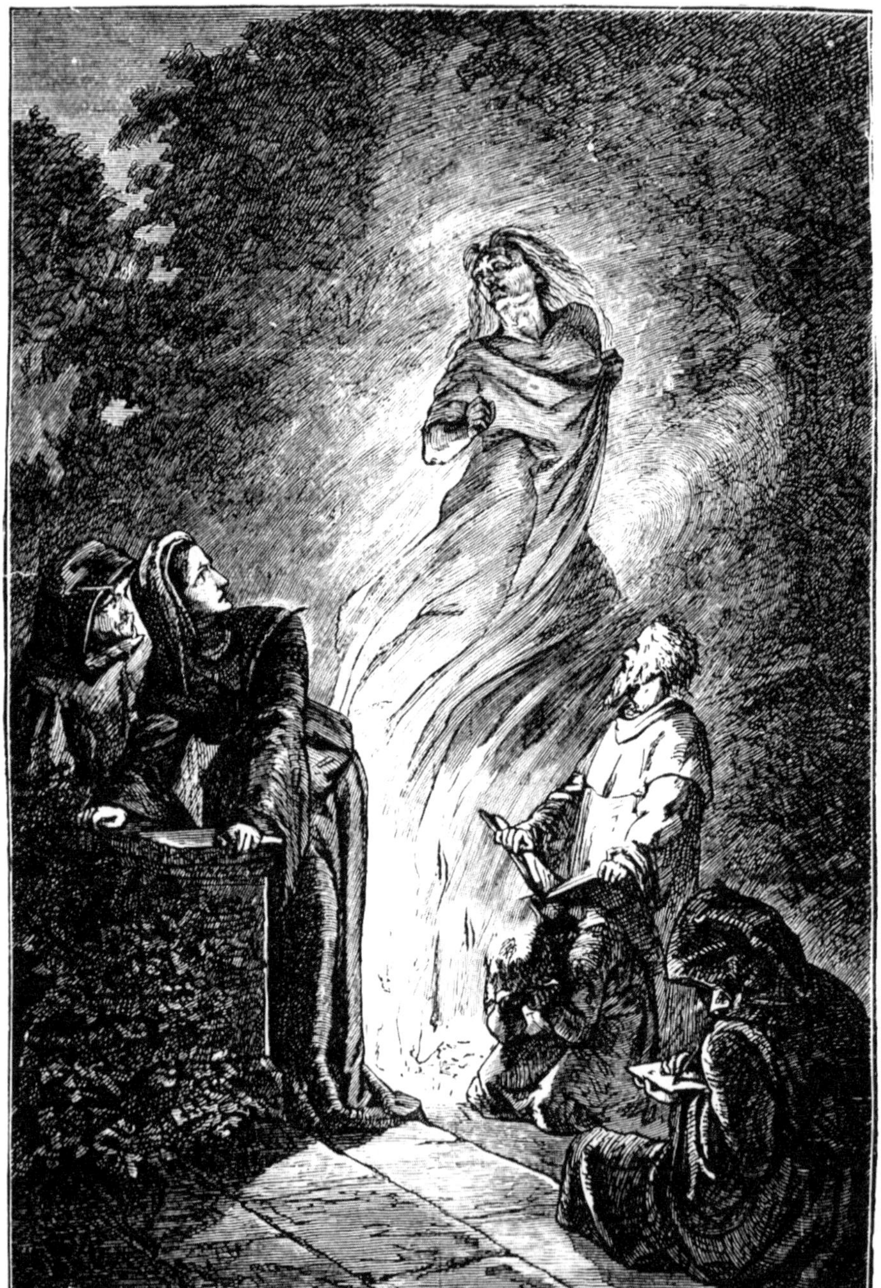

POLTERGEIST Sonhar com essas criaturas sobrenaturais e brincalhonas é um alerta de que ser socialmente irresponsável pode trazer constrangimentos.

POLUIÇÃO Sonhar que está poluindo um local implica na necessidade de se cercar de um belo ambiente para ter paz de espírito e serenidade.

POLVO Sonhar com esse animal marinho sugere movimento em sua vida pessoal ou profissional. Sonhar que está preso em seus tentáculos é uma advertência sobre estar usando as pessoas para promover sua carreira.

POMAR Sonhar que vagueia por pomares floridos com a pessoa amada anuncia a consumação de um relacionamento depois de muita paquera. Se o pomar estiver repleto de frutas maduras, fala de uma recompensa pelo serviço fiel àqueles que têm um superior, e de plena fruição dos projetos para os líderes das empresas. Colher frutos maduros é presságio de fartura. Já pomares infestados de pragas denotam tempos tristes, mesmo sob condições favoráveis e riqueza. Se você sonha que vê um pomar estéril, sinal de que as oportunidades de ascensão na vida serão refutadas. Se você vir um pomar perdendo o viço no inverno, é porque tem se descuidado do futuro para favorecer o prazer do presente. Ver um pomar devastado por uma tempestade fala de um hóspede ou de obrigações indesejáveis.

POMBA Sonhar com pombas acasalando e construindo seus ninhos é sinal de um mundo pacífico e lares alegres onde as crianças são obedientes e a compaixão vale para todos. Ouvir o piar solitário e triste de uma pomba prenuncia tristeza e decepção pela morte de alguém que já lhe ajudou. Frequentemente, pressagia a morte de um pai. Sonhar com uma pomba morta é sinal de separação entre cônjuges, podendo ser por morte ou infidelidade. As pombas brancas representam colheitas abundantes e confiança máxima na lealdade dos amigos. Sonhar que vê uma revoada de pombas brancas denota prazeres pacíficos e inocentes, e revelações afortunadas no futuro. Se uma pomba lhe traz uma carta, notícias agradáveis de amigos distantes podem estar vindo por aí, assim como a reconciliação entre amantes. Se a pomba parece cansada, um tom de tristeza mancha essa reconciliação, ou a tristeza pode macular as boas novas pela menção de um amigo inválido; pode também ocorrer uma ligeira queda nos assuntos profissionais. Se a carta fala de mau agouro ao seu destino, é sinal de que uma doença desesperadora, seja sua ou de um parente, pode trazer infortúnio financeiro.

POMBO Sonhar que vê pombos e ouvi-los arrulhando acima de seus viveiros mostra o quanto você se orgulha de seus filhos. Vê-los voando denota liberdade de mal-entendidos e talvez notícias de pessoas que moram longe.

PONCHE Sonhar que bebe ponche denota que você prefere os prazeres egoístas à distinção honrada e à moralidade.

PONCHO Sonhar que usa um poncho significa que você vai ter ajuda em momentos de dificuldade.

PÔNEI Sonhar com pôneis indica que a especulação moderada será recompensada com sucesso.

PONTA-CABEÇA Sonhar que você está de cabeça para baixo indica que a vida está realmente indo bem; não vai haver altos e baixos, a menos que você os provoque.

PONTE Se você vir uma ponte longa e em mau estado se embrenhando misteriosamente rumo à escuridão, então será abatido por uma profunda melancolia devido à perda de seus bens, e sua vida será sombria. Para os jovens e os apaixonados, as pontes são o prenúncio de uma decepção nas esperanças mais profundas do coração; os amados vão se revelar abaixo das expectativas. Cruzar uma ponte com segurança sugere fundamentalmente a superação de dificuldades, embora os meios dificilmente pareçam seguros. Qualquer obstáculo ou atraso pode render um desastre. Se você vir uma ponte ceder diante de você, cuidado com a traição e os falsos admiradores.

PONTE LEVADIÇA Sonhar com uma ponte levadiça baixando ou sendo erguida significa que momentos empolgantes estão chegando — mas você vai precisar encarar tudo com moderação para não perder a saúde.

PÔQUER Jogar pôquer nos sonhos é um alerta contra más companhias.

PORÃO Sonhar que está em um porão é um indício de que oportunidades lucrativas irão para o buraco e, com isso, o prazer vai se transformar em problemas e preocupações. | *Ver também* Adega.

PORCELANA Sonhar com porcelana indica oportunidades favoráveis de progredir na carreira. Já a porcelana quebrada ou suja denota erros que causarão graves transgressões. Sonhar que está pintando ou arrumando jogos de porcelana prenuncia uma vida familiar agradável e financeiramente segura.

PORCO Sonhar com um porco gordo e saudável implica em sucesso razoável nos negócios. Se você vir porcos chafurdando na lama, é porque vai se deparar com pessoas prejudiciais, e seus relacionamentos estarão sujeitos a reprovação. | *Ver também* Leitão.

PORCO-ESPINHO Ver um porco-espinho nos sonhos diz que você vai reprovar qualquer novo empreendimento e repelir novas amizades com frieza. Ver um porco-espinho morto fala na abolição de sentimentos ruins e de posses.

PORTA Sonhar que entra por uma porta sugere calúnia e desafetos, pessoas das quais você tenta se livrar em vão. Se a porta pela qual você adentra é o lar de sua infância, seus dias serão repletos de fartura e harmonia. Ver outras pessoas passando por uma porta fala de tentativas malsucedidas de organizar seus assuntos particulares. Isso também prenuncia mudanças para os agricultores e no mundo da política. Para os escritores, sugere que o leitor vai se recusar a ler suas novas obras. Se você sonha que tenta fechar uma porta e ela desaba das dobradiças, machucando alguém, é porque um amigo pode se dar mal depois do seu mau conselho involuntário. Se você vir uma nova tentativa de fechar uma porta, e ela cair de novo das dobradiças, é porque vai ficar sabendo do infortúnio de algum amigo e se verá impotente para ajudar. | *Ver também* Meia-porta.

PORTA-ESTANDARTE Sonhar que você é um porta-estandarte denota que suas ocupações vão ser agradáveis, porém variadas. Se você vir outros como porta-estandartes, é porque vai ficar com ciúme de um amigo.

PORTA GIRATÓRIA Sonhar com uma porta giratória significa que as situações em sua vida vão girar continuamente até você mudar a abordagem. Esse sonho indica a necessidade de mudar seus padrões.

PORTA-JOIAS Um porta-joias cheio prevê um possível furto. Mas se estiver vazio, prenuncia presentes.

PORTÃO Sonhar que vê ou passa por um portão é um alerta de que em breve você vai receber notícias alarmantes sobre entes distantes. Os assuntos de trabalho não serão nada alentadores. Sonhar com um portão fechado pressagia incapacidade de superar as dificuldades atuais. Trancá-lo sugere empreendimentos bem-sucedidos e amigos bem escolhidos. Um portão quebrado representa fracasso e arredores conflitantes. Descobrir que uma abertura ou passagem por um portão é problemática implica que seus trabalhos mais interessantes não serão remuneradores ou satisfatórios. Pendurar-se num portão pressagia que você vai se envolver em prazeres ociosos e desregrados.

PORTEIRO Sonhar com um porteiro implica que bons contatos sociais serão benéficos para você financeiramente.

PÓRTICO Sonhar com um pórtico implica que você vai se envolver em novos empreendimentos, e o futuro será repleto de incertezas. Se você sonha que está construindo um pórtico, então se prepare para assumir novas funções.

PORTIFÓLIO Sonhar com um portifólio profissional indica que seu emprego não vai ser de seu agrado; você vai querer mudar de lugar. Avalie sua situação atual e seja honesto com seus desejos.

PORTINHOLA Sonhar que espia através de uma portinhola de navio não é necessariamente um mau presságio, a menos que a água esteja turva e agitada; então é sinal de um período difícil pela frente.

PORTO Sonhar que adentra um porto sugere segurança financeira futura. Sonhar que deixa um porto é um alerta sobre suas amizades.

POTE Sonhar com potes vazios denota empobrecimento e angústia. Se estiverem cheios, sinal de sucesso. Se você estiver comprando potes, seu sucesso será precário e seu fardo, pesado. Se você vir potes quebrados, espere uma doença angustiante ou uma decepção profunda.

POTRO Sonhar com um potro representa novos empreendimentos nos quais você será um tanto próspero.

POUSADA Sonhar com uma pousada denota prosperidade e prazer caso o local seja espaçoso e bem mobiliado. Mas se estiver dilapidado e malcuidado implica em pouco sucesso, tarefas desanimadoras ou jornadas infelizes.

PRAGA

POSTE DE ILUMINAÇÃO Ver um poste de luz nos sonhos significa que uma pessoa pouco íntima vai se provar seu amigo mais leal em momentos de necessidade. Se você bater num poste de luz, é porque vai ter de superar as ilusões, caso contrário, seus desafetos vão levar a melhor. Se um poste de luz cair no seu caminho, você terá adversidades na vida.

POSTO Sonhar que está esperando em qualquer tipo de posto (de gasolina, posto de parada de trem etc.) significa uma notícia feliz inesperada. Sonhar que está saindo de um posto prevê ganho financeiro.

POSTO DE GASOLINA Sonhar que está comprando ou vendendo combustível avisa que você vai passar por um período de lentidão na vida profissional. Sonhar que compra qualquer coisa diferente de combustível em um posto significa que alguns de seus colegas de trabalho vão se revelar desonestos. Sonhar que está ficando sem gasolina significa que em breve você vai encontrar maneiras criativas de ganhar dinheiro.

PRADARIA Sonhar com uma pradaria denota que você vai desfrutar de tranquilidade, e até mesmo de luxo e progresso livre de obstruções. Uma pradaria ondulante coberta com gramíneas e flores indica acontecimentos alegres.

PRADO Sonhar com prados prevê reuniões felizes e belas promessas de prosperidade.

PRAGA Sonhar com uma praga fala de retornos decepcionantes nos negócios. Se você for afligido pela praga, é porque vai conseguir manter suas contas no azul depois de muitas manobras. Se você estiver tentando escapar de uma praga, é porque está sendo perseguido por alguns problemas avassaladores.

PRAIA Se você sonha que está em uma praia de areia, sua situação financeira precisa ser reorganizada.

PRANCHA Andar na prancha de um navio é um bom presságio — mas só se a prancha for resistente. Em geral, esse sonho é um alerta para você adotar cuidados extras em seu comportamento.

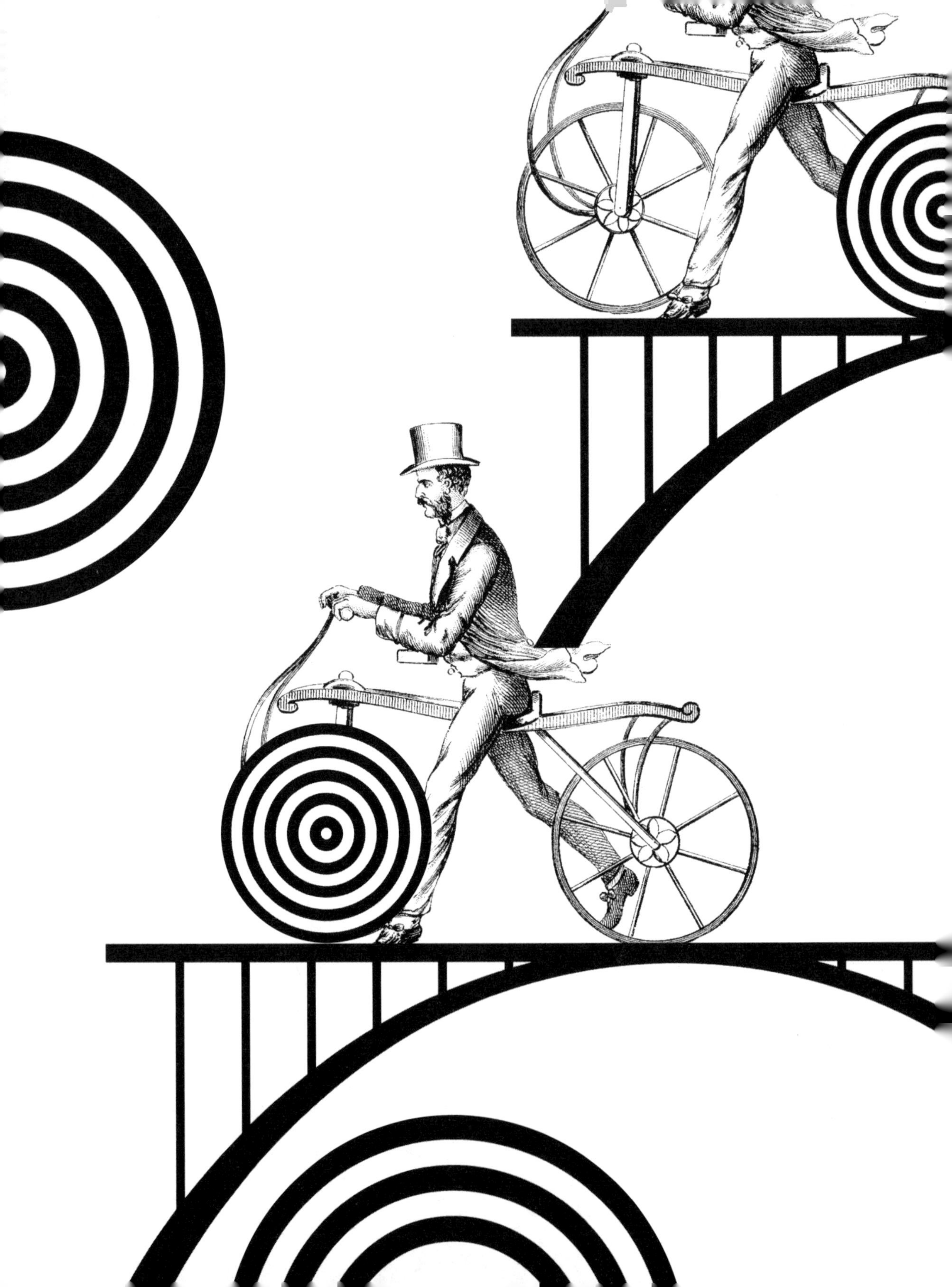

PRATA Sonhar com prata é um alerta: você anda dependendo demais do dinheiro para sentir-se contente e verdadeiramente feliz. Encontrar moedas de prata fala das imperfeições nas outras pessoas. Você tira conclusões precipitadas com muita frequência e assim perde a paz de espírito. Sonhar com prataria denota preocupação e desejos insatisfeitos.

PRATELEIRA Sonhar com uma prateleira, ou algo em uma prateleira, implica num atraso inesperado em seus planos. Ver prateleiras vazias indica perdas e consequente melancolia. Prateleiras cheias pressagiam felicidade e contentamento por meio da esperança e do esforço. | *Ver também* Armazém.

PRATO Sonhar que manuseia pratos denota boa sorte; mas se eles quebrarem, sua sorte terá vida curta. Ver prateleiras cheias de pratos reluzentes significa sucesso no casamento. Sonhar com pratos pressagia sucesso, e você vai aproveitar plenamente sua boa sorte. Pratos sujos representam insatisfação e um futuro pouco promissor. | *Ver também* Louça, Bandeja.

PRAZER Sonhar com prazer sugere ganho e satisfação pessoal. | *Ver também* Júbilo.

PRECE Sonhar que recita ou que ouve esse tipo de oração significa que em breve você vai ganhar um presente inesperado.

PRECIPÍCIO Sonhar que está à beira de um precipício escancarado pressagia infortúnio e calamidade. Se você cair, é porque vai se envolver em um desastre. | *Ver também* Abismo, Fosso.

PRECONCEITO Sonhar com preconceito avisa que você pode não estar vivendo de acordo com suas verdadeiras crenças.

PREFEITO Sonhar que você é o prefeito de uma cidade indica um rebaixamento na carreira profissional.

PREFEITURA Nos sonhos, a prefeitura simboliza contendas e ameaças de ações judiciais.

PREGADOR RELIGIOSO Sonhar com um pregador religioso denota que seus caminhos não estão isentos de reprovação e que você pode vir a ter problemas em assuntos pessoais. Sonhar que você mesmo é o pregador prediz perdas profissionais; divertimentos repugnantes vão tirar você da linha. Ouvir uma pregação em sonho implica que você vai passar por infortúnios. Se você discutir com um pregador, é porque vai perder em uma competição. Ver um pregador se afastando de você denota que seus planos vão prosseguir com energia renovada. Se o pregador religioso parecer triste, sinal de que reprovações vão atingir você pesadamente. Ver um pregador de cabelos longos é um aviso sobre disputas com pessoas autoritárias e egoístas. | *Ver também* Ministro (religião), Padre.

PREGO Ver pregos em seus sonhos indica muito trabalho e pouco retorno. Trabalhar usando pregos mostra que você vai se empenhar em um emprego honrado, ainda que humilde. Pregos enferrujados ou quebrados indicam doença e fracasso profissional.

PREGOEIRO A sorte está no seu encalço. Questões importantes serão resolvidas pacificamente entre amigos e familiares.

PREGUIÇA Sonhar com a preguiça, ou agir preguiçosamente num sonho, é um prenúncio de que você vai cometer um erro ao estruturar empreendimentos, e vai sofrer uma grande decepção com isso.

PRELÚDIO Se você sonha que ouve a abertura de uma música, é porque em breve vai visitar alguém que não vê há muito tempo.

PREMATURIDADE Sonhar com algo prematuro sugere felicidade e contentamento em um futuro próximo. Se você estiver grávida e sonhar com um bebê prematuro, não se preocupe, não significa nada.

PRÊMIO Receber um prêmio significa o contrário na vida desperta: alguém vai roubar seu reconhecimento. Por outro lado, entregar um prêmio significa que você será reconhecido por seu trabalho árduo e diligência.

PRÊMIO NOBEL Sonhar que recebe o Nobel é um alerta contra a arrogância e o orgulho. Mas se você sonha que está feliz porque outra pessoa foi agraciada, seus relacionamentos pessoais estão rumando para períodos felizes.

PRENSA (GRÁFICA) Estar em uma gráfica em seus sonhos denota que a calúnia vai ser uma ameaça em sua vida. Administrar uma gráfica é indicativo de azar.

PRESENTE Sonhar que ganha presentes significa que seus pagamentos estarão em dia e que você vai ter uma sorte incomum em especulações ou nas questões amorosas. Receber presentes em sonhos indica sorte incomum. Mandar um presente para alguém pressagia que alguém vai demonstrar seu desagrado e o azar vai cercar seus esforços. Ganhar presentes de aniversário representa muitas realizações. Quem trabalha vai progredir em seus negócios. Dar presentes de aniversário significa que você encontrou um novo respeito por aqueles na sua vida.

PRESERVATIVO Colocar ou usar uma camisinha em seus sonhos significa que em breve você vai prestar muita atenção aos acordos profissionais. Tirar um preservativo usado é sinal de proteção nos assuntos profissionais.

PRESIDENTE Ver em sonho um presidente de qualquer tipo de empreendimento significa que você vai buscar reconhecimento e que será recompensado com um cargo de confiança. Se você for o presidente, é porque na vida real vai ser reconhecido pelo seu senso de justiça e gentileza para com os outros.

PRESSA Se você sonha que está com pressa, é porque momentos agradáveis e divertidos estão vindo aí. Se você sonha que precisa se apressar para fazer alguma coisa por você mesmo, é prenúncio de preocupação chegando. Sonhar que tem pressa para fazer algo por alguém sugere também evolução nos assuntos sociais.

PRESUNÇÕES Presumir em sonho que você já sabe a resposta a uma pergunta significa que na vida real você não tem informações suficientes para resolver o problema.

PRESUNTO Sonhar com um presunto ou pernil sugere que você corre o risco de ser usado traiçoeiramente. Cortar fatias grandes é sinal de que você vai se dar bem contra seus opositores. Preparar um pernil significa que você vai ser tratado com tolerância pelos outros. Se você sonha que está vendendo presunto, a prosperidade virá. Também é sinal de boa saúde. Se você comer presunto ou pernil, vai perder algo de grande valor. Se sentir cheiro de pernil cozinhando, é porque vai ser beneficiado pelos empreendimentos alheios.

PRETO Nos sonhos, a cor preta representa o fim de uma fase da vida e o início de outra, e marca as transições, como a morte e o renascimento.

PREVISÃO Ouvir alguém fazendo uma previsão em um sonho anuncia más notícias. Sonhar que você faz uma previsão é um alerta para evitar se colocar em risco.

PRIMAVERA Sonhar que a primavera está chegando é sinal de empreendimentos afortunados e boas companhias. Ver a primavera surgindo de forma não natural alerta para inquietações e perdas.

PRIMEIRO-MINISTRO Sonhar com um primeiro-ministro significa que você vai vencer uma batalha legal. Sonhar que você é o primeiro-ministro de um país significa imenso sucesso social.

PRIMEIROS SOCORROS Sonhar que dá ou recebe primeiros socorros é um sinal de que você será recompensado pelo seu trabalho árduo no futuro.

PRIMO Esse sonho fala de decepções e aflições. É a alusão a vidas entristecidas. Sonhar com uma correspondência afetuosa por parte de um primo prediz uma ruptura fatal entre famílias.

PRÍMULA Sonhar com essa florzinha na grama a seus pés anuncia alegrias repletas de conforto e paz. Sonhar que colhe essas flores prenuncia o final infeliz de amizades aparentemente íntimas e calorosas; vê-las crescendo e em plena floração é sinal de crise.

PRÍNCIPE, PRINCESA Sonhar que é esse membro da família real sugere um avanço em seu status social; no entanto, pode vir muita inveja junto, então é bom tomar cuidado com as pessoas.

PRISÃO Sonhar com uma prisão é o precursor de uma desgraça caso você ou seus amigos estejam envolvidos. Ver alguém ser solto da prisão denota que você finalmente vai superar os infortúnios. Sonhar que alguém é preso, seja você ou outra pessoa, significa que em breve você fará mudanças em sua vida. | *Ver também* Cadeia.

PRISIONEIRO Sonhar que é um prisioneiro numa cadeia significa que você vai ter liberdade e condições financeiras para fazer as coisas que ama.

PRIVACIDADE Sonhar que sua privacidade foi invadida sugere que pessoas autoritárias estão causando preocupação.

PROCISSÃO Sonhar com uma procissão indica dificuldade em cumprir suas obrigações por causa do medo. Se for um cortejo fúnebre, sinal de que a tristeza está se aproximando rapidamente e que vai lançar um manto sobre a sua felicidade.

PROCURA Sonhar que alguém está procurando por você ou por algo que você tem sugere um objetivo facilmente alcançável.

PROCURAÇÃO Sonhar que tem uma procuração para agir em nome de alguém indica que em breve você vai buscar ajuda em uma questão jurídica. Sonhar que alguém tem uma procuração em seu nome é presságio de boa saúde e estabilidade mental.

PROFANAÇÃO Sonhar que está vendo algo profanado significa que suas prioridades não são o que deveriam ser. Se você é o responsável pela profanação, é sinal de que na vida desperta você honrará alguém por meio de uma boa ação.

PROFESSOR Sonhar com um professor de escola implica que você provavelmente gosta de aprender e de se divertir de forma mais discreta. Se você for um professor, é porque provavelmente vai ter sucesso com trabalhos literários e afins.

PROFESSOR UNIVERSITÁRIO Sonhar que é um professor universitário significa avanços na carreira, a menos que você também seja professor na vida desperta, aí esse sonho não significa nada de mais. Sonhar que é ensinado por um professor universitário anuncia um novo passatempo.

PROFETA Sonhar com um profeta significa grandes bênçãos em seu futuro e desfrute de um fundamento espiritual expandido.

PROGRESSO Sonhar que progride em qualquer empreendimento sugere uma rápida ascensão na carreira e nos assuntos do coração. Ver os outros progredindo é sinal de que amigos próximos vão ocupar bons cargos.

PROJETO Se você sonha que está vendo projetos para uma casa ou prédio, é porque novos amigos e colegas de trabalho serão muito importantes para você. Sonhar que está desenhando projetos sugere que você pode ser induzido a fazer algo de que não gostaria, o que por sua vez pode levar a perdas financeiras. Sonhar que delineia projetos e planos para seu futuro sugere a necessidade de adiar as coisas, mas no final tudo dará certo.

PROLE Sonhar com sua própria prole denota alegria e as vozes alegres de vizinhos e crianças. Ver a prole de animais domésticos pressagia aumento da prosperidade.

PROMESSA Se você fizer uma promessa em um sonho, é porque vai perdoar um desafeto e assim ganhar um amigo. Sonhar que alguém prometeu algo a você é sinal de que um acontecimento inesperado vai trazer muita alegria.

PROPAGANDA Sonhar que está pagando para publicar algum anúncio diz que você vai ter de recorrer ao trabalho físico para promover seus interesses ou ganhar dinheiro. Ler uma propaganda no sonho significa que você vai se deparar com intensa concorrência no trabalho.

PROPAGANDA POLÍTICA Sonhar que influencia outras pessoas usando de propaganda política significa que você vai ter de se defender contra um ataque dissimulado à sua reputação.

PROPANO Sonhar com esse combustível significa que em breve você vai se tornar uma pessoa extremamente popular. Juntas, todas as suas ideias vão criar uma sinergia que só vai trazer benefícios.

PROPRIEDADE Sonhar que se tornou dono de uma imensa propriedade prediz que você vai receber uma herança num futuro distante, mas bem diferente do que esperava. | *Ver também* Herança.

PROPRIEDADE, IMÓVEL Sonhar que é dono de uma imensa propriedade prediz que você vai ter sucesso nas questões profissionais e fazer muitos amigos ao longo do trajeto. | *Ver também* Riqueza.

PROSTITUTA Sonhar que é uma prostituta diz que você sente secretamente que está colocando muita energia em uma causa indigna. Sonhar que está na companhia de uma prostituta indica que você vai ser desprezado por amigos devido ao seu comportamento indelicado.

PRÓTESES DENTÁRIAS Usar dentadura no sonho, ou se preparar para usar uma, significa que você pode se flagrar mentindo para escapar de um problema. Encontrar ou perder a dentadura de alguém é um alerta de que muito em breve vão mentir para você sobre um assunto importante.

PROTETOR AURICULAR Sonhar que usa protetores auriculares é sinal de que você vai estar bem provido contra as instabilidades da sorte.

PROTÓTIPO Sonhar com um protótipo significa que você vai ter de reconhecer os esforços alheios para o sucesso de um projeto futuro.

PROVA (ESCOLAR) Sonhar que faz uma prova e que é reprovado sugere que você anda almejando alto demais; provavelmente há alguma coisa que você não vai conseguir realizar. Se você passar, seus objetivos são alcançáveis.

PROVOCAÇÃO Flagrar-se provocando alguém em sonho significa que você vai ser amado e procurado por causa do seu jeito alegre e amável. Sua negociações profissionais vão ser sucesso em algum momento. Sonhar que é provocado implica que você vai conquistar o amor de pessoas felizes e afortunadas.

PTOMAÍNA Sonhar que sofre dessa intoxicação alimentar causada por alimentos putrefatos é um aviso para ter cuidado com a dieta.

PUBLICIDADE Sonhar com publicidade, podendo ser para você ou outra pessoa, avisa que você não está tratando seus amigos e familiares com gentileza.

PUDIM Sonhar que vê pudim denota pequenos retornos para grandes investimentos. Comer pudim é a prova de que seus negócios vão ser um tanto decepcionantes. Sonhar que prepara ou come pudim indica que você vai ser convocado para entreter um convidado inesperado. | *Ver também* Confeitaria.

PULGA Sonhar com pulgas indica que você vai ser provocado à raiva e à retaliação por maquinações vis feitas por pessoas próximas.

PULO Se você sonha que pula sobre qualquer objeto, é um indicativo de sucesso em todos os empreendimentos; mas se você cair para trás depois do pulo, assuntos desagradáveis vão deixar sua vida bem complicada. Pular de um muro sugere especulação imprudente e decepções no amor. Se você está estiver apenas dando pulinhos, precisa se arriscar e seguir em frente em sua vida; caso contrário, vai ficar estagnado.

PÚLPITO Sonhar com um púlpito denota tristeza e aborrecimento. Se você estiver em um púlpito, espere doenças e resultados insatisfatórios nos acordos profissionais.

PULSAÇÃO Sonhar com sua pulsação é um alerta para cuidar da vida pessoal e da saúde, pois ambos estão suscetíveis a condições debilitantes. Sonhar que sente a pulsação de outra pessoa significa que você está cometendo depredações no domínio do prazer.

PULSEIRA Ver uma pulseira em seu braço garante a você um casamento precoce e feliz. Já a perda de uma pulseira denota perda e aborrecimento. Encontrar uma pulseira significa que você vai ter propriedade.

PUNÇÃO Sonhar que está puncionando alguma coisa sinaliza uma mudança de residência.

PUNHAL Ver um punhal em sonho sugere desafetos ameaçadores. Se você arrancar o punhal da mão de outra pessoa, é porque vai conseguir neutralizar a influência de seus desafetos e superar o infortúnio.

PUNHO Sacudir ou cerrar o punho em um sonho sugere eventos satisfatórios em assuntos pessoais e profissionais.

PUNIÇÃO Se você sonha que está sendo punido, é porque na vida desperta está prestes a se tornar muito popular. Sonhar que está punindo outra pessoa significa que você vai fazer algo do qual vai se orgulhar muito.

PURGATÓRIO Sonhar com o purgatório significa que em breve você vai ter de tomar uma decisão. Pode ser que inicialmente você não a considere a coisa certa, mas no fim vai acabar se provando uma bênção.

PURITANISMO Sonhar que você ou outra pessoa está dando demonstrações de puritanismo é sinal de que sua franqueza pode levar à perda de amigos ou colegas em um futuro próximo.

PURO-SANGUE Sonhar com qualquer animal puro-sangue implica que você será recompensado por sua pureza em pensamentos e ações.

Os sonhos acontecem em mim. Eles são parte de mim.

Alejandro Jodorowsky

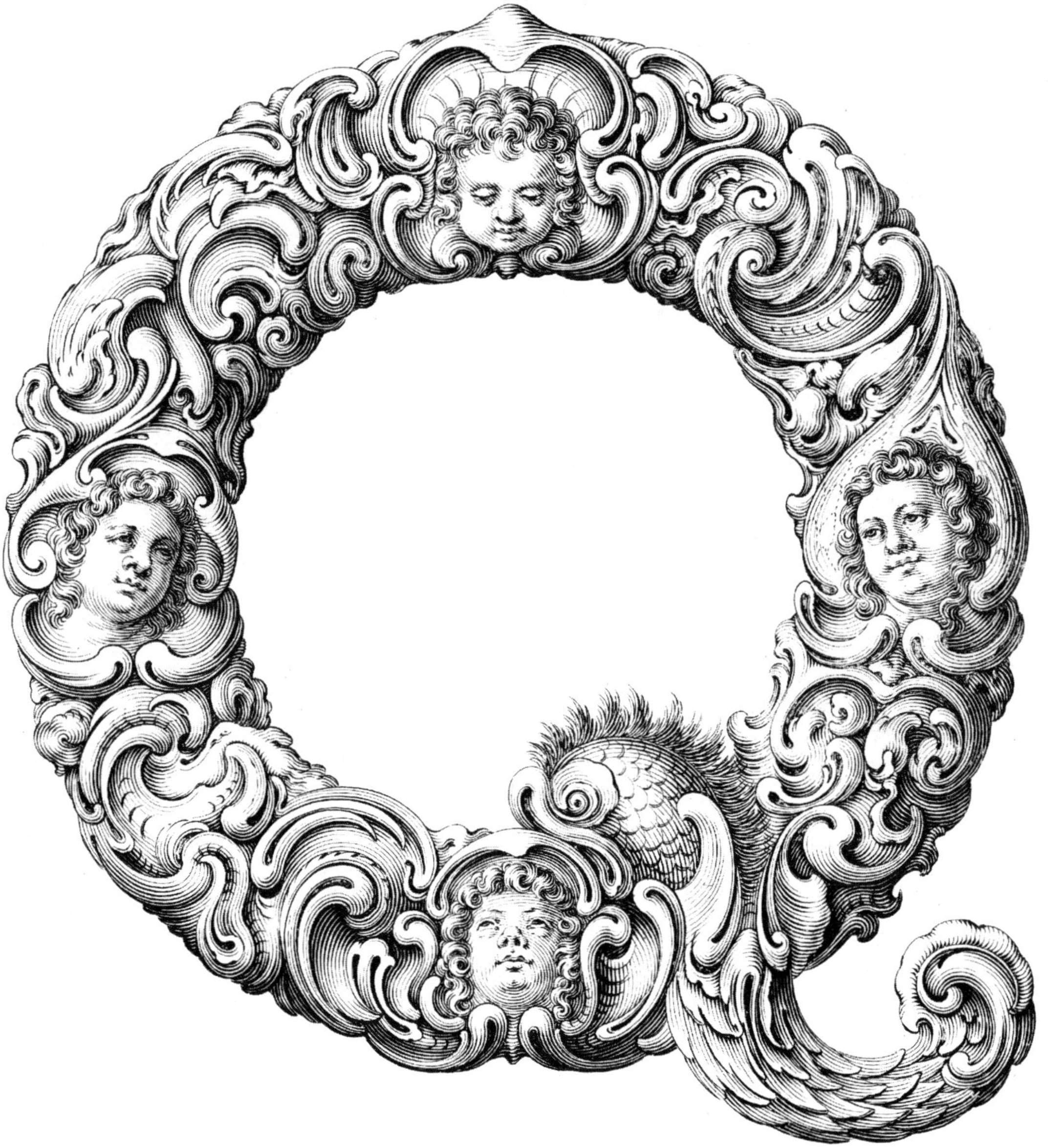

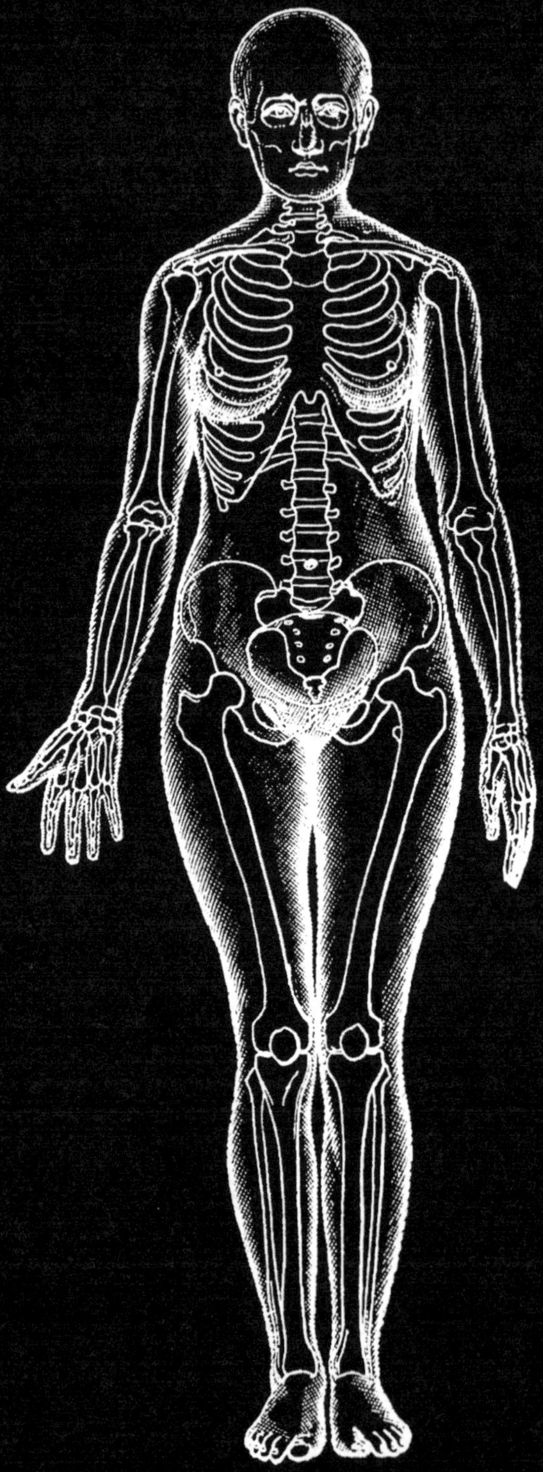

> "Para o sonho, o 'não' inexiste."

QUACRE (QUAKER) Sonhar com um membro desse grupo religioso protestante indica amigos fiéis e um negócio honesto. Se você for um quacre no sonho, então é sinal de que vai se comportar de maneira honrada com seus desafetos.

QUADRIL Para uma mulher, admirar seus próprios quadris nos sonhos mostra que ela vai se decepcionar no amor. Se ela sonhar que seus quadris são estreitos demais é um presságio de doença e decepção. Observar quadris fartos em animais é presságio de tranquilidade e prazer.

QUADRILHA Sonhar que dança quadrilha pressagia um noivado prazeroso que vai ocupar seu tempo. | *Ver também* Dança.

QUADRO DE DISTRIBUIÇÃO Sonhar com um quadro de distribuição elétrico implica numa ampliação de seu círculo de amizades. Há novas pessoas chegando em sua vida.

QUADRO-NEGRO Ver alguém escrevendo com giz branco no quadro-negro significa que a sua segurança financeira está em xeque.

QUÁDRUPLOS Sonhar com quatro unidades de qualquer coisa significa que você vai ter problemas em dobro, mas que vai ser algo temporário e menor.

QUARENTENA Sonhar que está em quarentena significa que você será colocado numa posição desagradável devido à maldade de desafetos.

QUARTETO Sonhar que toca ou canta em um quarteto representa situações favoráveis, companhias alegres e bons momentos. Ver ou ouvir um quarteto prediz que você vai aspirar por algo além.

QUARTO Ver um quarto recém-mobiliado prevê uma mudança feliz envolvendo viagens a lugares distantes e companhias agradáveis.

QUARTZO O quartzo representa fraude financeira; se você confiar em seus instintos, vai suspeitar dela antes que seja consumada.

QUEBRA Quebrar algo em sonho representa uma coisa ruim. Sonhar que quebra qualquer um de seus membros denota má administração e prováveis falhas. Quebrar móveis sugere brigas domésticas. Quebrar uma janela significa luto. Se você vir um anel quebrado, a ordem será tumultuada por revoltas furiosas e perigosas, como aquelas causadas pelo ciúme ou pelo litígio.

QUEBRA-CABEÇA Se você sonha que monta um quebra-cabeças e acha a tarefa muito difícil, é porque vai constatar que os obstáculos em sua vida serão facilmente superados. Já se o quebra-cabeças for fácil de montar, na vida desperta é o contrário: vai haver mais obstáculos entre você e a solução para seus problemas. Mas se você não conseguir montá-lo, espere muito trabalho pela frente para sanar um problema da vida desperta.

QUEBRA-NOZES Sonhar com um quebra-nozes significa que os problemas logo serão superados.

QUEDA Sonhar que está caindo e se assustar significa que você vai enfrentar uma grande batalha, mas que por fim ascenderá à honra e à riqueza. Se você se machucar na queda, vai enfrentar dificuldades e perder amigos na vida desperta. | *Ver também* Beirada.

QUEIJO Sonhar que come queijo indica sucesso no amor.

QUEIJO SUÍÇO Sonhar com queijo suíço significa que você terá bens substanciais e que vai desfrutar de diversões saudáveis.

QUEIMADURA Queimaduras significam boas novas, boas notícias e boa saúde.

QUEIMADURA DE SOL Sonhar que sofre uma queimadura de sol significa que você precisa cuidar de sua saúde.

QUEROSENE Sonhar com esse combustível significa novos interesses surgindo em sua vida.

QUERUBIM Sonhar com querubins é uma previsão de alegria vindoura que vai deixar uma imensa marca de felicidade duradoura em sua vida.

QUESTIONAMENTO Questionar os méritos de algo em seus sonhos é um alerta de que você vai desconfiar da fidelidade da pessoa amada, e que temerá por seus investimentos. Fazer uma pergunta prediz que você se empenhará sinceramente pela verdade e terá sucesso. Já se você for questionado no sonho, é sinal de que será tratado injustamente na vida desperta.

QUICAR Observar a si, outra pessoa ou um objeto quicando em um sonho pressagia grande alegria em sua vida.

QUICHE Sonhar que come quiche representa bem-estar financeiro.

QUIETUDE Sonhar com quietude ou silêncio absoluto significa que você vai se deparar com um choque mental, e pode ser que peça ajuda.

QUILATE Sonhar com quilates significa um presente a caminho. Quanto mais quilates tiver um anel no sonho, maior será o presente.

QUIMIOTERAPIA Enfrentar ou presenciar esse tratamento contra o câncer em sonhos é um alerta para ter cuidado com um problema de saúde.

QUININO Sonhar com quinino indica que logo, logo você vai sentir muita felicidade, embora suas perspectivas de riqueza financeira sejam mínimas. Tomar quinino indica melhora na saúde e na energia. Você também vai fazer novos amigos que vão ajudá-lo nas questões profissionais.

QUINTETO Sonhar com um quinteto prenuncia novos amigos. Sonhar que ouve um quinteto sugere que seus amigos são leais e confiáveis.

QUÍNTUPLO Sonhar com qualquer coisa com cinco unidades sinaliza que os obstáculos em seu caminho serão facilmente superados.

QUIROMANCIA Sonhar com a leitura da mão significa que você está contemplando os objetivos e rumos de sua vida.

QUITANDEIRO Sonhar com um vendedor de frutas significa que você vai se precipitar para recuperar uma perda e por isso vai acabar se envolvendo em especulações desventuradas.

QUIZ Sonhar que participa de um quiz significa boa sorte. Se você falhar, no entanto, vai ter de lidar com uma situação desconfortável em sua vida. Se você vencer, um problema futuro terá uma solução fácil.

Confie nos sonhos. Confie no seu coração.

Neil Gaiman

R

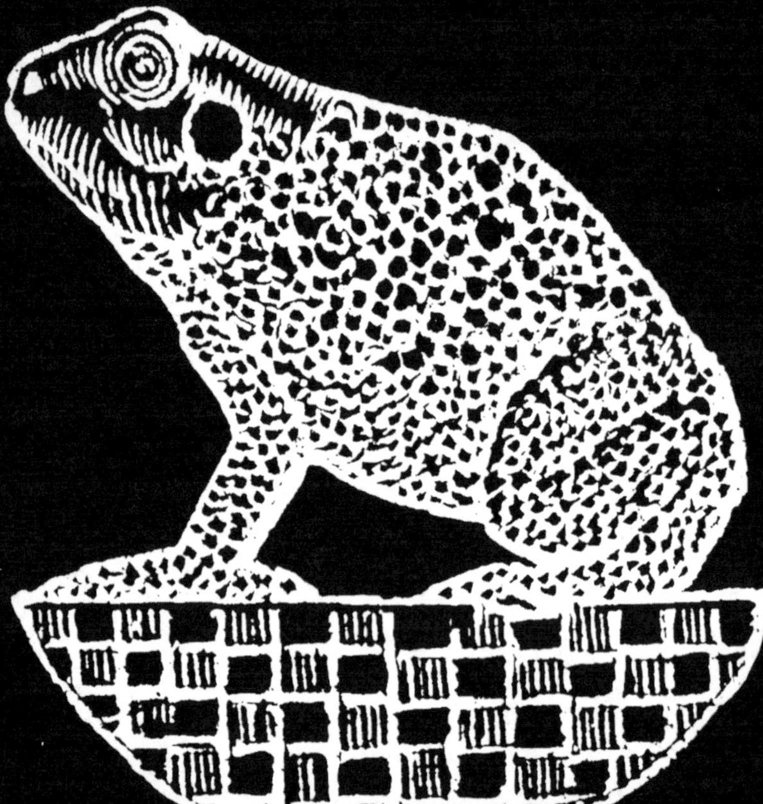

R

"Nada é tão nosso quanto nossos sonhos."

RÃ Sonhar que captura rãs implica em descuido nos cuidados para com a saúde; isso pode causar angústia em sua família. Ver rãs na grama indica que um amigo agradável e de temperamento tranquilo vai se tornar seu confidente e conselheiro. Ver sapos em locais baixos e pantanosos prediz problemas, mas que serão superados por meio da gentileza de outras pessoas. Sonhar que está comendo rã representa alegrias fugazes e poucos ganhos ao se associar a determinadas pessoas. Ouvir rãs pressagia que você fará uma visita a amigos.

RÃ-TOURO Sonhar que vê ou ouve essa espécie de rã significa que há novas amizades no horizonte.

RABANETE Sonhar que vê um canteiro de rabanetes crescendo é presságio de boa sorte. Seus amigos serão excepcionalmente gentis, sua carreira vai prosperar e suas expectativas serão alegremente concretizadas. Se você comer rabanetes, é porque na vida desperta pode sofrer um pouco com a falta de consideração de alguém próximo.

RÁBANO Sonhar com essa raiz-forte prediz relações agradáveis com pessoas cultas e simpáticas. A sorte também se expressa nesse sonho. Para a mulher, indica uma elevação de status. Se você estiver comendo rábano, é porque vai ser alvo de uma provocação lúdica.

RABECA Sonhar com uma rabeca prediz harmonia em casa e muitas ocasiões alegres fora do país. | *Ver também* Violino.

RABINO Sonhar com esse erudito judeu, independentemente de sua fé pessoal, sugere que as coisas estão acontecendo do seu jeito. Mas se você for judeu, aí esse sonho significa prosperidade por meio do trabalho árduo.

RABISCO Flagrar-se rabiscando algo em seus sonhos é uma advertência para recuar de um problema e repensar a maneira de resolvê-lo. Implica também em frustração com um caso amoroso ou relacionamento sério. Sonhar com outra pessoa rabiscando fala de paz de espírito.

RACIONAMENTO Sonhar com racionamento na verdade significa abundância. Mas se você for a pessoa fazendo o racionamento, aí esse sonho sugere perda financeira.

RADIADOR Sonhar com o radiador de um carro superaquecido alerta para problemas em sua vida amorosa.

RÁDIO Se você sonha com um rádio e acha as transmissões agradáveis, é porque vai ter uma vida familiar feliz. Mas se não gosta do que ouve, sinal de discussões e discórdia entre os membros da família.

RÁDIO-COMUNICADOR Sonhar com esse tipo de rádio é sinal de que em breve você vai se conectar com amigos do passado.

RADIOATIVIDADE Sonhar com qualquer coisa radioativa significa que sua vida social e amorosa em breve vai decolar.

RAINHA Sonhar com uma rainha indica empreendimentos de sucesso. Se ela estiver envelhecida ou abatida, no entanto, é porque as decepções vão se conectar aos seus prazeres. | *Ver também* Imperatriz.

RAIO O raio ou relâmpago nos sonhos prenuncia felicidade e prosperidade de curta duração. Se o raio atingir um objeto próximo e você sentir o choque, é sinal de que você vai ser prejudicado pela boa sorte de um amigo ou que pode se preocupar com gente fofoqueira e mexeriqueira. Se você vir raios e relâmpagos furiosos em meio a nuvens escuras, tristeza e dificuldades vão estar no encalço de sua sorte. Se você for atingido por um raio, tristezas inesperadas vão dominar a carreira e o amor. Ver um raio acima de sua cabeça anuncia alegria e ganhos. Se o raio estiver ao sul, a sorte vai fugir de você por um tempo.

RAIO SOLAR Ver um raio de sol através das nuvens significa bênçãos chegando.

RAIO X Nos sonhos, o raio x simboliza boa saúde e paz de espírito.

RAIVA Sonhar com a raiva implica decepções com os entes queridos e vínculos rompidos. Os desafetos podem fazer novos ataques à sua propriedade ou caráter. Sonhar que amigos ou parentes estão zangados com você sugere que você vai fazer a mediação entre amigos em divergência, e com isso vai ganhar aprovação e gratidão duradouras deles. Ficar zangado ou encontrar alguém zangado com você em um sonho prediz muita felicidade em um relacionamento atual.

RAIVA (HIDROFOBIA) Se você sonhar que foi mordido por um animal acometido por raiva, é porque será traído por seu amigo mais querido e muitos escândalos virão à tona.

RAIZ Sonhar que vê as raízes de plantas ou árvores denota infortúnio, pois tanto os negócios quanto a saúde entrarão em declínio. Se você estiver usando as raízes como remédio, aí é um alerta sobre a aproximação de doenças ou tristeza.

RAMO DE ÁRVORE Um ramo cheio de frutas e folhas verdes representa riqueza e muitas horas deliciosas com os amigos. Se estiverem secos, é sinal de notícia triste.

RANÇO Sonhar que algo está ficando rançoso ou podre é um alerta para problemas de saúde criados por você mesmo. Fique de olho no que anda comendo ou bebendo.

RAPÉ Sonhar com rapé indica que seus desafetos estão atraindo a confiança de seus amigos.

RAPOSA Sonhar que persegue uma raposa implica que você está se envolvendo em especulações duvidosas e casos amorosos arriscados. Se você vir uma raposa entrando sorrateiramente em seu quintal, cuidado com amizades cheias de inveja; sua reputação está sendo astutamente atacada. Matar uma raposa indica vitória em todos os embates.

RATO Sonhar com ratos sugere que você vai ser enganado e magoado por seus vizinhos. Brigas com companheiros são prováveis. Capturar ratos representa a capacidade de desprezar a baixeza das outras pessoas e de superar seus desafetos de maneira digna. Matar um rato anuncia sua vitória em qualquer competição. | *Ver também* Camundongo.

RATOEIRA Sonhar que é pego por uma ratoeira prevê que você vai ter um objeto valioso roubado. Ver uma ratoeira vazia significa ausência de calúnia ou competição. Uma ratoeira quebrada indica que você vai se livrar de relações desagradáveis. Se você sonha que está armando uma ratoeira, é porque vai ficar ciente dos desígnios dos inimigos, e esse aviso vai permitir que você seja mais esperto do que eles. Ver uma ratoeira nos sonhos significa que você precisa ser cuidadoso, pois as pessoas têm planos nada lisonjeiros para você. Se você vir a ratoeira cheia de ratos, provavelmente vai cair nas mãos de rivais. Se você estiver armando uma ratoeira, é porque vai arquitetar astuciosamente meios de vencer seus oponentes. | *Ver também* Camundongos.

RAQUETE Sonhar com uma raquete denota que você será frustrado em algum prazer há muito esperado.

RAQUETEBOL Sonhar que está participando desse esporte é sinônimo de boa saúde. Sonhar que vê alguém jogando prenuncia um evento social. | *Ver também* Handebol.

RARIDADE Sonhar com um item raro prediz um presente inesperado.

RASPAGEM Sonhar que raspa qualquer superfície rígida prediz o fim de uma amizade, mas a situação vai se revelar benéfica para você.

RASTEJAR Se você sonha que está rastejando no chão, pode esperar tarefas humilhantes em sua vida desperta. Rastejar sobre rochas e lugares acidentados indica que você não aproveitou as oportunidades de maneira adequada. Rastejar na lama com outras pessoas sugere depressão nos assuntos profissionais e perda de crédito. Seus amigos terão motivos para censurá-lo.

REBANHO Sonhar com um rebanho de animais significa que você vai seguir os bons conselhos de amigos e familiares, os quais resultarão em ganho financeiro.

REBELIÃO Sonhar com uma rebelião de qualquer tipo prenuncia um acontecimento social feliz com a família ou colegas de trabalho.

RECEITA Sonhar com uma receita significa que você precisa de mais saídas sociais. Você provavelmente tem trabalhado demais e precisa acrescentar diversão à sua vida.

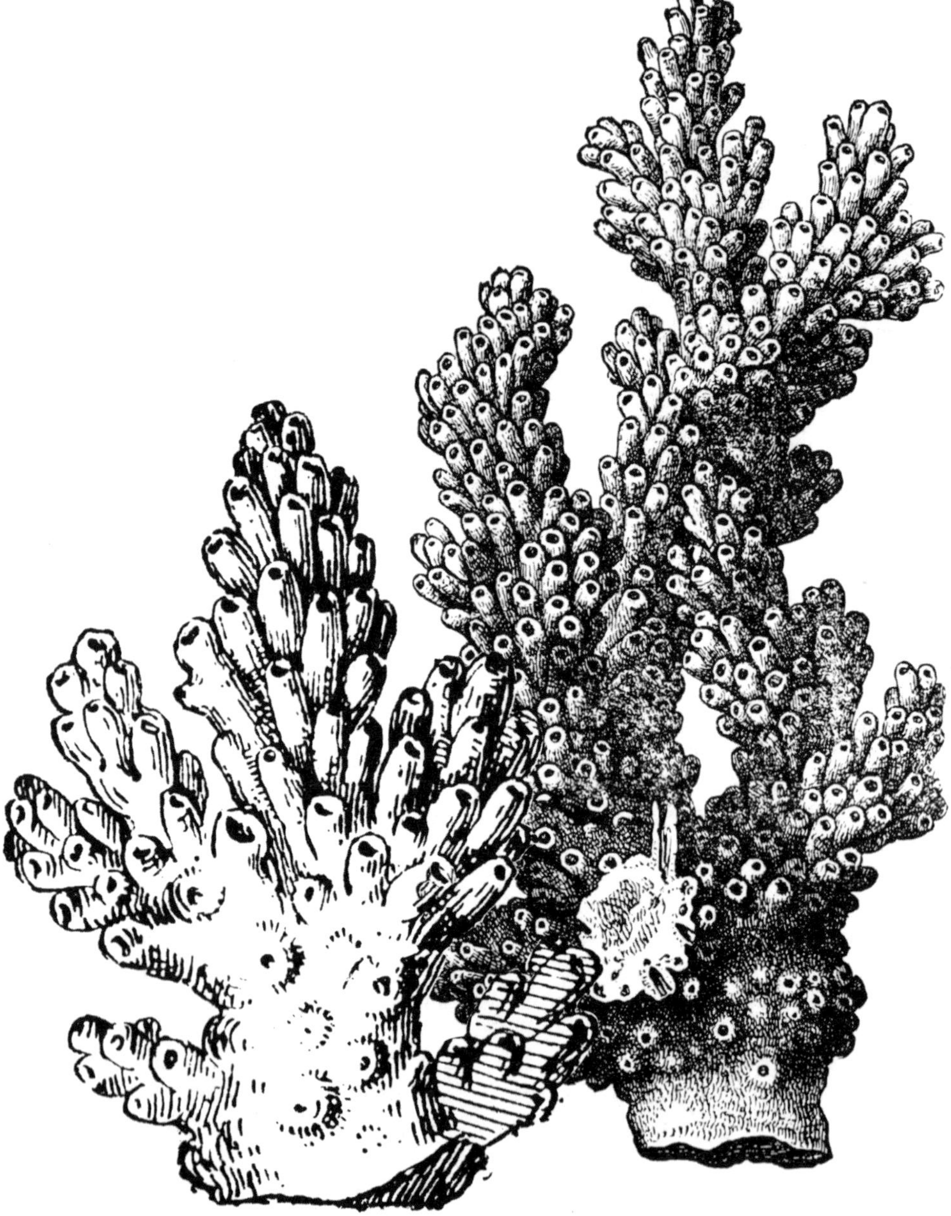

RECEITA MÉDICA Sonhar com uma receita médica para si sugere boa saúde; para outra pessoa, decepção.

RECÉM-NASCIDO Sonhar que vê um recém-nascido sugere surpresas agradáveis se aproximando.

RECIBO Sonhar com um recibo é a promessa de tempos melhores.

RECICLAGEM Flagrar-se reciclando qualquer coisa em um sonho sugere a continuação de bons momentos e prazeres em sua vida.

RECIFE DE CORAIS Sonhar com um recife de corais, ou de qualquer tipo, prenuncia abundância, felicidade e bem-estar.

RECITAL Sonhar que está dando um recital sugere que você está entrando em um momento em que precisa de um pouco de solidão para superar um problema.

RECLUSÃO Sonhar que você é recluso indica a chegada de eventos sociais alegres e muitos convites. Sonhar que observa um recluso diz que você precisa sair e se divertir mais.

RECOMPENSA Receber uma polpuda recompensa é um alerta para ser cauteloso com sua situação financeira na vida desperta. Já oferecer uma recompensa é sinal de que você precisa parar de ser complacente.

RECONCILIAÇÃO A reconciliação nos sonhos, na verdade, representa uma discussão ou briga capaz de romper um relacionamento.

RECONTAGEM Sonhar com uma recontagem denota a finalização de um projeto de forma muito simples e fácil.

RECORDAÇÃO Sonhar com uma recordação é um conselho para fazer um balanço do quanto você é amado. Sonhar que algo está sendo lembrado significa que você precisa tomar cuidado para não repetir o mesmo erro indefinidamente.

REDE Sonhar que enreda qualquer coisa com uma rede prediz que você vai ser um tanto inescrupuloso em suas negociações e conduta para com os outros. Sonhar com uma rede velha ou rasgada sugere que sua propriedade tem hipotecas ou pendências que vão lhe causar problemas.

REDE (DE DEITAR) Uma rede vazia significa perda no horizonte. Se você estiver em uma rede, cuidado para não se mostrar muito autocentrado na vida desperta. Estar em uma rede com um interesse romântico sugere uma boa vida social se desenvolvendo à sua volta. Se você cair da rede, é porque não está valorizando seus amigos como deveria.

REDE DE PESCA A rede de pesca pressagia numerosos pequenos prazeres e ganhos, porém uma rede rasgada representa decepções vexatórias.

RÉDEA Sonhar com uma rédea significa que você vai se envolver em um empreendimento que trará muita preocupação, mas que acabará resultando em prazeres e ganhos. Uma rédea velha ou estragada sugere que você vai encontrar dificuldades que podem levar à derrocada.

REDEMOINHO Sonhar com um redemoinho pressagia um perigo iminente para sua carreira. A menos que haja muita cautela de sua parte, sua reputação será seriamente manchada por uma intriga vergonhosa.

REDUÇÃO Sonhar que reduz qualquer coisa prevê amores empolgantes entrando em sua vida.

REENCONTRO Se você sonha com algum tipo de reencontro, é porque vai ter ajuda para avançar na carreira.

REFEIÇÃO Sonhar que saboreia uma refeição é um bom presságio. Mas se você não estiver aproveitando o momento, é sinal de que deixará assuntos triviais interferirem em questões importantes e em compromissos profissionais. | *Ver também* Comer.

REFÉM Sonhar que você é um refém indica que talvez você tenha de lidar com traição; se você não conseguir escapar, vai encontrar prejuízos e infortúnio na vida desperta. Sonhar que está fazendo alguém de refém prenuncia a união entre carreira e pessoas de status social mais baixo.

REFUGIADO Sonhar com um refugiado é um alerta para cuidar de si antes de cuidar dos outros. Sonhar que é um refugiado significa que você vai ganhar um favor inesperado, feito por amor.

REGAR CARNE Sonhar que está regando carnes no próprio sumo durante o cozimento é sinal de prosperidade e felicidade.

REGGAE Sonhar com a música, estilo ou costumes do reggae traz surpresas agradáveis em sua vida pessoal, e uma paz de espírito maravilhosa.

REGIÃO COSTEIRA Ver a costa ou estar próximo a uma grande massa de água em sonho significa boas notícias por vir. Pode ser também que você venha a dar boas notícias a outra pessoa.

REGOZIJO Sonhar que está sob grande alegria, ou cercado de companhias alegres, implica que acontecimentos agradáveis vão se fazer presentes por um tempo, e as situações cotidianas vão assumir formas lucrativas.

RÉGUA Medir qualquer coisa em um sonho com uma régua significa que você vai alcançar seus objetivos se souber recorrer a planejamento e ação cuidadosos.

REI Se você sonha com um rei, é porque está lutando com toda sua força, e a ambição é seu mestre. Sonhar que está sendo coroado rei indica que você vai ficar acima de seus pares e colegas de trabalho. Se você for censurado por um rei, é porque na vida desperta vai tomar uma reprimenda devido a um dever negligenciado.

REIS MAGOS Sonhar com esses três homens sábios significa bênçãos.

REJEIÇÃO Rejeitar alguém em sonho significa que existe uma amizade duradoura em sua vida. Ser rejeitado significa que em breve você vai dar início a uma nova amizade que vai durar por toda a sua vida. Sonhar consigo, ou com algo que você fez, sendo rejeitado prenuncia grande aceitação social e reconhecimento pelo seu trabalho árduo.

RELIGIÃO Se você sonha que discute religião e se sente inclinado à religião, é porque vai se deparar com muitas coisas que vão prejudicar a tranquilidade de sua vida, e as questões profissionais podem ficar bem desagradáveis. Se você se flagrar em meio a um êxtase religioso, é porque está prestes a ser induzido a abrir mão da sua personalidade para agradar alguém por quem você nutre uma estima reverente. Ver uma religião declinando no sonho denota que sua vida vai ficar em harmonia à criação de maneira mais intensa do que antes. Seus preconceitos vão ficar menos agressivos. Sonhar que um clérigo lhe revela calma e amistosamente que desistiu de sua função indica que você será o destinatário de notícias inesperadas — e favoráveis; mas se o clérigo estiver falando de um jeito formal e em tom de advertência, isto sugere que você será tomado por uma intriga dolosa, ou que outras decepções se seguirão. | *Ver também* Renovação (religião).

RELÍQUIA FAMILIAR Sonhar com uma relíquia de família sugere reconhecimento em seu círculo social ou junto a seus colegas de trabalho.

RELÓGIO Sonhar que vê um relógio denota o perigo causado por um desafeto. Se você ouvir uma badalada, vai receber notícias desagradáveis. Observar o ponteiro dos segundos de um relógio em pleno sonho implica que aquilo tem trazido reflexão não será resolvido somente por você. Você deve buscar outra opinião.

RELÓGIO DE PULSO Sonhar com um relógio de pulso sugere prosperidade em especulações bem direcionadas. Se você olhar para as horas no relógio, seus esforços serão derrotados pela rivalidade. Se você quebrá-lo, significa ameaça de angústia e perda. Deixar cair o cristal do relógio pressagia descuido ou uma companhia muito desagradável. Se você sonha que está roubando um relógio, um desafeto um tanto violento pode atacar sua reputação. Dar um relógio de pulso de presente fala sobre a busca de recreação imprópria.

RELÓGIO DIGITAL Olhar para um relógio digital prevê boa sorte, principalmente se você conseguir se lembrar dos números ao acordar.

REMO Se você sonha que está manuseando remos, significa decepção; você vai sacrificar seu prazer pelo conforto alheio. Perder um remo denota esforços inúteis para concretizar seus planos de maneira satisfatória. Um remo quebrado representa a interrupção de um prazer muito esperado. Sonhar com um remo prediz um progresso constante no campo escolhido por você. | *Ver também* Paddle (Esporte).

REMENDO

RELUTÂNCIA Quando você está de má vontade para fazer alguma coisa em seu sonho, isso significa que a tarefa será bastante fácil na vida desperta.

RELVADO Sonhar com uma relva de corrida de cavalos revela que você tem prazer e riqueza ao seu dispor, mas sua moral pode estar sendo questionada por seus amigos mais íntimos. Um relvado verde indica que assuntos interessantes vão prender a sua atenção.

REMÉDIO Sonhar com remédios, se forem palatáveis, significa a chegada de problemas, porém em breve tudo vai dar certo. Mas se o remédio tiver gosto ruim, é porque você vai ser acometido por uma enfermidade prolongada, ou por alguma tristeza ou perda profunda. Dar remédio a outra pessoa denota que você vai atuar para ferir alguém que confiou em você.

REMENDO Sonhar que está remendando roupas sujas implica que você vai se comprometer a consertar um erro em um momento inoportuno; mas se as vestes estiverem limpas, aí é sinal de aumento da prosperidade. Sonhar que você tem remendos em suas roupas sugere que seu amor-próprio é genuíno. Ver outras pessoas usando remendos indica um período de carência.

RENA Sonhar com uma rena fala sobre cumprir fielmente seus deveres e permanecer leal aos amigos em momentos de adversidade. Conduzir renas implica que você vai ter momentos de angústia, mas os amigos virão em seu auxílio.

RENDA Sonhar que está recebendo seu pagamento indica que você pode vir a enganar alguém e causar problemas para familiares e amigos. Sonhar que um membro da sua família herda algum tipo de renda prediz sucesso para você. Sonhar que sua renda é insuficiente para seu sustento sugere problemas para parentes ou amigos. Sonhar que consegue fazer sobrar uma parte da sua renda significa que você vai ter muito sucesso por um curto período, mas que com isso pode acabar esperando mais do que ganha.

RENDA (TECIDO) Usar renda durante um sonho com casamento indica fidelidade no amor e aumento de status. Se você sonha que está tecendo renda, é porque vai ter uma vida útil, laboriosa e jamais vai faltar o necessário. Vender renda indica que seus desejos pessoais e materiais vão exceder sua capacidade financeira. Já comprar renda significa que você vai enriquecer.

RENDIMENTO Se nos sonhos o rendimento por seu trabalho for abaixo do ideal, espere inquietação e preocupações.

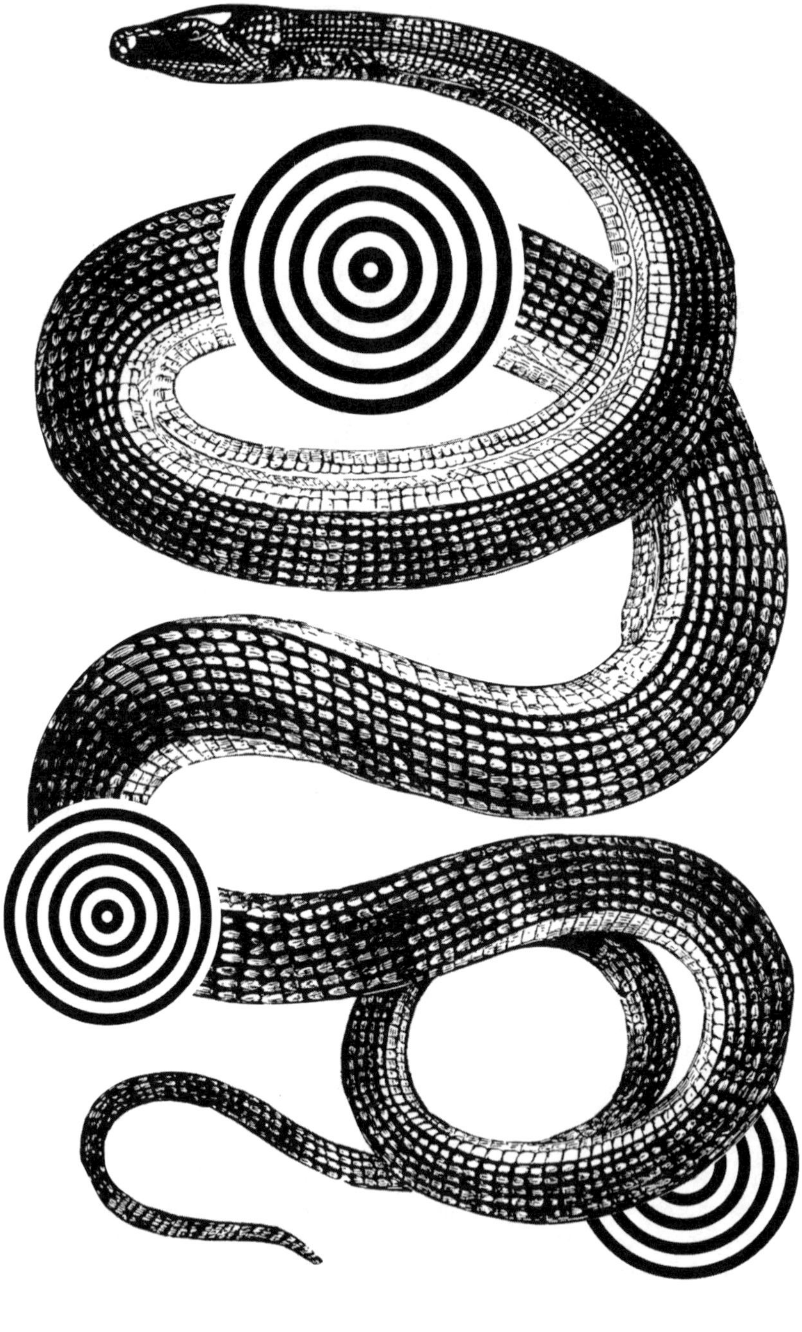

RENOVAÇÃO (RELIGIÃO) Sonhar que participa de uma renovação religiosa prediz distúrbios familiares e comprometimentos em vão. Se você fizer parte da renovação, é porque vai incorrer no desagrado de amigos devido a seus caminhos de natureza oposta. | *Ver também* Religião.

REPETIÇÃO Sonhar que repete algo indefinidamente é presságio de boa sorte. Ver outra pessoa repetindo algo significa um possível conflito em um relacionamento pessoal.

REPLAY Sonhar que vê algo acontecendo repetidamente é um alerta de que você talvez precise mudar sua abordagem e ideias a respeito de um projeto ou evento futuro.

RÉPLICA Sonhar com uma réplica de qualquer coisa fala de um presente inesperado na forma de joias ou dinheiro.

REPOLHO É ruim sonhar com repolho. O repolho verde representa infidelidade no amor e no casamento. Sonhar que está cortando um repolho implica que você está forçando a barra rumo ao caos devido a gastos excessivos.

REPÓRTER DE JORNAL Se em seus sonhos você, a contragosto, vê jornalistas da mídia impressa, é porque vai se irritar com questionamentos e conversas triviais. Se você for o repórter, mas esta não for sua profissão na vida desperta, é sinal de que vão lhe oferecer uma viagem para um lugar diferente. Embora você possa passar por algumas situações desagradáveis, haverá mérito e ganhos relacionados a ela.

REPREENSÃO Se você sonha que está sendo repreendido, é um aviso de que está sendo confiante demais. Repreender alguém em um sonho prediz uma discussão familiar.

REPRESENTAÇÃO Sonhar que está sendo representado significa que você vai ter ajuda em um projeto empresarial benéfico. Sonhar que você representa alguém indica que você vai ter de confiar no seu taco para resolver um problema.

REPRIMENDA Sonhar que está sendo repreendido significa a chegada de uma homenagem social ou profissional. Se você estiver repreendendo alguém, no entanto, é presságio de um constrangimento social ou relacionado à carreira.

RÉPTIL Se você é atacado por réptil em um sonho, é porque vai ter problemas de natureza grave. Mas se conseguir matá-lo, sinal de que finalmente vai suplantar os obstáculos. Ver um réptil morto ressuscitando denota que as disputas e desacordos que você pensava terem sido resolvidos vão se renovar e avançar com uma animosidade desagradável. Manusear répteis sem ser ferido por eles sugere que você vai ser oprimido pelo mau humor e amargura de amigos, mas que vai conseguir restabelecer relações agradáveis. Ver vários tipos de répteis pressagia muitos problemas conflitantes. | *Ver também* Serpente, Cobra.

RESERVATÓRIO Se o reservatório em seu sonho estiver cheio e com a água límpida, indício de prosperidade chegando. Se estiver vazio, significa dificuldades — mas que não serão causadas por suas próprias ações. Se a água do reservatório estiver suja ou poluída, espere azar ou dor de cabeça.

RESFRIADO Se você sonha que pegou um resfriado, é recomendável examinar os problemas de sua vida que carecem de atenção. Os desafetos estão em ação para prejudicar você. Sua saúde também está em risco.

RESGATE Se você sonha que alguém paga um resgate para lhe libertar, é porque na vida desperta vai descobrir que está sendo enganado: alguém quer extorquir seu dinheiro. Sonhar que está sendo resgatado de qualquer perigo indica que você vai ser ameaçado pelo infortúnio e que vai conseguir escapar, porém com uma pequena perda. Resgatar outras pessoas prediz estima por suas boas ações.

RESISTÊNCIA Sonhar que resiste a algo prenuncia mudança. Mas vai ser para o bem, portanto, não resista.

RESORT Sonhar com um resort sugere um novo romance, mas que pode não levar a nada permanente.

RESPIRADOR ARTIFICIAL Sonhar com outra pessoa em um ventilador pulmonar representa uma boa notícia sobre um problema de saúde. Sonhar que você mesmo está usando um respirador sugere boa saúde e bem-estar num futuro imediato.

RESPOSTA Receber uma resposta num sonho para uma pergunta ou dilema que você enfrenta na vida real geralmente é uma previsão. Preste atenção nessa resposta.

RESSACA Sonhar que está enfrentando uma ressaca, caso você esteja solteiro, adverte para o fato de você estar sendo moralmente solto. Para uma pessoa casada, sonhar que está de ressaca fala do livramento de problemas familiares.

RESSACA MARÍTIMA Sonhar que é pego pela força de uma ressaca significa que em breve você vai ser um consolo para alguém que está sofrendo.

RESSURREIÇÃO Se você sonha que ressurgiu dos mortos, espere uma boa dose de aflição, porém com o bônus derradeiro da conquista de seus desejos. Ver os outros ressurgindo dos mortos denota problemas que serão amenizados pelos cuidados de amigos.

RESSUSCITAÇÃO Sonhar que está sendo ressuscitado indica o sofrimento de grandes perdas, mas no fim você vai recuperar mais do que perdeu, e a felicidade vai ser uma aliada. Se você estiver lutando para ressuscitar alguém, é porque vai fazer novas amizades que vão trazer notoriedade e prazer.

RESTAURANTE Sonhar com um restaurante caro ou que você nunca visitou ou sequer viu na sua vida desperta indica uma despesa repentina. Mas se for um restaurante que você frequenta regularmente, aí esse sonho sugere atividades sociais agradáveis ligadas à carreira. Sonhar com um restaurante "pé sujo" prevê aumento em sua renda.

RETORNO Devolver algo em um sonho é um alerta para tomar cuidado com seus gastos. Sonhar que está retornando para um lugar onde você já esteve é um aviso para não viajar num futuro próximo.

RETRATO Sonhar que contempla o retrato de uma pessoa bonita indica que mesmo enquanto desfruta do prazer, você pode sentir a inquietação e os incômodos em meio às alegrias. Sonhar que está vendo ou fazendo o retrato de algum conhecido é um aviso de que em breve você vai conhecer um lado jamais imaginado de alguém. | *Ver também* Imagem, Tinta e pintura, Fotografia, Quadro.

RETRÓS Ver um retrós em seu sonho é um aviso de que seu negócio está assumindo complicações difíceis de superar. | *Ver também* Linha.

REUMATISMO Sentir o reumatismo atacando você em um sonho prenuncia um atraso inesperado na realização dos planos. Ver os outros sofrendo de tal aflição indica decepções.

REUNIÃO Estar em uma reunião com outras pessoas em um ambiente alegre significa apoio e camaradagem entre amigos e familiares. Estar em uma reunião junto a outras pessoas prevê relacionamentos familiares agradáveis num futuro próximo.

REVELAÇÃO Sonhar com uma revelação, se esta for de natureza agradável, significa uma perspectiva brilhante no trabalho ou no amor; mas se a revelação for sombria, então é sinal de muitas experiências desanimadoras para se superar.

REVESTIMENTO Flagrar-se revestido ou envolvido em qualquer coisa em seu sonho sugere que logo você se verá sozinho com seus problemas e terá de resolvê-los sem ajuda.

REVISÃO DE TEXTO Sonhar com revisão de texto é um alerta para você ser cuidado e assegurar que os próximos projetos profissionais são financeiramente viáveis.

REVISTA Sonhar com a leitura de uma revista diz que em breve haverá a oportunidade de aprender algo novo. Escrever ou publicar numa revista significa que logo você estará ensinando algo novo a alguém.

REVÓLVER Qualquer sonho com um revólver sugere uma injustiça para com você ou outra pessoa; você vai ter de lutar muito para superá-la. | *Ver também* Arma.

RIACHO Atravessar um riacho límpido em sonho pressagia facilidade na solução de um problema que virá em breve. Atravessar um riacho lamacento é sinal de que o problema será resolvido, porém vai carecer de muito esforço. Cair em um riacho límpido significa que os problemas atuais vão acabar logo, logo. Por outro lado, a queda num riacho turvo indica que o problema vai exigir tempo e recursos. O riacho simboliza novas experiências e viagens curtas. Se estiver transbordando, você terá problemas sérios em breve. Se estiver seco, você não apenas ficará decepcionado, como verá outra pessoa ganhando as coisas que você trabalhou duro para conseguir.

RIDICULARIZAR Ser ridicularizado sugere problemas com questões profissionais.

RIO Se você vir um rio límpido, tranquilo e fluido nos sonhos, em breve vai desfrutar de prazeres deliciosos, e encontrará a prosperidade. Se as águas estiverem lamacentas ou turbulentas, sinal de contendas desagradáveis e pessoas invejosas surgindo. Se você se flagrar encurralado pelo transbordamento de um rio, indício de que podem ocorrer constrangimentos temporários na carreira, ou uma apreensão pelo fato de alguma escapadela privada chegar ao conhecimento público e sujeitar sua reputação a duras críticas. Se ao navegar em um rio límpido você vir cadáveres no fundo, é porque vai descobrir que os problemas e a melancolia são capazes de suplantar rapidamente os prazeres e a sorte do presente. Ver rios secos denota doença e um azar incomum.

RIQUEZA Sonhar que você é muito rico significa que na vida desperta você vai ter energia para enfrentar os problemas da vida com a força que leva ao sucesso. Ver que outras pessoas estão ricas fala de amigos que virão em seu socorro em momentos de dificuldade. | *Ver também* Bens materiais.

RIQUEZA

RIFA Sonhar que está rifando qualquer artigo prediz que você vai ser vítima de especulação. Se você participar de uma rifa de igreja, logo vai descobrir que a decepção está atrapalhando seu futuro.

RIM Sonhar com os rins indica uma doença ou problema sério em seu casamento. Fala também da necessidade de filtrar algo em sua vida.

RINOCERONTE Sonhar que vê um rinoceronte sugere que você vai ser ameaçado por uma grande perda e que terá problemas íntimos. Matar um rinoceronte mostra que obstáculos serão superados por meio da bravura.

RISADA Flagrar-se rindo em um sonho é um alerta sobre problemas financeiros. Ver os outros rindo mostra que, num futuro próximo, sua vida social vai ser bem divertida. Sonhar que você ri e se sente alegre prediz sucesso em seus empreendimentos e boas companhias no âmbito social. Dar gargalhadas insanas denota decepção e ausência de harmonia ao seu redor. Ouvir o riso de crianças significa alegria e saúde para o sonhador. Rir do desconforto alheio indica que você vai prejudicar deliberadamente seus amigos para satisfazer seus desejos egoístas. O riso de zombaria sugere doença e situações decepcionantes.

RISCA DE GIZ Sonhar que usa uma peça de roupa com risca de giz significa que você vai ser meticuloso em um projeto pessoal ou empresarial — e vai colher grandes recompensas por isso.

RIVAL Sonhar que tem um rival é sinal de que você vai demorar a fazer valer seus direitos e poderá perder as benesses proporcionadas por pessoas de destaque. Se você descobrir em sonho que foi enganado por um rival, significa que na vida desperta será negligente no campo profissional, e que seu amor pela comodidade e pelo conforto serão prejudiciais. Se você sonha que é um rival bem-sucedido, é um bom sinal para seu progresso na vida desperta, e você vai encontrar harmonia na escolha de um companheiro.

RIXA As rixas nos sonhos pressagiam infelicidade e altercações violentas. Para uma jovem, as brigas são o sinal de desagrado fatal para um relacionamento; para uma mulher casada, elas trazem desentendimento contínuo. Ouvir outros brigando denota relações comerciais insatisfatórias e comércio decepcionante.

ROCA A máquina de fiar denota frugalidade, com ambiente agradável. Também significa que você está cultivando um espírito devoto.

ROCHAS Sonhar com rochas implica que você vai se deparar com reveses e que vai sofrer discórdia e infelicidade de forma generalizada. Escalar uma rocha íngreme indica muita luta e contextos decepcionantes. | *Ver também* Pedra.

RODA Ver rodas girando rapidamente indica que você vai ser parcimonioso e empreendedor em seus negócios, e que terá sucesso na busca pela felicidade doméstica. Ver rodas paradas ou quebradas proclama a morte ou ausência de alguém em sua casa.

RODA-GIGANTE Sonhar que está em uma roda-gigante e ficar com medo é um alerta de que um problema que você tentou ignorar exige nova abordagem. Se você gostar do passeio, é sinal de que tempos felizes estão chegando à sua vida desperta.

RODOVIA Sonhar com uma rodovia movimentada significa um aumento das dificuldades no trabalho; já sonhar com uma rodovia vazia significa que esse campo da sua vida vai oferecer um navegar tranquilo e livre de preocupações. Atravessar uma rodovia avisa que as coisas vão piorar antes de melhorar.

ROLETA

ROLETA Participar ou assistir a esse jogo de azar é um aviso de que em breve você vai sofrer uma perda financeira se não tomar cuidado.

ROLHA Sonhar com rolhas é um sinal de que em breve você vai entrar em um estado de prosperidade e que vai se deleitar com a felicidade.

ROLO COMPRESSOR Operar um rolo compressor em sonho indica sucesso em sua vida pessoal. Mas se você sonha que é atropelado ou esmagado por um, espere hostilidade e brigas entre amigos e familiares.

ROLO DE MASSA Sonhar que você usa um rolo de massa com sua função original significa um relacionamento feliz em família. Já se você estiver usando o rolo de outro modo que não para abrir massa, é um alerta para não se precipitar em questões pessoais ou comerciais.

ROMÃ Sonhar com romãs mostra que você vai saber usar sabiamente seus de talentos para o enriquecimento mental em vez de buscar prazeres que destroem a moralidade e a saúde. Comer romã significa que você vai ser fisgado pelos encantos pessoais de alguém.

ROMANCE Sonhar que escreve um romance sugere problemas em sua carreira ou vida pessoal. Ler um romance implica em atividades sociais felizes.

RONRONAR Sonhar que ouve ronronados pressagia contentamento e felicidade.

ROSA Sonhar que vê rosas desabrochando e cheirosas sugere uma ocasião alegre chegando, e a pessoa que você gosta vai lhe devotar seu amor fiel. Rosas murchas falam da ausência de entes queridos. Rosas brancas, se vistas sem sol ou orvalho, denotam doenças graves, até mesmo fatais. Inalar a fragrância das rosas traz um prazer completo.

ROSA-CHÁ Sonhar que vê uma rosa-chá em plena floração prediz um casamento em sua família muito em breve, e que grandes esperanças serão concretizadas.

ROSEIRA Ver uma roseira com folhagem mas desprovida de flores diz que a prosperidade se faz presente. Uma roseira morta prediz infortúnio e doença, podendo ser para você ou parentes.

ROSETA Usar rosetas em sonhos ou vê-las em outras pessoas fala de uma perda de tempo frívola; embora você vá usufruir das emoções oriundas do prazer, também terá muitas decepções.

ROSTO Esse sonho é favorável se você vê rostos felizes e contentes, mas significa problemas se estiverem desfigurados, feios ou carrancudos. Para um jovem, sonhar com um rosto feio prenuncia brigas entre amantes; ou se um amante vir o rosto de seu parceiro com aspecto envelhecido, é um alerta sobre a separação e o rompimento de relações felizes. Deparar-se com um rosto estranho e de aparência esquisita mostra que desafetos e infortúnios o cercam. Sonhar que vê o próprio rosto denota infelicidade; para os casados, ameaças de divórcio ocorrerão. Ver seu rosto no espelho sugere desagrado consigo devido à incapacidade de fazer autopromoção. Você também vai perder a estima dos amigos. Sonhar com uma pessoa sem rosto significa a chegada de uma nova amizade ou da ajuda de um desconhecido. Sonhar que você não tem rosto é um alerta para começar a pensar por conta própria, para parar de depender da opinião de outras pessoas.

ROTATÓRIA Sonhar que vê uma rotatória implica que você vai lutar para progredir na busca pela fortuna ou pelo amor, porém sem sucesso.

RÓTULO Sonhar que lê rótulos sugere que você, sem saber, deixou alguém fuçar coisas de sua vida privada, e você vai sofrer por causa dessa negligência. Sonhar que está rotulando coisas indica que você está tentando dar sentido a alguma coisa em sua vida diária. Sonhar que algo está mal rotulado significa que você não está olhando para as coisas da maneira certa. Se você estiver procurando um rótulo, é porque está agindo para dar sentido a uma situação.

ROUBO DE CARRO Sonhar com um roubo de carros significa que em breve você vai comprar um veículo novo.

ROUPA CAMUFLADA Se você está usando roupa camuflada no sonho, é porque tem revelado a gente demais sobre seus planos e negócios. Ver outra pessoa usando roupa camuflada indica que você vai revelar segredos a outras pessoas.

ROUPA DE SEDA Sonhar que usa roupas de seda é um sinal de que grandes ambições estão sendo satisfeitas; relações amigáveis serão restabelecidas entre aqueles que se distanciaram.

ROUPA ÍNTIMA Sonhar com roupas íntimas limpas prevê boas notícias. Mas se estiverem sujas, indica ganho financeiro.

ROUPAS Sonhar que vê roupas sujas e rasgadas pressagia que um engano vai prejudicar você. Cuidado ao formar laços de amizade com desconhecidos.

Roupas limpas e novas simbolizam prosperidade. Sonhar que você possui uma variedade de roupas é um bom presságio. | *Ver também* Vestuário.

ROUPAS DE CASAMENTO Sonhar com vestido de noiva ou fraque significa que você vai tomar parte em trabalhos agradáveis e que vai fazer amigos. Ver os trajes sujos ou amarrotados revela a perda de relações íntimas com uma pessoa muito admirada.

ROUPAS DE SEGUNDA MÃO Sonhar que usa roupas de segunda mão prevê uma sorte incrível no horizonte.

ROUPAS DESCOMBINADAS Estar ciente de que está usando roupas que não combinam entre si sugere um evento alegre chegando.

ROUQUIDÃO Sonhar que sua voz está rouca é um alerta para ter cuidado com possíveis furtos.

ROUXINOL Sonhar que está ouvindo o canto harmonioso de um rouxinol fala de uma rotina agradável, de um ambiente próspero e saudável. Ver rouxinóis calados anuncia ligeiros mal-entendidos entre amigos.

ROXO A cor roxa está sempre ligada ao desenvolvimento psíquico, intuição e desenvolvimento espiritual.

RSVP Se você sonha que recebe ou envia um convite que pede confirmação de presença, é porque um período de decepção e desilusão está por vir em sua vida amorosa.

RUA Sonhar que está andando na rua é prenúncio de azar e preocupações. Você praticamente vai perder as esperanças de alcançar o objetivo que almeja. Se você sonha que está em uma rua conhecida em uma cidade distante e está escuro, é indicativo de que vai fazer uma viagem em breve, mas não terá o lucro ou o prazer contemplados. Se a rua estiver bem iluminada, você vai se envolver em prazeres efêmeros, que não deixam nenhum tipo de consolo. Se no sonho você transita por uma rua e sente-se alarmado, com medo de um bandido, por exemplo, isso é um alerta de que você tem se aventurado em terrenos perigosos para alavancar seu prazer ou trabalho.

RUBI Sonhar com essa pedra preciosa indica sorte nos negócios ou no amor. Se uma mulher perder um rubi nos sonhos, é presságio de indiferença iminente por parte da pessoa amada.

RUBOR Sonhar que enrubesce fala de preocupação e humilhação devido a falsas acusações.

RUGA Sonhar que tem rugas no rosto prediz aumento da popularidade.

RUIBARBO Sonhar com o cultivo desse vegetal implica que um passatempo agradável vai ocupar você por um bom período. Cozinhar ruibarbo prenuncia discussões que causarão a perda de um amigo. Comer ruibarbo denota insatisfação com seu emprego atual.

RUÍNA Sonhar com ruínas indica compromissos românticos rompidos, condições adversas na vida profissional, safras destruídas e saúde debilitada. Sonhar com ruínas antigas indica que você vai viajar muito, porém vai haver um tom de tristeza misturado ao prazer e à concretização de uma esperança há muito acalentada. Você vai sentir a ausência de um amigo.

RUM Sonhar que bebe rum indica riqueza, porém ausência de refinamento moral.

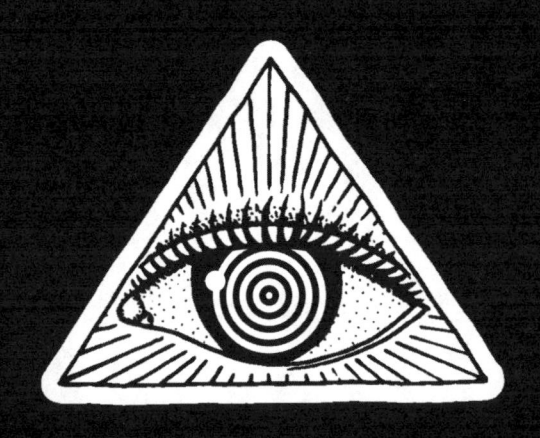

Eu sonho minha pintura e então eu pinto o meu sonho.

Van Gogh

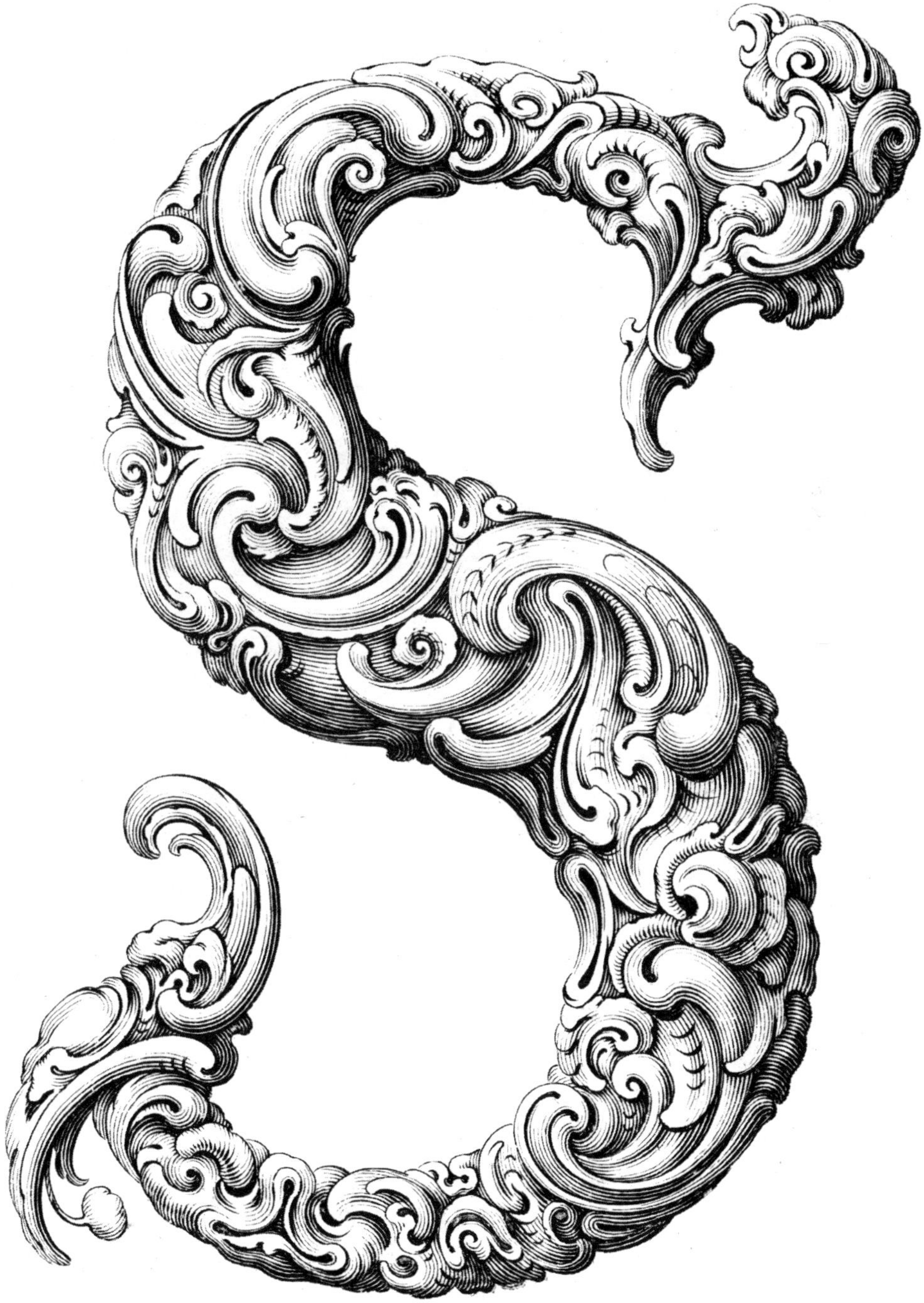

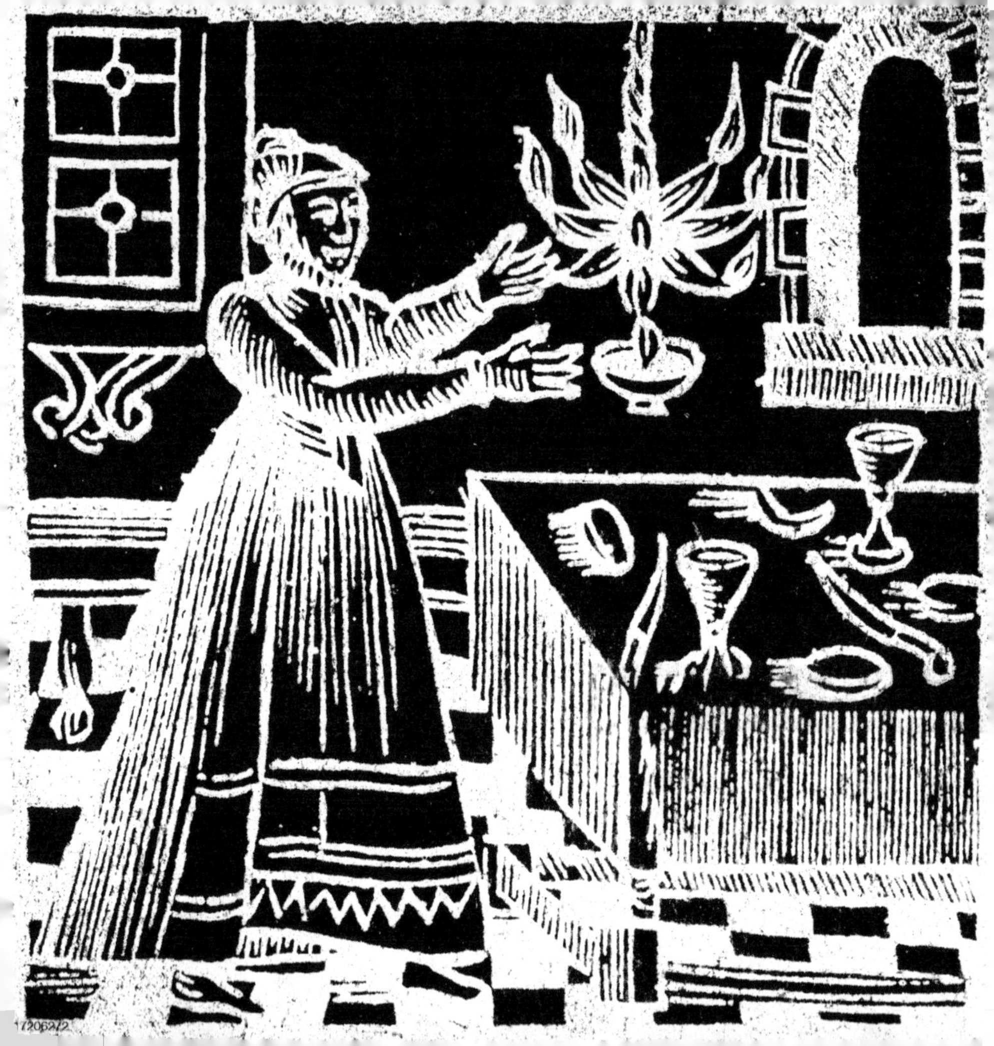

"Sonhos não são apenas sonhos."

SABBATH Se você sonha com esse dia sagrado e não é judeu, é porque bênçãos e boa sorte estão chegando.

SABEDORIA Sonhar que possui sabedoria significa que seu espírito vai se revelar corajoso sob circunstâncias complicadas, e que você vai superar essas provações e ter uma vida próspera. Se no sonho você acha que lhe falta sabedoria, isso significa que você tem desperdiçado seus talentos naturais.

SABIÁ Sonhar com esse pássaro, considerado o prenúncio da primavera, anuncia grande felicidade.

SÁBIO Sonhar com um sábio sugere que seus funcionários e familiares vão recorrer à economia e à parcimônia.

SABONETE Sonhar com sabonete prediz que os amigos vão oferecer um entretenimento interessante. É melhor interpretar esse sonho levando em conta o pano de fundo do restante do sonho. Também pode significar que há uma situação, relacionamento ou parte do ambiente que você necessita limpar.

SABOTAGEM Sonhar com qualquer tipo de sabotagem prevê discussões e desentendimentos com familiares ou colegas de trabalho. A coisa pode ficar feia. Por favor, observe sua agressividade.

SABUGUEIRO Sonhar que vê sabugueiros nos arbustos, com suas folhagens, sugere felicidade doméstica e uma bela casa de campo com recursos para turismo e outros prazeres. Sonhar com um sabugueiro geralmente é um bom sinal.

SACA-ROLHAS Sonhar que vê um saca-rolhas indica uma mente insatisfeita. Considere isso um alerta para conter seus desejos, pois isso pode colocá-lo em terreno perigoso. Sonhar que quebra um saca-rolhas durante o uso indica um ambiente perigoso. Faça o possível para usar sua força de vontade (ou seu senso de propósito) para se preparar contra suas inclinações prejudiciais à saúde.

SACADA Sonhar com uma sacada sugere notícias desagradáveis sobre amigos.

SACHÊ DE POT-POURRI Se você sonha que cheira um sachê de pot-pourri e acha agradável, é porque em breve vai sentir alívio do estresse mental. Já se o cheiro for insuportável ou enjoativo, algo em sua vida está lhe causando muito aborrecimento.

SACO Sonhar com um saco cheio significa boa sorte. Já um saco vazio é um alerta sobre os obstáculos que você deve superar.

SACRIFÍCIO Sonhar que faz um sacrifício é um anúncio de bênçãos e bem-estar. Sonhar que testemunha um sacrifício significa a chegada de inspiração espiritual.

SACUDIR Sonhar com algo sacudindo implica em risadas e bons momentos.

SAFÁRI Sonhar com um safári sugere ganho financeiro.

SAFIRA Sonhar com essa pedra preciosa é um sinal de prosperidade e ganhos.

SAGRADA COMUNHÃO Sonhar que participa da Sagrada Comunhão implica em bênçãos e paz de espírito. Se você estiver concedendo a Sagrada Comunhão, o despertar espiritual está no horizonte.

SAGUÃO Flagrar-se no saguão de um hotel prevê uma viagem a trabalho inesperada, e que trará ganhos financeiros. Sonhar que anda por um saguão significa pequenos incômodos no horizonte profissional.

SAIA Sonhar com saias curtas ou justas é um alerta para problemas financeiros. Saias longas ou rodadas pressagiam ganho financeiro.

SAÍDA DE INCÊNDIO Descer por uma escada de incêndio em seu sonho significa tranquilidade com um projeto de trabalho. Já subir sugere que esse projeto vai ser complicado.

SAL O sal é um presságio de ambientes conflitantes. Depois de sonhar com o sal, você vai se deparar com muita coisa dando errado e com brigas e insatisfações no círculo familiar. Salgar carne pressagia que dívidas e hipotecas vão entrar em cena.

SALA Sonhar que adentra numa sala desconhecida é um alerta para ser sincero com suas amizades. Sonhar que já se encontra em uma sala desconhecida significa sucesso — isto se ela estiver mobiliada; se estiver vazia, espere problemas.

SALADA Sonhar que come ou prepara uma salada sugere a aproximação da boa sorte em questões financeiras e crescimento de status social.

SALÃO (DE FESTAS/DE TEATRO) Sonhar que está em uma salão de concertos sugere um atraso nos assuntos profissionais, e você deve agir rapidamente.

SALÃO DE BELEZA Sonhar que está em um salão de beleza é um alerta sobre amigos desleais e desonestos.

SALÁRIO Receber salário nos sonhos pode indicar que um bem inesperado pode surgir aos que possuem novos negócios. Se você estiver pagando salários, indica que na vida desperta você vai ficar confuso e insatisfeito. Ter seu salário reduzido é um aviso de que alguém está mirando em você com hostilidade. Já um aumento salarial, pode sugerir lucro em qualquer negócio. Se você sonha que não vai receber um aumento, na vida desperta pode se deparar com um ganho financeiro inesperado. Se no sonho você solicitar um aumento e ele for concedido, isso pressagia uma perda monetária. Já pagar um salário a alguém, pode indicar sorte inesperada com dinheiro.

SALGUEIRO Sonhar com salgueiros sugere que em breve você vai enfrentar uma jornada triste, mas que terá o consolo de amigos fiéis.

SALITRE Sonhar com salitre indica que mudanças em seu estilo de vida vão levar a um sofrimento insuperável.

SALMÃO Sonhar com salmão diz que seu tempo vai ser tomado pela boa sorte e por tarefas agradáveis.

SALVA-VIDAS Sonhar que você é um salva-vidas sugere que você vai ser salvo de um problema no último segundo. Sonhar com um salva-vidas auxiliando outra pessoa sugere que você vai ajudar um amigo ou parente muito em breve.

SALVADOR Sonhar que é um salvador significa que em breve você vai ser convocado a ajudar alguém a resolver um problema. Sonhar com o Deus Salvador prediz bênçãos e boa sorte.

SALVADOR

SALMO Sonhar que lê, declama ou ouve salmos significa bênçãos e abundância.

SALMONELA Sonhar com essa intoxicação alimentar pressagia boa saúde.

SALSA Sonhar com esse tempero denota sucesso depois de muito suor; geralmente seu ambiente é saudável e animado. Comer salsa nos sonhos é sinal de boa saúde.

SALTÉRIO Sonhar com esse instrumento musical informa que seus desejos mais estimados serão alcançados por meio de qualidades mentais nobres.

SALTITAR, PULAR CORDA Sonhar que saltita ou vê alguém saltitando sugere uma ajuda inesperada em um relacionamento ou problema profissional. Sonhar que pula corda significa que você é querido e estimado pelos seus.

SALTO COM VARA Sonhar com salto com vara sugere um ganho financeiro inesperado se você completar o salto direitinho; se você não conseguir, é sinal de perda financeira à vista.

SALTO DE SAPATO Quebrar um salto de sapato em sonho prevê o fim de um relacionamento.

SALVAGUARDAR Sonhar com alguém ou algo sendo protegido é um alerta de que você pode ser vítima de um furto muito em breve. Ser protegido por outra pessoa sugere ganhos financeiros.

SAMAMBAIA Nos sonhos, essa planta pressagia momentos agradáveis dando fim a pressentimentos sombrios. Se as samambaias murcharem, no entanto, é sinal de que doenças variadas vão afetar membros de sua família e causar muita inquietação.

SANDUÍCHE Sonhar com um sanduíche implica numa melhoria em sua vida pessoal e empresarial.

SANGRAMENTO Sonhar com sangramento é sinal de má sorte e perda financeira.

SANGRIA Se você sonha com essa bebida alcoólica, é porque um momento festivo e alegre espera por você.

SANGUE Vestimentas manchadas de sangue indicam desafetos a fim de destruir a carreira bem-sucedida que está se abrindo diante de você. Cuidado com amizades incômodas. Ver o sangue fluindo de uma ferida prediz doenças físicas e preocupação, ou maus negócios causados por acordos

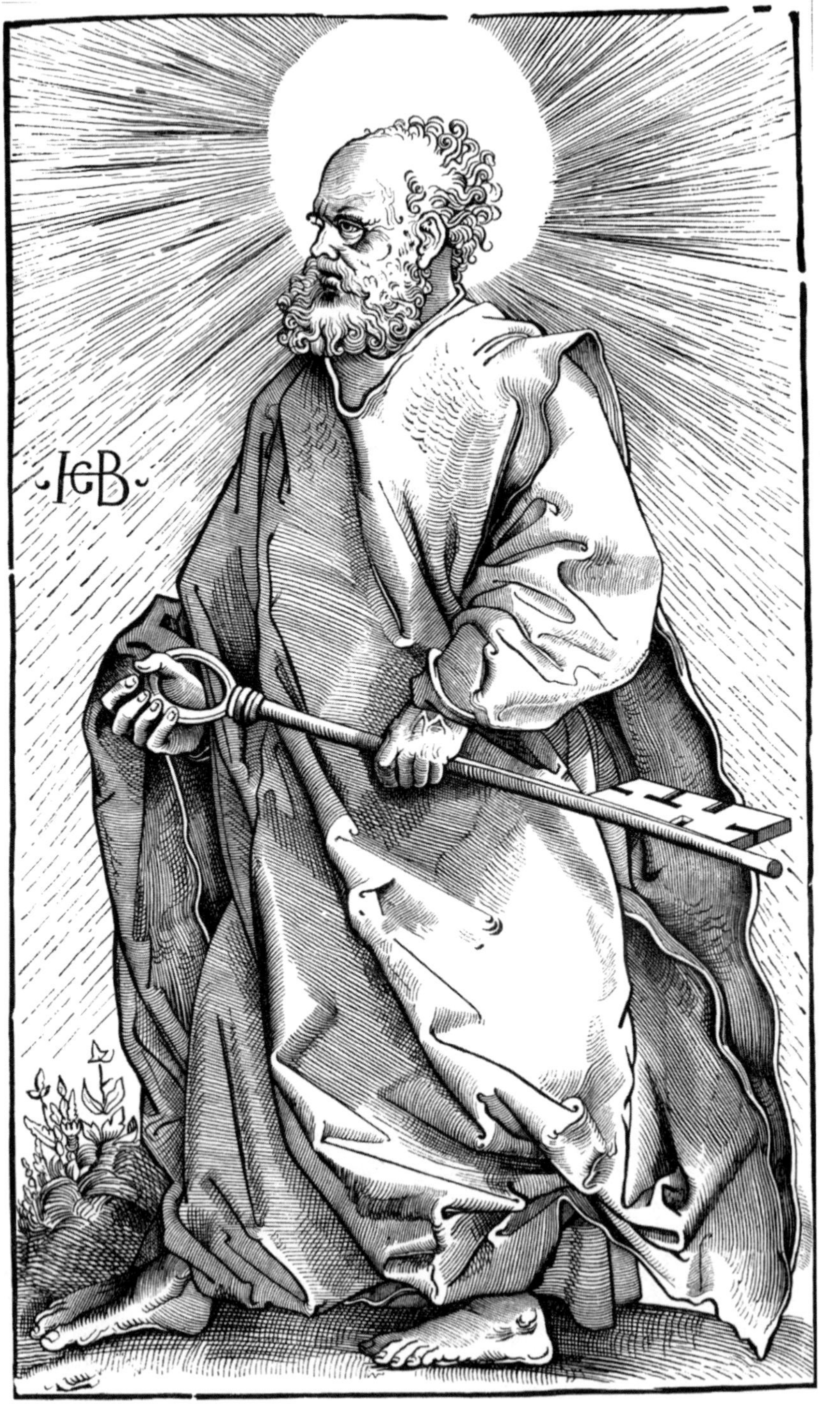

desastrosos com estrangeiros. Sonhar com sangue nas mãos pressagia má sorte imediata, caso você não tome cuidado.

SANGUESSUGA Sonhar com sanguessugas significa que seus desafetos vão atropelar sua força. Se as sanguessugas forem colocadas em você para fins medicinais, é porque você ou alguém de sua família vai ser acometido por uma doença grave. Ver sanguessugas sendo colocadas em outras pessoas denota doença ou problemas com amigos. Se você for mordido, o perigo se esconde em lugares inesperados — fique atento.

SÂNSCRITO Sonhar com sânscrito significa que você vai se separar de seus amigos para investigar assuntos secretos.

SANTO Sonhar com santos e santas fala de bênçãos e dificuldades incomuns a serem superadas.

SANTO GRAAL Sonhar que detém ou busca esse cálice sagrado sugere bênçãos caudalosas.

SANTUÁRIO Sonhar com qualquer tipo de santuário denota muitas bênçãos chegando.

SAPATEADO Sonhar com sapateado prenuncia alegria e celebração. Assistir outras pessoas sapateando em seu sonho pressagia uma surpresa agradável.

SAPATEIRO Ver um sapateiro nos sonhos é uma alerta de que os indícios são desfavoráveis para sua evolução.

SAPATO Sonhar que vê seus sapatos esfarrapados e sujos sugere que você vai ganhar alguns desafetos por causa de suas críticas insensíveis. Ver os sapatos polidos é sinal de melhoria nas questões profissionais; um acontecimento importante vai trazer satisfação. Sapatos novos pressagiam mudanças benéficas. Se eles estiverem machucando seus pés, você vai ficar desconfortavelmente exposto às brincadeiras de pessoas brincalhonas do mesmo gênero que você. Flagrar seus sapatos desamarrados sugere perdas, brigas e problemas de saúde. Perdê-los é sinal de deserção e divórcio. Sonhar que seus sapatos foram roubados durante a noite, e que sobraram dois pares de meias, implica que você vai sofrer uma perda em um aspecto, mas ganhará em outro.

SAPÊ Sonhar que você cobriu um telhado com sapê indica que a tristeza e o desconforto vão cercar você. Se você descobrir que um telhado de sapê está vazando, o perigo vai rondar sua vida; mas se você direcionar a energia corretamente, vai conseguir escapar.

SAPO Sonhar com sapos significa aventuras infelizes. Matar um sapo prediz que seu discernimento será duramente criticado. Se pegar um sapo, é porque na vida desperta vai agir de forma decisiva para causar a queda de um amigo.

SAQUÊ Sonhar com esse vinho à base de arroz é presságio de boa sorte.

SARAMPO Sonhar que está com sarampo é um indicativo de que a preocupação pode interferir na sua carreira. Sonhar que outra pessoa está com sarampo significa que você vai se angustiar com a situação de terceiros.

SARÇA Flagrar-se preso entre sarças significa um problema para a sua carreira. Mas se você conseguir se desvencilhar, é porque vai encontrar uma solução.

SARDAS Sonhar que seu rosto está sardento implica que muitos incidentes desagradáveis vão se embrenhar em sua felicidade. Se você vir as sardas em um espelho, é porque corre o risco de perder seu amor para um rival.

SARDINHA Comer sardinhas em sonho prediz acontecimentos angustiantes e inesperados.

SÁRI Se você sonha com um sári mas na vida real não faz parte de nenhuma cultura que o adote, é porque sua beleza será notada e comentada.

SARJA Sonhar com esse tecido implica em momentos difíceis pela frente. Ver e sentir a sarja mais maleável é sinal de que os tempos difíceis acabaram. Usar ou fabricar roupas de sarja pressagia segurança em sua vida.

SARJETA, CALHA Nos sonhos, a calha simboliza degradação. Você vai ser a causa da infelicidade alheia. Se você sonha que encontra artigos de valor em uma sarjeta, seu direito a alguma propriedade será questionado.

SARNA Sonhar com sarna sugere aumento da riqueza material.

SARONGUE Sonhar com essa peça de roupa sugere que você é conhecido por sua beleza e graça.

SATANÁS Sonhar com Satanás prediz aventuras perigosas; você vai ser obrigado a usar de estratégia para manter as aparências. Sonhar que você matou Satã sugere o abandono de amigos perversos ou imorais para viver em um plano superior. Se ele vier a você disfarçado numa figura da literatura, é porque você está sendo alertado para a presença de aduladores em sua vida desperta. Se Satanás aparecer nos sonhos na forma de riqueza ou poder, é porque você não vai conseguir usar de sua influência para estabelecer a harmonia ou a grandeza entre as pessoas. Sentir que você está tentando se proteger de Satanás indica que você vai se esforçar para se livrar das rédeas do prazer egoísta e vai buscar dar aos outros o que eles merecem.

SATÉLITE Sonhar com satélites orbitando a Terra é presságio de boas notícias que podem vir por correio, telefone ou pela internet.

SAUDAÇÃO Saudar ou ser saudado nos sonhos sugere reconhecimento social e respeito entre seus pares.

SAUDADE DE CASA Sonhar que sente saudades de sua casa ou de sua terra natal indica que você vai perder oportunidades de aproveitar alguma viagem, ou que terá visitas agradáveis.

SAUNA Se você sonha que está em uma sauna e acha a experiência agradável, sinal de iluminação espiritual chegando. Mas se o ambiente estiver ruim e sufocante, é um aviso de que você precisa explorar sua espiritualidade.

SAXOFONE Sonhar que ouve esse instrumento musical prevê um período feliz e prazeroso. Se você sonha que está tocando saxofone mas não sabe tocar na vida desperta, espere melhorias em seu status social ou profissional.

SCANNER Sonhar com um scanner sugere a necessidade de refazer um projeto que você pensou estar concluído.

SCOOTER Andar nesse modelo de moto em seu sonho ou ver alguém pilotando uma sugere alegria e felicidade no horizonte.

SEBE Nos sonhos, as cercas-vivas simbolizam alegria e lucro. As sebes desfolhadas sugerem angústia e negociações imprudentes. Se você sonha que está preso em uma cerca-viva espinhosa, seus negócios serão dificultados por sócios indisciplinados ou por seus subordinados.

SEBO Sonhar com sebo avisa que o amor e a riqueza vão desaparecer rapidamente.

SECA Vivenciar uma seca em um sonho significa que você vai ter mais do que o suficiente e que vai dividir essa riqueza.

SECRETÁRIA Sonhar que está na função de secretária implica que na vida real sua escolha profissional não é das melhores; cogite uma mudança. Contratar uma secretária nos sonhos significa reconhecimento social e profissional.

SEDATIVO Sonhar que está tomando um sedativo ou barbitúrico significa que seus olhos estão abertos para os acontecimentos em sua vida.

SEDE Sonhar que tem sede mostra que você aspira a coisas além do seu alcance; mas se a sede for saciada com bebidas gostosas, você vai realizar seus desejos. Se você vir outras pessoas com sede e bebendo para saciá-la, é porque vai desfrutar de muitas benesses junto a pessoas ricas.

SEDUÇÃO Sonhar que é seduzido em seu sonho, seja sexualmente ou de outra forma, indica que você sente que não tem poder de escolha em determinada área de sua vida.

SEGREDO Sonhar que você está guardando segredos indica que você não acessou totalmente o seus poderes ocultos.

SEGURO Receber uma apólice de seguros significa um revés financeiro. Comprar uma apólice de seguros pressagia bom futuro financeiro.

SELF-SERVICE Sonhar com qualquer coisa que seja self-service indica que você tem amigos leais e confiáveis.

SELO POSTAL Sonhar com selos postais sugere organização e remuneração na carreira. Se no sonho você tentar usar selos que não valem mais, cairá em descrédito na vida desperta. Receber selos significa uma ascensão rápida à distinção. Ver selos rasgados indica que existem obstáculos em seu caminho.

SEMBLANTE Se você sonha com um semblante bonito, sinta-se livre para buscar prazer num futuro próximo; mas contemplar um rosto feio e carrancudo pressagia transações desfavoráveis.

SEGREDO

SEGURO DE VIDA Sonhar com uma apólice de seguro de vida prevê morte. Sonhar que está lucrando com uma apólice prevê um anúncio de gravidez.

SEIOS Nos sonhos, os seios mostram que você será cuidado, nutrido, em um futuro próximo — mental, emocional, espiritual e fisicamente.

SEITA Flagrar-se em uma seita ou tentar escapar de uma é um alerta de que você precisa examinar sua consciência espiritual.

SEIXO Nos sonhos, seixos e pedrinhas representam pequenos problemas e aborrecimentos da vida. Jogá-los, ou tê-los jogados contra você, indica que você tem andado sensível além da conta; críticas menores tendem a causar mágoa.

SELA Sonhar com selas prenuncia novidades de natureza agradável; e também a chegada de visitas inesperadas. Provavelmente você vai fazer uma viagem que vai se revelar vantajosa.

SEMEADURA Sonhar que está semeando prediz promessas fecundas. Ver outras pessoas semeando pressagia muita atividade comercial, o que trará ganhos para todos.

SÊMEN Sonhar com esse fluido corporal prediz gravidez ou nascimento.

SEMENTE Sonhar com sementes prediz prosperidade crescente, embora as premissas atuais pareçam um tanto desfavoráveis.

SEMPRE-VIVA Sonhar com essa espécie de planta denota recursos e riqueza ilimitados, felicidade e aprendizado.

SENADOR Se você for homem e sonhar com um senador, é porque vai ser solicitado a fazer um favor a um amigo. Se você for mulher, esse sonho indica uma evolução em seu status social.

SENHA Sonhar com uma senha sugere que você vai conseguir resolver um problema.

SENHORIO Sonhar que tem uma experiência agradável com um proprietário de quem você loca um imóvel pressupõe uma mudança de casa na vida desperta. Já uma experiência desagradável com o senhorio significa que a mudança de residência vai falhar.

SENTAR Sonhar que está se sentado em algum lugar significa que as coisas em sua vida vão ficar instáveis num futuro próximo, mas vão melhorar com o tempo.

SENTINELA Sonhar com uma sentinela indica que você vai ter bons protetores e que sua vida transcorrerá bem.

vão decepcionar você. Se você é for um dos seresteiros, há muitas coisas maravilhosas previstas em seu futuro.

SERINGA Sonhar com uma seringa indica que um parente vai anunciar uma situação grave, mas no fim vai ser alarme falso. Ver uma seringa quebrada sugere que você está se aproximando de um período de problemas de saúde ou de preocupação com pequenos erros na vida profissional.

SERMÃO Sonhar que ouve um sermão sugere um atraso nos planos. Se você sonha que realiza um sermão, as dúvidas em relação a um amigo são infundadas.

SEREIA

SEPARAÇÃO Sonhar com uma separação de qualquer tipo significa que logo, logo você vai atingir uma compreensão mais apurada em sua vida amorosa. Sonhar que se separa de amigos e companheiros sugere que muitos pequenos aborrecimentos vão perturbar sua vida diária. Já separar-se de inimigos indica sucesso no amor e nos negócios.

SEQUESTRO Sonhar que testemunha um sequestro, ou ouvir ou ler a respeito de um, significa que uma mudança importante está prestes a acontecer. | *Ver também* Abdução.

SEREIA Se você sonha com uma sereia, e é um sonho agradável, tudo vai correr bem num futuro próximo. Mas se for um sonho desagradável, espere decepção.

SERENATA Se você ouvir uma serenata em um sonho, é porque vai receber notícias agradáveis de amigos sumidos, e suas esperanças não

SERPENTE Sonhar com serpentes é indicativo de decepção iminente. | *Ver também* Réptil, Cobra.

SERRA (FERRAMENTA) Sonhar que usa uma serra indica um período cheio de energia e agitação, e uma vida familiar alegre. Ver grandes serras em maquinários indica que você vai supervisionar um grande empreendimento que vai render um retorno justo. Sonhar com serras enferrujadas ou quebradas denota fracassos e acidentes. Encontrar uma serra enferrujada indica que você provavelmente vai recuperar sua sorte. Carregar uma serra nas costas sugere responsabilidades grandiosas, mas também lucrativas.

SERRAGEM Sonhar com serragem significa que erros graves vão causar angústia e brigas em sua casa.

SERVIÇO DE QUARTO Sonhar com serviço de quarto prevê um período confortável em sua vida.

SESSÃO ESPÍRITA Participar ou comandar uma sessão espírita em seu sonho significa que você vai precisar pedir ajuda para um problema relacionado a assuntos pessoais ou profissionais.

SEXO Sonhar que provoca alguém sexualmente, ou que é provocado, significa que um objetivo pelo qual você vem lutando vai se revelar indigno. | *Ver também* Coito.

SHOPPING Sonhar que está em um shopping significa que você precisa tomar cuidado com seus gastos.

SIDRA Sonhar com essa bebida sugere que você pode ganhar uma fortuna se não desperdiçar seu tempo com prazeres materiais. Ver pessoas bebendo sidra sugere que você está sob a influência de amigos infiéis.

SILÊNCIO Sonhar com o silêncio e achá-lo frustrante é um aviso de que você pode precisar prestar atenção no que diz às pessoas ao seu redor; você pode falar bobagem e ser mal interpretado. Mas se o silêncio for agradável, significa que na vida desperta suas palavras serão estimadas e honradas.

SILHUETA Sonhar com uma silhueta é presságio de contentamento e felicidade na vida.

SILO Sonhar com um silo representa abundância e uma vida tranquila.

SILVER TAPE Usar essa fita adesiva em sonho, não importa de que jeito, significa que você logo vai resolver um problema, mas ele vai retornar e você vai precisar solucioná-lo usando de uma tática diferente.

SÍMBOLOS CELESTIAIS Os signos celestiais representam boas notícias em sua vida pessoal e financeira. Anjos e seres celestes são bons presságios no sonho.

SÍMIO Esse sonho denota diversão e felicidade; espere bons momentos por vir.

SINAGOGA Sonhar com uma sinagoga reflete seu anseio por conforto espiritual e aspiração a níveis mais altos de iluminação. | *Ver também* Igreja.

SINDICATO Esse sonho significa que em breve você vai ter sócios comerciais que vão trazer muitos benefícios.

SINETE Sonhar que faz uma marca distintiva ou selo com um sinete sugere que em breve você vai enfrentar problemas judiciais.

SINFONIA Sonhar com sinfonias fala de ocupações deliciosas. | *Ver também* Música.

SINO DOS VENTOS Nos sonhos, ele representa perspectivas justas para o campo profissional.

SINO-DOURADO Sonhar com essa planta é prenúncio de paz e felicidade entrando em sua vida.

SINOS Ouvir sinos tocando é presságio de morte.

SISTEMA MÉTRICO Se você sonha que está medindo ou contando alguma coisa usando o sistema métrico, e não faz uso dele normalmente na vida desperta, é porque vai ter de achar outro jeito de resolver um problema, e parar de seguir a fórmula atual.

SISTEMA NERVOSO CENTRAL Sonhar com um sistema nervoso central doente implica em momentos de tranquilidade em um futuro próximo. Sonhar com um sistema nervoso central saudável significa que você vai entrar em um período cheio de drama.

SOBERANO Sonhar com um soberano denota prosperidade crescente e novos amigos.

SOBRANCELHA Esse tipo de sonho sugere que você vai encontrar obstáculos ameaçadores em seu futuro imediato.

SOBRAS Sonhar que come sobras prenuncia problemas financeiros — mas não se preocupe, eles podem ser superados facilmente.

SOBREMESA Sonhar que está comendo sobremesa é um bom presságio, a menos que você esteja comendo sozinho; então é um aviso sobre o fim de uma amizade. Preparar uma sobremesa é sinal de boa sorte.

SOBREPESO Sonhar que está acima do peso quando isso não ocorre na vida desperta pressagia um problema de saúde.

SOBRETUDO Sonhar com esse modelo de casaco sugere que a grosseria alheia vai lhe causar mágoa. Pedir um sobretudo emprestado implica que você vai sofrer com os erros cometidos por desconhecidos. Se você vir ou estiver vestindo um belo sobretudo novo, é porque vai ter muita sorte na concretização de seus desejos.

SOBRINHOS Sonhar com sobrinhos implica que logo você vai receber boas notícias.

SOCIALIZAÇÃO Flagrar-se misturado a estranhos em uma multidão indica a perda de uma amizade ou de um parceiro profissional.

SÓCIO Ser sócio de alguém em um sonho fala de uma boa parceria na vida, seja atualmente ou em breve. Sonhar que vê seu sócio profissional indica que você pode precisar da ajuda de outras pessoas para concluir um projeto ou tarefa.

SOCO Sonhar que está socando alguém implica em brigas e recriminações.

SOFÁ Sonhar que está reclinado em um sofá implica alimentar falsas esperanças. Esteja alerta para mudanças, pois somente assim suas esperanças serão concretizadas.

SOL Sonhar que vê um nascer do sol bonito e resplandecente prenuncia eventos alegres e prósperos, com promessa de muito deleite. Ver o sol do meio-dia denota a maturidade das ambições e indica satisfação ilimitada. O sonho com um pôr do sol é um prognóstico de alegrias e riquezas em seu auge, e é um aviso para cuidar de seus interesses com vigilância renovada. Ver o sol brilhando por entre as nuvens denota que os problemas e dificuldades estão arrefecendo, e a prosperidade se aproxima. Se o sol parecer estranho ou houver um eclipse, vai haver momentos de tempestade e riscos, mas vai passar, deixando seu trabalho e assuntos domésticos em melhor forma do que antes. | *Ver também* Eclipse.

SOLDADO Ver soldados marchando pressagia um período de excessos flagrantes, mas ao mesmo tempo você vai ser alçado a posições acima de seus rivais. Ver soldados feridos é sinal de que os infortúnios alheios estão causando complicações graves em sua vida. Sua compaixão vai superar sua necessidade de julgamento. Se você sonha que é um soldado digno, é porque vai desfrutar da realização de seus ideais.

SOLETRAR Sonhar que você soletra algo corretamente denota sucesso nos negócios. Já soletrar errado é um alerta para você não trair amigos e colegas de trabalho.

SOLIDÃO Sonhar que está sozinho significa que você nunca estará sozinho.

SOLTEIRICE Se casados sonham que são solteiros, é prenúncio de que sua união pode não ser tão harmoniosa assim. Também pode indicar a necessidade de encontrar um espírito de independência em sua união. Se um homem sonha que é solteiro, mas na vida real não é, então há problemas em sua vida amorosa.

SOLUÇO Sonhar com soluços é um alerta contra o consumo de álcool em excesso durante a vigília. Sonhar com soluços, independentemente da fonte, sugere a chegada de boas notícias.

SOMA Sonhar que você está tentando resolver um problema matemático de somar indica dificuldade em superar situações difíceis e que em breve elas vão assumir dimensões descomunais em suas transações comerciais. Além do mais, encontrar algum erro nesse problema simboliza a superação dos desafetos por meio do discernimento de suas intenções antes de eles terem a oportunidade de colocar seus planos em prática. Fazer soma numa calculadora significa que você tem um aliado poderoso que vai salvá-lo de uma boa dose de opressão. Se você não estiver conseguindo ler os números em seu sonho, no entanto, é sinal de que vai perder uma boa grana devido a especulação enganosa.

SOMBRA Sonhar com sombras significa que nem tudo o que você vê é real.

SONÂMBULO Sonhar que sofre de sonambulismo pressagia que você inconscientemente vai consentir em algum acordo ou plano que trará muita ansiedade ou infortúnio.

SOPA Sonhar com sopa é um precursor de boas notícias e conforto. Se você vir outras pessoas tomando sopa, é porque vai ter muitas boas oportunidades pela frente.

SORRISO Sonhar que você, ou outra pessoa, sorri sugere momentos felizes pela frente.

SOUVENIR Sonhar com uma lembrancinha ou souvenir sugere que lembranças agradáveis vão retornar para aliviar sua ansiedade e medos a respeito de uma situação futura.

SOVAR Sonhar que sova massas é um conselho para você não se meter na vida dos outros.

SPRAY DE PIMENTA Sonhar que joga spray de pimenta em alguém é previsão de novos amigos e conhecidos profissionais em sua vida. Sonhar que jogam spray de pimenta em você implica em desonestidade entre amigos ou colegas de trabalho.

SORVETE

SORTE Sonhar com a sorte é altamente favorável ao sonhador. Espere a realização de desejos e o encontro com deveres agradáveis. Para quem estiver meio desanimado, esse sonho anuncia melhora no astral e renovação da prosperidade.

SORVETE Sonhar que está tomando sorvete pressagia sucesso em casos já empreendidos. Ver crianças tomando sorvete sugere que a prosperidade e a felicidade vão favorecer você da melhor maneira. Se o sorvete estiver derretido, no entanto, seu prazer tão esperado vai estagnar antes mesmo que você perceba.

SÓTÃO Sonhar que sobe até um sótão sugere que você tende a correr atrás de teorias enquanto deixa a realidade crua da vida na mão de terceiros que são menos capazes de lidar com elas do que você. Sonhar que está em um sótão sinaliza que você está alimentando esperanças que não vão se concretizar.

SOTAQUE Sonhar que você fala com sotaque significa que as palavras que saem da sua boca na vida desperta talvez não estejam soando genuínas aos seus ouvidos.

SQUASH Sonhar com esse esporte significa que você vai aproveitar ao máximo as oportunidades que aproximam.

STRASS Nos sonhos, as pedrinhas de strass simbolizam prazeres de curta duração.

STRIKE (BOLICHE) Sonhar que você derruba todos os pinos no boliche prevê ganhos financeiros.

SUBESTAÇÃO Sonhar com uma estação de distribuição de energia significa que você vai encontrar estímulo para concluir um projeto que pensava ser incapaz de dar conta.

SUBIDA Se você chegar sem tropeçar ao topo da subida — ao alto de uma escadaria, por exemplo —, é bom sinal. | *Ver também* Queda, Colina, Escada de mão.

SUBLINHAR Sonhar com qualquer coisa sublinhada é um aviso para prestar atenção especial às suas finanças imediatamente.

SUBMARINO Sonhar com um submarino indica que você está escondendo um problema que só poderá ser resolvido se for trazido à tona.

SUBORNO Sonhar que alguém lhe oferece um suborno e aceitá-lo alerta para um possível problema com jogos de azar. Se você não aceitar o suborno, então terá sorte na jogatina.

SUBTERRÂNEO Se você sonha que está em uma habitação subterrânea é porque corre o risco de perder sua prosperidade e sua reputação. Sonhar que viaja em uma ferrovia subterrânea indica envolvimento em uma especulação peculiar que vai contribuir para sua angústia e ansiedade.

SUCO Sonhar que bebe ou serve suco significa que você vai ter ajuda financeira quando necessário.

SUDÁRIO Sonhar com um sudário pressagia doença e a aflição e ansiedade que a acompanham, além de maquinações de falsos amigos. Esse sonho representa também uma ameaça de declínio profissional. Ver cadáveres encobertos com sudários denota uma infinidade de infortúnios. Ver um sudário sendo removido de um cadáver sugere brigas cuja consequência será a alienação.

SUFOCAMENTO Sonhar que você está sufocando sugere uma profunda tristeza e choque devido à conduta de alguém que você ama. Após esse sonho, tenha cuidado com a sua saúde. | *Ver também* Fumaça.

SUJEIRA Sonhar que vive na imundície é um sinal de que você tem a cabeça muito lúcida quando se trata de seus assuntos profissionais. Limpar a sujeira significa que você vai ganhar dinheiro em breve.

SUPERFÍCIE REFLEXIVA Se uma mulher sonha com uma superfície reflexiva, é porque em breve será confrontada por enganos e discrepâncias chocantes, os quais podem resultar em cenas trágicas ou separações. | *Ver também* Espelho.

SUPERMERCADO Se um supermercado é destaque em seu sonho, é sugestão de abundância e felicidade.

SUSPENSÃO DE SENTENÇA Estar sob sentença em um sonho e receber o perdão prediz que você vai superar uma dificuldade que vem causando ansiedade.

SUSPIRO Sonhar que está suspirando por causa de qualquer problema ou acontecimento triste denota que você também vai enfrentar uma tristeza inesperada na vida desperta, bem como uma benesse redentora em sua temporada de problemas. Ouvir o suspiro de outras pessoas prediz que a má conduta de amigos queridos vai oprimir você com o peso da melancolia.

SUSSURRO Sonhar com sussurros indica perturbações devido a fofocas de pessoas próximas. Se você ouvir um sussurro vindo como conselho ou advertência, é porque precisa de ajuda e aconselhamento em sua vida desperta.

SUTIÃ Sonhar que está usando um sutiã indica segurança em seu caminho. Caso visualize um sutiã sujo, você deve prestar atenção nas pequenas coisas que estão lhe incomodando.

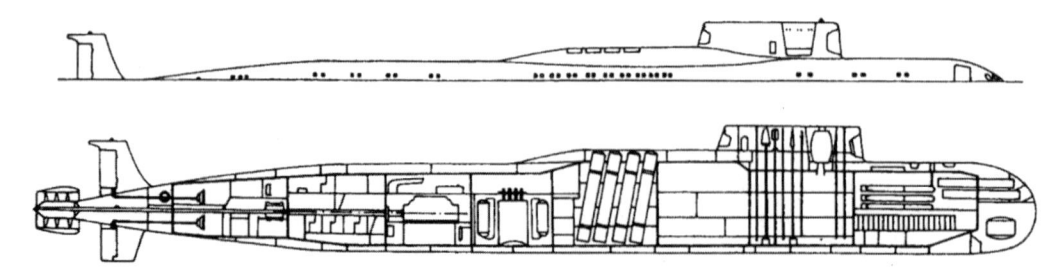

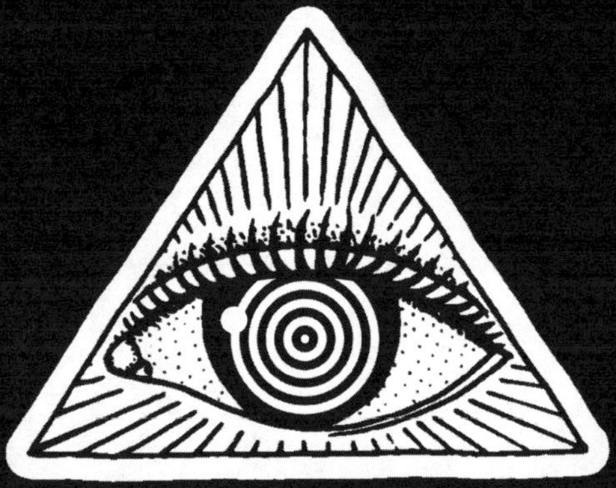

Nós somos do tecido de que são feitos os sonhos.

Shakespeare

T

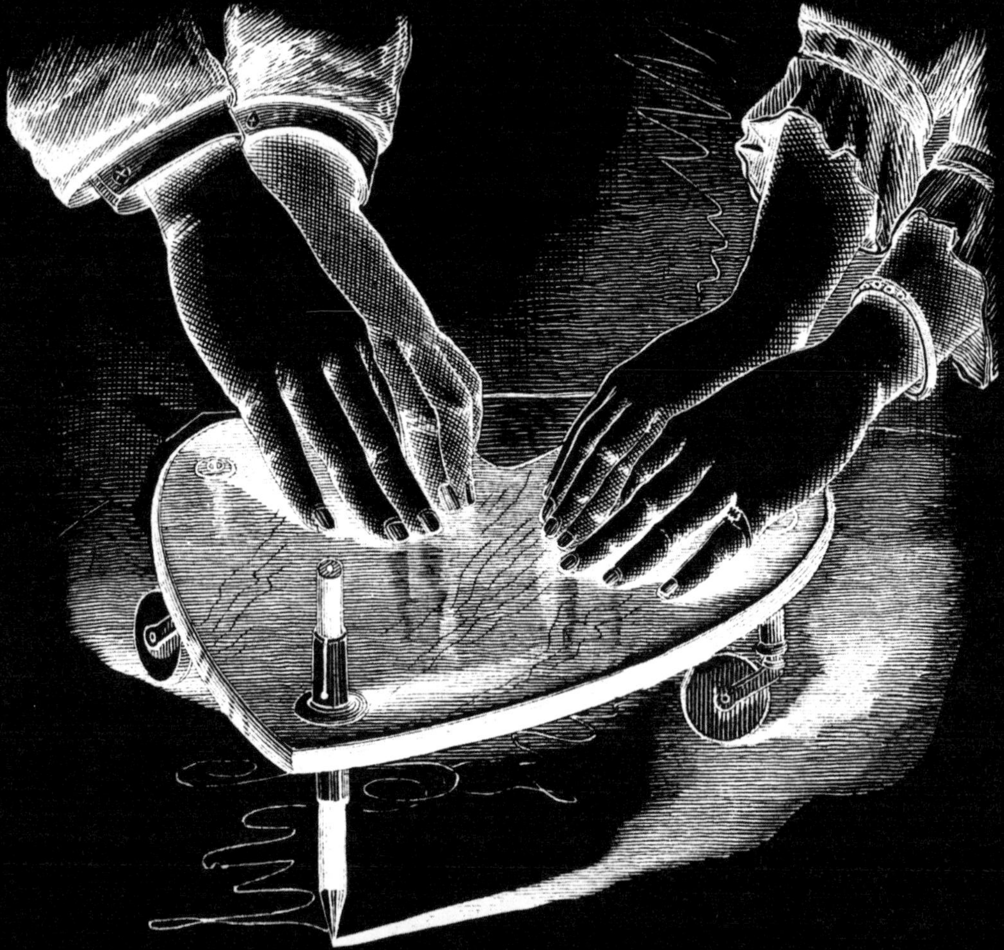

TABULEIRO OUIJA

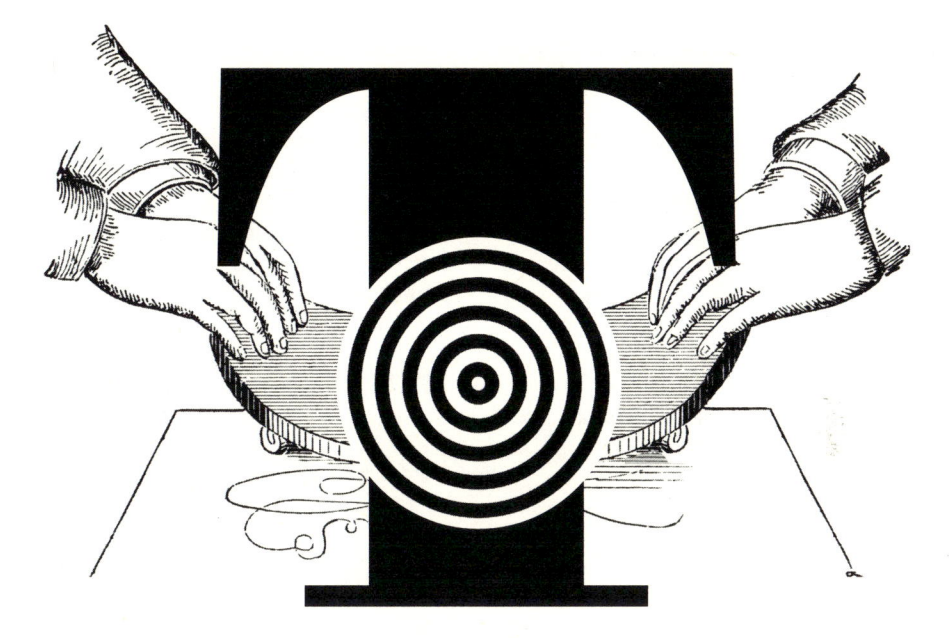

"Envelhece cedo aquele que não se alimenta de sonhos."

TABACO Sonhar com tabaco denota sucesso profissional, mas pouco retorno no amor. Fazer uso de tabaco no sonho é um aviso em relação a rivais e extravagâncias. Ver o cultivo do tabaco pressagia empreendimentos de sucesso. Ver o tabaco secando sobre as folhagens é garantia de boas safras para os agricultores e consequente ganho para os comerciantes. Sonhar que está fumando tabaco fala de amizades afáveis.

TABELIÃO Sonhar com um tabelião é previsão de desejos insatisfeitos e prováveis ações judiciais.

TABERNA Sonhar com uma taberna ou cervejaria é um alerta para ter muito cuidado com seus assuntos particulares. Os desafetos estão de olho em você.

TABLOIDE Sonhar que tem algo a seu respeito em um tabloide pressagia constrangimento social.

TÁBUA DE FRIOS Fatiar frios é sinal de separação. Sonhar que saboreia uma tábua frios significa que você vai conseguir resolver um problema no relacionamento.

TABULEIRO OUIJA Sonhar que usa um tabuleiro Ouija pressagia o fracasso de planos e parcerias desafortunadas. Ver alguém falhando nas evocações diante do Ouija sugere complicações causadas ao substituir o prazer pelo trabalho. Se você conseguir escrever uma mensagem no tabuleiro com fluência, então espere resultados felizes de um empreendimento bem planejado.

TAÇA DE VINHO Sonhar com uma taça de vinho indica que uma decepção vai afetar você gravemente, pois você só vai se dar conta da presença do problema quando estiver tomado pelo choque.

TACHA Se você sonha com tachinhas, é porque vai ser atormentado por inconveniências.

TACITURNO Se você estiver taciturno nos sonhos, ao acordar vai descobrir que o mundo, ao menos no que lhe diz respeito, está tomando um rumo terrivelmente errado. Ver outras pessoas agindo de maneira taciturna pressagia ocupações e companhias desagradáveis.

TACO Sonhar com essa comida mexicana prevê ganho financeiro.

TALCO Qualquer aparição de talco em um sonho sugere que você em breve vai descobrir o lado mais delicado de alguém que conhece.

TALISMÃ Sonhar que você usa um talismã implica em boas companhias e benesses vindas de gente rica.

TAM-O'-SHANTER Sonhar com essa tradicional boina escocesa prediz acontecimentos felizes.

TAMALE Sonhar com essa comida mexicana significa uma nova amizade que vai ser bem útil para você.

TAMANCO DE MADEIRA Sonhar com um tamanco de madeira representa andanças solitárias e falta de dinheiro.

TÂMARA Sonhar que vê tâmaras em árvores significa prosperidade e relacionamentos felizes; mas se você comê-las, é presságio de necessidade e angústia. | *Ver também* Fruta.

TAMBOR Ouvir a batida abafada de um tambor é sinal de que um amigo distante está em perigo e pedindo ajuda. Ver um tambor pressagia amabilidade e aversão a brigas e discórdias.

TÂMIA Sonhar com esse tipo de esquilo indica que você precisa começar a economizar para uma viagem próxima ou para uma ocasião feliz ainda não planejada.

TAMPA Sonhar que coloca uma tampa em qualquer coisa é um aviso para conter suas emoções em um desentendimento que se aproxima.

TANGA Sonhar que está usando uma tanga representa uma vida sexual satisfatória. Sonhar com outra pessoa usando tanga sugere frustração em sua vida sexual.

TANGERINA Essa fruta representa bons momentos e boa sorte.

TANGO Sonhar com essa dança sugere que decisões tomadas rapidamente serão lucrativas.

TANQUE Sonhar com um tanque de armazenamento implica que você vai prosperar e se satisfazer para além das expectativas. Um tanque com vazamento indica perda. Se você sonha com um tanque de guerra, vai ter paz de espírito em relação a um problema que vem incomodando há algum tempo.

TAPA Sonhar que você leva um tapa sugere um ganho em seu status social. No entanto, sonhar que vê alguém levando um tapa ou dar um tapa em alguém pressagia um constrangimento social.

TAPA-OLHO Usar ou ver um tapa-olho nos sonhos implica em mudanças surpreendentes em sua vida sexual.

TAPEÇARIA Sonhar que vê uma tapeçaria luxuosa prediz que uma vida suntuosa será de seu agrado; se as tapeçarias não estiverem gastas ou rasgadas, você vai conseguir satisfazer suas inclinações.

TAPETE Um tapete novo e limpo simboliza boa sorte. Já se estiver velho e gasto, significa problemas financeiros no horizonte. Ver um tapete em sonho é sinal de lucro; amigos abonados virão em seu auxílio. Se você estiver caminhando sobre um tapete, será próspero e feliz. Sonhar que está comprando um tapete sugere grandes ganhos. Se você estiver vendendo, terá uma vida agradável e lucrativa.

TAPIOCA Sonhar com tapioca é sinônimo de ganho financeiro.

TARÂNTULA Ver uma tarântula nos sonhos significa que os inimigos estão prestes a dominar você com uma perda. Se você matar uma tarântula, vai ter sucesso depois de muito azar.

TÁXI Andar de táxi em sonho sugere atividades agradáveis, prosperidade e conforto. Andar de táxi à noite com outras pessoas significa que você esconde um segredo de seus amigos. Sonhar que anda de táxi sozinho sugere que você vai ter uma vida confortável. Sonhar que está acompanhado no táxi é um alerta em relação a um escândalo.

TAXIDERMIA Sonhar com taxidermia significa ficar de olhos bem abertos, porque as coisas não são o que parecem.

TEATRO

TARDE Sonhar com uma tarde ensolarada equivale a ter amizades duradouras e divertidas. Uma tarde nublada e chuvosa implica decepção e desagrado.

TARTARUGA Sonhar que vê tartarugas significa que um incidente incomum vai diverti-lo e melhorar sua vida profissional. Tomar sopa de tartaruga diz que você vai encontrar prazer em situações de intriga.

TATUAGEM Ver seu corpo tatuado indica que uma dificuldade vai incitar uma longa e tediosa ausência de casa. Ver tatuagens em outras pessoas sugere que relacionamentos estranhos vão fazer de você alvo de ciúme. Se você sonha que é um tatuador, é porque vai afastar os amigos devido ao seu gosto por experiências peculiares.

TAVERNA Sonhar com uma taverna prevê que o excesso de entretenimento será sua ruína.

TAXA Se descobrir no sonho que você precisa pagar uma taxa por alguma coisa, significa que vai receber dinheiro inesperadamente.

TDA (TRANSTORNO DE DÉFICIT DE ATENÇÃO) Sonhar que você, ou uma pessoa amada, tem TDA indica que você vai estar muito focado quando se trata de resolver um problema vigente.

TEAR Sonhar que está observando um tear ser operado por algum desconhecido denota muito aborrecimento e irritação desnecessários nas conversas com pessoas de seu convívio. Esse sonho normalmente está associado a alguma decepção. Ver um tear ocioso sugere que uma pessoa mal-humorada e teimosa vai lhe causar muita ansiedade.

TEATRO Sonhar que está em um teatro sugere muito prazer na companhia de novos amigos. Se você for um dos atores, seus prazeres serão de curta duração. Se você sonha que tenta fugir de um teatro durante um incêndio ou outro incidente, é porque vai se envolver em algum empreendimento arriscado.

TECELAGEM Sonhar que está tecendo significa que você vai conseguir frustrar qualquer obstáculo em sua batalha para construir uma prosperidade digna. Se você vir outras pessoas tecendo, é porque vai se cercar de boa saúde e energia.

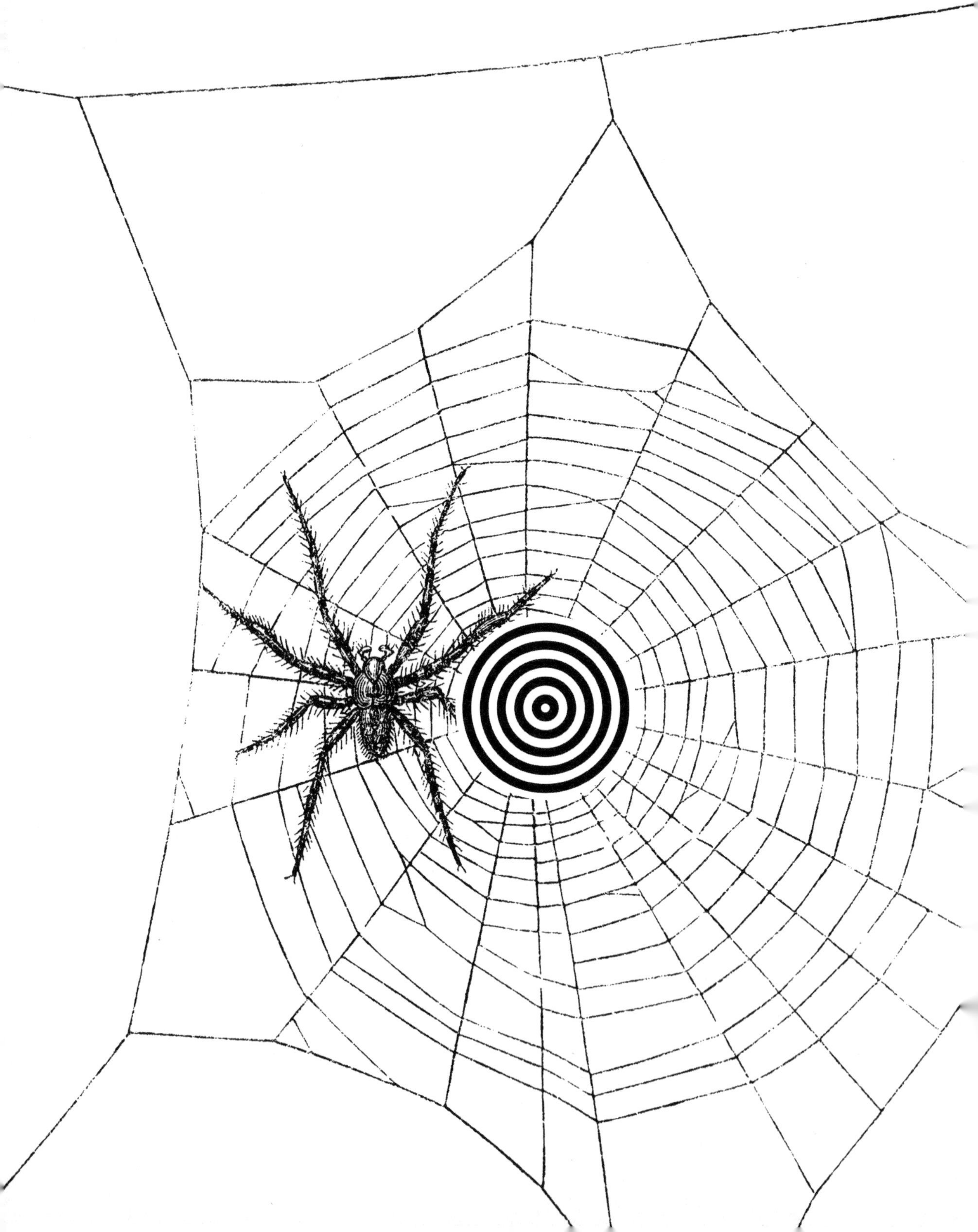

TECIDO Sonhar que corta ou costura tecidos pressupõe ganho financeiro.

TECLADO Sonhar que usa um teclado de computador significa que em breve você vai enviar e receber uma papelada sobre questões jurídicas. Sonhar que toca um teclado musical, podendo também ser o teclado de um piano, prenuncia um momento social feliz.

TEIA Sonhar com teias de aranha é um aviso de que amigos traiçoeiros vão causar perdas e desgostos. Se a teia não tiver elasticidade, você vai ser firme ao resistir aos ataques dos invejosos que querem se aproveitar.

TEIA DE ARANHA Sonhar com teias de aranha denota relações agradáveis e aventuras afortunadas.

TEIXO Essa árvore representa doença e decepção.

TELA Sonhar com uma tela implica que você logo, logo vai tentar encobrir um erro que cometeu.

TELA DE PINTURA Uma tela em branco prediz um futuro seguro e brilhante. Ver a si mesmo pintando em uma tela tem a ver com a criação do futuro que você almeja. Uma tela rasgada ou despedaçada é um alerta de que um aspecto de sua vida amorosa precisa ser consertado.

TELEDIFUSÃO Sonhar com a transmissão de rádio ou TV aponta para o sucesso por meio do trabalho duro.

TELEFONE Se você sonha com um telefone, é porque vai encontrar rivalidade onde menos espera. Se o telefone estiver quebrado, aguarde notícias tristes.

TELEFONE CELULAR Sonhar com um celular com sinal bom indica pensamento desobstruído sobre um projeto. Mas se o sinal estiver fraco, é porque você pode ficar confuso com as ideias de outras pessoas.

TELEGRAMA Sonhar que recebe um telegrama anuncia notícias desagradáveis. É provável que um amigo deturpe assuntos que são de grande preocupação para você. Enviar um telegrama é um sinal de que você vai se afastar de alguém próximo, ou que vai se decepcionar por causa de negociações. Ver ou estar em um escritório de telégrafo implica em compromissos infelizes.

TELEMARKETING Sonhar que está sendo perturbado por telemarketing indica boas notícias por vir.

TELEPATIA Sonhar que você é telepata pressagia notícias empolgantes chegando pelo correio.

TELESCÓPIO Sonhar com um telescópio sugere épocas desfavoráveis para o amor e assuntos domésticos, e as questões profissionais ficam mutáveis e incertas. Olhar para planetas e estrelas por meio de um telescópio pressagia jornadas prazerosas, mas que trarão perdas financeiras posteriores. Ver um telescópio quebrado, ou que não esteja em uso, significa que as coisas vão ficar fora do normal com você: espere problemas.

TELEVANGELISTA Sonhar com pessoas evangelizando na TV prevê um inesperado despertar espiritual. Sonhar que você é um televangelista é um aviso para examinar seu equilíbrio espiritual.

TELEVISÃO Sonhar que assiste a um programa de televisão — e gostar — sugere que sua vida está indo na direção certa. Mas se você não gosta do que está assistindo, é porque vem sendo influenciado por pessoas que têm má vontade para com você.

TELEVISÃO DE PLASMA Sonhar com esse modelo de TV mostra que a ilusão e a fantasia têm obscurecido sua vida. Você precisa ser genuíno e se apegar à sua verdade.

TELHA Sonhar com telhas sugere sucesso por meio do trabalho árduo e de muito esforço.

TELHADO Estar em um telhado em um sonho denota sucesso ilimitado. Mas se você estiver assustado e tiver a sensação de estar caindo, significa que embora haja possibilidade de avanços, não haverá um controle firme sobre sua situação. Se você vir um telhado desabando, é porque vai ser ameaçado por uma calamidade repentina. Se estiver consertando ou construindo um telhado, sua prosperidade vai aumentar rapidamente. Dormir em um telhado fala de segurança contra desafetos e amigos falsos. Sua saúde ficará bem robusta.

TEMPERATURA Estar atento a uma temperatura nos sonhos, seja ela quente ou fria, sugere boa sorte e uma possível vitória em jogos de azar se jogar o número da temperatura.

TEMPESTADE Ver e ouvir uma tempestade se aproximando anuncia doenças continuadas, negócios desfavoráveis e separação de amigos, o que vai causar angústia. Se a tempestade passar, suas aflições não serão tão pesadas assim. | *Ver também* Furacão, Chuva.

TEMPORAL Sonhar com temporais pressagia um cerco de problemas calamitosos; amigos vão tratar você com indiferença. | *Ver também* Ciclone, Tempestade.

TEMPURA Sonhar com essa comida japonesa indica boa sorte e ganho financeiro.

TENAZ Qualquer sonho com tenazes fala de infortúnio. Sentir a pele beliscada por tenazes implica que você vai ser oprimido devido a um esmero exasperante.

TENDA Sonhar que está em uma tenda pressagia uma mudança em sua vida. Ver várias tendas sugere viagens com companhias chatas. Se as tendas estiverem rasgadas ou dilapidadas, espere problemas.

TÊNIA Sonhar que vê ou tem uma tênia pressagia perspectivas desagradáveis em relação à saúde ou ao prazer.

TÊNIS (ESPORTE) Se você sonha que está assistindo a terceiros jogando tênis, é porque pode vir a ter problemas de saúde. Sonhar que você mesmo está jogando é sinal de boa saúde.

TENTAÇÃO Sonhar que está cercado por tentações implica que você vai ter problemas com uma pessoa invejosa que está tentando minar a confiança que seus amigos têm em você. Se você resistir a elas, vai ter sucesso em alguma situação.

TENTÁCULO Ver os tentáculos de um peixe ou animal nos sonhos significa que você vai ter muitas opções para escolher na hora de solucionar um problema. Sonhar que está preso por tentáculos é um alerta de que você vai precisar da ajuda de uma fonte externa para sanar esse problema.

TENTILHÃO Sonhar com esse passarinho sinaliza que bons amigos e tempos felizes estão por vir.

TEPEE Sonhar com essa tenda indígena significa muitas bênçãos chegando.

TEQUILA Sonhar com tequila prenuncia uma comemoração ou surpresa próximas. Sonhar que está bêbado de tequila é um alerta sobre depressão e problemas relacionados à saúde emocional.

TERAPIA Sonhar que está fazendo terapia, seja ela mental ou física, é sinal de boa saúde se esse sonho ocorrer após uma doença em sua vida desperta. Sonhar que você é o terapeuta sugere que logo, logo você saberá sobre o problema de saúde de alguém.

TERÇO, ROSÁRIO Recitar ou ouvir alguém rezando o terço prediz bênçãos e contentamento.

TERMINAL Sonhar que está em um terminal (de ônibus, de avião etc.) prevê viagens inesperadas, podendo ser profissionais ou pessoais. Sonhar com os terminais de um circuito elétrico implica que uma ideia ou possível solução para um problema terá de girar continuamente para se concretizar.

TERMÔMETRO Sonhar que olha um termômetro denota negócios insatisfatórios e desentendimentos no lar. Ver um termômetro quebrado prenuncia doença. Se o mercúrio parecer estar caindo, sua vida vai assumir uma forma angustiante. Se estiver subindo, você vai conseguir se livrar das más condições na carreira.

TERMOSTATO Sonhar com um termostato significa que em breve você vai ter de tomar uma decisão súbita em um assunto pessoal.

TERRA (ASTRONOMIA) Estar no Espaço olhando a Terra prediz uma viagem grandiosa.

TERROR Sonhar que está aterrorizado a respeito de qualquer objeto ou acontecimento indica decepção e raiva. Ver outras pessoas aterrorizadas significa que a infelicidade dos amigos vai afetar você gravemente.

TESOURA Sonhar com uma tesoura é mau presságio; as esposas vão sentir ciúme e desconfiar de seus parceiros, e os namorados vão brigar e se digladiar impiedosamente e com direito a muita troca de acusações. A monotonia vai obscurecer os horizontes profissionais. Sonhar que você tem uma tesoura afiada sugere que vai ter de fazer um trabalho horroroso. Se você quebrar a tesoura, espere discussões e separações. Se você perdê-la, é porque vai fazer o possível para fugir de tarefas desagradáveis.

TERROR

TERRA (SOLO) Sonhar com terras férteis é um bom presságio; mas se estiverem áridas e rochosas, o fracasso e o desânimo estão em vista. Ver terra firme a partir do oceano indica que imensos caminhos de prosperidade e felicidade vão se abrir para você. Sonhar que vê terra recém-revirada ao redor de flores ou árvores significa condições abundantes nas finanças e na saúde. Sonhar que alguém joga terra em você é um alerta sobre desafetos tentando manchar seu caráter. | *Ver também* Campo.

TERRA SANTA Se você sonha que está na Terra Santa ou fazendo uma viagem para lá, é porque há bênçãos extraordinárias chegando.

TERREMOTO Esse fenômeno nos sonhos sugere estabilidade social e reconhecimento na carreira. Ver ou sentir um terremoto em seu sonho denota falência nos negócios e muito sofrimento devido a turbulências e guerras entre nações.

TESOURA DE PICOTAR O sonho com esse modelo especial de tesoura implica que você é capaz de concluir uma tarefa rapidamente sem grandes estresses.

TESOURO Se você sonha que encontra tesouros, é porque vai ser muito auxiliado por uma generosidade inesperada em sua busca pela prosperidade. Se você perder os tesouros, porém, está previsto o azar na vida profissional e a inconstância dos amigos.

TESTA Sonhar com uma testa delicada e lisa indica que você será estimado por seu julgamento e postura de justeza. Uma testa feia indica desagrado em seus assuntos particulares.

TESTAMENTO Sonhar que você está fazendo seu testamento prediz provações e adversidades importantes. Se você sonha que um testamento está contra seus interesses, é porque pode se deparar com controvérsias e procedimentos um tanto confusos em

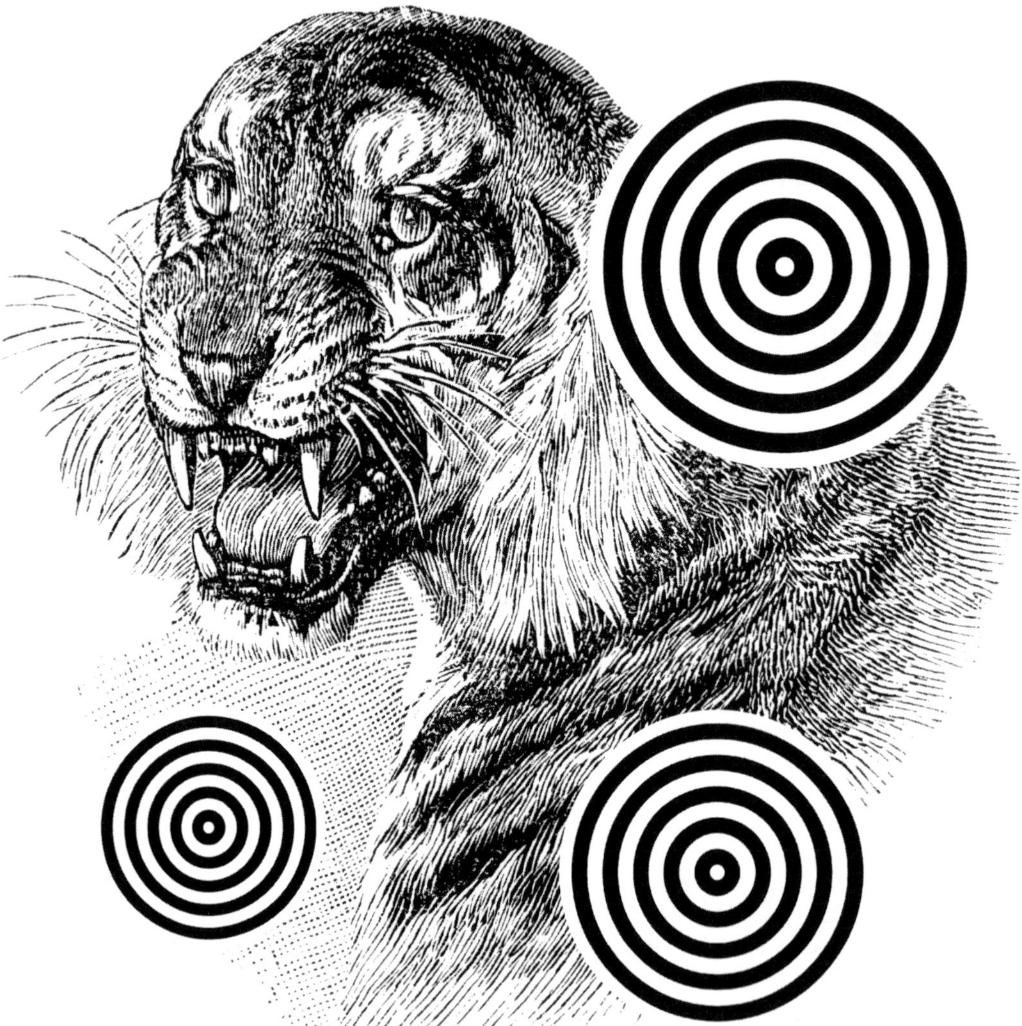

algum evento que ocorrerá em breve. Se no sonho você falhar em provar a validade de um testamento, é porque corre risco de calúnia difamatória. Perder um testamento é lamentável para sua carreira. Destruir um testamento é um alerta de que você está prestes a se envolver em traição e logro.

TESTE Sonhar que é reprovado em um teste sugere que suas ambições ou objetivos são altos demais e você vai se decepcionar. Se você passar no teste, não terá maiores problemas para atingir seus objetivos. Sonhar em simplesmente estar fazendo um teste lembra a você que é possível vencer seguindo devagar e sempre; em outras palavras, você só precisa manter o curso, e as coisas vão dar certo.

TESTEMUNHA OCULAR Ser testemunha ocular de uma situação ou crime significa que em breve você vai receber uma proposta para expandir suas finanças.

TESTEMUNHO Fornecer testemunho em um sonho significa que você será solicitado a ajudar alguém. Se você ouvir alguém testemunhar, é porque vai receber ajuda. Sonhar que está testemunhando em um tribunal contra alguém que é inocente significa que você vai sofrer algum tipo de infortúnio. Se outros estiverem testemunhando contra você, é porque você vai ser obrigado a recusar favores a amigos para proteger seus interesses. Se você for uma testemunha de uma pessoa culpada, sua sorte mudará — para melhor.

TESTEMUNHO SOB JURAMENTO Sonhar que você tem de testemunhar sob juramento implica que alguém logo vai solicitar sua ajuda. Ter alguém testemunhando contra você pressagia uma nova amizade que será muito benéfica para seu trabalho ou vida pessoal.

TESTÍCULO Sonhar com testículos saudáveis sugere popularidade social e uma ascensão de seu status profissional. Quanto maiores os testículos, maior o ganho. No entanto, sonhar com testículos doentes significa que você tem gastado tempo demais em atividades sociais.

TETO Sonhar com um teto é sinal de que você está impondo limitações a si mesmo ou aos outros.

TETRAPLÉGICO Sonhar que está tetraplégico sugere que você está adentrando em um período de grande vigor e boa saúde. Sonhar que vê outra pessoa tetraplégica indica um problema de saúde que precisa ser resolvido.

TEXTO Sonhar em estar em uma disputa por um texto prediz aventuras infelizes. Se no sonho você estiver tentando se recordar de um texto, é porque vai se deparar com dificuldades inesperadas. Se você estiver repetindo um texto e refletindo a respeito dele, é porque vai ter grandes obstáculos a superar para alcançar seus desejos.

TEXUGO Sonhar com um texugo é sinal de sucesso depois de muita luta contra as adversidades.

TIA Se esse parente estiver sorridente e feliz, pequenas diferenças logo darão lugar ao prazer. Se sua tia estiver chateada, prepare-se para uma contenda entre parentes ou amigos.

TIARA Sonhar que usa esse enfeite de cabeça significa que em breve você vai receber convites para eventos sociais animados. Sonhar com outra pessoa usando uma tiara sugere que você tem sido sério demais.

TIÇÃO Sonhar que atiça uma fogueira com um tição sugere sorte favorável, mas só se você não se queimar ou se não estiver angustiado no sonho.

TIGELA Sonhar com uma tigela vazia significa decepção à vista. Sonhar com uma tigela cheia significa ganho.

TIGRE Se você sonhar com um tigre avançando em sua direção, é porque na vida desperta vai ser atormentado e perseguido por desafetos. Se o tigre de fato atacar, o fracasso vai sufocar você na melancolia. Se você conseguir se desviar ou matar o tigre, terá muito sucesso em todos os seus empreendimentos. Ver um tigre fugindo de você é sinal de vitória sobre seus rivais e subida a altos cargos. Ver tigres em jaulas prediz que você vai derrotar seus adversários. Os tapetes de pele de tigre sugerem que você vai desfrutar de prazer e conforto suntuosos.

TIJOLO Ver tijolos em sonho indica negócios pendentes e desentendimentos na vida amorosa. Fabricar tijolos significa que você certamente vai fracassar em seus esforços de acumular grandes riquezas.

TILINTAR Sonhar que ouve sinos tilintando sugere bons momentos sociais pela frente. Ouvir o tilintar de moedas é indicativo de perda financeira.

TIMIDEZ Estar tímido ou acanhado em sonho significa que você será bastante sociável em um evento vindouro. Pressagia também, sucesso em sua situação atual. Sonhar que os outros são tímidos sugere um revés em uma questão pessoal ou comercial.

TINTA Se você vir tinta derramada em sua roupa, é porque vai ser alvo de muitas maldades e rancores por causa da inveja. Sonhar que tem tinta nos dedos sugere que você vai sentir ciúmes e assim magoar alguém, a menos que vigie melhor sua natureza. Se for tinta vermelha, é sinal de sérios problemas. Se você sonha que está fabricando tinta, é porque vai se envolver em negociações mesquinhas e degradantes, e cairá em descrédito. Ver frascos de tinta nos sonhos indica desafetos e interesses malsucedidos.

TINTA E PINTURA Ver casas recém-pintadas em sonhos indica que um plano será bem-sucedido. Se você acidentalmente sujar sua roupa com tinta, é porque vai se aborrecer com as críticas impensadas de outras pessoas. Sonhar que você mesmo está fazendo uma pintura denota muita satisfação com sua ocupação atual. Se você sonha que está admirando belas pinturas, é porque vai encontrar prazer.

TINTEIRO Um tinteiro vazio implica que você vai escapar por um triz de uma denúncia pública devido a alguma suposta injustiça. Se estiver cheio, é um alerta: se você não for cauteloso, os desafetos terão sucesso ao caluniar você.

TINTURA Se você sonha que vê o tingimento de tecidos ou peças de roupa, é sinal de sorte ou azar, a depender da cor utilizada no processo. Azuis, vermelhos e dourados indicam prosperidade; preto e branco, tristeza em todas as formas.

TIO Ver seu tio em um sonho pressagia notícias tristes.

TIPOGRAFIA Ver tipografia em um sonho pressagia transações desagradáveis com amigos.

TIROTEIO Sonhar que vê ou ouve um tiroteio significa infelicidade entre casais e namorados por causa do egoísmo; também é um presságio de insatisfação no trabalho e em outros projetos por causa de negligência. Sonhar que você levou um tiro e que sente que vai morrer denota que você pode perceber abusos inesperados de amigos maliciosos; se você não morrer no sonho, é porque na vida desperta vai conseguir se reconciliar com esses amigos. | *Ver também* Pistola.

TNT Sonhar com dinamite não detonada implica em soluções para um problema. Assistir a um explosão fala de uma mudança inesperada. | *Ver também* Dinamite.

TOALHA Sonhar com toalhas limpas implica em boa saúde e conforto material; já toalhas sujas pressagiam frustração chegando em sua vida pessoal; toalhas de papel falam de um período de reveses financeiros.

TOBOGÃ NA NEVE Sonhar com tobogã na neve implica no rápido fim de um problema vigente. Se você estiver observando outras pessoas em um tobogã, é porque vai precisar pedir ajuda.

TOCA Se você sonha com a toca de um animal e ela está vazia, sinal de que os problemas se aproximam. Mas se o animal estiver no covil, esses problemas serão facilmente superados.

TOCA-DISCOS, TOCA-FITAS Sonhar com um toca-discos ou toca-fitas implica em deterioração em sua vida amorosa.

TOCHA Sonhar que vê tochas prenuncia diversão e negócios favoráveis. Carregar uma tocha denota sucesso no amor. Se a chama se extinguir, indicativo de fracasso e angústia. | *Ver também* Lampião, Lamparina.

TOCO Sonhar com um toquinho de qualquer coisa prevê sorte inesperada.

TOCO DE ÁRVORE Sonhar com um toco de árvore implica que você terá reveses e vai abandonar seu estilo de vida de sempre. Se você vir campos repletos de tocos, é porque não vai ser capaz de se defender contra as intrusões das adversidades. Cavar ou arrancar tocos significa que você vai se livrar do ambiente de pobreza ao abandonar a emoção e o orgulho e enfrentar a realidade com a determinação para superar qualquer obstáculo.

TOLICE

TOLDO Ficar debaixo de um toldo no sonho representa estar protegido. Se o toldo estiver rasgado ou quebrado, a proteção que você pensa ter é apenas ilusão.

TOLICE Se você se sentir um tolo em pleno sonho, isso significa que em breve vai se divertir muito com amigos e família.

TOMADA Sonhar com uma tomada ou que está ligando alguma coisa na tomada sugere ganho financeiro por meio do trabalho árduo.

TOMAR UM FORA Levar um pé na bunda em um sonho sugere sucesso em seus casos amorosos e um possível casamento.

TOMATE Sonhar que come tomates representa a aproximação de uma boa saúde. Vê-los crescer fala de prazer e felicidade doméstica.

TOMBAMENTO Sonhar que você tomba alguma coisa indica que você está muito dado ao descuido; é hora de se esforçar para ser proativo. Ver os outros tombando é sinal de que você vai lucrar com a negligência alheia.

TOMILHO Nos sonhos, essa erva representa ganho monetário.

TOMOGRAFIA Sonhar com uma tomografia computadorizada sugere que você precisa examinar um problema mais profundamente.

TONEL Ver um tonel nos sonhos é presságio de angústia e sofrimento nas mãos de pessoas cruéis, em cujas garras você inadvertidamente caiu.

TONINHA Ver esse mamífero aquático nos sonhos indica uma conexão entre seu consciente e seu subconsciente. As toninhas são animais espirituais e por isso prenunciam um período de crescimento em sua vida imaterial.

TOPÁZIO Ver essa pedra em um sonho lhe diz que a sorte estará um tanto generosa e que você vai ter companhias muito agradáveis.

TORA Ver uma tora nos sonhos significa que as coisas em casa vão melhorar. Sonhar com toras no chão é um presságio favorável também. Carregar toras é sinal de oportunidades surgindo. E uma tora queimando intensamente significa alegria para a família.

TORÁ Se você sonha que lê esse livro sagrado, mas não é judeu na vida desperta, é sinal de bênçãos.

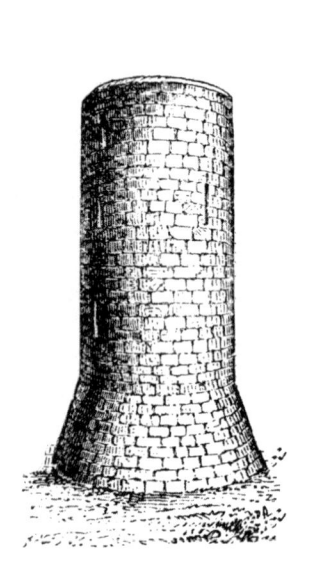

TORCIDA Torcer ou ouvir outros torcendo no sonho é sinal de más notícias.

TORDO Sonhar com esse passarinho indica paz e contentamento em sua vida.

TORNADO Se você sonha que está testemunhando um tornado, espere mudanças profundas — serão todas benéficas. Estar dentro de um tornado é boa sorte em dobro.

TORNEIRA Sonhar que abre ou fecha uma torneira com água corrente ou outro líquido é sinal de boa sorte e dinheiro. Se a água estiver turva ou poluída, é porque você vai ter problemas com suas finanças. Sonhar que não consegue fechar a torneira implica em perdas ou ganhos financeiros extremos, a depender da limpidez da água.

TORNOZELO Se você sonha com um tornozelo saudável e normal, pode ser o seu ou o de outra pessoa, é indicativo de que vai conseguir se afastar de uma pessoa ou acontecimento incômodo em sua vida. Se você sonha com um tornozelo machucado, então a ajuda que está sendo oferecida a você pode não ser benéfica. Além disso, pode ser que você não consiga escapar de uma situação ou pessoa difícil.

TORPOR Sonhar que você sente um entorpecimento é sinal de doença.

TORRADA Sonhar com pão torrado pressagia ganhos financeiros.

TORRE Sonhar que vê uma torre sugere que você vai aspirar a posições muito mais altas. Se você estiver escalando uma torre no sonho, sinal de conquista de seus desejos; mas se a torre desmoronar enquanto você desce, espere decepção.

TORRENTE Sonhar que está olhando para uma torrente sugere problemas e ansiedade incomuns.

TORTA (COMIDA) Nos sonhos, comer torta indica recompensas pelo seu trabalho árduo. | *Ver também* Massa de torta.

TORTILLA Sonhar com esse pão mexicano significa prosperidade.

TORTO Se você sonha com algo torto, pode ser que precise endireitar sua percepção de uma situação em sua vida.

TORTURA Sonhar que está sendo torturado sugere que você vai sofrer decepção e tristeza por causa da maquinação de falsos amigos. Se você estiver torturando outras pessoas, sinal de que na vida desperta não vai conseguir concretizar os planos para melhorar sua prosperidade, mesmo que eles estejam bem delineados. Se você estiver tentando aliviar a tortura sofrida por alguém, é porque vai ter sucesso depois de uma batalha no trabalho e no amor.

TOSQUIA Ver tosquias em sonho denota que você vai se tornar mesquinho e desagradável nos acordos que selar. Se você vir tesouras de tosquia quebradas, é porque vai perder amigos.

TOSSE Sonhar que está sofrendo de uma tosse constante indica problemas de saúde; mas você vai se recuperar, caso se cuide e cultive bons hábitos. Já ouvir os outros tossindo fala de uma situação desagradável da qual você vai conseguir sair por fim.

TOTEM Sonhar com um totem significa novos amigos que vão ampliar sua mente.

TOUCA DE DORMIR Sonhar que usa touca de dormir é bom e denota muitos amigos sinceros.

TOUPEIRA Sonhar com esse pequeno mamífero escavador indica rivais secretos. Se você sonha que está capturando uma toupeira, é porque vai ser capaz de superar qualquer oposição e chegará ao topo.

TOURO Se você sonha que é perseguido por um touro, terá problemas profissionais com concorrentes invejosos e ciumentos. Sonhar com um touro chifrando uma pessoa sugere que o infortúnio vai chegar depois de você ter feito uso dos bens de terceiros.

TPM Sonhar que sofre de TPM pressagia problemas de fertilidade e de saúde.

TRABALHO Sonhar que você está trabalhando arduamente denota sucesso merecido ao concentrar sua energia em seus objetivos. Ver outras pessoas trabalhando sugere condições promissoras. Se você sonha que procura um trabalho, é porque será beneficiado por algum acontecimento inexplicável.

TRABALHO DE PARTO Esse sonho não tem nada a ver com gravidez. O trabalho de parto, na verdade, simboliza que logo você vai concluir com sucesso um projeto ou aspecto de sua vida, e que vai ficar feliz com o resultado.

TRÁFEGO Sonhar que observa o trânsito significa que você talvez precise de ajuda para resolver um problema. Dirigir no tráfego revela um problema familiar que em breve será resolvido. Estar em um engarrafamento lembra que é preciso paciência para superar os obstáculos. Se você sonha com um acidente de trânsito, fique de olho em problemas de saúde.

TRAGÉDIA Sonhar com uma tragédia prenuncia mal-entendidos e decepções dolorosas. Se você estiver envolvido diretamente nela, uma calamidade vai mergulhar você na tristeza e no perigo.

TRAIÇÃO As condições vão mudar de boas para ruins se você se juntar a terceiros nessa traição. Sonhar com seus amigos apunhalando você pelas costas significa que, na vida desperta, eles permanecerão leais.

TRAIDOR Ver um traidor em sonho prediz a atuação de rivais para tirar você de sua posição. Se alguém chamar você de traidor no sonho, ou se você estiver se sentindo um traidor, sugere perspectivas desfavoráveis para a vida desperta.

TRAILER Sonhar com um trailer significa uma mudança completa em sua vida pessoal e profissional.

TRALHA Se você sonha com tralhas, é porque precisa de ajuda para tomar uma grande decisão em sua vida. Vá atrás dela.

TRANSFIGURAÇÃO Sonhar com a Transfiguração de Jesus prediz que sua fé na proximidade da humanidade para com Deus vai colocá-lo acima de questões triviais e o elevará a uma posição importante, na qual você vai promover o bem-estar dos oprimidos e perseguidos. Se você se vir transfigurado, é porque nutrirá grande estima por homens honestos e notáveis.

TRANSLUCIDEZ Sonhar com algo translúcido é um sonho de boa sorte.

TRANSPIRAÇÃO Sonhar com transpiração prediz que você vai se recuperar com a honra renovada de uma dificuldade que suscitou muita fofoca.

TRANSPLANTE Qualquer tipo de transplante de órgãos sugere a renovação de uma meta almejada que será alcançada.

TRANSPORTE PÚBLICO Sonhar que está circulando pelas ruas em uma diligência prenuncia mal-entendidos com amigos; você pode vir a fazer promessas imprudentes. | *Ver também* Ônibus.

TRANSPOSIÇÃO Sonhar que está transpondo um obstáculo pressagia que você vai conquistar seus desejos depois de muita batalha e oposição. | *Ver também* Salto.

TRAPAÇA Se você sonha que está sendo trapaceado no trabalho, é porque vai encontrar pessoas que querem minar seu caminho para a prosperidade.

TRAPACEIRO Ver ou constatar em um sonho que você é um trapaceiro significa que você está prestes a cometer uma indiscrição que vai incomodar seus amigos. É provável também que você sofra de uma doença passageira.

TRAPÉZIO Sonhar com um trapézio indica que os problemas serão resolvidos facilmente.

TRAPO Sonhar com um trapo limpo anuncia prosperidade. Já um trapo sujo pressagia perda financeira.

TRAQUEIA Sonhar que algo está preso em sua traqueia ou na traqueia de outra pessoa é uma advertência para cuidar das finanças.

TRASLADO Sonhar que está em usando um serviço de traslado para se transportar implica viagens curtas de lazer.

TRATAMENTO DE CANAL Sonhar com esse procedimento odontológico indica problemas de saúde em breve.

TRATAMENTO FACIAL Sonhar que recebe ou faz tratamento facial indica que há muita calma e serenidade entrando em sua vida.

TRAVESSEIRO Sonhar com um travesseiro fala de luxo e conforto.

TREINO Sonhar que treina alguma coisa repetidamente significa um avanço em sua carreira.

TRELIÇA Se você vir uma treliça em seu sonho, espere problemas de saúde e compromissos profissionais malfadados. Sonhar com uma treliça sugere que você não vai conseguir enxergar uma solução para um problema até que alguém lhe dê uma luz.

TREM Se você vir um trem de vagões se movimentando, é porque logo terá motivos para fazer uma viagem. Se você estiver em um trem e ele parecer estar se movimentando suavemente, embora não haja trilhos, sinal de que você vai se preocupar com algum assunto que vai acabar se revelando uma fonte de lucro. Ver trens de carga pressagia mudanças que tendem a levar a uma subida de posição.

TREMELIQUE Sonhar com tremeliques é presságio de boa saúde e felicidade.

TREMOR Sonhar com tremores indica problemas de saúde que precisam ser resolvidos num futuro próximo.

TRENÓ Ver um trenó nos sonhos sugere que você vai fracassar em uma aventura romântica, e incorrerá no desprazer de um amigo. Andar de trenó prenuncia relacionamentos imprudentes de sua parte.

TREVO (BOTÂNICA) Sonhar com um trevo significa boa sorte, é claro. Há boa sorte e prosperidade no horizonte. Sonhar com um trevo sugere que a prosperidade vai chegar logo, logo. Andar por campos cheios de trevos cheirosos é um sonho favorável. Todos os bens desejados estarão ao seu alcance.

TRIÂNGULO Sonhar com um triângulo prediz separação dos amigos; casos amorosos vão terminar em desentendimentos.

para você. Se você vir trigo em sacos ou barris, sua determinação para alcançar o auge do sucesso logo será coroada com a vitória, e os assuntos amorosos estarão firmemente enraizados. Sonhar com um silo com cobertura deficiente, com seu conteúdo exposto à chuva, sugere que embora você tenha acumulado uma boa dose de prosperidade, isto não serviu para garantir seus direitos; você verá seus interesses diminuindo nas mãos dos desafetos. Se você esfregar trigo nas mãos e comê-lo, é sinal de que vai trabalhar duro para ter sucesso, e vai reivindicar o que lhe pertence e protegerá seus direitos. Sonhar que sobe um morro íngreme coberto de trigo, puxando-se pelos talos, implica no desfrute de grande prosperidade, que renderá distinção em qualquer atividade escolhida.

TRILHA

TRICÔ Sonhar com tricô indica que você possui um lar tranquilo e sossegado.

TRIGÊMEOS Sonhar que vê trigêmeos prediz sucesso em casos em que o fracasso era temido. Para um homem, sonhar que sua esposa tem trigêmeos significa um término agradável para alguma situação há muito em disputa. Ouvir trigêmeos recém-nascidos chorando significa desentendimentos que, para sua satisfação, serão rapidamente resolvidos. Se uma jovem sonha que tem trigêmeos, ela vai se deparar com perdas e decepções no amor, mas vai ter sucesso em relação à riqueza.

TRIGO Ver imensos campos de trigo nos sonhos é presságio de perspectivas encorajadoras. Se o trigo estiver maduro, sua sorte estará assegurada e o amor será seu alegre companheiro. Ver grãos de trigo grandes e bonitos passando por uma debulhadora significa que a prosperidade escancarou as portas

TRILHA Sonhar que segue uma trilha significa que você vai alcançar seus objetivos se perseverar. Sonhar que está perdido em uma trilha sugere perda de tempo em relacionamentos.

TRINCHAR CARNE Sonhar que se está fatiando uma ave assada pressagia que você ficará materialmente pobre e terá dificuldades com amigos mal-humorados. Fatiar carne denota maus investimentos; mas se você fizer algumas alterações em seus planos, seus clientes em potencial serão melhores.

TRINCHEIRA Ver trincheiras em sonhos é um alerta sobre uma deslealdade distante. Você vai sofrer perdas se não tiver cuidado ao se embrenhar em novos empreendimentos ou ao se associar a desconhecidos. Ver trincheiras cheias de obstáculos denota o aumento da ansiedade em sua vida.
| *Ver também* Fosso.

TRINCO Sonhar com um trinco de porta diz que você vai receber apelos urgentes por ajuda, e que reagirá a eles de maneira indelicada. Uma trava quebrada indica desentendimentos com seu amigo mais querido. Esse sonho também pressagia doença.

TRIPA, ENTRANHAS Ver tripas em um sonho significa doença e perigo. Comer tripa denota decepção com algum assunto sério.

TRISMO Sonhar que você sofre de trismo — uma contratura involuntária e dolorosa dos músculos da mandíbula — sugere problemas chegando, pois alguém vai trair sua confiança. Ver outras pessoas sofrendo de trismo revela que, inconscientemente, amigos podem diminuir sua felicidade ao lhe atribuir tarefas desagradáveis.

TRISTEZA Sonhar que está triste significa que em breve você vai descobrir que seus problemas chegaram a fim. Sonhar que você está muito triste prenuncia paz de espírito e um ambiente feliz. Sonhar com a tristeza de outra pessoa é um alerta sobre uma possível discussão ou briga com um amigo.

TROCA Sonhar com uma troca sugere transações lucrativas em todo tipo de negociação.

TROFÉU Ver troféus nos sonhos indica prazer ou sorte chegando por meio do esforço de meros conhecidos. Entregar um troféu implica em prazeres duvidosos e prosperidade.

TROMBETA Sonhar com uma trombeta denota que algo de interesse incomum está para acontecer a você. Tocar trombeta significa que você vai realizar seus desejos.

TRONCO NATALINO Sonhar com essa sobremesa indica que suas expectativas serão realizadas devido à sua participação em grandes festividades.

TRONO Se você sonha que está se sentando em um trono, sinal de que rapidamente alcançará benesses e prosperidade. Descender de um pressagia muita decepção. Se você vir outras pessoas em um trono, vai alcançar a riqueza depois de receber ajuda.

TROPEÇO Se você sonha que tropeça, é porque um grande sucesso o aguarda. Se você tropeça no sonho enquanto caminha ou corre, é porque vai encontrar malquerença por aí, e os obstáculos vão barrar seu caminho para o sucesso; mas se você não chegar a cair, é sinal de que na vida desperta vai superar tudo.

TROVÃO Sonhar que ouve trovões indica que você pode estar ameaçado de reviravoltas no campo profissional. Se você estiver sob uma tempestade trovejante, é porque problemas e tristezas estão rondando sua vida. Em sonhos, ouvir trovões que fazem a terra tremer pressagia grande perda e decepção.

TRUTA Trutas representam prosperidade crescente. Comer truta sugere boa saúde. Pescar uma truta com um anzol pressagia prazer. Se ela voltar à água, você vai ter um período de felicidade bem curtinho. Capturar trutas com rede é sinal de prosperidade sem paralelos. Vê-las em água lamacenta mostra que seu sucesso no amor vai levar à tristeza e à decepção.

TUBARÃO Sonhar com tubarões sugere desafetos pavorosos. Se um tubarão persegue e ataca você, sinal de que na vida desperta reveses inevitáveis vão afogá-lo em desânimo e mau agouro. Se você vir tubarões nadando em águas límpidas, é porque o ciúme está secreta e certamente causando inquietação e infortúnio enquanto você finge estar tudo bem. Sonhar com um tubarão morto implica em reconciliação e prosperidade renovada.

TUBERCULOSE É sinal de que você está se expondo ao perigo. Fique com seus amigos. Sonhar com tuberculose prediz boa saúde e bem-estar.

TUBO, CILINDRO Ver um tubo em sonho sugere que você está se apegando a pensamentos ou posses um tanto obsoletos.

TUCANO Sonhar com esse pássaro tropical diz que a felicidade e a paz de espírito serão finalmente suas.

TULIPA Sonhar que está plantando tulipas significa uma pequena decepção, mas vê-las em flor ou colhê-las fala de felicidade.

TUMBA Sonhar que vê tumbas sugere tristeza e decepção profissional. Tumbas dilapidadas pressagiam morte ou uma doença desesperadora. Sonhar que vê a própria tumba prediz sua doença ou decepção. Ler a inscrição em tumbas pressagia tarefas desagradáveis.

TUMOR Sonhar com um tumor pressagia boa saúde, além de novas e interessantes responsabilidades que você abraçará com gosto.

TÚMULO, SEPULTURA Sonhar com sepulturas é bem ruim. Atente-se a má sorte nas transações comerciais e ameaça de doença. Se você sonha que vê uma sepultura recém cavada, é porque vai ter de sofrer pelos erros alheios. Visitar uma sepultura nova revela um perigo grave pairando sobre você. Sonhar que caminha entre túmulos prevê uma morte prematura ou um casamento infeliz. Olhar para uma sepultura vazia denota decepção e perda de amigos. Se você vir uma pessoa viva em uma sepultura, e ela está coberta de terra, exceto pela cabeça, alguma situação angustiante vai afligir essa mesma pessoa na vida desperta; ou você mesmo pode vir a sofrer uma perda de propriedade. Ver a própria sepultura sugere que os desafetos estão tentando meticulosamente envolver você em um revés; se você não ficar atento, eles vão se dar bem. Sonhar que cava uma cova fala de inquietação com algum empreendimento arriscado, pois seus adversários vão tentar se meter, mas se você conseguir cavar até o fim, vai vencer a contenda. Se o sol estiver brilhando, vão surgir coisas boas oriundas de aparentes constrangimentos. Se você voltar para enterrar um cadáver e ele tiver sumido, problemas virão de lugares obscuros. Ver um cemitério estéril, exceto pelo topo dos túmulos, significa uma época de muita tristeza e desânimo. Ainda assim, maiores benesses e prazer lhe aguardam se você aguentar suas responsabilidades. Ver seu próprio cadáver em uma sepultura prenuncia desesperança e opressão.

TUMULTO Sonhar que está no meio do caos e da confusão pressagia que, na verdade, você está entrando num momento de tranquilidade em sua vida.

TÚNEL Sonhar que passa por um túnel é ruim para empresários e para os apaixonados. Ver um trem vindo em sua direção enquanto você está em um túnel indica problemas de saúde e troca de função. Passar de carro por um túnel fala de negócios insatisfatórios e muitas viagens desagradáveis e caras. Ver um túnel desabando pressagia fracassos e desafetos. Olhar para um túnel indica que em breve você vai ser compelido a enfrentar um problema desesperador.

TURBA Sonhar com uma multidão enfurecida prediz uma atividade em grupo que pode se revelar perigosa para você.

TURBANTE Sonhar com um turbante significa que algo está sendo escondido de você; investigue. Tem a ver com seu status social.

TURISTA Sonhar que é um turista pressupõe que você vai ter se envolver em uma situação prazerosa que vai atrai-lo para longe de sua residência habitual. Ver turistas indica negócios agitados, porém instáveis, e ansiedade no amor.

TURQUESA Sonhar com turquesa sugere que você vai realizar um desejo que vai trazer muita satisfação.

TUTOR Sonhar que você é um tutor significa o aprendizado de algo novo muito em breve. Se você sonha que está sendo ensinado por um tutor, é porque vai ensinar algo novo a alguém.

Você pode dizer que sou um sonhador, mas eu não sou o único.

"Imagine", John Lennon

U

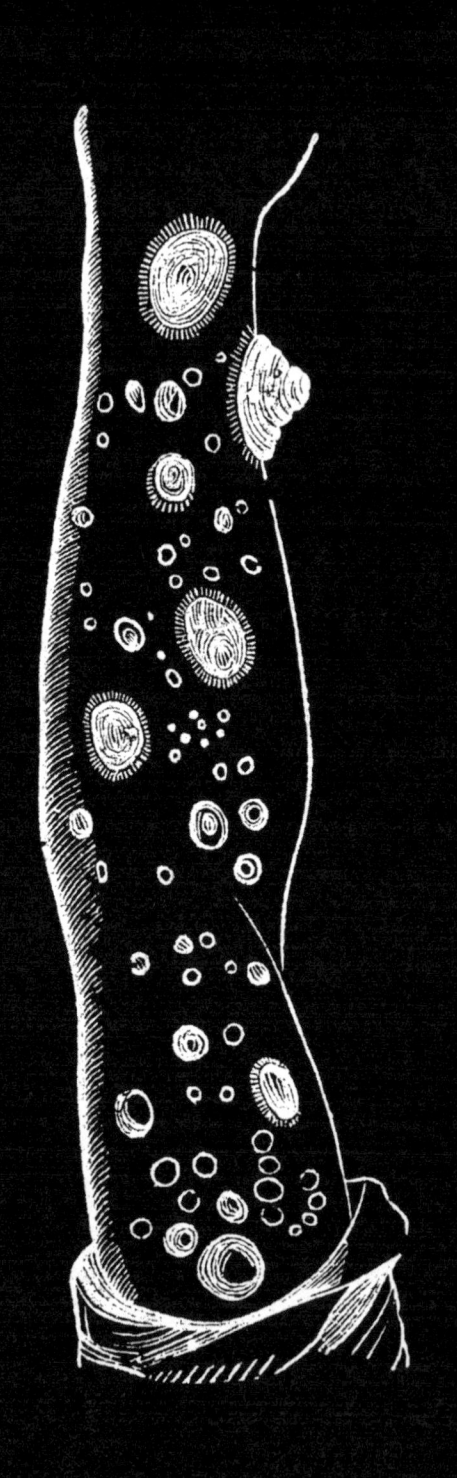

U

"Durma com ideias, sonhe com desejos."

ÚBERE Esse sonho pressagia boas notícias.

UIRAPURU Nos sonhos, esse passarinho é um prenúncio de notícias agradáveis.

UÍSQUE Sonhar com uísque não é muito bom. É provável que algum tipo de decepção suceda esse sonho. Sonhar que vê e bebe uísque sugere o alcance de um desígnio desejado após muitas decepções. Porém, se você não bebericar o uísque, é porque jamais vai atingir o resultado que esperava e pelo qual tanto trabalhou. Sonhar que bebe sozinho significa que você vai sacrificar seus amigos pelo seu egoísmo. Se você sonha com uísque engarrafado é porque provavelmente vai cuidar bem de seus interesses, protegendo-os com energia e vigilância, agregando valor a eles. Se você sonha que joga o uísque fora, é porque pode perder seus amigos por causa de sua conduta mesquinha.

UKULELE Sonhar com essa guitarra havaiana de quatro cordas é sinal de boas notícias.

ÚLCERA Ver uma úlcera em sonho significa perda de amigos e distanciamento em relação a entes queridos. Sua situação pessoal vai permanecer insatisfatória. Sonhar que você sofre de úlceras denota impopularidade junto a seus amigos depois de você se entregar a prazeres tolos.

ULTRASSOM Indica um problema de saúde que será facilmente resolvido.

ULTRAVIOLETA Sonhar com luz ultravioleta sugere que você vai ser capaz de ver as coisas com muito mais clareza do que antes, tanto em sua vida profissional quanto pessoal.

UMBIGO Sonhar com seu umbigo significa a previsão de uma aventura com benefícios a longo prazo. Sonhar com o umbigo de outra pessoa sinaliza um novo relacionamento amoroso.

UMIDADE Sonhar que está cercado pela umidade prediz que você vai brigar ferozmente contra seus desafetos, mas que vai sofrer uma derrota esmagadora devido à força superior dele. Já sonhar que está úmido ou molhado indica que um prazer pode vir a envolver você em perdas e doenças. Evite as lisonjas de pessoas aparentemente bem-intencionadas. | *Ver também* Ar.

UNGUENTO Sonhar com unguento implica que você vai prosperar em circunstâncias adversas e converterá desafetos em amigos. Indica também, que suas amizades serão benéficas e agradáveis.

UNHA Sonhar com unhas sujas é presságio de desgraça na família por causa de aventuras loucas dos mais jovens. Unhas bem cuidadas indicam distinções acadêmicas e algumas realizações literárias, e também parcimônia.

UNICÓRNIO Sonhar com essa criatura mítica indica um período de mudanças benéficas.

UNIFORME Ver um uniforme em seu sonho denota que você vai ter amigos influentes que vão ajudar a realizar seus desejos. Ver pessoas paramentadas com uniformes estranhos prenuncia que seu governo vai romper relações amistosas com outro governo. Ver um amigo ou parente usando uniforme, ou como um soldado, e aparentando estar triste prevê azar ou ausência contínua.

UNIVERSIDADE Sonhar com essa instituição de ensino superior é um bom presságio: sucesso e bem-estar financeiro. Visitar uma universidade sugere que você vai se arrepender por deixar as oportunidades passarem devido ao ócio e à indiferença. Sonhar que você administra uma universidade ou que faz parte de uma sugere que suas aspirações serão facilmente derrotadas. Você vai adquirir conhecimento, porém será incapaz de assimilá-lo e colocá-lo em prática corretamente. Sonhar que está voltando para uma universidade depois de ter concluído os estudos significa que serão feitas exigências que você será incapaz de atender.

URGÊNCIA Sonhar que está sendo insistente em relação à urgência de algo significa que logo você vai conseguir desacelerar sua vida e fazer bons progressos.

URINA Sonhar que vê urina denota a libertação de tensões e preocupações em sua vida.

URNA Sonhar com uma urna, que também pode ser funerária, prediz que você vai prosperar em alguns aspectos, porém em outros o desagrado será aparente. Se você vir urnas quebradas, será confrontado pela infelicidade.

URSO Sonhar com um urso significa competição avassaladora em perseguições de todo tipo. Matar um urso pressagia a libertação de complicações.

URSO POLAR Os ursos polares representam melhorias em suas circunstâncias sociais e financeiras. Ver a pele de um denota a vitória sobre qualquer oposição.

URTICÁRIA Sofrer de urticária nos sonhos denota boa saúde.

URTIGA Se em seus sonhos você caminha entre urtigas, mas não sofre irritação, é sinal de prosperidade. Mas se você sentir os efeitos dessa planta, é porque vai ficar descontente consigo e vai deixar os outros infelizes.

URZE Sonhar com essa planta prediz ocasiões alegres em sucessão.

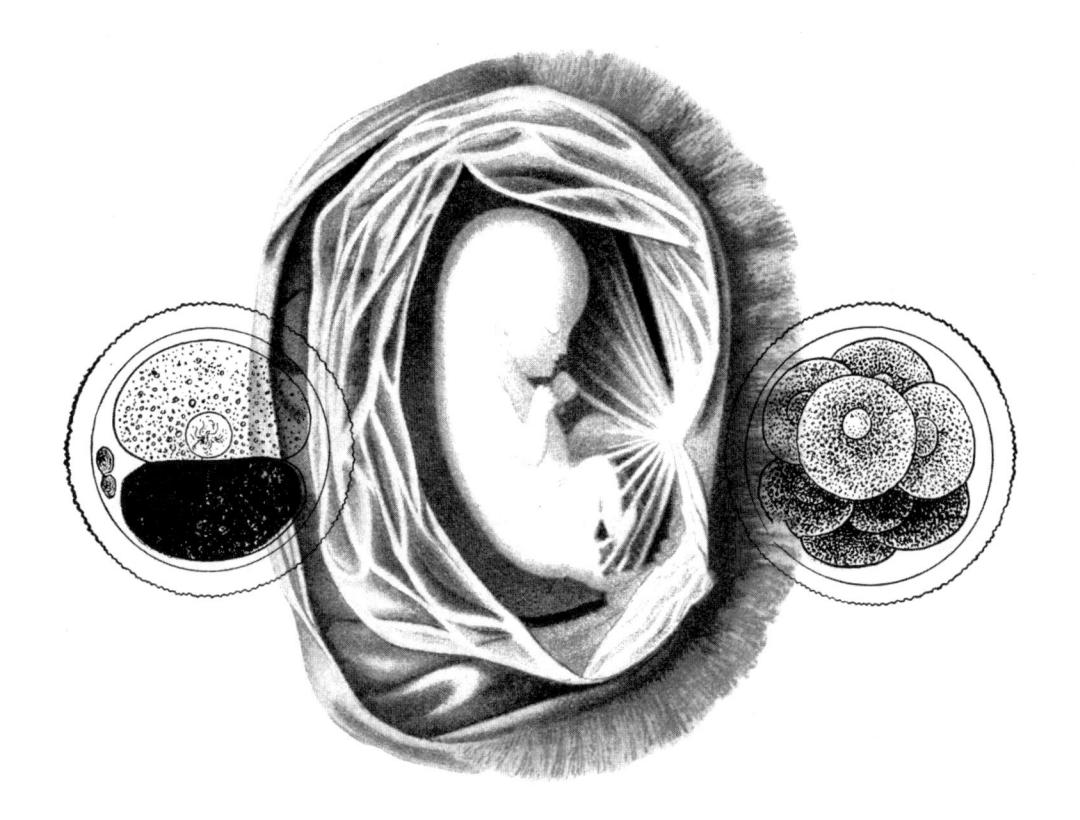

USURPADOR Sonhar que você está usurpando alguém prediz dificuldade em estabelecer a posse de uma propriedade. Se outros estiverem tentando usurpar seus direitos, vai haver uma contenda entre você e seus concorrentes, mas você vencerá. Se uma jovem tiver esse sonho, ela será parte de uma rivalidade maliciosa na qual sairá vencedora.

UTENSÍLIO DOMÉSTICO Sonhar com um utensílio que funciona bem denota um acontecimento em sua vida que funcionará igualmente bem. Sonhar com um utensílio defeituoso ou que está funcionando mal sugere que um acontecimento em sua vida terá muitas voltas e reviravoltas, e que precisará ser consertado antes que possa se desenrolar por completo.

ÚTERO Sonhar com o útero pressagia noivado ou gravidez.

UTI Sonhar com uma unidade de terapia intensiva indica que você pode ter de lidar com mágoas do coração em um futuro próximo.

UVA Se você come uvas em um sonho, vai receber o fardo de cuidar de muita gente; mas se as vir penduradas em profusão entre as folhas, é porque logo vai conquistar um cargo elevado e transmitirá felicidade às pessoas.

UVA PASSA Sonhar que está comendo passas implica que o desânimo vai obscurecer suas esperanças bem quando elas estiverem prestes a se concretizar.

Tudo não passa de um sonho dentro de um sonho.

Edgar Allan Poe

V

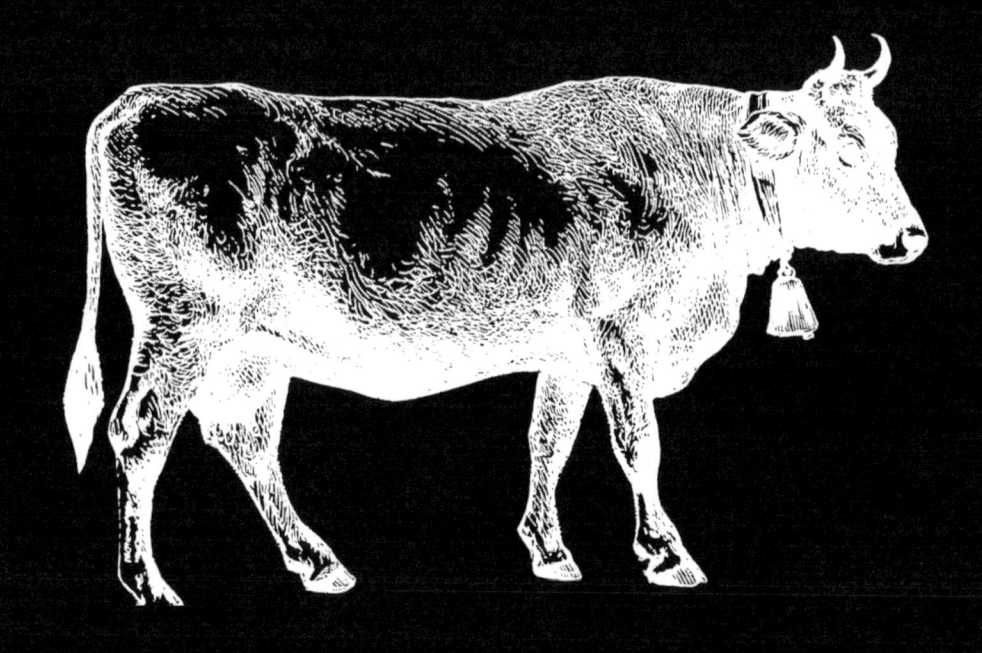

Culotte	Aloyau	
Tranche grasse	Côtes couvertes	
Gîte à la noix	Plat de côtes	Collier — Plat de joues
	Paleron	
Queue — Gîte de derrière	Flanchet	Gîte

V

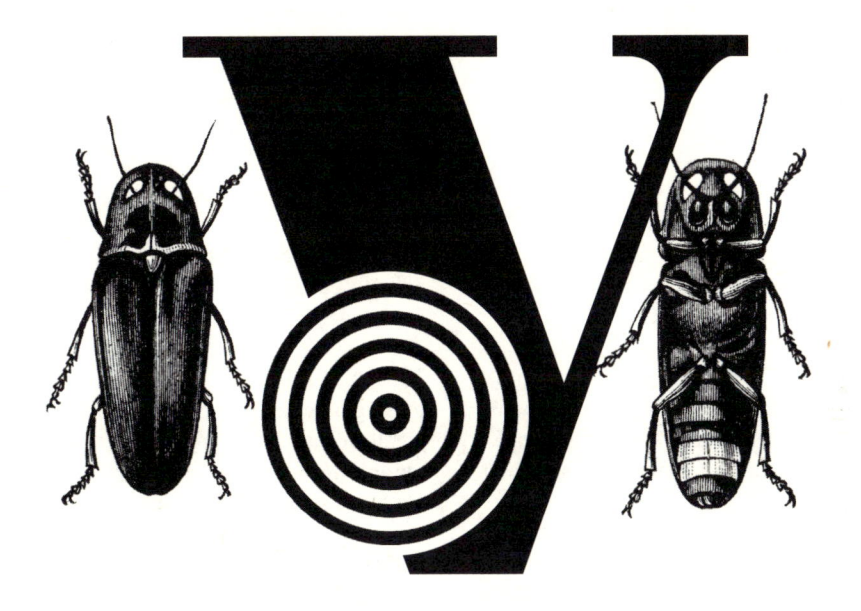

"Sonhos adormecidos encontram sua hora de acordar."

VACA Ver vacas aguardando pelo momento da ordenha promete abundante realização de esperanças e desejos. | *Ver também* Gado.

VACINAÇÃO Sonhar que foi vacinado fala de sua suscetibilidade às pessoas ao seu redor. Ver outras pessoas sendo vacinadas mostra que você não vai encontrar contentamento exatamente onde busca.

VADEAR Se você estiver vadeando por águas límpidas nos sonhos, é porque vai desfrutar de alegrias pequeninas, porém primorosas. Se a água estiver lamacenta, você corre o risco de adoecer ou de sofrer experiências dolorosas. | *Ver também* Caminhada.

VAGA-LUME Sonhar com esses insetos prenuncia notícias alegres e jubilosas.

VAGABUNDAGEM Sonhar que é um vagabundo, ou seja, um errante desocupado, pressagia pobreza e tristeza. Ver vagabundos é um sinal de contágio invadindo sua comunidade. Doar algo a um vagabundo denota que sua generosidade será aplaudida.

VAGABUNDO Sonhar que é um vagabundo prenuncia paz de espírito e melhora nas circunstâncias da vida. Se você sonha que auxilia um vagabundo, espere evolução em seu status social. Mas se você se recusa a ajudá-lo, espere um trabalho mais árduo e recompensas menores em sua carreira.

VAGÂNCIA Sonhar que está em um prédio ou apartamento vago sugere um recomeço em sua vida.

VAGÃO-LEITO Sonhar com um vagão-leito em um trem é sinal de que sua luta para acumular riquezas é estimulada por desejos egoístas e obscenos que devem ser dominados e controlados.

VAGEM Nos sonhos, a vagem simboliza boa sorte e ganhos na vida. Sonhar com vagens é bom. Comê-las sugere momentos sociais felizes. Cozinhá-las ou servi-las indica uma mudança na residência.

VAGINA Sonhar com uma vagina sã significa gravidez e boa saúde. Mas se estiver doente, é um alerta de que seus relacionamentos amorosos podem estar sendo prejudiciais à saúde ou disfuncionais, e possivelmente abusivos.

VALA Sonhar que está caindo em uma vala denota degradação e perda pessoal; mas se você conseguir saltar por cima dela, é porque vai superar qualquer suspeita de ter feito uma transgressão. | *Ver também* Fosso.

VALE Sonhar que caminha por vales verdes e agradáveis prenuncia grandes avanços profissionais; os amantes serão felizes e estarão em harmonia. Se o vale for estéril, então pressagia o inverso. Se for pantanoso, espere doenças ou aborrecimentos.

VALE POSTAL Sonhar que está comprando um vale postal sinaliza que em breve você vai se flagrar adquirindo algo do qual não precisa. Sonhar que recebe um vale postal indica ganho financeiro.

VALSA Dançar valsa nos sonhos pressagia relações agradáveis com uma pessoa alegre e aventureira.

VAMPIRO Sonhar com vampiros avisa que você precisa ser mais sério e responsável.

VAN Sonhar com esse veículo traz boas notícias.

VAPOR Sonhar que é queimado pelo vapor sugere desonestidade entre amigos. Ouvir o som do vapor chiando significa brigas e desentendimentos. Sonhar que você desliga algo que está fumegando significa que o universo vai lhe conceder um desejo.

VARA RABDOMÂNTICA Ver essa vara de adivinhação em sonho é um presságio de má sorte e insatisfação com o cenário atual.

VARA, VARETA Nos sonhos, as varetas são um presságio de azar. Uma vareta pode ser um instrumento de punição ou poder. Se você estiver punindo um animal com uma vara, pode vir a ter sentimentos negativos sobre você e sua natureza. As pessoas que você agride com uma vara podem representar uma parte de você com a qual esteja havendo conflito.

VARANDA Sonhar que está em uma varanda prediz seu sucesso em uma situação que vem lhe causando ansiedade. Uma varanda antiga denota o declínio das esperanças e decepção nos negócios e no amor.

VARETA DE ESPINGARDA Sonhar com uma vareta de espingarda denota aventuras infelizes. Você terá motivos para ficar triste. Se uma jovem vir uma vareta envergada ou quebrada, é um indício de que um amigo querido ou namorado irá decepcioná-la.

VARINHA DE CONDÃO Sonhar com uma varinha de condão sugere que você vai aprender a valorizar as coisas importantes da vida.

VARÍOLA Ver pessoas com varíola nos sonhos denota uma doença inesperada e chocante na vida real.

VARREDURA Sonhar que está varrendo sugere que você vai ser visto com doçura pelo cônjuge e que os filhos terão prazer no lar. Se no sonho você acha que o chão precisa ser varrido, e negligencia isso por qualquer motivo, angústias e amargas decepções estão à sua espera.

VASO Sonhar com um vaso sugere que você vai desfrutar de contentamento e do mais doce prazer em sua vida doméstica. Se você beber de um vaso, vai se empolgar com as delícias de um amor furtivo. Ver um vaso quebrado pressagia tristeza. Se uma jovem ganhar um vaso em sonho, significa que ela logo vai realizar seu maior desejo na vida desperta.

VEGETAIS Sonhar que come vegetais pressagia uma sorte estranha. Durante um tempo você vai pensar que é tremendamente bem-sucedido, mas para sua tristeza, vai descobrir que é que algo que lhe foi grosseiramente imposto. Vegetais murchos ou em decomposição trazem desgraça e tristeza absolutas.

VEGETARIANISMO Se você sonha que é vegetariano e não o é na vida desperta, é porque vai ter um problema de saúde.

VAZIO

VASSOURA Vassouras novas representam economia e uma melhoria veloz em sua sorte. Se a vassoura for vista em pleno uso no sonho, você vai perder em especulações.

VATICANO Sonhar com o Vaticano significa que uma honra inesperada ficará ao seu alcance. E se você vir pessoas da realeza conversando com o papa, sinal de que na vida desperta vai conhecer pessoas ilustres.

VAZAMENTO Sonhar que vê um vazamento em qualquer coisa costuma significar perdas e aborrecimentos. Também pode ser um sinal de que seus esforços serão infrutíferos.

VAZIO Olhar dentro de alguma coisa e flagrar o vazio prenuncia mudanças que vão deixar sua vida mais plena. Esvaziar algum objeto em um sonho significa que em breve você vai ter de cuidar melhor do seu dinheiro e dos seus gastos.

VEADO Se você vir veados em seus sonhos, terá amigos honestos e verdadeiros, e vai desfrutar de diversões maravilhosas.

VEIA Ver suas veias em um sonho é uma proteção contra calúnias, caso as veias estejam normais. Vê-las sangrando denota uma grande tristeza da qual você não vai ter como escapar. Se você vir suas veias inchadas, é porque vai ascender rapidamente a distinções e cargos de confiança.

VEIA JUGULAR Sonhar com a jugular pulsando no pescoço de alguém significa boa saúde. E se houver sangue vertendo da veia, remete a um bom prognóstico para um problema de saúde.

VEÍCULO Andar em um veículo enquanto sonha pode ser uma ameaça de perda ou doença na vida real. Ser expulso de um prenuncia notícias precipitadas e desagradáveis. Ver um veículo avariado sinaliza falha em assuntos importantes. Se você comprar um veículo, é porque vai se reintegrar à sua posição anterior. Vender um veículo em sonho denota mudança desfavorável nos assuntos pessoais.

VEÍCULO DE PASSEIO Rebocar ou dirigir um veículo de passeio sugere que em breve você vai viajar por prazer. Se você sonha que está morando em um veículo, espere um grande ganho financeiro no futuro.

VELA

VELA Sonhar com velas acesas e com a chama límpida e constante implica tanto bem-estar financeiro quanto a confiabilidade das pessoas ao seu redor. Se você se vir moldando velas, pode ser que receba uma oferta inesperada de casamento ou que embarque em uma visita agradável a parentes distantes. Se você estiver acendendo uma vela, vai conhecer alguém que será questionável para sua família e amigos. Ver uma vela tremeluzindo sob uma corrente de ar é um aviso de que os desafetos estão fazendo fofoca sobre você.

VELUDO Sonhar com esse tecido pressagia empreendimentos de muito sucesso. Se você estiver usando veludo, é porque vai receber alguma distinção. Ver veludo antigo significa que sua prosperidade será prejudicada por seu orgulho extremo. Se uma jovem sonha que usa roupas de veludo, ela vai receber honrarias e vai poder escolher dentre vários amores abonados.

VENDA (DE OLHOS) Sonhar com uma venda é um conselho para reexaminar seus planos e objetivos.

VENDAVAL Sonhar que está no caminho de um vendaval sugere que você está enfrentando uma mudança que ameaça oprimi-lo com perdas e calamidades. Sonhar que foi pego por um vendaval indica perdas profissionais e problemas para aqueles que trabalham.

VENDEDOR DE SEGUROS DE VIDA Ver vendedores de seguro de vida em um sonho significa que você vai conhecer uma pessoa que contribuirá para seus interesses comerciais. Esse sonho também pode ser prenúncio de mudança em sua vida doméstica. Se o vendedor parece distorcido ou esquisito, o sonho é mais lamentável do que bom.

VENDER Sonhar que vende um imóvel ou posses é presságio de ganho financeiro inesperado. Sonhar que você tem de se vender sugere um problema de saúde que não deve ser ignorado. Sonhar que vendeu alguma coisa denota que um acordo desfavorável vai trazer preocupação.

VENENO Sonhar que foi envenenado sugere o golpe de uma influência dolorosa. Se você estiver tentando envenenar outras pessoas, você é culpado de pensamentos vis, ou a vida vai lhe render uma decepção. Jogar fora o veneno denota que, pela força absoluta, você vai ser capaz de superar condições insatisfatórias. Manipular veneno, ou ver outras pessoas portando-o, significa a chegada de algo desagradável. Se um inimigo ou rival for envenenado, é porque você vai superar os obstáculos. Recuperar-se dos efeitos do veneno sugere sucesso depois de muita preocupação. Sonhar que bebe estricnina ou outra substância tóxica sob a orientação de um médico é um alerta de que você está se metendo num caso repleto de riscos. | *Ver também* Cianeto.

VENTILADOR Ver um ventilador nos sonhos pressagia que notícias agradáveis e surpresas o aguardam em um futuro próximo.

VENTO Sonhar com o vento soprando suavemente sobre você significa um grande dote chegando por causa da morte de um ente querido. Se você ouvir o vento suspirando, é porque vai nutrir indiferença por alguém cuja vida está vazia sem você. Caminhar rapidamente contra ventos fortes significa que você resiste corajosamente à tentação e busca a prosperidade com uma determinação quase teimosa. Se o vento direcionar você contra a direção desejada, é prenúncio de fracasso em empreendimentos comerciais e decepções amorosas. Já se o vento estiver a favor de seu intuito, você vai encontrar aliados inesperados e úteis, ou vai perceber que possui vantagens naturais sobre um rival.

VENTRÍLOQUO Se você sonha com um ventríloquo é porque uma questão vai se revelar prejudicial. Se você for o próprio ventríloquo em seu sonho, sinal de que não vai se comportar de maneira honrosa em relação a pessoas que confiam em você.

VERDE Sonhar com essa cor indica fluxo monetário, bem como cura física e mental.

VERGÃO Ver vergões pelo seu corpo ou no de outra pessoa prevê um caso amoroso um tanto agradável.

VERGONHA Sentir-se envergonhado em um sonho implica em reconhecimento social positivo e avanço na carreira. Mas se você envergonhar outra pessoa, é porque na vida desperta vai ficar constrangido por dizer a coisa errada.

VERMELHO Essa cor, ou qualquer objeto que se destaque no sonho por ser vermelho, indica grande paixão e sensibilidade em suas relações afetivas.

VERRUGA Se nos sonhos você estiver cheio de verrugas, é porque na vida desperta não vai conseguir deter as investidas contra sua honra. Ver verrugas em suas mãos indica a superação de obstáculos na corrida rumo à prosperidade. Ver verrugas em outras pessoas mostra que você tem desafetos amargos por perto. Se você tratar suas verrugas, vai brigar muito para afastar as ameaças de perigo que estão rondando você e os seus.

VERTIGEM Esse sonho indica possíveis problemas de pressão arterial. Ele também prevê um desnorteio com um novo interesse amoroso. Sonhar que sente vertigem é um prenúncio da perda da felicidade doméstica; sua situação vai assumir uma perspectiva sombria.

VESPA Esse inseto sinaliza a ruptura de uma amizade duradoura e perda de dinheiro. Ver esses insetos em sonho sugere que os desafetos vão afligir e vilipendiar você. Se você for picado por uma vespa, é porque vai sentir o efeito da inveja e do ódio em sua vida. Se você matar vespas, é porque vai dar conta de reprimir seus desafetos e assegurar seus direitos sem medo.

VESTIR-SE Ter problemas para se vestir em um sonho significa que pessoas más vão trazer preocupação e impedimentos para sua felicidade. Se você tiver

VESTUÁRIO

problemas para ficar pronto no horário, é sinal de que vai ter muitos aborrecimentos por causa do desleixo alheio. Seu contentamento e sucesso dependem de seus próprios esforços, na medida do possível.

VESTUÁRIO   Nos sonhos, o vestuário representa empreendimentos que podem vir a ter sucesso ou fracassar, e isso depende se as roupas aparecem inteiras e limpas ou sujas e surradas. Ver roupas elegantes e antiquadas significa que você vai ter boa sorte, porém desprezará ideias progressistas. Ver a si ou a outras pessoas vestidas de branco é sinal de mudança, e você quase sempre vai descobrir que essa mudança envolve tristeza. Estar caminhando junto a uma pessoa vestida de branco é uma mensagem de doença ou angústia em relação a ela na vida desperta, a menos que seja uma jovem ou uma criança. Nesse caso, tudo ao seu redor será agradável por pelo menos uma estação. Ver a si mesmo ou outras pessoas vestidas de preto pressagia brigas, decepções e companhias desagradáveis; ou, quando referente à carreira, significa que seu trabalho ficará aquém das expectativas. Ver muitas roupas coloridas indica mudanças rápidas e a mistura de boas e más influências em seu futuro. Sonhar com roupas mal ajustadas sugere que você provavelmente vai cometer um erro. | *Ver também* Roupas, Casaco.

VÉU   Sonhar que você usa um véu sugere sua falha em demonstrar total sinceridade para com a pessoa amada, e por isso precisará recorrer a estratagemas para segurar a relação. Se você vir outras pessoas usando véu, é porque vai sofrer calúnia e difamação da parte de indivíduos que você pensava serem amigos. Um véu velho ou rasgado avisa que uma teia de engano está sendo lançada ao seu redor, com um design ameaçador. Sonhar que vê um véu de noiva prediz uma mudança bem-sucedida no futuro imediato, com bastante felicidade resultando disso. Se uma jovem sonha estar usando um véu de noiva, indica que ela vai se envolver num caso que vai proporcionar lucro e contentamento duradouros. Se o véu se soltar ou algo puxá-lo, aí ela sofrerá com o fardo da tristeza e da dor. Jogar um véu de lado indica separação ou desgraça. Ver véus de trajes de luto significa angústia e problemas, além de dificuldades no trabalho.

VIA LÁCTEA   Sonhar com a Via Láctea significa que seus desejos serão realizados em breve.

VIADUTO   Sonhar que passa de carro sob um viaduto pressagia uma discussão com um membro da família.

VIAGEM   Sonhar com viagens significa lucro ou decepção, isso vai depender se as viagens estão sendo agradáveis e bem-sucedidas ou interrompidas por acidentes e percalços. Viajar por lugares inóspitos e desconhecidos pressagia rivais perigosos e talvez até doenças; viajar por encostas nuas ou rochosas significa ganho aparente, mas a perda e a decepção virão logo a seguir. Se as colinas ou montanhas estiverem férteis e verdes, você será notadamente próspero e feliz. Sonhar que está numa viagem solitária de carro sugere que você pode fazer uma viagem agitada na vida desperta, e que as coisas serão preocupantes. Viajar em um carro lotado indica aventuras afortunadas e novas companhias um tanto divertidas. Ver seus amigos iniciando uma viagem alegremente indica uma mudança agradável e companhias bacanas. Mas se você os vir tristes no ato da partida, é porque vai levar um bom tempo para revê-los na vida desperta. Poder e perda estão implícitos nesse sonho. Fazer uma viagem de longa distância em um período muito mais curto do que o esperado significa que você vai concluir um trabalho em um tempo surpreendentemente breve, e o retorno desse esforço será bastante satisfatório. | *Ver também* Jornada.

VIAGEM LONGA   Fazer uma viagem longa nos sonhos prediz que você vai receber dinheiro além daquele oriundo de seu trabalho. Se a viagem for desastrosa, implica em incompetência e falsos amores.

VIAGRA   Sonhar com esse medicamento é uma advertência contra o excesso de orgulho.

VÍBORA   Um sonho infeliz. Os amigos podem estar conspirando contra você. Sonhar com uma víbora é um alerta de calamidades à espreita. Se você sonha que é atacado por uma víbora multicolorida — e que seja capaz de se dividir ou se desarticular —, sinal de que seus desafetos estão empenhados em sua ruína, e que vão atuar juntos, discretamente, para tirar você de cena. Sonhar que está vendo um ataque de víbora pressagia que você vai ficar muito angustiado com os reveses de seus amigos. Também representa uma perda que pode acontecer com você mesmo.

VÍCIO Sonhar que é um viciado significa que por mais que você tente se livrar de uma situação, você será sempre subjugado por alguma característica dela. Sonhar que você está estimulando qualquer vício significa que você está prestes a colocar sua reputação em risco ao se permitir ser seduzido pelo mal. Se você vir outras pessoas se entregando ao vício, o azar vai engolir o empenho de um parente ou colega.

VIDEIRA Sonhar com videiras é propício ao sucesso e à felicidade. Boa saúde está reservada para quem as vê florescer. Se as videiras estiverem mortas, você vai fracassar em um empreendimento importante. Se forem venenosas, indica que você vai ser vítima de um plano prejudicial à sua saúde.

VÍDEO Sonhar com um vídeo é um alerta de que pode estar havendo ilusão demais em sua vida amorosa; você precisa ver as coisas com mais discernimento.

VIDEOCASSETE Sonhar com esse antigo aparelho eletrodoméstico prenuncia um agradável reencontro com um velho amigo.

VIDEIRA

VIDA CONJUGAL Sonhar que está em uma vida conjugal indesejada indica que você, infelizmente, também vai se meter em um relacionamento desagradável em sua vida desperta.

VIDA NATURAL Sonhar que está livre na vida selvagem prediz uma queda ou acidente grave. Ver outras pessoas fazendo isso sugere que perspectivas desfavoráveis vão causar muita preocupação e aborrecimentos.

VIDA PROFISSIONAL Sonhar com o florescimento de sua vida profissional significa que você vai se deparar com tempos difíceis. Se sua vida profissional fracassa, é prenúncio de ganhos inesperados. Sonhar com a assinatura de documentos referentes ao seu trabalho é um alerta ante a desonestidade de seus colegas.

VIDA SELVAGEM Sonhar com a vida selvagem implica em paz de espírito e uma vida confortável.

VIDRAÇA Sonhar que manuseia uma vidraça denota que você está lidando com incertezas. Se você quebrá-la, seu fracasso será acentuado. Conversar com uma pessoa através de uma vidraça sugere que os obstáculos em seu futuro imediato não vão causar nenhum inconveniente maior. | *Ver também* Vidro, Espelho.

VIDREIRO Se você sonha que vê vidreiros trabalhando, é porque vai contemplar mudanças profissionais que parecem ser para melhor, mas que vão envolver uma perda para você.

VIDRO Sonhar que olha através de um vidro sugere que decepções amargas vão turvar suas mais belas esperanças. Quebrar vidraças ou louças de vidro indica o fechamento de empresas em caráter um tanto desagradável. Ganhar um vidro lapidado de presente sugere que você vai ser admirado pelo seu brilho e talento. Presentear com ornamentos de vidro significa que você vai falhar em seus empreendimentos. Se você sonha que enxerga claramente através de uma janela

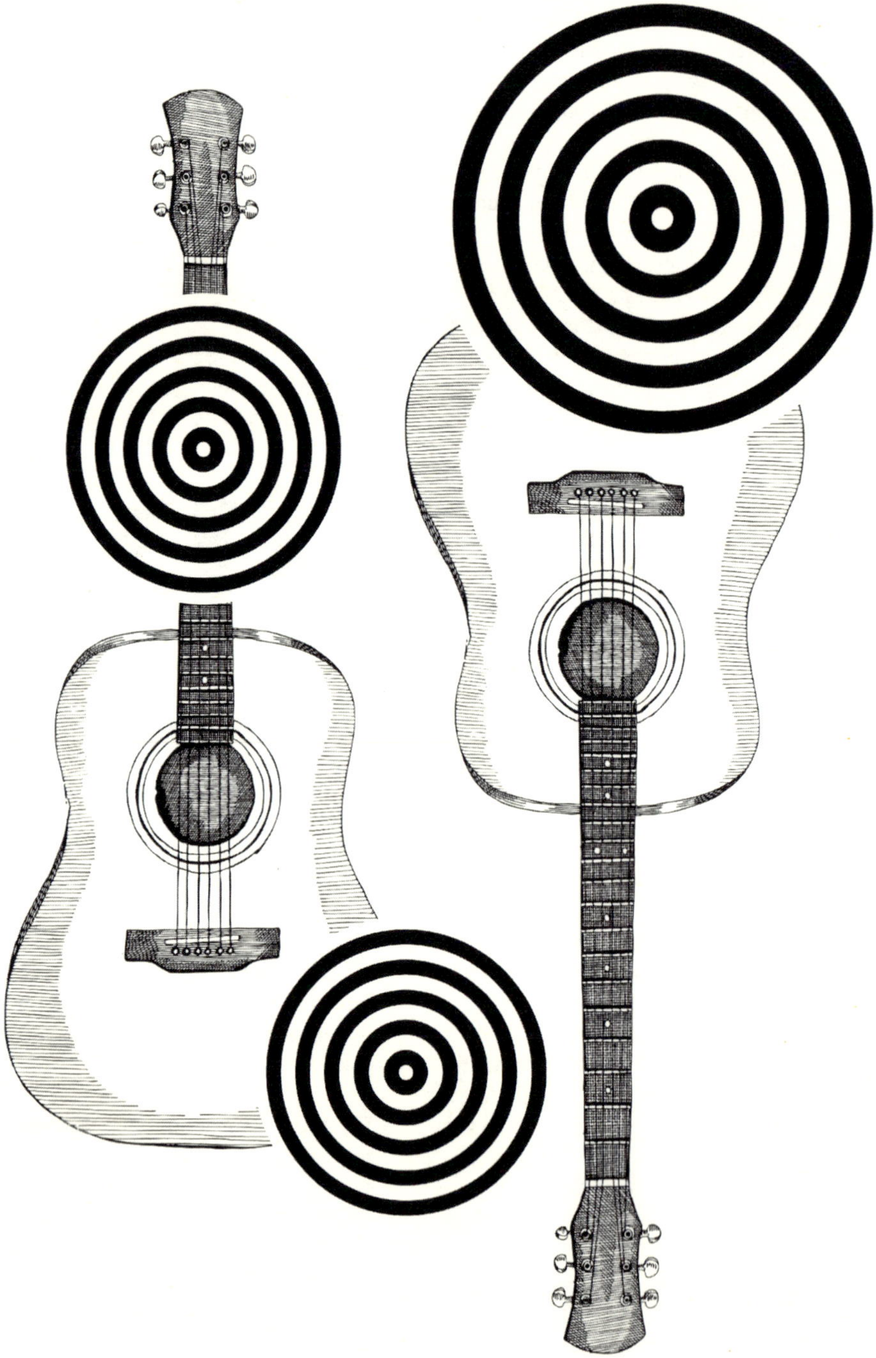

de vidro, é porque vai conseguir um emprego, porém num cargo de subordinação. Se o vidro estiver embaçado, é sinal de situação ruim à vista. | *Ver também* Superfície reflexiva, Espelho, Vidraça.

VIELA Sonhar que anda por uma viela ou caminho estreito é um alerta para ter mais discrição em seus casos amorosos.

VIGÍLIA Sonhar que comparece a uma vigília sugere que você vai sacrificar um compromisso importante para desfrutar de um outro compromisso que no fim vai se revelar desagradável.

VIME Sonhar com vime sugere que você depende muito do julgamento alheio; seria bom cultivar a independência no planejamento e na execução de seus planos.

VIME-UNHA-DE-GATO Nos sonhos, essa planta simboliza conforto e segurança.

VINAGRE Qualquer sonho com vinagre envolve aspectos desarmônicos e desfavoráveis. Sonhar que bebe vinagre indica que você vai se exasperar e se preocupar a ponto de concordar com algo que o enche de maus presságios. Temperar vegetais com vinagre prediz um aprofundamento da angústia em situações já estressantes.

VINGANÇA Sonhar com vingança é sinal de uma natureza fraca e pouco caridosa, e que se mal administrada trará problemas e perda de amizades. Se os outros estiverem se vingando de você em sonho, é porque há muito a se temer em relação a desafetos na vida desperta. Vingar em sonho um malfeito a você é um alerta de que um malfeito também vai acontecer em sua vida.

VINHA Sonhar com uma vinha sugere especulações favoráveis. Se o vinhedo estiver malcuidado e fedorento, a decepção vai ofuscar acontecimentos muito esperados.

VINHO Sonhar que bebe vinho é sinônimo de alegria e amizade. Sonhar que quebra garrafas de vinho indica que seu amor e sua paixão vão beirar o excesso. Ver barris de vinho prenuncia muito luxo. Servir vinho significa que seus prazeres serão variados e que você vai viajar a muitos lugares notáveis. Sonhar que faz reuniões ou negociações regadas a vinho denota que sua ocupação será remunerada.

VINHO QUENTE Sonhar que bebe vinho quente significa que eventos interessantes logo vão mudar seus planos de vida.

VINHO TINTO Sonhar que bebe vinho tinto sugere influências positivas em sua vida.

VIOLÃO Sonhar com um violão é presságio de uma reunião alegre. Se você estiver tocando, sua vida familiar será harmoniosa.

VIOLÊNCIA Sonhar que sofre qualquer violência implica que você vai ser dominado pelos seus desafetos. Se você estiver cometendo violência contra outras pessoas, vai perder prosperidade e benesses devido à forma repreensível de condução de sua vida.

VIOLETA Ver ou colher violetas em seus sonhos anuncia ocasiões alegres em que você será beneficiado por algum superior. Violetas secas ou murchas denotam que o amor será rejeitado e posto de lado.

VIOLINO Ver ou ouvir um violino nos sonhos prenuncia harmonia e paz na família; os assuntos financeiros não vão causar apreensão. Se você tenta tocar um violino e não consegue, é porque vai perder benesses e aspirar a coisas que jamais terá. Um violino quebrado indica luto e separação.

VIRGEM Sonhar com uma pessoa virgem prenuncia sorte comparativa em suas especulações.

VÍRUS DE COMPUTADOR Sonhar que seu computador está infectado por um vírus e que está travando é sinal de que os momentos difíceis vão passar e você vai desenvolver uma nova visão sobre a vida. Já se você transmitir um vírus para o computador de outras pessoas, é um alerta de que vão mentir para você em um assunto profissional importante.

VÍSCERAS Sonhar com entranhas humanas denota tristeza e desespero, excluindo toda esperança de felicidade. Sonhar com as vísceras de uma fera significa a derrocada de seu pior desafeto. Se você rasgar as entranhas de outra pessoa, é porque pode se envolver em perseguições cruéis para promover seus interesses. Se sonhar com suas próprias entranhas, vai ser dominado pelo mais profundo desespero. | *Ver também* Intestino.

VISCO Sonhar com visco pressagia felicidade e grande alegria. Para os jovens, é presságio de muitos passatempos agradáveis. Se estiver junto a símbolos pouco promissores, no entanto, a decepção substituirá o prazer ou a sorte.

VISCOSIDADE Sonhar que algo está pegajoso ou viscoso indica que um problema ainda vai persistir por um bom tempo antes de ser resolvido.

VISITA Se você estiver fazendo uma visita em seus sonhos, é porque em breve vai desfrutar de bons momentos. Se a visita for desagradável, sua felicidade será prejudicada pelas ações de gente mal-intencionada. A visita de um amigo a você prevê notícias de natureza favorável. Se o amigo parecer triste e cansado da viagem, vai haver um tom de desagrado oriundo dessa visita, ou outras ligeiras decepções podem se seguir. Se esse amigo estiver vestido de preto ou branco e parecer pálido ou sinistro, sinal de doenças graves ou acidentes à vista.

VISON (MINK) Sonhar com esse mamífero é um alerta para se esforçar mais na carreira, e que você tem rivais astutos para vencer. Se você matar um vison, é porque vai conquistar seus desejos.

VITELA Comer vitela nos sonhos é sinal de boa sorte.

VITIMIZAÇÃO Sonhar que você é a vítima de qualquer plano prediz opressão e dominação por seus desafetos. Suas relações familiares também ficarão bem tensas. Vitimar os outros denota que você vai acumular riquezas de forma desonrosa e vai preferir relações ilícitas — para a tristeza de seus pares.

VITÓRIA Sonhar que você alcançou uma vitória indica que você vai ser capaz de resistir aos ataques dos desafetos.

VITÓRIA-RÉGIA Sonhar com essa flor prediz prosperidade após a tristeza.

VIUVEZ Sonhar que ficou viúvo em sonhos indica que você vai ter muitos problemas por causa de pessoas mal-intencionadas. Se um homem sonha que se casa com uma viúva, pode ser que ele veja desmoronar algum empreendimento muito estimado.

VIZINHO Ver seus vizinhos em seus sonhos fala do desperdício de muitas horas lucrativas com discussões e fofocas inúteis. Se os vizinhos estiverem tristes ou zangados, espere discórdias e brigas.

VOAR (POR CONTA PRÓPRIA) Sonhar que voa alto denota calamidades conjugais. Voar baixo, quase no chão, representa doença e estados de inquietação dos quais você por fim vai se recuperar. Voar acima de águas lamacentas é um alerta para manter a discrição com seus assuntos particulares, já que seus desafetos estão de olho. Voar por lugares destruídos significa azar e um ambiente melancólico. Se você vir árvores verdes e vegetação abaixo, é porque vai sofrer um constrangimento temporário seguido por uma inundação de prosperidade. Sonhar que vê o sol enquanto voa sugere preocupações inúteis, pois você vai se dar bem apesar de todos os temores em relação a maldades. Sonhar que voa pelo firmamento, passando pela lua e outros planetas, prediz fome, guerras e problemas de todos os tipos. Cair enquanto voa prenuncia queda. Mas se você acordar durante a queda, é porque vai ser bem-sucedido e se reerguer.

VODCA Sonhar que está bêbado de vodca é um alerta contra roubos.

VOLEIBOL Sonhar que está jogando vôlei, ou assistir a uma partida, representa boa saúde e bem-estar emocional.

VOLUNTARIADO Sonhar que atua como voluntário, em qualquer área, pressagia uma promoção no trabalho.

VÔMITO Sonhar com vômito é sinal de que você vai ser afetado por uma doença que pode levar à invalidez, ou que será conectado a um escândalo picante. Se você vir outras pessoas vomitando, é porque vai ficar ciente das falsas pretensões de pessoas que tentam recorrer à sua ajuda. Sonhar que vomita um frango e ele sai saltitando prediz frustração do prazer devido à doença de um parente. Negociações profissionais desfavoráveis e descontentamento também são previstos. Se você vomita sangue, a doença será um visitante repentino e inesperado em sua vida. Você vai se flagrar abatido por pressentimentos sombrios, e os filhos e a vida doméstica de modo geral vão causar inquietação.

VORACIDADE Sonhar que está com uma fome voraz sugere bem-estar pessoal e familiar.

VOTAÇÃO Se você sonha que está votando, em qualquer campo que seja, é porque vai ser engolfado por uma comoção que vai afetar sua comunidade. Votar fraudulentamente prediz que sua desonestidade vai suplantar suas melhores inclinações.

VOTO (JURAMENTO) Sonhar que está fazendo ou ouvindo votos prediz que pode haver queixas contra você por causa de infidelidade, seja nos negócios ou em algum pacto amoroso. Fazer votos religiosos indica que você vai se comportar com uma integridade inabalável em meio a uma dificuldade. Quebrar ou ignorar um voto pressagia consequências desastrosas na vida profissional.

VOUCHER Sonhar com vouchers prediz que seu esforço diligente vai vencer as tentativas alheias de arrancar sua prosperidade. Se você assinar um voucher, vai poder contar com a ajuda e a confiança das pessoas ao seu redor, apesar da maldade dos desafetos. Perder um voucher implica em brigas com parentes para assegurar seus direitos.

VOZ Sonhar que ouve vozes tranquilas e agradáveis denota boas reconciliações; vozes agudas e raivosas significam decepções e situações desfavoráveis. Ouvir vozes choramingando insinua que um rompante de raiva vai fazer com que você magoe um amigo. Se você ouvir a voz de Deus, é porque vai fazer um esforço nobre para crescer em princípios altruístas e honrados, e vai fazer por merecer a admiração de pessoas de mente elevada. Ouvir a voz da angústia, ou uma voz de advertência chamando você, implica em um infortúnio sério — podendo ser com você ou com alguém próximo. Se você reconhecer a voz, geralmente significa um acidente, doença, morte ou perda. Se você ouvir seu nome sendo chamado em um sonho por vozes desconhecidas, é sinal de que sua profissão pode entrar em um estado precário. Estranhos podem lhe dar assistência ou você pode deixar de cumprir suas obrigações. Ouvir a voz de um amigo ou parente sugere uma doença desesperadora acometendo um deles, e pode resultar em morte; neste caso, você pode ser convocado para ser o guardião de alguém. Os apaixonados que ouvem a voz da pessoa amada devem dar atenção. Se tem havido negligência no relacionamento, deve haver esforço para fazer as pazes. Caso contrário, um mal-entendido pode levar à separação. Ouvir a voz de pessoas já mortas pode ser um alerta sobre uma doença grave que vai atingir você mesmo, ou pode indicar preocupações profissionais devido ao mau julgamento.

VULCÃO Ver um vulcão nos sonhos prevê disputas violentas que podem ameaçar sua reputação de cidadão justo e honesto.

Sou o sonho de tua esperança.

Álvares de Azevedo

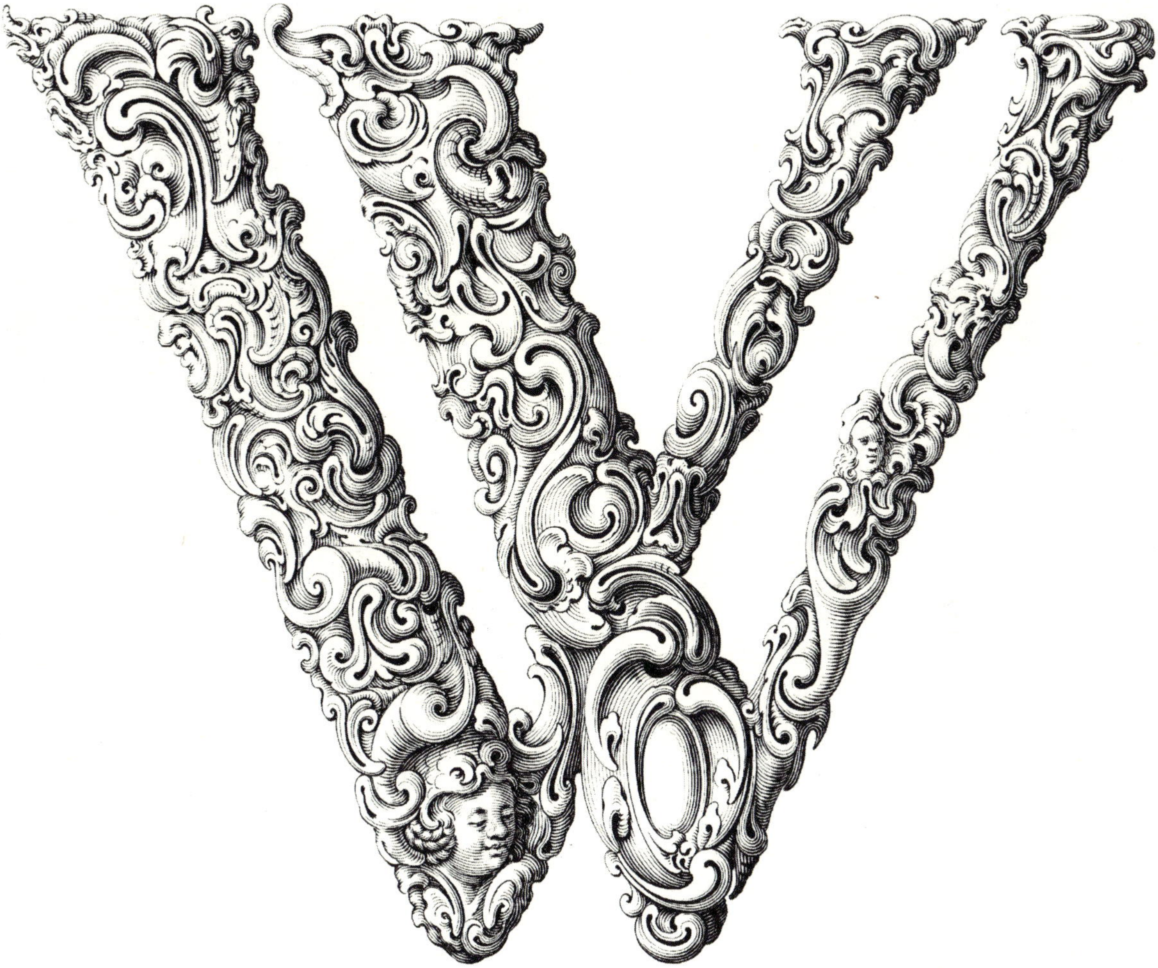

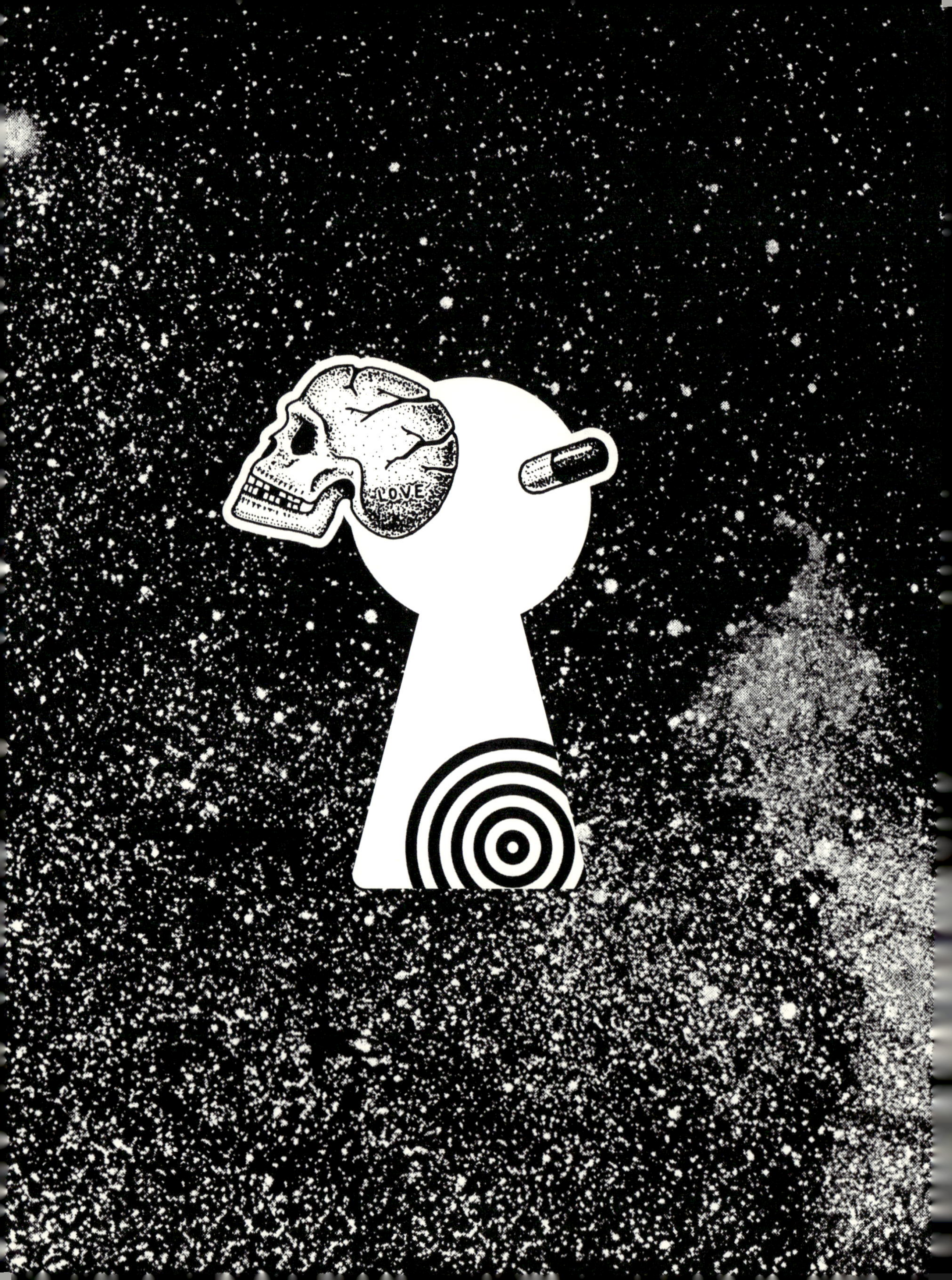
LOVE

WRESTLING

"Dar vida aos sonhos é uma jornada mágica."

WAFER Ver esse biscoito em um sonho significa um encontro com desafetos. Comer wafer sugere empobrecimento.

WAFFLE Sonhar com esse prato de café da manhã sugere um aumento na atividade financeira e social.

WALKIE-TALKIE Sonhar com walkie-talkie demonstra que você está precisando direcionar mais foco e discrição aos seus projetos profissionais.

WEBCAM Sonhar que está instalando uma webcam sugere que você vem tendo problemas de confiança. Avalie seu comportamento, talvez alguém esteja sofrendo com o seu excesso de desconfiança.

WI-FI Tentar configurar uma rede nova de internet sem fio denota que você quer se reconectar com as pessoas mais distantes da sua vida. Sonhar com o wi-fi desligado atrapalhando seus serviços sugere que você não tem sido acessível para as pessoas mais próximas.

WINDSURF Praticar este esporte acompanhado diz que você vai precisar de parceiros aventureiros para assumir um grande compromisso.

WRESTLING Sonhar com esta modalidade de luta indica que você atravessará alguns percalços para alcançar seus objetivos. Fique firme.

A paixão fomenta seus sonhos.

Oscar Wilde

X

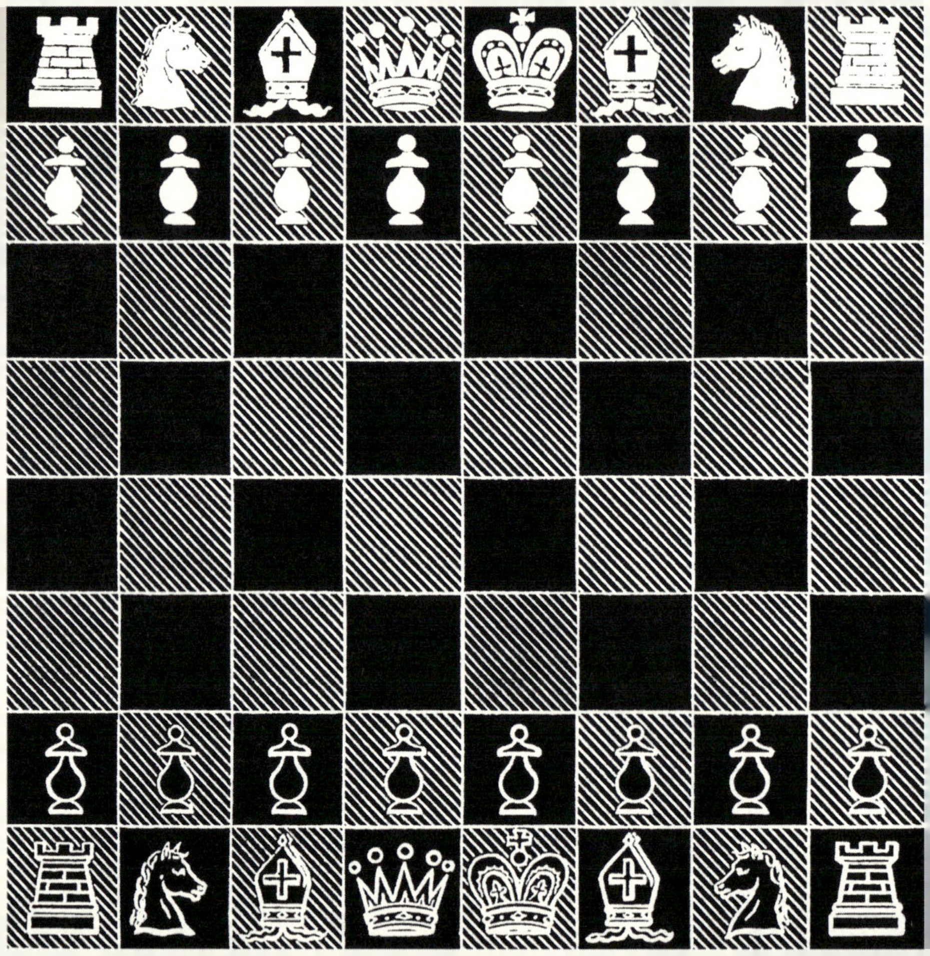

XÍCARA DE CHÁ

"Sempre teremos os nossos sonhos."

XADREZ Nos sonhos, jogar xadrez representa estagnação nos assuntos profissionais, companhias enfadonhas e problemas de saúde. Se você perder a partida, é sinal de que vão surgir preocupações de fontes mesquinhas; mas se vencer, espere triunfar sobre as influências negativas.

XALE Sonhar com um xale ou outro tipo de lenço é sinal de que você está escondendo seus pensamentos de outras pessoas. Indica também, que alguém vai bajular e beneficiar você. Perder o xale prenuncia tristeza e desconforto.

XAMPU Sonhar com xampu indica envolvimento em assuntos indignos somente para agradar aos outros. Se você lavou a própria cabeça, em breve vai fazer uma viagem secreta que lhe trará muito prazer.

XEREZ Sonhar que bebe xerez significa que em breve vai desfrutar de boa saúde, prosperidade e riqueza.

XERIFE Sonhar que vê um xerife indica grande inquietação com as incertezas que se avizinham. Sonhar que você é eleito xerife, ou que se interessa pelo cargo, implica que você vai se meter em uma situação que não vai trazer nem lucro e nem honrarias. Se você escapar da prisão do xerife, é porque corre o risco de se embrenhar ainda mais em casos ilícitos.

XÍCARA Nos sonhos, uma xícara vazia simboliza ganho financeiro; uma xícara cheia, perda. Beber de uma xícara sugere tristeza.

XÍCARA DE CHÁ Sonhar com xícaras de chá sugere que você vai desfrutar de eventos sociais.

O cinema usa a linguagem dos sonhos.

Fellini

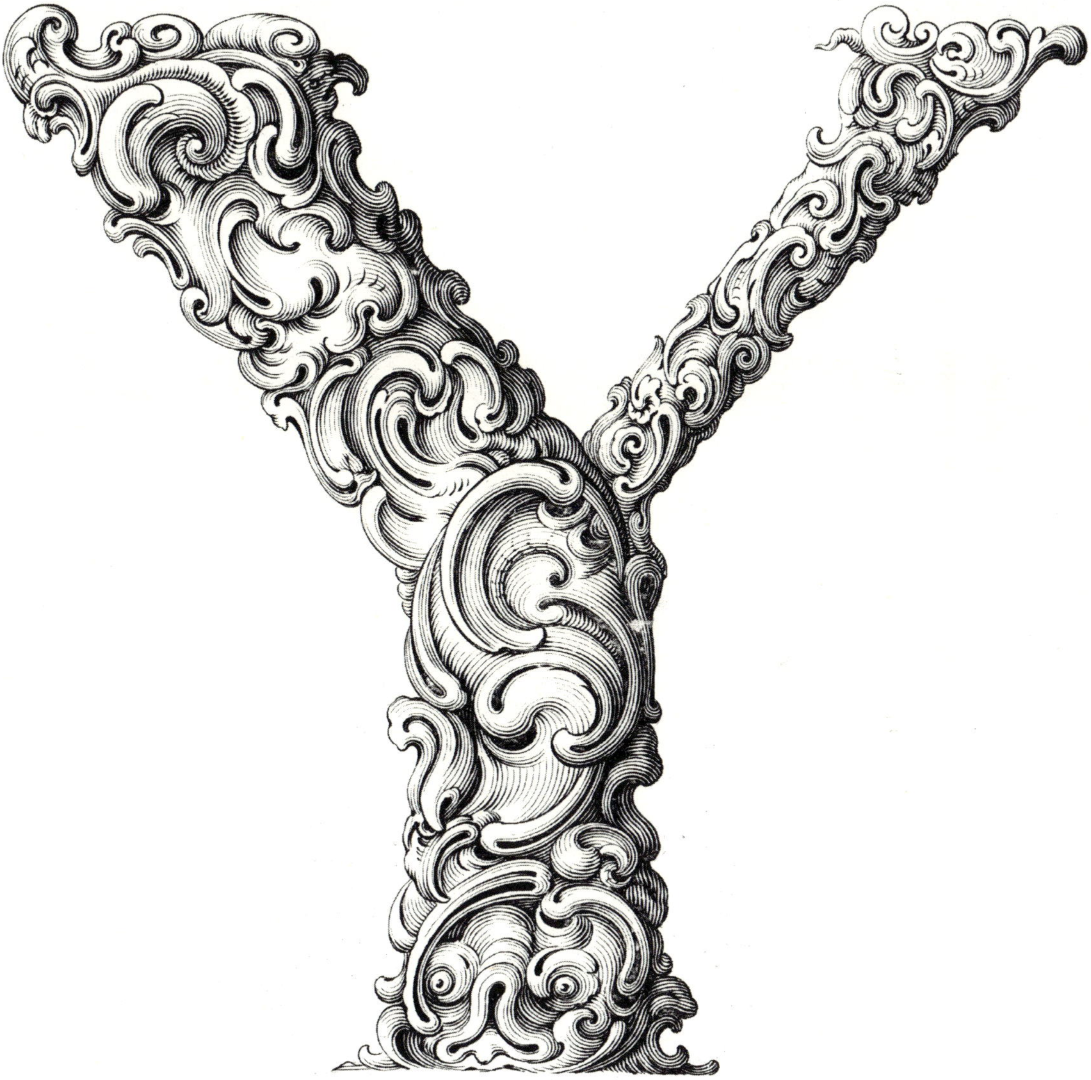

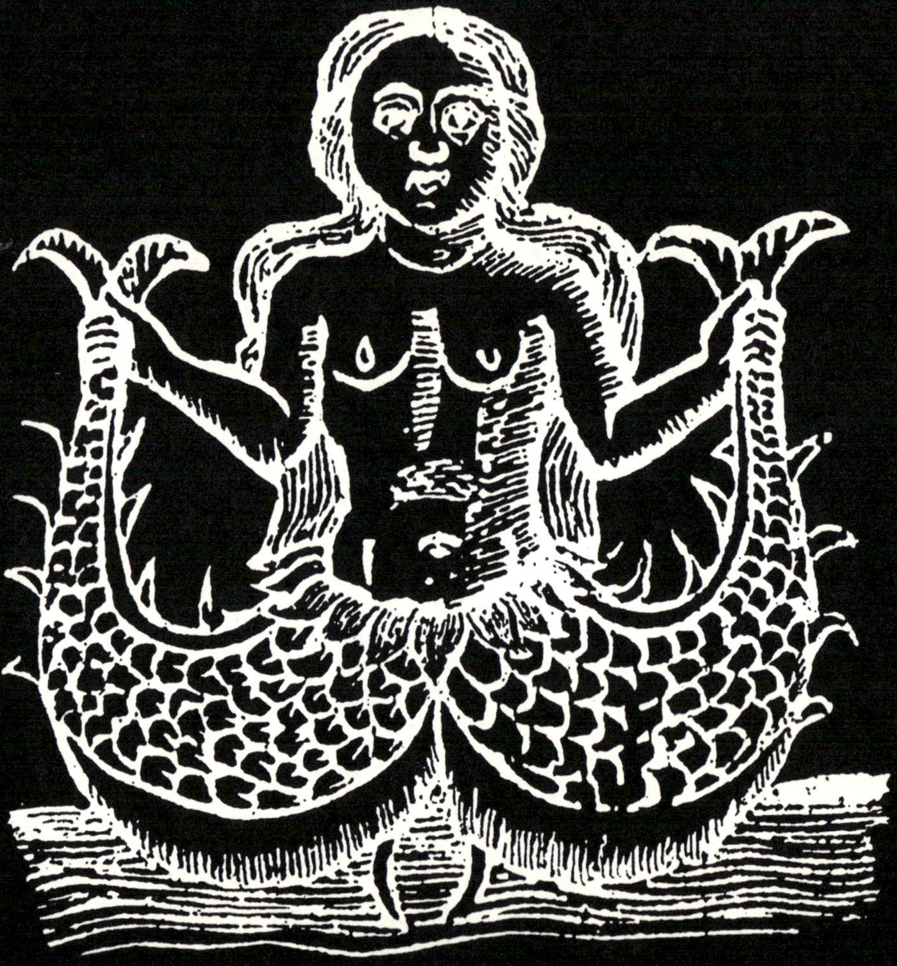

> *"Esta noite será povoada por sonhos tranquilos."*

YARA Sonhar com essa sereia da região amazônica denota que seus planos darão certo se você souber como encantar a sua audiência. Se você se vê como a própria Yara no sonho é sinal de que há uma voz interna que você precisa ouvir.

YBATINGA Sonhar com nuvens escuras e pesadas fala de infortúnio e má gestão. Se estiver chovendo, espere problemas e doenças. Se você vir nuvens límpidas e reluzentes, com o sol brilhando através delas, é porque vai encontrar o sucesso depois de muito esforço. Ver nuvens e estrelas sugere alegria e pequenos avanços.

YIN-YANG Este símbolo que representa equilíbrio é um bom sinal. Sonhar com o yin-yang em qualquer contexto indica que você terá um período de muita harmonia nas suas necessidades.

YTU Sonhar com uma cachoeira prevê que seu desejo mais louco será realizado, e a sorte será extremamente favorável ao seu progresso.

O sonho é que leva a gente para a frente.

Ariano Suassuna

Z

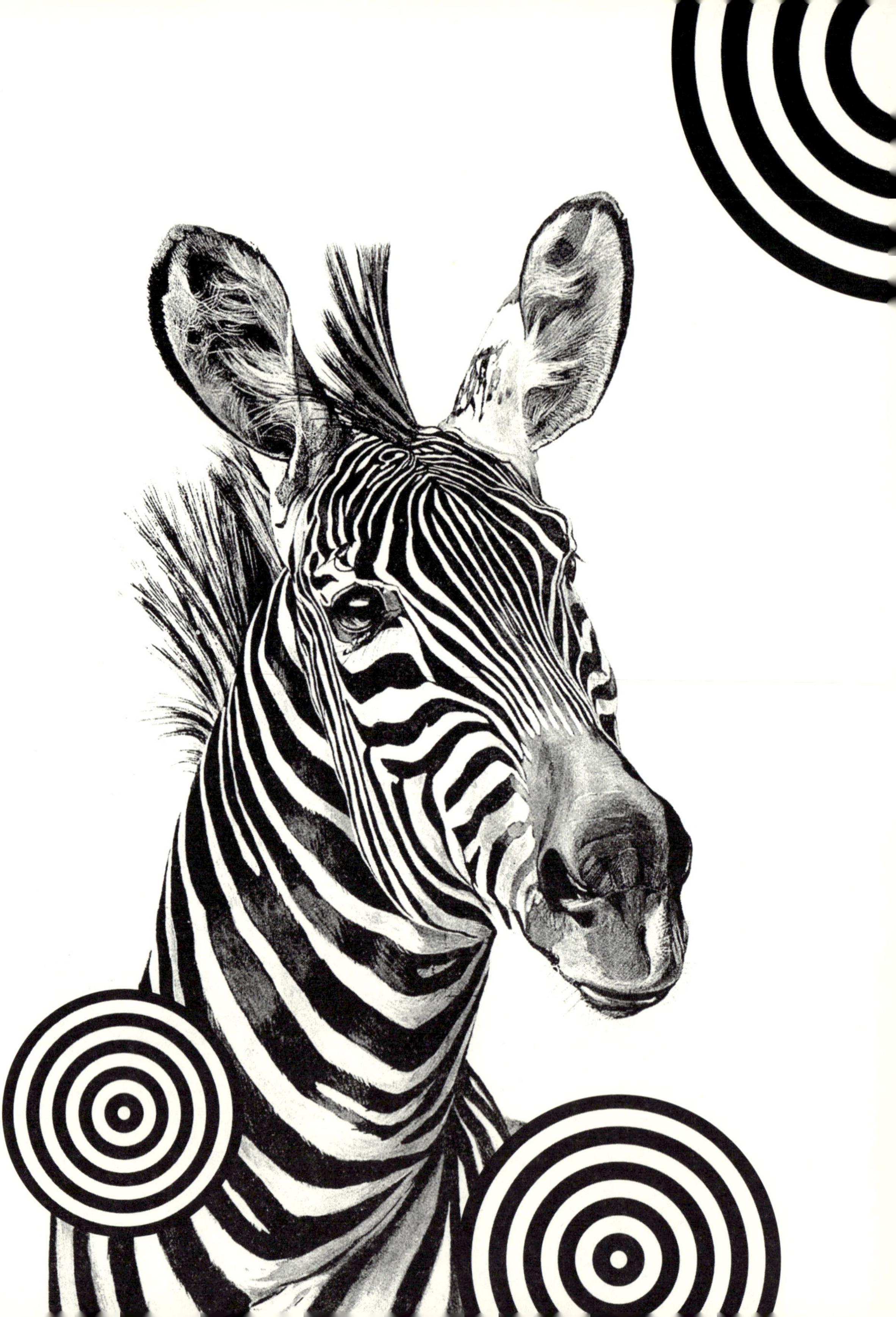

ZIMBRO

> *"Amanhã nos veremos no sonho."*

ZEBRA Sonhar com uma zebra pressagia o interesse por empreendimentos variados e passageiros. Ver uma zebra solta em seu habitat sugere que você vai perseguir uma fantasia quimérica que lhe trará pouco prazer ao ser alcançada.

ZÉFIRO Sonhar com zéfiros suaves denota que você vai abrir mão de sua fortuna para conquistar o objeto de seu afeto, e vai encontrar afeição recíproca em sua paquera.

ZELADOR Sonhar com um zelador preguiçoso denota má gestão e possíveis contratempos financeiros. Sonhar com um zelador trabalhador significa o contrário. Se você procura um zelador e não consegue encontrá-lo, aborrecimentos mesquinhos vão perturbar sua vida outrora tranquila. Se você conseguir achá-lo, é porque vai formar bons laços com gente nova e sua vida não vai apresentar maiores percalços.

ZÊNITE Sonhar com o zênite prenuncia grande prosperidade. Você vai conquistar o pretendente que gostaria.

ZIMBRO Sonhar que vê zimbro pressagia felicidade e riqueza chegando depois da tristeza e da depressão. Comer ou colher os frutos do zimbro é presságio de problemas e doenças.

ZINCO

ZINCO Manipular ou ver zinco em seus sonhos indica um progresso substancial e energético. Os assuntos profissionais vão se revelar saudáveis. Sonhar com o minério de zinco promete a aproximação do sucesso.

ZÍPER Se um zíper estiver quebrado ou emperrado, sinal de problemas sociais. Se estiver abrindo e fechando facilmente, é presságio de satisfação em sua vida social.

ZODÍACO Sonhar com o zodíaco é um prognóstico de crescimento sem precedentes no campo material, mas também indica paz e felicidade moderadas. Se o zodíaco estiver num formato estranho, indica que uma dor desagradável está pairando sobre você; apenas esforços extenuantes poderão dissipá-la. Estudar o zodíaco em seus sonhos sugere ganho de distinção e benesses ao se envolver com desconhecidos. Se você se assemelhar ao zodíaco, ou ele se assemelhar a você, é sinal de sucesso inimaginável em seus investimentos, para o espanto de outras pessoas. Desenhar um mapa astral significa ganho futuro.

ZOMBARIA Zombar de alguém nos sonhos indica que você precisa tomar cuidado com pessoas que aparecem repentinamente querendo formar laços de amizade. Já ser o alvo da zombaria prediz novos amigos em sua vida.

ZOOLÓGICO Se você sonha que visita jardins zoológicos, é porque provavelmente vai ter uma sorte oscilante. Às vezes vai parecer que seus desafetos estão vencendo; às vezes você estará na linha de frente do sucesso. Você também vai obter conhecimento por meio de viagens e estadias em países estrangeiros.

ZUMBIDO O som do zumbido pressagia que em breve você vai ter notícias de alguém que mora longe. Sonhar com zumbido no ouvido indica que sua tenacidade e perseverança serão recompensadas em breve.

ZURRO Ouvir um zurro de asno é indicativo de notícias ou invasões indesejáveis.

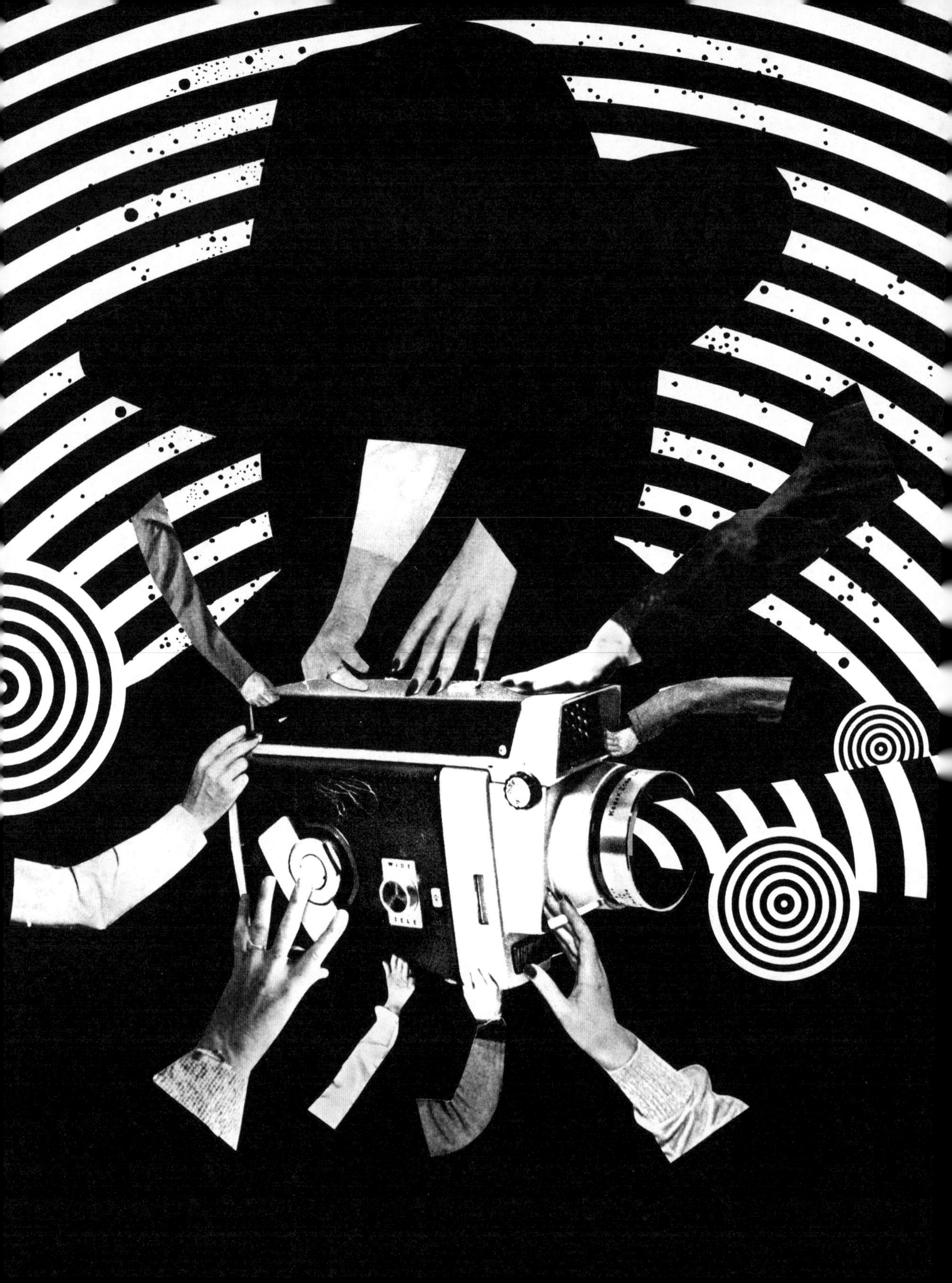
WIDE
TELE

cinema dos SONHOS

delírios na sala escura

CINEMA dos SONHOS

O Mágico de Oz (The Wizard of Oz), 1939
Dirigido por Victor Fleming; baseado na obra de L. Frank Baum.

O primeiro sonho de toda uma geração, esta brilhante adaptação do clássico de L. Frank Baum nos apresenta a Dorothy (Judy Garland), uma garotinha que vive com sua família e seu cachorrinho Totó no Kansas até que um estranho tornado os carrega para a terra encantada de Oz. Lá ela conhecerá novos amigos em uma jornada onírica e, por vezes, assustadora.

CINEMA dos SONHOS

Além da Imaginação (The Twilight Zone), 1959
Criada por Rod Serling

Nesta série clássica, pessoas comuns são confrontadas com situações estranhas e de difícil resolução na Zona do Crepúsculo, um lugar no limiar da realidade e da ficção. Apresentada por Rod Serling, a série nem sempre terminava com finais felizes, e apresentava reviravoltas incríveis que sempre deixaram os espectadores impressionados.

CINEMA dos SONHOS

8½ (8½), 1963
Dirigido por Federico Fellini

Guido (Marcello Mastroianni) é um cineasta que, depois de seu último sucesso e os constantes contatos lhe pedindo um novo trabalho, não consegue emplacar outra grande obra. Assim, Guido se fecha em suas memórias, relembrando sua vida. Um filme autobiográfico de Fellini, que relembra os percalços do trabalho com o cinema.

CINEMA dos SONHOS

Submarino Amarelo (Yellow Submarine), 1968

Dirigido por George Dunning; baseado em música de Lennon e McCartney

Nesta animação, os Beatles se reúnem com o Capitão Fred para salvar Pepperland, que foi dominada pelos Blue Meanies, que odeiam música. Uma jornada onírica e excêntrica ao lado de um dos maiores ícones pop da história.

CINEMA dos SONHOS

A Montanha Sagrada (La montaña sagrada), 1973
Dirigido por Alejandro Jodorowsky

Em um mundo cheio de ganância e corrupção, um alquimista guia um grupo composto por uma figura messiânica e sete seres poderosos em busca da Montanha Sagrada, que promete trazer a iluminação e a imortalidade. A Montanha Sagrada é uma jornada onírica e mística saída de uma das mentes mais excêntricas do século XX.

CINEMA dos SONHOS

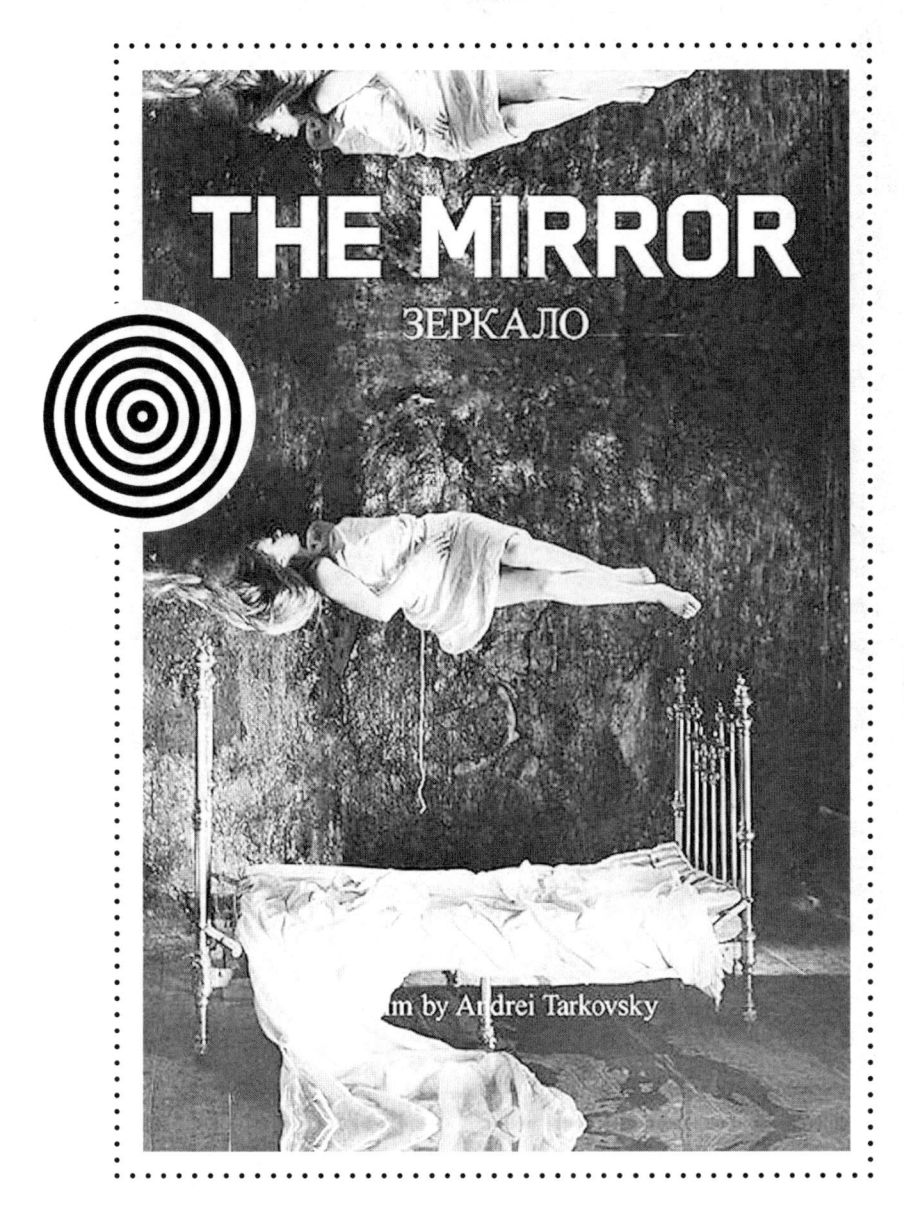

O Espelho (Zerkalo), 1975

Dirigido por Andrei Tarkovsky; baseado em um poema de Arseny Tarkovsky

Se utilizando de poemas e arquivos históricos, Tarkovsky conta a história de um homem moribundo que, com flashbacks, se recorda de seu passado: sua infância durante a Segunda Guerra Mundial, sua adolescência, sua vida adulta, enquanto conhecemos também a história da Rússia durante aqueles anos.

CINEMA dos SONHOS

Viagens Alucinantes (Altered States), 1980
Dirigido por Ken Russell

Usando uma câmara de isolamento, um jovem estudante faz experimentos. Os resultados são imagens desconexas e estranhas para o jovem. Anos mais tarde, já como um professor respeitado, ele retoma suas pesquisas com alucinógenos e privação sensorial e acredita ter entrado em um estado de alteração mental que guarda memórias genéticas. O que, na realidade, o homem tem descoberto?

CINEMA dos SONHOS

A História sem Fim (The Neverending Story), 1984
Dirigido por Wolfgang Petersen; baseado na obra de Michael Ende

Um garotinho é frequentemente atormentado por outros meninos em sua escola. Certo dia, ao escapar para uma loja de livros antigos, ele encontra um livro mágico capaz de transportá-lo para uma terra de sonhos e fantasia. Mas isso não quer dizer que o lugar também não seja perigoso. O livro clássico de Michael Ende se transformou em um dos mais queridos por aqueles que conhecem o poder transformador do sonho.

CINEMA dos SONHOS

A Hora do Pesadelo (A Nightmare on Elm Street), 1984
Dirigido por Wes Craven

Primeiro filme de uma das maiores franquias do terror, este clássico dos sonhadores acompanha os adolescentes da Elm Street lutando por suas vidas enquanto Freddy Krueger, um assassino que ataca suas vítimas através dos sonhos, os persegue incansavelmente.

CINEMA dos SONHOS

Brazil: O Filme (Brazil), 1985
Dirigido por Terry Gilliam

Em uma sociedade futurista (e pouco eficiente), Sam Lowry (Jonathan Pryce) trabalha todas as horas de seu dia enrolado em burocracias. Mas à noite, durante seus sonhos, ele viaja para uma vida mais simples, distante da tecnologia e de suas papeladas, com uma mulher ao seu lado. Certo dia ele finalmente se encontra com a mulher com quem tem sonhado e avalia se conseguirá se ver livre do tormento de seu trabalho.

CINEMA dos SONHOS

A Viagem de Alice (Neco z Alenky), 1988

Dirigido por Jan Svankmajer; baseado na obra de Lewis Carroll

Neste filme surrealista que reconta a história de Alice através de live action e stop motion, Alice é uma garotinha teimosa que, certo dia, viaja até a terra do País das Maravilhas, onde os habitantes são compostos por coisas que estavam em seu quarto. Se o livro original já é tremendamente onírico, essa versão é ainda mais entremeada em sonhos — ou pesadelos.

CINEMA dos SONHOS

O Vingador do Futuro (Total Recall), 1990

Dirigido por Paul Verhoeven; baseado no conto de Philip K. Dick

Douglas Quaid (Arnold Schwarzenegger) tem um sonho recorrente em que ele viaja até Marte. Ele pretende descobrir mais sobre seu sonho indo até a Rekall Inc., que vende memórias implantadas. Mas algo dá errado e ele começa a se lembrar de ser um agente secreto que luta contra o governante corrupto do planeta vermelho.

CINEMA dos SONHOS

Sonhos (Yume), 1990
Dirigido por Akira Kurosawa

Produção de um dos maiores nomes do cinema japonês, *Sonhos* é uma obra antológica que apresenta uma oito segmentos sonhados por diretor Akira Kurosawa. Uma oportunidade única de conhecermos um pouco mais da mente mágica deste criador tão singular.

CINEMA dos SONHOS

Twin Peaks (Twin Peaks), 1990
Criada por David Lynch e Mark Frost

Em uma cidadezinha onde o sonho e a realidade se confundem, um agente do FBI chega para tentar desvendar o assassinato de uma das jovens do local — tarefa que o levará à uma teia de intrigas e horrores desconhecidos.

CINEMA dos SONHOS

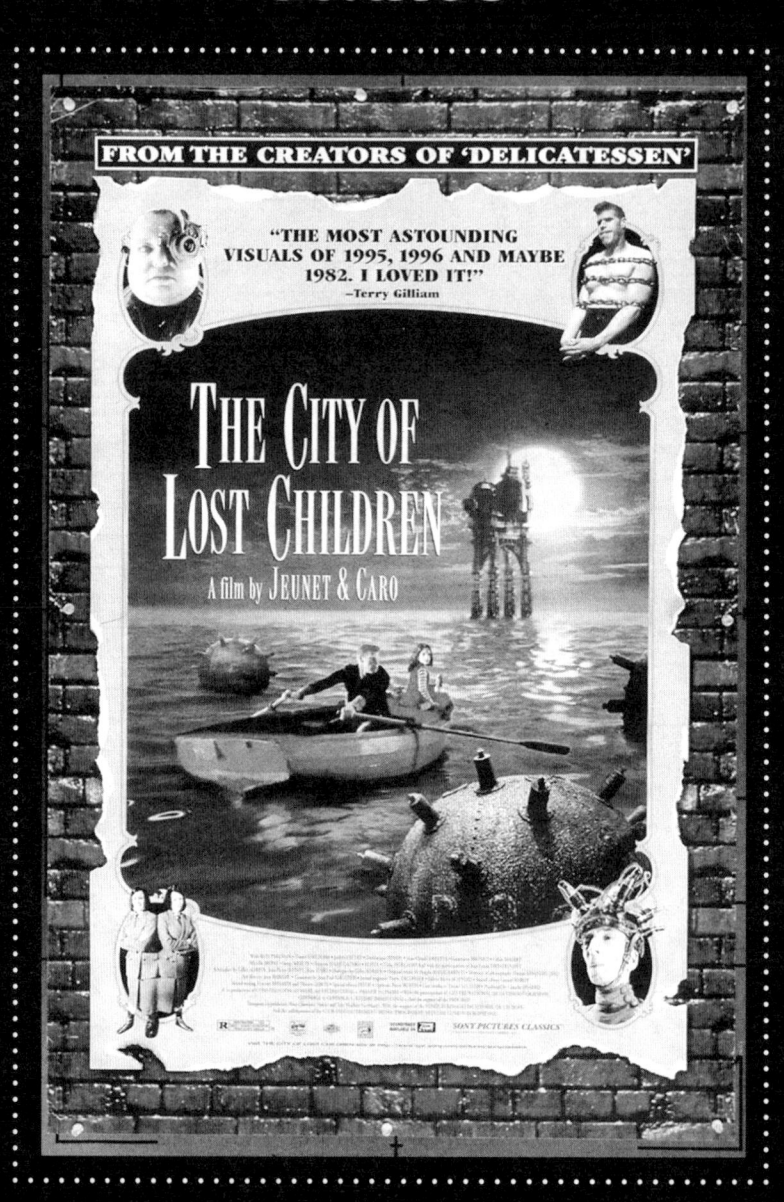

Ladrão de Sonhos (La cité des enfants perdus), 1995
Dirigido por Marc Caro e Jean-Pierre Jeunet

Em uma sociedade surrealista, Krank (Daniel Emilfork) foi criado por um cientista louco, e tem como maior tormento sua incapacidade de sonhar. Como solução, ele começa a sequestrar crianças para roubar seus sonhos, mas como ele as assusta, só consegue seus pesadelos. Como lidar com este ladrão de sonhos à solta?

CINEMA dos SONHOS

**O Fabuloso Destino de Amélie Poulain
(Le fabuleux destin d'Amélie Poulain), 2001**

Dirigido por Jean-Pierre Jeunet

Amélie (Audrey Tautou) teve uma infância complicada cercada pelos cuidados excessivos de seu pai, que a levaram a uma vida cheia de sonhos repletos de amor e beleza. Quando cresce, ao se tornar uma garçonete, Amélie encontra alegria ajudando as pessoas ao seu redor.

CINEMA dos SONHOS

Peixe Grande e suas Histórias Maravilhosas (Big Fish), 2003
Dirigido por Tim Burton; baseado na obra de Daniel Wallace

Will (Billy Crudup) nunca conseguiu aceitar muito bem as histórias estranhas que seu pai (Ewan McGregor/Albert Finney) contava. Mas agora, no leito de morte, Will terá a última chance de ouvir esses contos que misturam realidade e ficção, o mundo desperto

CINEMA dos SONHOS

Brilho Eterno de uma Mente sem Lembranças
(Eternal Sunshine of the Spotless Mind), 2004
Dirigido por Michel Gondry

Em um mundo em que existem procedimentos que podem apagar memórias infelizes das pessoas, Joel (Jim Carrey) se vê querendo dar o troco em sua ex-namorada Clementine (Kate Winslet), que passou pela cirurgia indolor, mas irreversível. Mas Joel irá perceber tarde demais que não gostaria de apagar o amor de sua vida de suas lembranças.

CINEMA dos SONHOS

Máscara da Ilusão (Mirrormask), 2005
Dirigido por Dave McKean

Em um universo de fantasia com dois reinos opostos, uma jovem que trabalha em um circo com sua família, ironicamente, sonha em fugir do circo para viver uma vida normal. Entretanto, ela encontrará muitos perigos ao se ver presa em uma jornada para as Dark Lands, um local sombrio com seres perigosos. A única forma de retornar para casa é encontrando a lendária MirrorMask.

CINEMA dos SONHOS

Paprika (Papurika), 2006

Dirigido por Satoshi Kon, baseado na obra de Yasutaka Tsutsui

Uma máquina capaz de auxiliar a psicologia a lidar com seus pacientes entrando em seus sonhos é roubada. Uma equipe de terapeutas passa a correr contra o tempo para recuperá-la antes que seja tarde demais.

CINEMA dos SONHOS

Coraline e o Mundo Secreto (Coraline), 2009
Dirigido por Henry Selick; baseado na obra de Neil Gaiman

Coraline é uma garotinha que está insatisfeita com a mudança de sua família para longe de seus amigos. Em sua nova casa, ela irá descobrir um mundo mágico e encantado, como se saído de seus melhores sonhos — mas que logo podem se tornar um pesadelo bem perigoso.

CINEMA dos SONHOS

Onde Vivem os Monstros (Where the Wild Things Are), 2009

Dirigido por Spike Jonze; baseado na obra de Maurice Sendak

Max é um jovem com uma imaginação bastante ativa. Certo dia, após alguns desentendimentos com seus amigos, Max foge de casa para um mundo em sua imaginação, repleto de criaturas monstruosas que o consideram seu rei.

CINEMA dos SONHOS

Um Olhar do Paraíso (The Lovely Bones), 2009
Dirigido por Peter Jackson

Uma jornada onírica e emocionante sobre uma garotinha assassinada por seu vizinho que acompanha a vida de seus entes queridos através de um lugar espiritual, ansiando pelo conforto de seus familiares.

CINEMA dos SONHOS

A Origem (Inception), 2010
Dirigido por Christopher Nolan

Em uma sociedade em que a espionagem corporativa atingiu um novo patamar com as atividades de Dom Cobb (Leonardo DiCaprio), ninguém está a salvo, nem mesmo em seus sonhos. Mas enquanto os talentos de Dom são muito valiosos, ele se tornou um fugitivo. Sua chance de redenção aparece em um projeto perigoso, que pode lhe custar tudo.

CINEMA dos SONHOS

A Vida Secreta de Walter Mitty
(The Secret Life of Walter Mitty), 2013
Dirigido por Ben Stiller

Walter Mitty (Ben Stiller) é o responsável pelo departamento de arquivo e revelação de fotografias da tradicional revista Life, mas vive no automático e foge do tédio através de devaneios heroicos. Quando se depara com uma foto importante que foi perdida, ele parte em uma viagem ousada para resolver o problema e encarar a realidade com uma nova perspectiva.

CINEMA dos SONHOS

THE VOICES

As Vozes (The Voices), 2014
Dirigido por Marjane Satrapi

Jerry (Ryan Reynolds) é um jovem simpático, mas muito tímido, apaixonado por uma colega de escritório. Quando finalmente consegue sair para um encontro com ela, as coisas tomam um rumo assombroso. Quem irá ajudá-lo a lidar com a situação são seu gato e seu cachorro que falam — mas somente com ele. Sonho ou realidade de Jerry, ele estará preso em uma situação bastante estranha.

CINEMA dos SONHOS

Sete Minutos Depois da Meia-Noite (A Monster Calls), 2016
Dirigido por J.A. Bayona

Conor (Lewis MacDougall) é um garotinho que tem pesadelos recorrentes, sofre bullying na escola e tem que conviver com a doença terminal de sua mãe. Certa noite, ele recebe a visita de um monstro-árvore que afirma que irá lhe contar três histórias reais e, em troca, ele quer conhecer a verdade por trás do pesadelo do garoto.

CINEMA dos SONHOS

Um Cadáver para Sobreviver (Swiss Army Man), 2016
Dirigido por Dan Kwan e Daniel Scheinert

Um homem se perde em uma ilha deserta. Lá, de alguma forma, ele faz amizade com um cadáver com diversas habilidades que irá ajudá-lo a superar as adversidades e a sobreviver a essa situação desesperadora.

CINEMA dos SONHOS

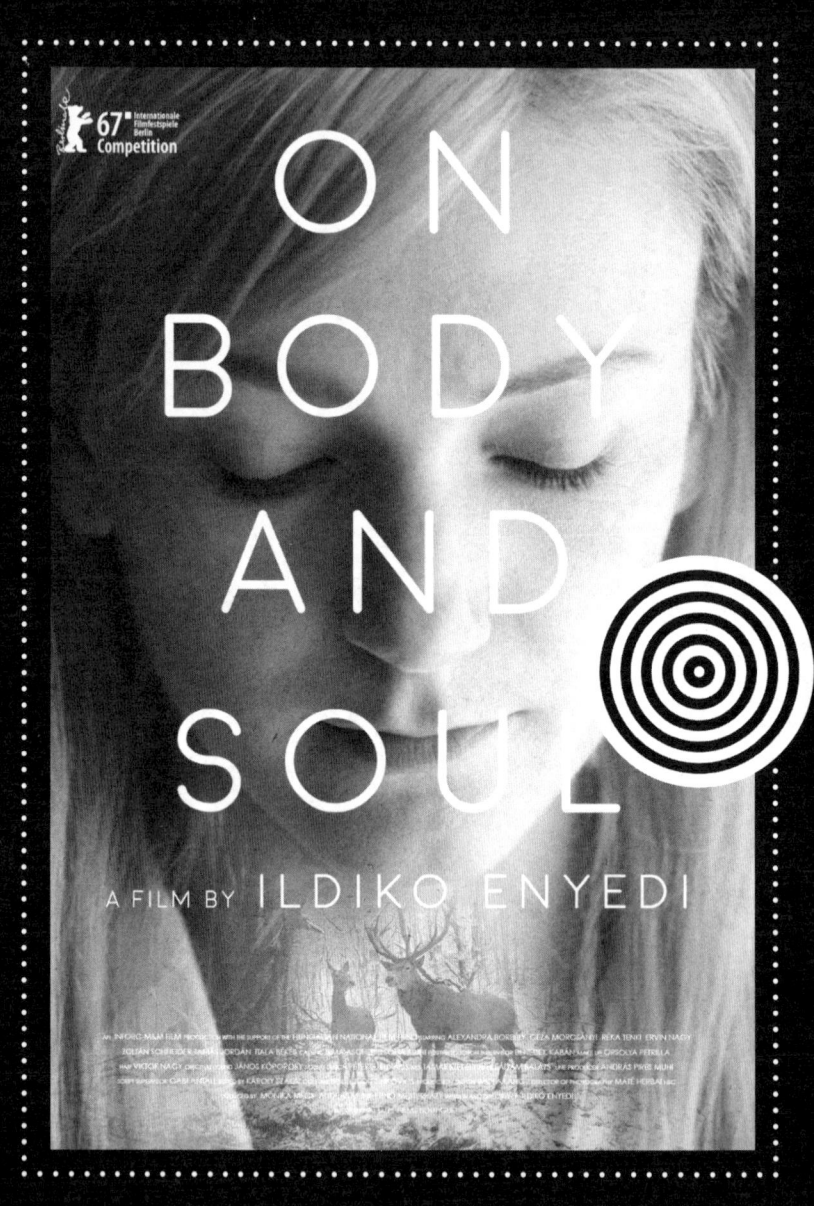

Corpo e Alma (Teströl és lélekröl), 2017
Dirigido por Ildikó Enyedi

Dois trabalhadores de um matadouro descobrem que ambos têm os mesmos sonhos. Eles se encontram como cervos em uma dessas jornadas oníricas e se apaixonam. Os dois têm a intenção de levar a relação para o mundo desperto — mas isso não será tão fácil quanto parece.

CINEMA dos SONHOS

The Sandman (The Sandman), 2022

Criada por Neil Gaiman, David S. Goyer e Allan Heinberg; baseada na obra de Gaiman

A personificação de Sonho, um dos Perpétuos, finalmente encontra a liberdade depois de ficar anos aprisionado por um mago. Mas com a liberdade ele também terá que lidar com vários anos de descaso com seu reino, o Sonhar, e diversos problemas causados por sua ausência.

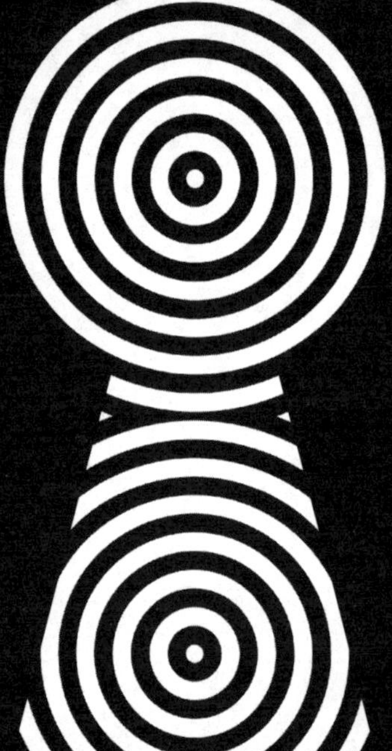

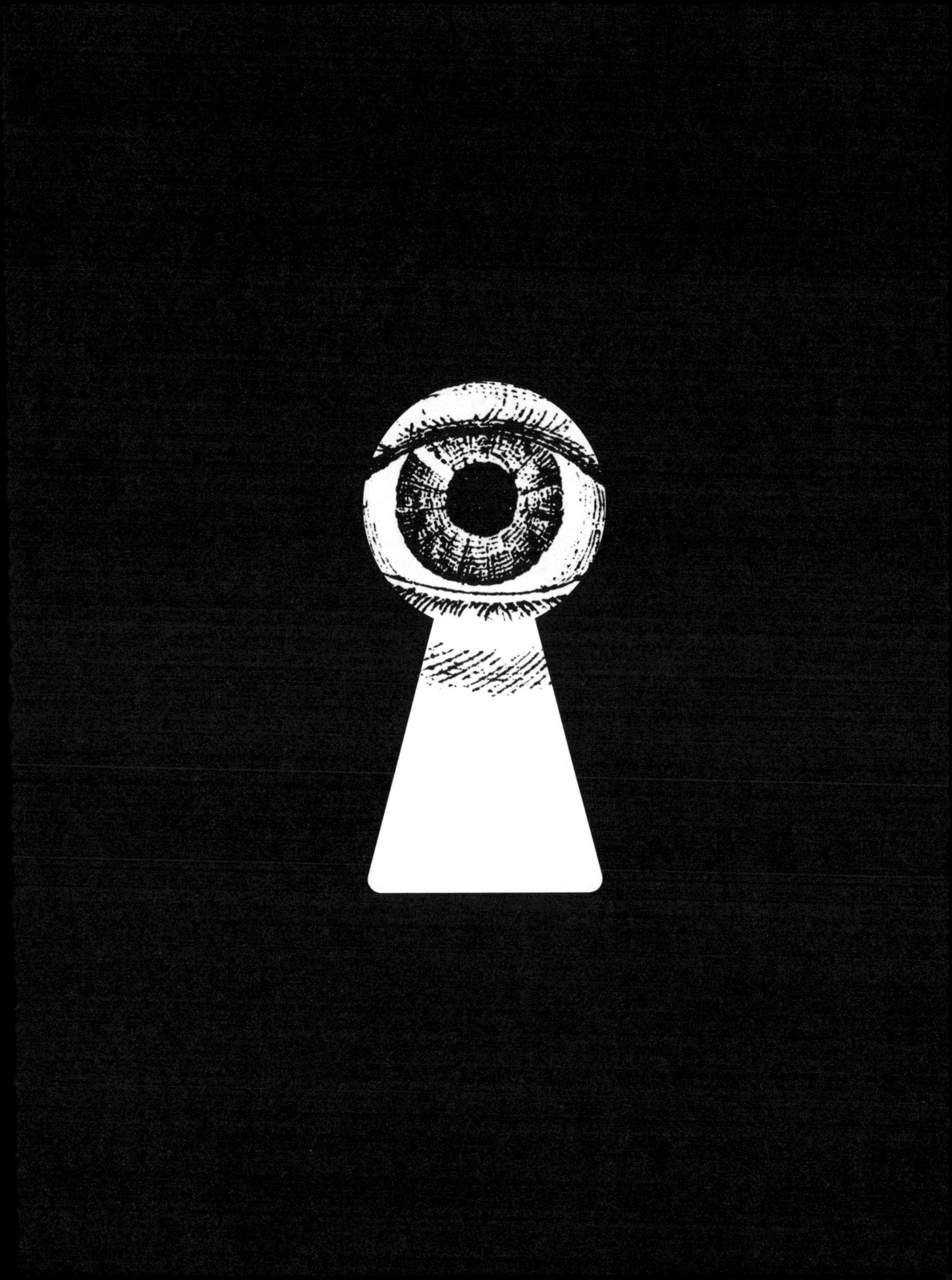

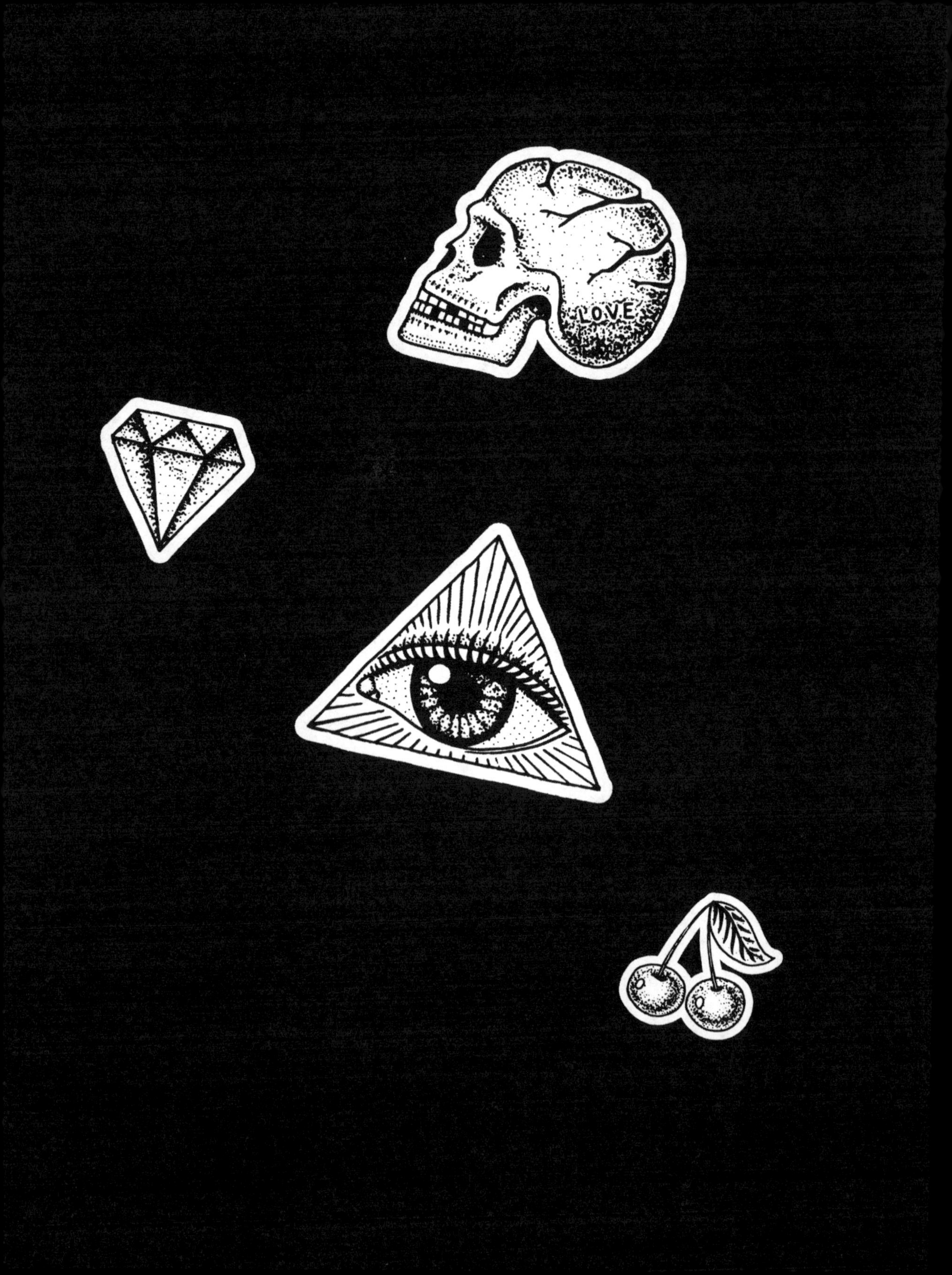
LOVE

GUSTAVUS HINDMAN MILLER (1857-1929) nasceu em Chattanooga, no Tennessee. Ao longo de sua vida foi comerciante, financista, fazendeiro e autor. Dentre os livros que escreveu estão *Lucy Dalton*, *Thysparia the Mysterious*, *Tribute to His Brother* e *What's in a Dream?*, livro que também ficou conhecido pelo título *Ten Thousand Dreams Interpreted*, expandido por Linda Shields e Lenore Skomal.

LENORE SKOMAL é escritora e jornalista, e escreveu em diversos gêneros narrativos diferentes ao longo de sua carreira, como *Third Willow*, *Bluff* e *Burn Toast*. Ganhou prêmios consideráveis tanto em ficção quanto em não ficção — dentre eles o New York Public Library's Best Books for Teens 2003 e Next Generation Indie Book Award de 2012.

LINDA SHIELDS já foi florista, contadora, corretora, mas nunca deixou de lado seus sentidos psíquicos, que lapida desde os oito anos para ajudar outros seres humanos em sua jornada pela terra. Também conhecida como "a médium de Jersey Shore", trabalhou em parceria com Lenore Skomal no *Dicionário dos Sonhos* e em *Angel Inspirations for Serenity and Love*.

Mr. Sandman, bring me a dream

10

DARKSIDE

"As coisas não precisam ter acontecido para serem verdadeiras. Contos e sonhos são verdades-sombras que vão perdurar quando os reles fatos não forem mais do que pó e cinzas esquecidas."

— *SANDMAN*, NEIL GAIMAN —

DARKSIDEBOOKS.COM

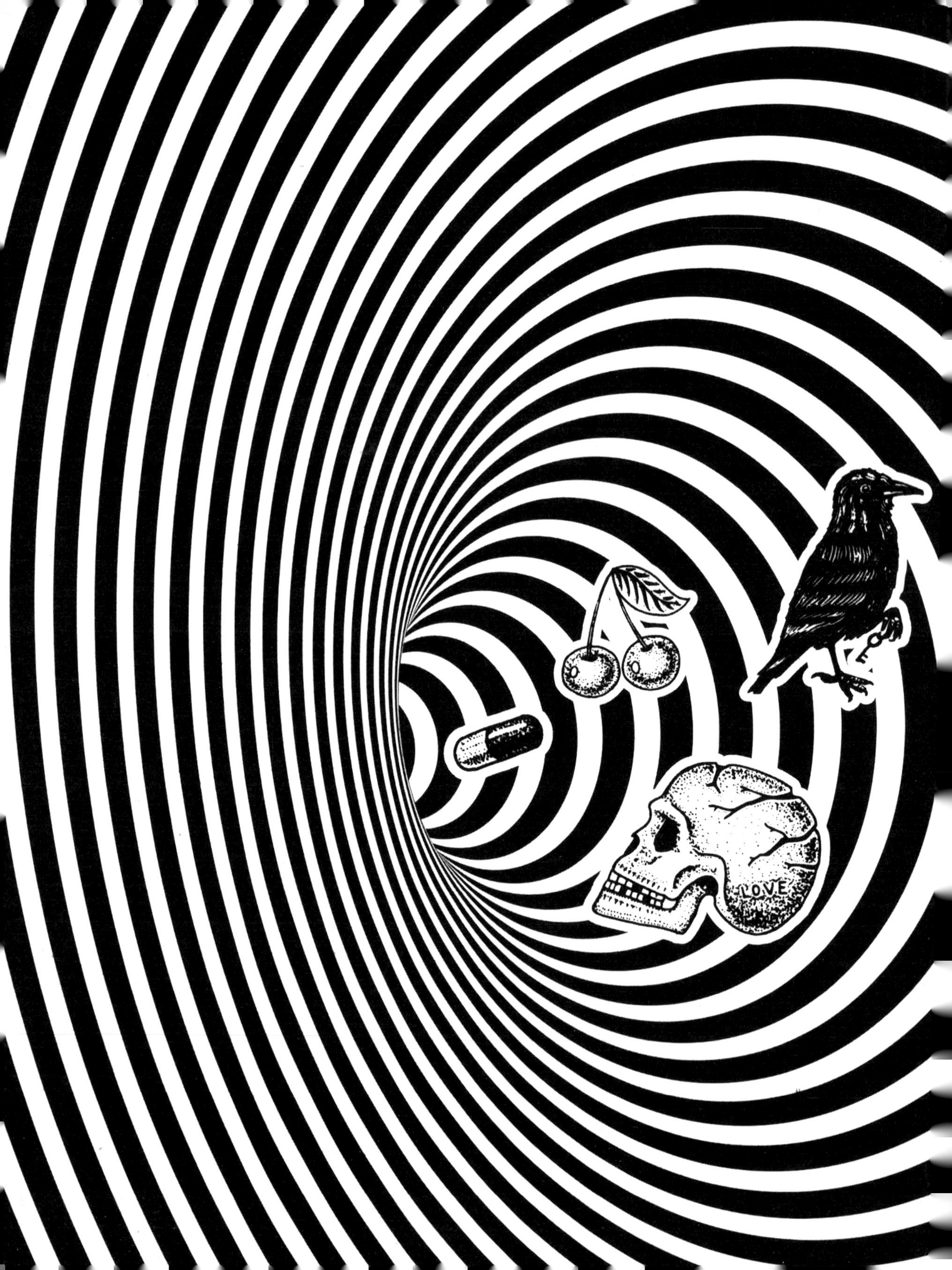
LOVE